ITALO CALVINO

Atti del Convegno internazionale

**(Firenze, Palazzo Medici-Riccardi
26-28 febbraio 1987)**

Interventi di:
Luigi Baldacci • Giorgio Bárberi Squarotti
Carlo Bernardini • Giorgio Raimondo Cardona
Lanfranco Caretti • Cesare Cases • Philippe Daros
Daniele Del Giudice • Alfonso M. Di Nola
Antonio Faeti • Giovanni Falaschi
Gian Carlo Ferretti • Franco Fortini • Mario Fusco
Jean-Michel Gardair • Enrico Ghidetti • Luigi Malerba
Pier Vincenzo Mengaldo • Giuseppe Nava
Geno Pampaloni • Lene Waage Petersen
Ruggero Pierantoni • Sergio Romagnoli
Alberto Asor Rosa • Jacqueline Risset
Gian Carlo Roscioni • Aldo Rossi • Gaio Sciloni
Vittorio Spinazzola • Claudio Varese

Comune di Firenze • Provincia di Firenze • Regione Toscana • Università di Firenze

Garzanti

Prima edizione: ottobre 1988

Edizione a cura di Giovanni Falaschi

Comitato Promotore
Comune di Firenze: Giorgio Morales (Assessore alla Cultura)
Provincia di Firenze: Alfiero Ciampolini (Assessore alla Cultura)
Regione Toscana: Franco Camarlinghi (Assessore alla Cultura)
Università di Firenze: Franco Scaramuzzi (Rettore Magnifico)

Comitato scientifico
Alberto Asor Rosa, Giovanni Falaschi, Geno Pampaloni

Comitato organizzatore
Mario Sperenzi (Segretario generale), Marinella Grassi, Ivo Guasti,
Enrico Lorenzetti, Stefano Mecatti

ISBN 88-11-59801-X

ITALO CALVINO
Atti del Convegno internazionale

Piuttosto che nella circostanza dolorosa della sua morte precoce, il Convegno su Calvino di cui ora si pubblicano gli Atti trova giustificazione nella nostra lunga fedeltà di lettori della sua opera: la stessa fedeltà che va riconosciuta agli altri relatori e al folto pubblico che per tre giorni ha affollato la bella sala di Luca Giordano in Palazzo Medici-Riccardi, sede del Convegno.

Il fatto è che Calvino è stato per tutti un punto di riferimento indispensabile nel panorama letterario italiano di questo dopoguerra (e col tempo è diventato tale nel panorama internazionale): la Tavola Rotonda che chiude questo volume documenta emblematicamente quanto già si coglie nelle relazioni, e cioè la molteplicità dei suggerimenti contenuti nella sua vasta e complessa produzione. In definitiva, il Convegno ha dimostrato la correttezza dell'ipotesi che aveva presieduto alla sua strutturazione: data la grande ricchezza dei temi proposti dallo scrittore, evitare il ritratto a tutto tondo e selezionare alcuni temi centrali, impegnando i relatori a svolgere un'indagine precisa — e all'occorrenza anche molto tecnica — e nel contempo coinvolgerli in un'operazione che, se il termine fosse ancora usuale, potrebbe chiamarsi militante.

Un Convegno tende a bruciare uno scrittore per anni, a consegnare alla contemporaneità una sua immagine rigida; ma, ascoltate le relazioni e poi rilettele per la stampa di questi Atti, non ci pare francamente che questo sia avvenuto. La figura di Calvino, studiata da diversi punti di vista e sottoposta anche ad indagini molto ravvicinate, non ne risulta rimpicciolita; e mentre la sua fisionomia si precisa, si precisano le posizioni dei suoi critici, si delineano i termini del loro contrasto e i temi in discussione. Più che chiudere i conti con Calvino, questo Convegno li ha aperti in termini nuovi.

Si ringraziano, oltre naturalmente i partecipanti all'iniziativa, gli Enti che l'hanno promossa, e i critici e giornalisti che le hanno dato ampio risalto. Un ringraziamento particolare ad Alfiero

Ciampolini, assessore alla Cultura della Provincia di Firenze, nella cui sede si è svolto il Convegno, e ai suoi collaboratori Mario Sperenzi, Marinella Grassi e Ivo Guasti che a vario titolo hanno contribuito alla sua riuscita.

IL COMITATO SCIENTIFICO
Alberto Asor Rosa
Giovanni Falaschi
Geno Pampaloni

Gli Atti contengono tutte le relazioni lette al Convegno, eccetto quella di François Wahl e l'intervento di Gianni Celati alla Tavola Rotonda, che non sono stati consegnati agli organizzatori e che ci auguriamo siano editi presto in altra sede.

Alfiero Ciampolini
(Assessore alla Cultura della Provincia di Firenze)
SALUTO AI CONVENUTI

È con sincera gratitudine che rivolgo a tutti loro l'indirizzo di saluto ed il benvenuto augurale degli enti promotori di questo Convegno Internazionale di Studi sull'opera di Italo Calvino.

Il Convegno che oggi si apre, ideato dall'Amm.ne Prov.le di Firenze già nell'ottobre del 1985, ha incontrato l'immediata sensibilità e l'interesse dell'Università di Firenze, della Regione Toscana e del Comune di Firenze insieme alla totale disponibilità dei Professori Alberto Asor Rosa, Giovanni Falaschi e Geno Pampaloni che in veste autorevole di componenti del Comitato Scientifico hanno garantito il punto di riferimento prezioso e costante per la definizione laboriosa e rigorosa della sua struttura organizzativa e della sua valenza culturale. A loro voglio pubblicamente rinnovare il nostro cordiale ringraziamento e la profonda stima.

Abbiamo fin dall'inizio pensato ad un convegno di studi che, senza cedere a retoriche celebrazioni rituali, fosse all'altezza di riflettere ed esplorare criticamente la complessità dei molteplici significati e contenuti dell'opera calviniana. C'è sembrato questo il taglio più convincente, più utile ed anche più consono alla statura ed alla personalità di Calvino. Sapevamo che indagare sull'opera di Calvino significava soffermarsi su una delle espressioni più fervide ed elevate della nostra produzione letteraria; ma Calvino non è soltanto un grande scrittore, egli sta a buon diritto fra i protagonisti più geniali ed attendibili della cultura italiana in cui ha saputo incidere segni fecondi ed indelebili.

Egli vi è riuscito innanzi tutto da grande maestro della narrativa, ma insieme da raffinato intellettuale autenticamente anche impegnato nella vita politica e sociale, portandovi sempre un contributo originale e costruttivo, per fortuna critico nella sua problematicità.

Calvino ha confermato con coerenza questa sua passione civile e sociale anche dopo la scelta, indubbiamente sofferta, di abbandonare nel 1957 il PCI nel quale aveva attivamente, con motivato orgoglio, militato fin dal 1944; ovvero dagli anni difficili, ma

9

anche pieni di entusiasmo e di promesse, del suo impegno nella Resistenza.

Calvino ha saputo mantenere viva e creativa la sua curiosità, attento alle novità ed alle trasformazioni aperte nella società contemporanea, senza mai però indulgere verso le facili seduzioni delle spesso effimere mode di stagione.

Il Convegno di questi giorni non mancherà di analizzare anche altri suoi contributi peculiari, quali l'impegno profuso nel lavoro editoriale alla Casa Editrice Einaudi o il suo lucido ed apprezzato lavoro di critico. C'è un livello di attenzione notevole, d'altronde prevedibile, circa i lavori di questo Convegno. C'è un'attesa quasi impaziente per i suoi risultati che sono certo non sarà delusa. La presenza di così tanto illustri e stimati studiosi, critici e scrittori, rappresenta la migliore garanzia per un successo lusinghiero. Grazie per la loro pronta e squisita disponibilità ad accettare il nostro invito, anche come segno tangibile di interesse nei confronti di un grande maestro. Grazie anche a tutti coloro che si sono adoperati per l'organizzazione a partire dai miei collaboratori dell'Ufficio Cultura. Un particolare ringraziamento infine mi è caro rivolgere alla Signora Calvino che gentilmente ci onora della sua presenza.

Ed ora buon lavoro!

LE FORME DEL LAVORO

Lanfranco Caretti (presidente)

Signore, signori, colleghi e amici.

La mattinata sarà molto densa: ci premono infatti quattro relazioni. Si conta perciò sulla continenza degli oratori. È tuttavia io non intendo ridurre la mia presenza a puro addobbo della cerimonia e quindi mi prenderò un po' di tempo per rendere personale testimonianza dei miei stretti e particolari rapporti di amicizia con Italo Calvino.

La nostra amicizia diretta risale al 1957 (avevo già letto i suoi libri, e anche lui conosceva qualche mio saggio). In quel tempo ero 'pavese' perché all'Università di Pavia mi aveva condotto l'insegnamento universitario; Calvino nello stesso periodo era addetto all'ufficio stampa dell'Einaudi. E poiché io tenevo una rassegna critica sull'«Approdo letterario» e avevo avuto inoltre l'incarico per il 1958 di recensire alla radio le novità di narrativa italiana contemporanea, venne stabilendosi tra noi un fitto rapporto epistolare e ben presto un vero e proprio sodalizio. Mi colpirono subito il rigore e il puntiglio con cui Calvino discuteva i libri che venivo via via chiedendo all'editore e su cui soffermavo la mia attenzione: talvolta consentiva, altre volte recalcitrava dissentendo; e non esitava a giudicare severamente anche le opere pubblicate dall'Einaudi. Era senza dubbio un fertile scambio di idee, di vivaci stimoli alla curiosità e ai ripensamenti. E con lui gli interlocutori, davvero memorabili, che io trovai allora presso l'editore torinese erano Giulio Bollati e Daniele Ponchiroli.

Intorno al '60 Calvino, benché restìo a muoversi dalla sua sede e diffidente verso gli ambienti accademici, accettò di buon grado, e non una sola volta, il mio invito a venire a Pavia a discorrere con i miei studenti di lettere, a farsi interrogare sul suo lavoro, a intervenire polemicamente e con energia sulla questione del romanzo, del realismo e dintorni. Ci fu così offerta l'occasione di stare insieme qualche giorno, girando la città, che gli piacque molto, di conoscerci più a fondo, di maturare simpatia e amicizia reciproche. Frequentò la mia casa, la mia famiglia, conobbe anche i miei figli ragazzi. Di loro si ricordò anni dopo inviando

13

per il Natale 1967 il *Marcovaldo* illustrato da Sergio Tofano con un saluto affettuoso. Dico queste cose perché Calvino è stato certo per me uno scrittore ed un uomo di lettere d'altissimo livello, ma anche una 'persona' degna di essere conosciuta e frequentata. Ho altresì memoria che in quel giro di tempo mi accadde di scrivere alcune pagine, trasmesse poi alla radio, sulla *Speculazione edilizia*, e che sui miei giudizi, forse anche troppo pedagogicamente esortativi, ci scambiammo una serie di riflessioni affidate ad alcune lettere. Aveva naturalmente ragione lui: io l'avevo invitato a uscire dal pendolarismo tra realtà e fantasia per una soluzione univoca, e Calvino invitava invece me e altri critici a capire, a spiegare, e non ad auspicare esiti unilaterali programmando per lui l'avvenire: chiedeva insomma di essere discusso (preso o respinto) per ciò che aveva fatto, per ciò che era, e non dimezzato come il suo visconte con il bene di qua e il male di là, sollecitato a scegliere nell'intrico suggestivo e complesso della sua narrativa. E giustamente ricordava che sin dall'origine la sua scrittura aveva mischiato insieme verità e fiaba, storia e libera avventura. Era un punto nodale, un passaggio arduo e intensamente vissuto, dell'esperienza artistica di Calvino, che mi diede molto da pensare soprattutto quando ho letto poi i libri che seguirono a partire dalle *Cosmicomiche*. E vale la pena di ricordare anche un'altra occasione di incontro non effimero. C'era a Pavia in quel tempo Sergio Romagnoli, antico einaudiano e amico di Calvino. Con lui si fece una specie di congiura e dopo reiterate insistenze ci riuscì di persuadere il recalcitrante Italo ad accettare per *La giornata d'uno scrutatore*, uno dei testi più inquietanti degli anni sessanta, il Premio Veillon 1963 che veniva conferito ogni anno in terra elvetica da una giuria internazionale di cui Romagnoli ed io facevamo parte come rappresentanti dell'Italia. Venne a Losanna, partecipò compuntamente alla cerimonia, ritirò il premio, e subito si precipitò alla stazione, con noi, per tornare immediatamente a Torino. Imbarcati in un solitario scompartimento ferroviario ci avvenne di abbandonarci ad una sfrenata allegria, ad un'allegria festosa e liberatoria. Commentammo con ironia non calunniosa comportamenti e usanze dei colleghi elvetici, anche qualche loro tic divertente, deformando a ripetizione alcuni dei nomi teutonici in chiave severamente militaresca. Ricordo un Calvino del tutto rilassato: il suo riso era schietto, senza filtri. Mi sembrò quel giorno giovanissimo, felice di abbandonarsi all'estro dell'ironia e delle invenzioni verbali, un ragazzo insomma fatto sereno e leggero da quella vacanza e da quella confidenza.

14

Di lì a poco ci hanno diviso la partenza di Calvino per Parigi e la mia per Firenze. Il filo che ci legava tra Torino e Pavia ne risultò per lunghi tratti interrotto. Non so perché le cose siano andate così, ma è probabile che le nuove residenze e le nuove amicizie ed esperienze, le sue sulla Senna e le mie sull'Arno, ci abbiano in qualche modo distratti inducendoci inavvertitamente a prolungati silenzi. E tuttavia, seppure fosse mutato il ritmo dei nostri rapporti, non mancarono neppure in quegli anni motivi di contatto e di scambio mentale. Prima di lasciare l'Italia Calvino aveva infatti proposto alla Einaudi di ristampare nella NUE il mio commento ariostesco, già apparso presso la Ricciardi nel 1953, ampliato e riveduto: il che avvenne nel 1966 con sua e mia soddisfazione. Perché l'Ariosto stava molto a cuore a Calvino, al quale avevano certo interessato le funzioni di quegli straordinari meccanismi narrativi, quella libertà sconfinata dell'immaginazione e quell'inestricabile e vitale senso della vita: trappole e sortilegi. E soprattutto doveva attirarlo la mirabile messa in opera di un metodo combinatorio che intrecciava e scioglieva inesauribilmente i destini incrociati dei personaggi (luogo deputato il castello del mago Atlante): lo stesso metodo di composizione che assunse Luca Ronconi quando mise in scena il poema ariostesco facendone emergere e visualizzandole le varie strutture, mobilissime e interscambiabili, e quindi illustrandone, con un vero e proprio atto critico, il carattere di opera aperta. Stando dunque all'Ariosto e alla costante inclinazione di Calvino verso quella inesauribile selva labirintica, non mi stupii di ricevere da lui nel 1968 un libretto «non venale», edito dall'Eri e intitolato *L'Orlando Furioso letto da Italo Calvino*: un'agile e illuminante guida, con brani del testo e legamenti narrativi, che servì per l'edizione discografica del poema. Nella dedica che mi riguardava, Calvino si definiva con grazia e civetteria «ariostista dilettante», quasi a far intendere che il «professionista» fossi io. In verità lui era un ariostista di lungimirante acume e il suo «compendio» risultava prezioso in tutti i sensi, per i suggerimenti di lettura e per l'abile mimèsi dei ritmi e dello stile, come è attestato dalla fortunata ristampa, questa volta pubblica, del «libretto», ampiamente rielaborato, al quale fui lieto di collaborare, su sua richiesta, chiosando in fine i testi poetici prescelti e coniugando così il mio nome al suo, ma come docile 'spalla' a quel «dilettante» d'eccezione.

Altro luogo di incontro fu negli anni successivi il Manzoni. Non tutti sanno che Calvino nel 1973 partecipò ad un convegno manzoniano a Nimega e che in quella circostanza scrisse, lesse e discusse una relazione sui *Promessi Sposi* che restò confinata negli *Atti* di quel convegno e fu messa a stampa, e quindi divulgata, solo più tardi nel suo libro, «discorsi di letteratura e società», *Una pietra sopra* che è del 1980. Orbene a me accadde di vedere quel testo appena venuto alla luce nel raro volume congressuale e mi trovai subito d'accordo con quel saggio calviniano per l'impostazione e le conclusioni onde veniva fatto emergere il fondo pessimistico di tanta parte del romanzo (l'antidillio che vi è implicito) e si denunciava la violenza della natura e del potere che lo percorre da cima a fondo e che connota i rapporti tra i vari personaggi (*Il romanzo dei rapporti di forza*). E come ci aveva uniti l'Ariosto sotto la comune costellazione einaudiana, così anche questa volta il discorso di Calvino si intrecciava ai miei lavori manzoniani, testuali e critici, cresciuti in quegli stessi anni nell'ambito appunto della casa editrice di Torino. Ma ciò che a me più preme è ricordare che mi indussi immediatamente ad appropriarmi di quel testo di Calvino in una mia guida manzoniana e precisamente nella sezione dedicata ai giudizi e alle testimonianze degli scrittori. Così anche in questo caso, lui sulla Senna ed io sull'Arno, ci accordavamo indipendentemente l'uno dall'altro sopra uno scrittore assai male inteso come il Manzoni, e a me riusciva anche questa volta di coniugare pubblicamente il suo nome al mio.

Ci siamo finalmente risentiti direttamente, almeno per lettera, dopo il suo rientro in Italia, a Roma. L'incontro questa volta è avvenuto nel segno di *Marcovaldo* e dei lettori giovani di cui Calvino faceva gran conto. E di mezzo c'è stata una mia nipote dodicenne, Simona, che aveva letto *Marcovaldo* e ne aveva fermato le sue impressioni in un diario personale. Molto colpevolmente, e naturalmente in segreto, feci una copia di quelle chiose e le inviai a Calvino, il quale lesse, ammirò e scrisse una lettera molto bella e istruttiva (anche per gli adulti...) alla fanciulla ignara e alla fine felicemente sorpresa. Fu l'occasione per risentirci, per rammaricarci dei lunghi silenzi, per progettare altre occasioni di incontro («Sono molto contento dell'occasione che ci ha fatto risentire dopo anni, e spero che ne avremo presto altre. Con amicizia»). Ma quelle occasioni, da entrambi vagheggiate, purtroppo non ci furono nel tempo che seguì e che precipitò ad un esito fatale: i nostri destini hanno così cessato irreparabilmente di incrociarsi.

E ora come presidente dei lavori della mattinata, prego Geno Pampaloni di prendere la parola e di svolgere la sua relazione.

Geno Pampaloni
IL LAVORO DELLO SCRITTORE

Sarebbe un gran bel fatto se dalla fioritura di tutti questi convegni su Italo Calvino venisse fuori il libro che ancora manca alla sua bibliografia: una biografia "par lui même", un'autobiografia messa insieme raccogliendo e trascegliendo saggi, prefazioni, conferenze, confessioni ed anche qualche brano narrativo. In Calvino è sempre rimasto qualche cosa dello «scoiattolo della penna» che Cesare Pavese vide in lui giovanissimo; come capita agli scrittori veri, e non sempre, egli sa "raccontare" le idee; e, altrettanto importante, la sua agilità si è misurata su quasi tutti gli alberi che intrecciano le loro radici nell'intrico della foresta contemporanea. Già nel '49, come Paolo Spriano mi ha amichevolmente ricordato (nel '49: a questa probabile primogenitura tra i critici qui presenti devo l'onore e l'onore di parlare per primo), io davo di Calvino un giudizio quasi opposto a quello, peraltro geniale, di Pavese: lo dicevo infatti scrittore "solido e sicuro" quale da tempo non capitava di incontrare. Non credo di aver avuto del tutto torto: il ragionare di Calvino (che a me sembra diminuitivo limitare a "razionalismo") è stato per quarant'anni un continuum che ci ha accompagnato nei labirinti della storia, e fa di lui una presenza indispensabile nella nostra cultura.

Tornerò su questo punto più tardi. Per ora osserverò che, per dirlo con terminologia desueta ma sostanziale, egli ha assediato da ogni parte, con lucido rigore e impennate fantastiche, il tema inesauribile del rapporto tra letteratura e vita.

Scriveva (1964) nella prefazione alla riedizione di *Il sentiero dei nidi di ragno*: «Le letture e l'esperienza di vita non sono due universi ma uno. Ogni esperienza di vita per essere interpretata chiama certe letture e si fonde con esse [...] in gioventù ogni libro nuovo che si legge è come un nuovo occhio che si apre e modifica la vita degli altri occhi o libri-occhi che si avevano prima». La letteratura è qui definita come controcanto esistenziale necessario alla cognizione del vivere.

Pochi anni dopo (1967), in *Cibernetica e fantasmi*, così commen-

17

tava il progetto di Edmond Dantès (nel *Conte di Montecristo*) di una fortezza-prigione così perfetta da cui non fosse possibile fuggire, in contrapposizione al progetto, altrettanto perfetto, di fuga dell'Abate Faria: «basterà individuare il punto ove la fortezza progettata non coincide con quella vera», per trovare il segnale della possibilità di fuga. Qui la fantasia, e possiamo dire, per legittima estensione, la letteratura, è lo scarto salvifico dal determinismo della realtà. La conclusione sembra infatti allo scrittore la più ottimista possibile.

Il lavoro di Calvino sembra svolgersi entro quei due poli, tra quelle due in apparenza contrastanti idee di letteratura, controcanto esistenziale a ridosso della vita, e scarto provvidenziale dalla realtà procurato da ciò che potremmo chiamare fantasia della verità: tra letteratura come conoscenza del reale e letteratura come conoscenza dell'ulteriore, del trascendente, dell'inconoscibile. A me sembra che riportando la sua irrequieta investigazione al tema generale letteratura-vita non si cada, come qualcuno potrebbe dedurre, nel generico; ma al contrario si dia un contenuto più pregnante alla vecchiotta antinomia fra un Calvino realista, razionalista, illuminista, ecc. ed un Calvino fantastico, fiabesco, favoloso, antinomia che in realtà non esiste. Egli prese le mosse, in effetti, dalla educazione genericamente realista tipica del dopoguerra (da Hemingway sino a Babel'); confessò che il concepimento primo di ogni suo libro consiste in un «groppo lirico-morale», e che cominciò a scrivere nel '45 spinto da «un senso della vita che può ricominciare da zero»; in ciò egli è perfettamente ''generazionale''. Ma il suo ''anno zero'' più che un cominciamento, è una crisi. La ragione stessa vi è compresa, è soggetta agli scacchi e alle sconfitte, alle impotenze. È strumento vitale, insostituibile, il più alto patrimonio umano, ma la realtà travalica i suoi schemi. Il residuo ''informale'' della realtà alita come il fiato di una buia voragine, sulla quale lo scrittore razionalista si affaccia pieno di buone intenzioni scientifiche ma sui cui margini finisce per passeggiare come un viaggiatore curioso, e infine deluso. E se la struttura della sua curiosità è ancora scienza ed ordine, non è meno importante la sua impazienza e golosità dell'imprevisto. Il Calvino si situa dunque nella posizione ove le ''due culture'' si scambiano le loro accuse; e si compromette con tutte e due. La sua indipendenza, la sua onestà intellettuale, sta in un'ammissione di duplice corretà: che non significa né agnosticismo né doppiezza sibbene tentativo di intelligenza storica. Egli è in sostanza un razionalista, non osservante della Dea Ragione, emotivo e addirittura immaginifico. Il suo gusto sottile di illuminista novecentesco non rifiuta gli artificiosi prodigi di quel gran secolo scientifico e metafisico che fu il '600. Il suo narrare si ispira alla dialettica di una ragione fantastica. La ragione s'incarna nella vitalità, e non si pone in alternativa, ma in sodalizio, con la fantasia. La fantasia è un coefficiente, quasi un eccitante, della ragione. «Ogni cosa», dice il suo Barone rampante nel mezzo di un convegno d'amore, «a farla ragionare aumenta il suo potere». Questo è il fondamento della sua filosofia poetica. La ragione non serve soltanto per comprendere il mondo e per cambiarlo ma anche per goderlo. Il razionalismo del Calvino è edonistico nella stessa misura che critico. Questo spiega molte cose: 1) la sua "spavalda allegria giovanile", la natura schietta e confidenziale di sempre del suo commercio con le idee; 2) la sua disposizione naturale alla favola, nella quale il moralismo non ha luogo, e cede il posto ad una moralità globale, appunto affabulatrice della molteplicità della vita, e nella quale il giuoco fantastico si stempera in una più ampia allegoria esistenziale; 3) l'«atteggiamento descrittivo, elencatorio, teso a sfruttare le possibilità che la contiguità tra le cose stesse gli offre» còlto bene da Renato Barilli, quel suo realismo cioè come nitida "gourmandise" della oggettualità; 4) e infine, per la coerente logica dei contrasti, l'esito metafisico affiorante, che dà al suo lavoro, specie nell'ultima stagione, un'arcana sigla di nobiltà e di sconfitta. La ragione di Calvino non frequenta soltanto la storia del mondo, il bene ed il male tra cui scegliere: frequenta anche il mistero dell'essere e del non essere, del tutto e del nulla.

Una volta, dopo la recensione a *Le città invisibili* (1972), Calvino si dispiacque, pur con la signorilità che gli era propria, della mia insistenza nel paragone con Borges. «Perché non vera?», mi scrisse. «No, forse perché troppo vera, e rispondente ad una immagine che ho consapevolmente scelta e tracciata. Ma che già mi comunica un'insoddisfazione, come un territorio ormai esplorato. E più che le convergenze con Borges, — senza voler diminuire l'importanza di un incontro cui una profonda comunanza di gusto mi predestinava — mi stanno a cuore le differenze, che derivano dai lontani percorsi di provenienza». Quali sono le «differenze»? Una mi sembra decisiva. Mentre Borges è il poeta dell'assurdo, in Calvino l'assurdo ha nulla o scarsa cittadinanza. La parola stessa, a quel che ricordo, ricorre assai di rado. Non sono un esperto in "concordanze" calviniane, ma ho presente un caso illuminante. Egli definisce assurdo il racconto di Beppe Fenoglio, *Una questione privata*; assurdo perché «non si arriva ad un vero perché». Nel mondo poetico di Calvino non esiste l'assurdo, esiste il meraviglioso, e proprio in virtù di quella creativa simbiosi tra fantasia e ragione cui ho accennato poco fa. Il meraviglioso può sconfinare nell'ineffabile, o nel metafisico, ma non scardina le regole della ragione. Anche quando, nelle pagine più spericolate e di vertigine semiologica, lo scrittore prende a partito le più ardue e stremate ambiguità e sembra scrivere affascinato dall'ineffabile, il suo "informale" rivela un'intima struttura geometrica, segreti rispecchiamenti e simmetrie; come quei terrosi aggregati minerali che, a batterli con il martello, si scompongono in parallelepipedi e dodecaedri, e ricompongono sotto i nostri occhi l'inquietante mistero dell'Ordine.

Veniamo ora, con la sommarietà doverosa in un convegno così denso, ai testi. «Viviamo in una società letteraria basata sulla molteplicità dei linguaggi, e soprattutto sulla coscienza di questa molteplicità»: a questa poetica Calvino è stato fedele. L'unità del suo "lavoro di scrittore" si fonda su di essa. Non per caso, quando nel '58 raccolse i suoi *Racconti* nel volumone einaudiano, scartò il criterio cronologico e preferì quello tematico: «gli idilli difficili», «le memorie difficili», eccetera. Ugualmente si comportò in *La memoria del mondo*, per il Club degli Editori (1968): «Quattro storie sulla luna», «Quattro storie sulla terra» eccetera; e per *Cosmicomiche vecchie e nuove* (1984). Tuttavia, con la dovuta cautela, una certa diacronia è possibile, e anzi indispensabile. Si deve parlare, più che di tempi, di momenti o stagioni, non necessariamente distinti cronologicamente, ma pur sempre indicativi di una mutevole ricerca nel quadro della «molteplicità dei linguaggi». Calvino non può dirsi "sperimentale", se si guarda alla scrittura; è sperimentale, per così dire, la sua intelligenza, tesa a cogliere nella società, nella politica, nella cultura l'affiorare di nuovi sentimenti ed atteggiamenti collettivi, quelli che i cattolici dicono "segni dei tempi". Fu sperimentale come intellettuale, e per questo è così difficile, ed anche improprio, a mio giudizio, distinguere nella sua opera il narratore ed il saggista.

Nel primo momento, «il dono di scrivere 'oggettivo' *gli* pareva la cosa più naturale del mondo». «Quando cominciai a scrivere storie in cui non entravo io, tutto prese a funzionare: il linguaggio, il ritmo, il taglio erano esatti, funzionali; più lo facevo oggettivo, anonimo, più il racconto mi dava soddisfazione». Il ragazzo Pin, protagonista del primo romanzo pubblicato, è, ci confessa l'autore, la trasposizione del «modo 'intellettuale' d'essere all'altezza della situazione, di difendersi dalle emozioni». Riletto oggi, quel libro *Il sentiero dei nidi di ragno* (1947) è un romanzo di guerra partigiana rivissuta come una favola naturale: il vero tema è l'incantesimo ritrovato nella realtà da un'intelligenza senza timori. Pochi anni dopo (1949) il Calvino pubblicò un volume di racconti (*Ultimo viene il corvo*) che segna una delle sue riuscite più definite. Lo scrittore riusciva a esprimere, della vita, la crudeltà innocente; ciò che raccontava di torbido, di eccentrico, di "neo-realistico" diveniva subito polito e intelligibile, in una prosa ove anche le passioni risaltavano come macchie fulve e senza peso impaginate in un disegno dai margini netti. Una simile facilità, un simile antipsicologico realismo ove la tensione ideologica (egli era allora comunista militante) si risolveva in ottimismo vitale, in una favola visuale che celebrava con giovanile malizia laica la sconfitta di ogni mistero, comprovavano una rara disponibilità al narrare.

Accanto alla favola della guerra, vista ancora in una magica luce di adolescenza, faceva spicco (e sono racconti fra i più belli) il «divertimento»: il soldato Tomagra che, in treno, seduto accanto ad una maestosa e muta Giunone, la sfiora e via via la tocca, la palpa e, rimasti soli nello scompartimento, la prende, senza che quella perda qualche cosa della sua compostezza o le si sposti di sulla testa il cappello guarnito di veli (*Avventura di un soldato*); poliziotti e ladri che nel buio di una pasticceria svaligiata superano dovere e paura per amore dei pasticcini (*Furto in una pasticceria*); il poveraccio che trova la sua felicità dormendo tra le pellicce di un grande magazzino perché all'Assistenza gli hanno dato delle maglie che pizzicano la pelle (*Desiderio in Novembre*)...

Lo scrittore non si rassegnò subito a convincersi che «il dono di scrivere "oggettivo"» non era più suo. *I giovani del Po* scritto tra il '47 e il '51 (lo pubblicò poi «Officina», reperto quasi fossile) è l'unico racconto di Calvino di palesi intenzioni neorealiste; ed è veramente un fuor d'opera.

Il secondo momento, in tutti i sensi centrale, sviluppa invece il tema del "divertimento", con una orchestrazione complessa che tuttavia non soltanto per comodità e brevità schematica può essere ricondotto a unità. Si distinguono in esso tre direzioni di lavoro. La prima: la trilogia che, poi raccolta sotto il titolo ironico *I nostri antenati*, immagina la figura dell'uomo contemporaneo: a) diviso e irrecuperabile in un mondo di due verità — *Il visconte dimezzato*, 1952; b) costretto a simulare l'evasione nella natura e nell'avventura metaforica favolosa e favolistica della realtà — *Il barone rampante*, 1957; c) ridotto a pura finzione esistenziale — *Il cavaliere inesistente*, 1959. Sono racconti di raffinata fattura, tessuti di una cultura insieme soda ed eccentrica, sapientemente disposta per essere trasferita in allegoria ed in apologo. Dei tre, il più

21

felice artisticamente è *Il barone rampante*: gusto illuministico cordialmente cresciuto su una nativa vocazione ariostesca. Si rilegga la bellissima pagina della lotta con il gatto selvatico. Cosimo, ancora ragazzo, è assalito dalla terribile bestia infuriata dopo una drammatica rincorsa tra i rami. Mentre, già raggiunto da feroci unghiate, è sul punto di cedere, riesce a coglierla di contro piede e infilzarla al volo: «Urlava di dolore e di vittoria e non capiva niente e si teneva stretto al ramo, alla spada, al cadavere del gatto, nel momento disperato di chi ha vinto la prima volta e ora sa che strazio è vincere, e sa che oramai è impegnato a continuare la via che ha scelto e non gli sarà dato lo scampo di chi fallisce». C'è in questa prosa il senso pieno, trionfale, meraviglioso, dell'avventura. L'inclinazione settecentesca convive con il rombo ed il fulgore del gran secolo che fu il Seicento; rombo e fulgore che rassodano, eccitano quella primaria inclinazione.

È da dire peraltro che proprio il racconto meno brillante della trilogia, *Il cavaliere inesistente*, è il più ricco di implicazioni destinate a fermentare nel futuro dello scrittore: a metà rientra nella maniera «politica», a metà introduce il tema fascinatore del nulla, il brivido sollecitante e oscuro della dimensione metafisica. *Il cavaliere* ha dunque in sé i presagi sia dei racconti per così dire di fantascienza del tempo, sia del tema che sarà svolto nella *Giornata d'uno scrutatore*, divorzio tra ideologia e vita, riaprirsi del perenne conflitto tra coscienza storica e natura; i presagi, cioè, di quelli che nella mia schematizzazione saranno il momento semiologico e il momento ''religioso''.

La seconda direzione di lavoro, contigua alla prima, è quella dei grandi saggi o apologhi, dal memorabile *La gran bonaccia delle Antille* (1956) che trascrive con amara ironia la delusione politica che mutò irreversibilmente il senso della cultura di sinistra, a *Il mare dell'oggettività* («senso del brulicante o del folto o dello screziato o del labirintico o dello stratificato»), a *La sfida al labirinto*, saggi che hanno nell'opera di Calvino un posto fondamentale, non meno importante di quello che spetta al narratore.

La terza direzione. Sono in certa misura la trasposizione narrativa di quei saggi (anche se a mio giudizio non li valgono): i racconti che Vittorini definì «neo-balzachiani», *La formica argentina*, *La speculazione edilizia*, *La nuvola di smog*, dal '52 al '59; racconti in cui un attentissimo realismo sociale sostiene, fa da supporto all'ispirazione allegorico-satirica. Racconti nitidi e musicali, e, ovviamente, pungenti e precisi nella denuncia, ineccepibili, ma nei quali l'abilità dialettica, la bravura formale, sembra prevalere sulla potenza drammatica e sulla spericolatezza stilistica

22

che più amiamo in Calvino. Ad essi, con lieve spostamento di tiro, si aggregano i racconti di *L'entrata in guerra* (1954), tra cui notevole *Gli avanguardisti a Mentone*, che in chiave di ricordo aprono un serio riesame critico sul periodo fascista e si collocano tra i documenti di più alta qualità culturale in una storia del costume italiano.

Eccoci al terzo momento dello scrittore: il momento semiologico. Parigi, ove si trasferì credo nel '64, fu per Calvino una iniezione di giovinezza. Si trovò proiettato nel crocevia tra scienza e letteratura, e in quel paesaggio inestricabile e infinito sembrò ritrovare una seconda patria della sua fantasia. Segni, segnali, informazioni, messaggi, cifre, che arrivavano nel mondo «brulicante» eccetera, legittimavano il «labirinto» che sino a ieri era stato per lui oggetto di sfida: lo legittimavano sia perché fatale, sia, per contrasto, perché spazio inesauribile di ricerche combinatorie: spazio dunque impervio e spalancato, misterioso e godibile. Credo che il periodo parigino sia stato per lui intellettualmente felice. Il libro che svetta è *Le città invisibili*. Esso somiglia in primo luogo a un giuoco di magia. Cinquantacinque città, che Marco Polo descrive o inventa, o ritrova nel fondo della memoria, dell'inconscio o della ragione, per raccontarle a Kublai Kan, potentissimo imperatore di un regno così immenso e potente da far presagire la fine: e diciotto dialoghetti tra i due, che vi disegnano attorno un'aerea cornice di sentenziosa malinconia. Ogni città è come una carta cifrata, un nuovissimo tarocco; nelle parole che la evocano, l'improbabile si mescola con il realistico, il fantastico con l'allegorico, l'aforisma morale con lo struggente impossibile, la sensuale memoria con il niveo scintillio dell'azzardo.

Lo scenario è fiabesco-orientale, carovane, spezie, pastori, deserti, donne alla fontana: ma su questa Mille e una notte brilla una luce assorta e implacabile, che non si sa se tragga origine da un riflesso lunare o da un gelido neon. Calvino partecipa della ambiguità contemporanea con un suo accento di lucido orgoglio intellettuale. Rastrema il suo istintivo barocco sino a farne una sottile linea diritta, sfrecciante, per poi dissolverla ancora in un ricciolo di fumo che va a misurare la sterminata curva dei cieli; accompagna accortamente la fiaba al livello della ragione, e viceversa libera la ragione al livello e negli spazi della fiaba. Pensiamo per un momento, a confronto, a *Le città del mondo* di Vittorini. Quel libro, nelle sue parti più autentiche si richiama stilisticamente all'epos, nel suggerire peregrinazioni, delusioni e infaticabili ricerche verso un luogo felice. Il viaggio vittoriniano verso "le città del mondo", è vero, conduce forse ad una impossibilità, a un'inesistenza, e rimane campito nella utopia; ma è un'utopia, la sua, ancora euclidea; il movimento che la insegue o la immagina si svolge entro uno spazio delimitato dalle tre dimensioni: il bersaglio a cui volge si può cogliere o mancare, può risultare irreale o irraggiungibile nel suo infinito, ma intellettualmente si colloca nell'ambito delle certezze. In altre parole, la fantasia, la speranza, il sogno, premono per diventare realtà. La città di quella utopia è ancora 'polis', politica.

Con Italo Calvino, vent'anni dopo, il quadro culturale di riferimento è radicalmente mutato. Non solo il mito della città perfetta è scomparso; ma se anche la città in sé perfetta esistesse, sarebbe soltanto una delle infinite forme del possibile, e si mescolerebbe con le imperfette. La perfezione non è più un primum, specchio di Dio, o un fermo traguardo, utopia laica dell'uomo, ma è, semplicemente, una delle possibilità, delle varianti dell'imperfezione, e la sua esistenza è garantita non già da un carisma ma dal calcolo delle probabilità. Perfetto e imperfetto, possibile e impossibile sono divenute categorie equivalenti, che si frammentano, si moltiplicano, si scambiano, si ricongiungono in uno spazio aperto, a più dimensioni. E ancora: se sinora, parlando di perfetto, imperfetto, possibile, impossibile, ci siamo tenuti prudentemente sul terreno degli attributi, è tuttavia consentito rovesciare il punto di vista, e riconoscere che è proprio "l'essere" la categoria più ipotetica e provvisoria, quella che si può mettere in forse ad ogni istante. Tutto ciò dà al libro una straordinaria modernità. In primo luogo per la perfezione stilistica: la sua prosa ha la capacità di oggettivare la propria sensualità, di offrirci la superficie asciutta di una interna sensualità di umori. Non per nulla una volta mi confessò di avere imparato a memoria, da ragazzo, intere pagine dei *Pesci rossi* di Cecchi. Ma la sua è una prosa d'arte rivisitata da un razionalista. Se guardiamo bene, facciamo una scoperta curiosa: le categorie logiche che egli adopera sono l'alternativa binaria (1 o 2, A o B), lo zero, l'infinito. Sono presso a poco le stesse categorie logiche del calcolatore elettronico. Forse le vie della provvidenza sono infinite anche in letteratura. Il favoloso Calvino è contemporaneo della civiltà dei computer. Leonia, la città dei consumi in un mondo assediato dai propri rifiuti, o Bersabea, la città fecale, sono simboli chiaramente leggibili: così come Marozia, la città del topo e della rondine (simboli del vecchio intollerabile e del nuovo sperato) e Berenice, la città dove i giusti, per l'orgoglio di essere nel giusto, diventano ingiusti, toccano da vicino il tema della rivoluzione; e

Laudomia, la città dove abitano, temutissimi, anche i nascituri, è un'immagine caustica della ingenerosità dei conservatori.

In secondo luogo, per la pregnanza sociopolitica che sostanzia le figurazioni allegoriche: il sottofondo (la fine dell'impero, troppo vasto e ricco per resistere alla sua stessa sterminatezza, minacciato dalla mastodontica città che tra poco ricoprirà con un'unica selva di cemento tutto il suo territorio) ci riconduce invece al tema principale. Reale e irreale si specchiano l'uno nell'altro con geometria simmetrica, il diritto è uguale al rovescio, il dentro al fuori, la felicità è un momento dell'infelicità o viceversa, una cosa è sempre segno di un'altra cosa, l'impero è uno zodiaco di fantasmi, passato ed avvenire coincidono, l'altrove è uno specchio in negativo del qui. La profezia diventa antiprofezia, il resoconto è un sogno, il sogno è un nostro desiderio, in un immobile vortice di identità che prelude alla fine.

Anche i racconti di *Se una notte d'inverno un viaggiatore*, molto superiori, a mio giudizio, alla sofisticata "cornice". Mi sono divertito una volta a leggere di fila i dieci racconti, saltando il resto, e poi ho riletto di fila il resto, saltando i racconti. Che cosa ne ho ricavato? (I racconti sono molto belli; vorrei citare *Sporgendosi dalla costa scoscesa*, *Sul tappeto di foglie* e quello che dà il titolo al libro; e rinviano, pur nella tessitura più complessa, al Calvino giovane di *Ultimo viene il corvo*). Ne ho ricavato che l'osmosi fra racconti e «cornice» è a senso unico; mentre dentro i racconti arriva quasi sempre il soffio di ansia, di rovello, di ambiguità, di ricerca angosciosa di una via d'uscita dall'incompiuto, che sono le dominanti del libro, nelle avventure della "cornice" non arriva invece la magia dei racconti, ed i dati del problema posto dallo scrittore rimangono quasi sempre voluti, esterni, abilmente lavorati e sostanzialmente cartacei. Solo ai racconti in definitiva si può applicare la lettura ideale di Ludmilla-Calvino, la lettura come momento di verità, «andare incontro a qualcosa che sta per essere».

Vengo ora al quarto momento, di malinconia, di solitudine, il momento che a me piace definire religioso. Non credo di violare nessun segreto se racconto che per due volte Calvino mi indicò, nei suoi testi, momenti di timbro religioso, sfuggiti alla mia attenzione di recensore. Sia ben chiaro che quando dico "religioso" non intendo suggerire la minima concessione a religioni positive, istituzionali, e neppure la tentazione del credere. Ma è un punto centrale del suo mondo poetico, il rapporto io-altri-universo, che, se pur si mantenga in un ambito rigorosamente laico, è un rapporto che va al di là della sfera semplicemente morale; è "laicismo disperato", secondo una definizione da lui fatta sua; o meglio, mi sembra oggi di poter chiarire, è la coscienza della linea d'ombra che corre lungo i confini del regno della ragione. Nella prefazione a *Candide* (1974) Calvino arriva a dire che per Voltaire, e credo sia lecito aggiungere: anche per lui, se esiste un progetto dell'universo, tocca a Dio e non all'uomo di conoscerlo. «Il 'razionalismo' di Voltaire è un atteggiamento etico e volontaristico che si campisce su uno sfondo teologico incommensurabile all'uomo quanto quello di Pascal»: «la voce della ragione, conclude, è tutta utopica».

Ancora più interessanti sono i riscontri testuali diretti. Nella prefazione (1964) a *Il sentiero dei nidi di ragno*, testo per molti riguardi fondamentale, anche perché conclude la stagione dell'avventura dello scrittore nella società e nella storia, cui seguirà subito dopo la stagione delle avventure mentali (*Le cosmicomiche* sono dell'anno seguente), si legge questa sorprendente confessione: «La Resistenza rappresentò la fusione fra paesaggio e persone». L'io naturale, incarnato nell'adolescente solitario ed un po' selvatico, che era il protagonista del racconto, cioè Calvino stesso, incontra la Storia; ma la Storia non è primariamente ideologica o luogo dei doveri: la Storia sono gli altri, sì che lo scenario quotidiano diviene «interamente straordinario e romanzesco». Lo scrittore nasce esattamente nel momento in cui scocca quella trasformazione-rivelazione-apertura.

Un altro testo significativo, in questo senso, è *La spirale* uno dei più bei racconti delle *Cosmicomiche*. In esso si descrive, come sappiamo, la nascita di una conchiglia, la lenta, inesorabile e creativa concrescenza della materia su se stessa. A un certo punto, la conchiglia vede ed è veduta. «Così la vista, la nostra vista, che noi oscuramente aspettavamo, fu la vista che gli altri ebbero di noi [...] tutt'a un tratto intorno a noi s'aprirono occhi e cornee e iridi e pupille». Ma nel contempo, «Tutti questi occhi erano miei. Li avevo resi possibili io; io avevo avuto la parte attiva; io gli fornivo la materia prima, l'immagine». Tutte le cose che fanno gli altri, polpi, seppie, gabbiani, foche, pescatori subacquei, bagnanti, marinai, geologi, branchi di minutissime acciughe, «erano implicite nel mio star lì, nel mio avere relazioni con gli altri e con le altre eccetera, nel mio mettermi a fare la conchiglia eccetera». Non potrebbe essere più esplicita la fatalità del rapporto io-altri, diametralmente rovesciato, sia detto tra parentesi, rispetto ad uno, nessuno, centomila di Pirandello, in uno scenario che non è più sostanzialmente storico, ma proiettato in una fenomenologia cosmica.

Questi due esempi (se ne potrebbero estrarre altre decine e decine) configurano il rapporto io-altri-storia-universo in modo gioioso, edonistico, spavaldo, egocentrico, naturale e a-problematico, tutto in luce. Ma nella fase finale del lavoro di Calvino quel rapporto si colora di indecifrabile e d'ombra. Lo spazio della ragione "utopica", l'"altrove" è percorso da una lucida malinconia. Le prime avvisaglie della diversa luce, di color perso, che ora avvolge quel rapporto si hanno già nel '63, in *La giornata d'uno scrutatore*. La riflessione che vi presiede è dichiarata nelle prime pagine: «Ad Amerigo», altra controfigura di Calvino, «la complessità delle cose alle volte pareva un sovrapporsi di strati nettamente separabili, come le foglie di un carciofo, alle volte invece un agglutinamento di significati, una pasta collosa». Per la ragione la realtà si decifra con nettezza, come si sfoglia un carciofo; ma la ragione viene poi invischiata nelle sabbie mobili dell'indeterminabile. La volontà morale si schiera apertamente con l'ottimismo della ragione: «chi parte in guerra contro lo scetticismo non può essere scettico sulla sua vittoria, non può rassegnarsi a perdere, altrimenti s'identifica col suo nemico». Ma trova un limite oggettivo nel mistero; il rapporto io-altri-universo, cardine e banco di prova della ragione e della morale, sconfina in lontananze inattingibili. Alla percezione tragica del mistero, della inattingibilità, Calvino dà figura di racconto nella bellissima pagina del nano. Nel corso della giornata elettorale, arriva al Cottolengo un Onorevole. Guardando verso una finestra, si intravedono «due occhi dietro il vetro, una testa che non riusciva a sporgere più in su del naso, una grossa scatola cranica coperta di peluria: un nano. Gli occhi del nano erano fissi sull'onorevole, e contro il vetro della finestra s'alzarono delle dita corte corte, la grinzosa palma d'una piccola mano, che batté contro il vetro, batté due volte, come per chiamarlo [...] Certo il nano non aveva nulla da dire all'onorevole, i suoi occhi erano solo occhi, senza pensieri dietro, eppure si sarebbe detto che volesse fargli arrivare una comunicazione, dal suo mondo senza parole, che volesse stabilire un rapporto, dal suo mondo senza rapporti. Qual è il giudizio, si domandava Amerigo, che un mondo escluso dal giudizio dà di noi?». La pagina è tremenda: qui il "diverso" non è un diverso sociale ma ontologico, cioè, in qualche misura, religioso.

Ma veniamo ai suggerimenti di lettura dati da Calvino al suo amico recensore. Il primo è del '72, e si riferisce a *Le città invisibili*. L'indicazione è per due capitoletti inclusi tra *Le città e il cielo*: Andria, città governata dal ritmo astrale: «Così perfetta è la corrispondenza tra la nostra città e il cielo [...] che ogni cambiamento d'Andria comporta qualche novità tra le stelle [...] Convinti che ogni innovazione nella città influisca sul disegno del cielo, prima d'ogni decisione [i suoi abitanti] calcolano i rischi e i vantaggi per loro e per l'insieme della città e dei mondi». Se qui il motivo, prima che religioso, è illuministico (il lavoro dell'uomo come momento necessario alla costruzione dell'universo), nella pagina dedicata a Tecla il rapporto si rovescia: il motivo illuministico si fa religioso. La città di Tecla è un ininterrotto cantiere. Gli abitanti sono talmente presi dal loro interminabile costruire, che non hanno neppure il tempo di illustrare il progetto agli ospiti. «Il lavoro cessa al tramonto. Scende la notte sul cantiere. È una notte stellata. — Ecco il progetto —, dicono».

Ancora più esplicita è l'indicazione per *Palomar*. Avevo scritto sul «Giornale» che *Palomar* era un libro «*de religione*», e Calvino se ne dichiarò, in una intervista, «gradevolmente sorpreso»; poi mi indicò un brano dove (sono parole sue) «"de religione" è molto nascosto ma finisce per farsi esplicito». Il brano è *Il marmo e il sangue*, ove Palomar va a fare la spesa in macelleria, ed è diviso tra «la promessa della felicità gustativa» (pensa infatti alle «zebrature che la fiamma lascerà sulla bistecca alla griglia») e il rimorso di riconoscere «nella carcassa di bue penzolante la persona del proprio fratello squartato». «Un sentimento non esclude l'altro [questa è la conclusione]: lo stato d'animo di Palomar che fa la fila nella macelleria è insieme di gioia trattenuta e di timore, di desiderio e di rispetto, di preoccupazione egoistica e di compassione universale, lo stato d'animo che altri forse esprimono nella preghiera».

Il credente puro, colui che dice di giurare sull'ardore della propria fede, non si riconoscerà certamente in questa "preghiera", così lacerata e labirintica. Ma la segnalazione di Calvino appare preziosa. Quella parola così insolita in lui mi sembra si insinui, insieme discreta, tenera e fatale, nello spazio misterioso che si apre tra la ragione che distingue e ordina, nella realtà, il «sovrapporsi di strati nettamente separabili, come le foglie di un carciofo», e l'«agglutinamento di significati» che si addensa come «una pasta collosa» nella complessità della vita.

Perché *Palomar* è un libro "de religione"? Il nome di Dio vi è accuratamente evitato; e anche «le esperienze di tipo speculativo riguardanti il cosmo, il tempo, l'infinito, i rapporto tra l'io e il mondo, le dimensioni della mente» che ne costituiscono il nucleo tematico essenziale, si collocano in una dimensione atea (atea più che laica); ma proprio per questo il tema profondo, o se si vuole il problema insoluto e incombente, è di tipo religioso: l'assenza di Dio. In queste pagine Calvino lucidamente trascorre dall'intellettuale all'esistenziale al metafisico; e lo fa con signorile ma profonda malinconia, come chi è consapevole, anche se tacitamente, che la religione dell'ateo è la religione dell'assenza di Dio.

Vorrei anche aggiungere che questa fase malinconica e religiosa del suo lavoro (peraltro né definitiva, né testamentaria: *Sotto il sole giaguaro*, il libro lasciato incompiuto, è di nuovo un libro quasi tutto di "allegro") non segna un ripiegamento, una stanchezza di "riflusso"; ma piuttosto un completamento della sua testimonianza: Calvino aveva colto ancora una volta il segno dei tempi: la crisi di solitudine, il consuntivo sconsolato e deserto del nostro secolo, quella linea d'ombra che corre lungo i confini della ragione.

Se guardiamo infatti al significato complessivo della sua opera, dobbiamo riconoscere in lui una rara convivenza. Egli è stato in pari misura e senza contraddizioni al tempo stesso narratore e "intellettuale moderno"; i suoi saggi, gli interventi politici in forma allegorica, sono quanto di meglio si sia fatto in Italia nel senso del confronto e del colloquio tra i problemi e la moralità della letteratura con il movimento del pensiero contemporaneo, e senza parlare (lo faranno altri) dell'attività editoriale tra libri e riviste. E peraltro (qui sta il merito) il suo impegno non si riferisce all'ideologia, ma, illuministicamente, alla storia nel suo largo procedere di corrente che di continuo tracima dalle singole sponde ideologiche. Ecco quindi che l'arte diviene conoscenza e "informazione", momento della ragione dialettica, ma per un processo intimo e naturale, senza abdicazione o travestimento, senza rinunciare alle sue prerogative fantastiche.

A differenza, per esempio, di Moravia, in cui l'elemento ideologico s'insinua spesso ossessivamente nel tessuto narrativo e spesso lo adultera, lo depontenzia, lo scolora, Calvino è rimasto sempre in primo luogo e in prima persona scrittore. Uno scrittore che pensa, osserva, interpreta, commenta: ma non rinuncia mai a essere, e a sentirsi, scrittore. Per questo egli, accompagnando con la sua "perplessità sistematica" quaranta anni della nostra storia, ha assunto tra noi una sorta di centralità, il ruolo di punto di riferimento sollecitante e rassicurante al tempo stesso; ha assolto con signorile eleganza, ma con partecipazione profonda, al compito di costruire «un ordine mentale abbastanza solido per contenere il disordine del mondo»: senza trionfalismi e senza incertezze, senza intimidazioni e senza scetticismi, con equilibrio e direi con fedeltà. «La vera integrazione umana (si legge nella prefazione a *I nostri antenati*) non è in un miraggio dell'indeterminata totalità o disponibilità o universalità ma in un approfondimento ostinato di ciò che si è, del proprio dato naturale e storico e della propria scelta volontaria, in una autocostruzione, in una competenza, in uno stile, in un codice personale di regole interne e di rinunce attive, da seguire fino in fondo».

Se dovessi scegliere la parola tematica di Calvino, sepolta e spesso segreta nel suo "lavoro di scrittore", il narratore, il saggista e anche quello che riflette con malinconia sullo scenario metafisico, direi "sfida". E quale sfida? La formula si trova nell'ultima riga di *Le città invisibili*: «Cercare e saper riconoscere chi e che cosa, in mezzo all'inferno, non è inferno».

Gian Carlo Roscioni
CALVINO EDITORE

In una lettera di Pavese a Antonio Giolitti del 17 ottobre 1947 si parla, in riferimento al lavoro della redazione Einaudi, «del giovane Calvino che ora è entrato dei nostri». In realtà i primi contatti di Calvino con l'Einaudi risalivano a qualche mese prima, e sono pressappoco coevi della pubblicazione del suo primo libro, *Il sentiero dei nidi di ragno*. Si può dire che da allora il suo coinvolgimento nel lavoro editoriale non sia mai cessato, nemmeno quando si produsse quello che fu, per un autore che amava definirsi "editorialmente monogamo", il trauma dell'interruzione del pluridecennale rapporto con Einaudi.

A proposito delle maggiori figure del mondo editoriale, in Italia e fuori, c'è da fare un'osservazione preliminare. I grandi dirigenti o consulenti editoriali si dividono in due categorie: quelli che non scrivono nulla (o quasi nulla), e gli "editoriali"-scrittori. La prima categoria in Italia è rappresentata emblematicamente da Boby Bazlen, ma accanto al suo si potrebbero fare altri nomi. Calvino diceva che negli anni Cinquanta Niccolò Gallo, dirigendo una piccola collana, «Il Castelletto», presso un piccolo editore di Pisa, Nistri-Lischi, aveva fatto la "scelta vincente": in quella collana figurano infatti i nomi degli scrittori che, ristampati negli anni immediatamente successivi da editori più importanti, dettero vita al breve *boom* della narrativa italiana degli anni Sessanta. E sebbene dopo la morte di Gallo il "Polifilo" abbia raccolto in volume i suoi scritti, oggi solo gli specialisti e gli amici ricordano la straordinaria figura di questo troppo discreto protagonista della vita letteraria del dopoguerra.

Calvino appartiene dunque alla seconda categoria, quella degli "editoriali"-scrittori. E qui vengono subito in mente i nomi di Pavese e di Vittorini: nomi che si possono accostare a quello di Calvino solo a patto di sottolineare che dietro alcune affinità di ruolo e, in qualche caso, di posizione si nascondono differenze sostanziali. Se è vero, per esempio, che dopo la morte di Pavese Calvino ne ha in certo senso preso il posto come lo scrittore più einaudiano, questo non significa affatto che ne abbia ereditato anche la funzione. Ci sono state tra i due similarità di atteggia-

31

menti, senza dubbio, e le parole con cui Calvino descrive Pavese che "attende autori nuovi che non esistono ancora, li incoraggia e ammonisce e bistratta, e con Vittorini un po' si sente alleato, un po' fa il bastian-contrario, e con tutti gli altri scrittori si chiude come un istrice" si attagliano benissimo anche a lui. Ma Calvino, rispetto a Pavese, era al tempo stesso più aperto e più cauto. Le loro esperienze, del resto, sono state sensibilmente diverse. Calvino ha vissuto più a lungo, e ha perciò conosciuto mutamenti esterni e metamorfosi interne che hanno per un verso acuito la sua innata curiosità e disponibilità di fronte al nuovo, e per un altro accentuato, con il passare degli anni, il fondo scettico e ironico della sua natura. I mutamenti esterni — di quadro storico, di situazione culturale, di clima letterario — sono noti a tutti. Sul piano interno, soggettivo, bisogna ricordare che Calvino ha avuto il tempo e il talento di affermarsi in direzioni anche molto diverse l'una dall'altra: con il problema, che Pavese non ha quasi conosciuto, di fare i conti con il proprio passato. Un passato sul quale sentiva a volte la necessità di mettere sopra una pietra, ma nel quale altre volte cercava di individuare il capo del filo che, collegando i successivi momenti della sua esperienza letteraria, conduceva a quello stato di inquietudine in cui negli ultimi anni della sua vita si dibatteva. Proprio perché questo passato era così ricco e multiforme, scrivere era per il Calvino della maturità molto più difficile che per il Calvino giovane. E questa difficoltà si rifletteva sul suo atteggiamento di fronte ai libri altrui che gli capitavano tra le mani e che doveva giudicare. Penso a quel che si legge nel diario di Silas Flannery in *Se una notte d'inverno un viaggiatore*: «Da quanti anni non riesco ad abbandonarmi a un libro scritto da altri, senza nessun rapporto con ciò che devo scrivere io? Mi volto e vedo la scrivania che m'attende, la macchina col foglio sul rullo, il capitolo da cominciare».

Di qui la distanza che separava Calvino anche dagli scrittori che stimava di più. E sotto questo profilo il contrasto con Vittorini, l'altro scrittore-editore al cui fianco si trovò per molti anni ad operare, non potrebbe essere più netto. Vittorini viveva del lavoro altrui come del proprio: basta scorrere le sue lettere per imbattersi nei nomi di innumerevoli giovani e meno giovani scrittori, in notizie sui loro libri, in progetti di opere da realizzare in comune. Non credo che un epistolario di Calvino, salvo forse nel primo periodo della sua vita, darebbe la stessa sensazione di attiva, appassionata partecipazione ai debutti e alle battaglie dei giovani scrittori.

Ma non vorrei essere frainteso. Calvino era infinitamente attento a tutto ciò che di nuovo tentassero e sperimentassero i giovani. Leggeva, si documentava, partecipava a convegni d'ogni tendenza, e ha talvolta avuto un ruolo di primo piano nell'affermazione e nella fortuna di questo o quello scrittore: autori come Celati o Del Giudice hanno recentemente parlato dell'influenza che Calvino ha avuto sugli inizi della loro carriera, e non escludo che alla loro testimonianza si potrà un giorno aggiungere quella di altri scrittori. Eppure chi sfogli le schede con i pareri di Calvino che si conservano nell'archivio Einaudi è colpito dall'esiguità del numero di quelli relativi ad autori italiani. E questi pochissimi, anche quando si riferiscono a libri di scrittori affermati, esprimono interesse, rispetto, ma sono il più delle volte redatti all'insegna di una garbata reticenza, di una non sempre dissimulata perplessità. Bisogna però precisare che Calvino, secondo una felice definizione di Giulio Bollati, il Calvino affermato e famoso, è sempre stato, all'interno dell'Einaudi, più un cardinale che un vescovo (altra differenza con Pavese). Questo fatto, che non so in quale misura sia da attribuirsi a una sua scelta, e in quale altra sia invece da imputarsi a fattori di diversa natura, può contribuire a spiegare il suo riserbo nei confronti degli scrittori italiani contemporanei.

Certo è che l'unica collana di cui si sia assunto la responsabilità, scegliendone tutti i titoli e firmandone parecchi risvolti, è «Centopagine», dove si pubblicavano testi del passato, in prevalenza stranieri; e che ad autori stranieri — per lo più sud e nord-americani, francesi, spagnoli — è dedicata la stragrande maggioranza dei suoi pareri per l'Einaudi su autori del Novecento. La cosa del resto è naturale, almeno entro certi limiti, ove si tenga conto della notevole esperienza internazionale di Calvino, della sua familiarità con le letterature di lingua spagnola, dei soggiorni negli Stati Uniti, e dei molti anni trascorsi a Parigi.

È comunque su questo materiale, solo in piccola parte attinente a libri e autori italiani, che deve basarsi chi, senza troppo indulgere a impressioni e ricordi personali, voglia mettere a fuoco la personalità del Calvino consulente editoriale. Sulle sue schede un'osservazione s'impone prima d'ogni altra: chi cercasse nei pareri editoriali una conferma operativa delle idee che Calvino ha manifestato in tante occasioni sulla letteratura e sulla narrativa non sempre la troverebbe. Dei sette personaggi che esprimono la loro concezione della lettura nell'ultimo capitolo di *Se una notte d'inverno un viaggiatore* nessuno riflette l'atteggiamento del Calvino editore. Non voglio dire con questo che ci sia con-

33

traddizione tra lo scrittore e l'editore, ma solo che in quest'ultima veste Calvino, forte della sua lunga esperienza giovanile di direttore dell'ufficio stampa dell'Einaudi, si poneva giustamente una serie di problemi che potevano coincidere solo fino a un certo punto con quelli del Calvino critico e teorico della letteratura. Dell'inevitabile interferenza tra le due sfere d'azione avremo d'altro canto occasione di parlare tra poco.

Il 21 aprile 1981 Calvino scriveva a un autore che gli aveva sottoposto un dattiloscritto: «la sua idea è stata di provare a "fare un libro" mettendo insieme abbozzi di racconti e romanzi incompiuti, pezzi di diario e anche lettere ad amici. Tutto si può fare, e un progetto si può giudicare solo dai risultati: mi pare che in questo caso il tentativo non sia riuscito». Ecco, questo pragmatismo che va contro la poetica, imperante in anni relativamente recenti, della scrittura e dell'arte come gesto, si riflette in parecchie schede. Direi che nel passo appena citato la parola-chiave è "risultati": sì, le intenzioni, i "progetti" possono essere curiosi, ma vediamo in concreto dove tutto questo va a parare. A un altro scrittore, dopo aver accennato ad alcune qualità del romanzo appena esaminato, l'11 novembre 1980 chiedeva: «Basta tutto questo a dire che il tuo libro può interessare a una casa editrice? può trovare un pubblico? trovare critici che sappiano apprezzarne la spontaneità? Non so...».

Sbaglierebbe tuttavia chi attribuisse questi interrogativi e questi rilievi a preoccupazioni d'ordine puramente editoriale. C'era in Calvino un'idea molto rigorosa del libro come oggetto funzionale, frutto di competenza e perizia artigianale oltre che d'ingegno. Rivelatrice è nelle sue schede l'attenzione dedicata alla trama dei romanzi e dei racconti, che descrive e analizza fin nei minimi particolari. Ho detto "descrive e analizza"; è una tautologia o una ridondanza nell'ottica del Calvino editore, per il quale i due termini tendono a coincidere. Riferendo su *Le Roi des Aulnes* di Michel Tournier, dopo un riassunto di tre pagine fitte scrive: «Per concludere i giudizi che ho già espresso analiticamente, dirò...». Non sono infrequenti i casi in cui, parlando di un libro di racconti, Calvino riassume la trama di tutti. E anche se non deve esprimersi su un testo di narrativa, ma su un saggio, su uno studio, il suo parere consta spesso di un insieme di pareri sui singoli capitoli dell'opera. Arriva persino a dire, delle storie che formano *Vispera del gozo* (poi pubblicato in italiano col titolo *Vigilia del piacere*) di Pedro Salinas: «Riassumerle è un delitto, anche perché sono già brevi, ma proverò per dare un'idea».

C'è da osservare, in tema di riassunti, che Calvino era per

iscritto come a voce un magnifico raccontatore di storie altrui, al tempo stesso scrupoloso e tendenzioso, nel senso che la sua narrazione, apparentemente obiettiva, non soltanto implicava un giudizio ma finiva sempre per suggestionare fortemente il lettore o l'ascoltatore orientandolo per o contro il libro in discussione. Perché, intendiamoci bene, la professionalità editoriale di Calvino non gli impediva affatto di prendere posizione, anche in termini scopertamente emotivi o umorali, nei confronti di ciò che stimava come di ciò che detestava. Si potrebbe mettere insieme un piccolo florilegio di pareri redatti all'insegna del fastidio, o magari dell'idiosincrasia. Riassunto minuziosamente, secondo la sua abitudine, il primo racconto di un libro di Arguedas, aggiunge: «Non ho letto gli altri racconti perché Arguedas mi sbarba». Quanto a Malamud, è «uno degli americani più noiosi che abbia letto». Contro Klossowski ha una veemente impennata, e lo definisce «scrittore di detestabile impostazione ideologica e letteraria, e scrittore da non potersi e doversi pubblicare», anche se poi sfuma il giudizio dicendo che Klossowski «antipatico non è, e [...] in tutte queste porcherie non perde mai un suo sense of humour, cosa che difetta di solito ai mistici dell'erotismo».

A proposito di *sense of humour*, è forse superfluo avvertire che la lettura di queste schede, anche le più puntigliosamente analitiche, è qua e là rallegrata dall'ironia, dal gusto del paradosso, dalle divertenti divagazioni che facevano di Calvino, nei giorni di serenità o nei momenti di distensione psicologica, uno straordinario conversatore. Richiesto di un parere su *In a shallow Grave* di James Purdy, un autore di cui lui stesso aveva fatto tradurre diversi romanzi, così risponde: «Si può fare benissimo a meno di pubblicarlo, così come si può anche pubblicare, nel caso in cui il pubblico di lettori di Purdy che ci siamo creati un anno dopo l'altro esigesse nuovo nutrimento. Come dice un vecchio proverbio: "Se con Purdy non ci perdi — è imprudente che lo perdi". Ma c'è anche un altro proverbio che dice: " Se ti prude legger Purdy — prendi i Purdy ancora verdi. — Poco perdi se ritardi — se ti perdi i Purdy tardi"».

Ho parlato fin qui dei giudizi su narratori italiani o stranieri. Ma sarebbe fuorviante insistere troppo su questo aspetto dell'attività editoriale di Calvino trascurando l'apporto, spesso decisivo, da lui dato al lavoro dell'Einaudi in altre direzioni. Calvino era un lettore onnivoro, capace più d'ogni altro di interpretare le esigenze di quel lettore-intenditore, assetato di nuove idee, sensibile ai nuovi fermenti, che ogni editore intelligente sogna di conquistare. A questo si deve il prestigio e l'autorità di cui Calvino godeva, pur nella sua posizione indipendente e un po' distaccata, nel Consiglio Editoriale dell'Einaudi. Se non gestiva o orientava direttamente le scelte letterarie della casa editrice, accadeva molto spesso che l'ultima parola su un caso controverso — qualunque fosse la materia del libro, politica, storico-artistica, scientifica — venisse lasciata a lui. Italo cominciava a parlare lentamente, incespicando, divagando, balbettando, ma poi riusciva sempre a mettere a fuoco il cuore del problema: e gli ascoltatori, abbagliati dalle sue definizioni, finivano il più delle volte per accettare argomenti e giudizi tenuti magari sul filo del paradosso, ma in ultima analisi concreti, anzi ineccepibili sia culturalmente che editorialmente.

Sul Calvino "lettore onnivoro" ci sarebbe molto da dire, anche per rettificare alcune leggende che da tempo hanno corso sui suoi interessi scientifici. Non credo che Calvino si sia mai molto interessato alla scienza in sé: la scienza era per lui, soprattutto in certe fasi della sua vita e del suo lavoro di scrittore, un problema letterario e, direi, l'occasione e il pretesto di una sorta di scommessa con se stesso. Ha voluto raccogliere la sfida che lo specifico sapere del nostro tempo — un sapere in cui la scienza e la tecnologia occupano il posto che sappiamo — pone a uomini come noi dal *background* culturale ancora fondamentalmente umanistico. Il suo problema era come utilizzare i metodi e i linguaggi della scienza, come tradurli in letteratura. Questa ottica letteraria nell'affrontare temi scientifici si manifesta non solo nei libri e nei racconti di Calvino, ma anche nei suoi pareri editoriali. Può darne un'idea la battuta con cui si conclude un suo giudizio, favorevole, sulla *Préhistoire du feu* (in italiano *Preistoria del fuoco*) di Catherine Perlès: «Con gli autori troppo proclivi ad accettare prove di usi religiosi del fuoco, la Perlès è particolarmente severa, e scrive sempre "religione" tra virgolette. Purtroppo anche sui banchetti antropofagici le ghiotte aspettative del lettore vengono più deluse che incoraggiate. Insomma ho letto il libro con molto interesse, affascinato da questa performance d'una meticolosa freddezza mentale applicata al fuoco».

Se i pareri sui libri scientifici sono formulati da un punto di vista che non è e non vuole essere scientifico, lo stesso può dirsi, *mutatis mutandis*, dei giudizi sui libri politici (parlo di quelli degli ultimi decenni, gli unici di cui sia rimasta traccia nell'Archivio Einaudi). Anche in questo campo mi pare che Calvino prenda le distanze da un certo tipo di problematica politica, che magari astrattamente lo interessa, ma che trova lontana dai fatti e dalle emozioni d'ogni giorno. Di un libro di Robert Paul Wolff, *In defence of anarchism*, dice: «le costruzioni puramente logiche mi affascinano sempre. Solo che la politica come teoria [...] è una cosa, e la politica come esperienza di un mondo di sudore, di spintoni, di urlacci, di disperazione, è un'altra cosa che non ci ha niente a che vedere».

I giudizi su libri non letterari e l'accenno al Calvino "lettore onnivoro" ci portano a considerare un aspetto della sua attività e della sua biografia che troppo spesso rischia d'essere dimenticato. È giusto attribuire il suo eclettismo e enciclopedismo a un atteggiamento mentale, a una specifica disposizione della sua intelligenza: non è certamente casuale che Calvino si sia sentito vicino a quel grande spirito enciclopedico che è stato Queneau. Altrettanto pertinente è evocare, a proposito delle sue curiosità scientifiche, i genitori botanici e l'ambiente in cui si è formato, così fortemente orientato verso la scienza da indurlo a sentirsi, come scherzosamente diceva parlando delle sue predilezioni letterarie, la pecora nera della famiglia. Ma credo che il suo enciclopedismo debba anche qualcosa all'esperienza editoriale. Rispondendo a un'inchiesta sul pubblico del romanzo e della poesia, Calvino diceva nel 1967 che «una situazione letteraria comincia a essere interessante quando si scrivono romanzi per persone che non sono solo lettori di romanzi, quando si scrive pensando a uno scaffale di libri non solo di letteratura». Ecco, il lavoro editoriale aveva, da questo punto di vista, messo Calvino in una posizione privilegiata. Come direttore dell'ufficio stampa dell'Einaudi aveva sempre avuto alle spalle «uno scaffale di libri non solo di letteratura», per i quali doveva scrivere risvolti, schede bibliografiche, presentazioni sui bollettini editoriali. (Osservo incidentalmente che mai sarà possibile realizzare un'edizione veramente completa degli scritti di Calvino: chi sarebbe in grado di identificare con certezza nella massa di materiale anonimo uscito in quegli anni dall'ufficio stampa dell'Einaudi ciò che si deve alla sua penna? Parlavo poco fa delle *Lettere* di Pavese curate da Calvino nel 1966: in quel libro il risvolto, non firmato, è certamente più importante della nota introduttiva che invece è firmata. Se in questo caso siamo certi che anche il risvolto è suo, in altri moltissimi possiamo solo fare più o meno fondate congetture).

I metodi di lavoro della redazione Einaudi negli anni della giovinezza di Calvino predisponevano naturalmente allo sviluppo di interessi interdisciplinari e enciclopedici. Tutti allora si occupavano di tutto: privatamente ognuno aveva le sue occupazioni e predilezioni, ma Pavese seguiva la traduzione e le bozze di un libro di storia o di scienza come dell'ultimo romanzo. È dentro questo clima culturale che Calvino ha maturato la sua diffidenza verso le specializzazioni. Apprezzava il sapere degli esperti, aveva spiccati interessi metodologici e filologici, ma identificava il momento delle scelte editoriali con una fase superiore, vagamente ecumenica della vita culturale: quella in cui il sapere, spogliandosi dei suoi abiti tecnico-eruditi, si presenta come risultato e come proposta. «Nessuno sa più fare introduzioni, in questa Italia di professori — lamentava in una lettera del 9 dicembre 1982 con cui chiedeva a Geno Pampaloni di presentare un volume di "Centopagine" —, e tante volte nei progetti editoriali mi freno e mi scoraggio pensando alle lunghe introduzioni accademiche che dovrei avallare».

Il debito contratto con l'Einaudi nel tempo della sua giovinezza Calvino l'ha riconosciuto in modo assai esplicito: «Casa Einaudi — dichiarò in un'intervista del 1983 — ha un posto molto grande nella mia biografia, è stata la mia università. Ho cominciato a lavorarci quando ero un ragazzo senza arte né parte, e trovarmi in un ambiente interdisciplinare, aperto alla cultura mondiale, ha avuto un'importanza decisiva nella mia formazione». Ma è doveroso aggiungere che negli anni Sessanta e Settanta la situazione in cui Calvino si trovò a operare era andata gradualmente mutando, non soltanto all'interno dell'Einaudi. Il modo di far libri non era più quello di una volta. Le tecniche, il pubblico, il rapporto con gli autori, la cultura, la società cambiavano a vista d'occhio. Nel quinto capitolo di *Se una notte d'inverno un viaggiatore* c'è una satira del linguaggio e della vita editoriale: ormai — vi si legge — «la figura dell'autore è diventata plurima», come se si fosse allentato il tradizionale, strettissimo legame opera-autore; anche le storie che vi si raccontano di manoscritti smarriti, di lettere burocratiche che ne giustificano la scomparsa, di delusione dei vecchi addetti editoriali, e di disagio dei lettori di fronte alla marea montante di carta stampata che invade i banconi delle librerie sembrano spiegare l'atteggiamento del dottor Cavedagna, che così si lamenta: «Da tanti anni lavoro in casa editrice... mi passano per le mani tanti libri... ma posso dire che leggo? Non è questo che io chiamo leggere... Al mio paese c'erano pochi libri, ma io leggevo, allora sì che leggevo... Penso sempre che quando andrò in pensione tornerò al mio paese e mi rimetterò a leggere come prima». Se non è certo da attribuire a Calvino lo spirito elegiaco che il discorso del dottor Cavedagna rispecchia, è difficile non leggere in chiave autobiografica la dichiarazione di un altro personaggio dello stesso libro in cui trapela la saturazione di chi ha lungamente esercitato il mestiere del lettore e dell'editore: «A me capita sempre più spesso di prendere in mano un romanzo appena uscito e di trovarmi a leggere lo stesso libro che ho letto cento volte».

Sembra così capovolta l'esperienza del poeta che aveva letto "tutti i libri". Di libri ormai sembra che ce ne sia uno solo, letto "cento volte". Ma non è una stanchezza professionale o personale che traspare in questa constatazione. Stanca è semmai la cultura dentro cui ci muoviamo, e disanimata è la nostra immaginazione. Calvino dal canto suo reagisce contro questa stanchezza, proponendo all'interno di quell'unico libro sempre nuovi percorsi di lettura, trasformando il già letto nell'indefinitamente leggibile. Ma fino a che punto saremo noi in grado di profittare della sua lezione?

Gian Carlo Ferretti
LA COLLABORAZIONE AI PERIODICI

«Che cos'avranno pensato le capre a Bikini e tutti gli animali nel mezzo dell'ultima guerra? Come avranno giudicato noi uomini in quei momenti, nella loro logica che pure esiste, tanto più elementare, tanto più — stavo per dire — umana? Sì noi dobbiamo una spiegazione agli animali, se non una riparazione [...] dobbiamo chieder loro scusa se ogni tanto mettiamo a soqquadro questo mondo che è anche il loro, se li tiriamo in ballo in affari che non li riguardano».

Così Calvino commenta sull' «Unità» piemontese del 17 novembre 1946 una singolare cerimonia ufficiale tenuta in California: la commemorazione delle capre sacrificate nell'esperimento atomico di Bikini «"per il bene dell'umanità"». Calvino tiene tra l'altro in terza pagina una rubrica dal titolo "Gente nel tempo", che partendo da fatti di cronaca, film, libri, verrà sviluppando fino al '48 un discorso vivacemente polemico su tutti i principali temi culturali e politici della battaglia comunista nel dopoguerra: l'eredità della Resistenza e il «ministro-sfollagente» Scelba, il «mondo nuovo» sovietico e l'imperialismo americano, l'«attore fascista» Osvaldo Valenti e l'Uomo qualunque, la «missione» progressista di Eluard e il disimpegno di Comisso, l'arte pura e l'arte popolare, l'antimarxismo di Croce e l'ideologia hollywoodiana, per darne qui un catalogo essenziale («l'Unità», ed. piemontese, 24 maggio, 30 giugno, 25 luglio, 6 e 20 ottobre 1946, 2 novembre e 23 dicembre 1947, 8 febbraio 1948).

Ma una di queste rubriche è dedicata interamente agli animali. Nel bel mezzo della sua stagione "impegnata" insomma, Calvino si interroga tra serietà e arguzia su un'*alterità* misteriosa e muta, anticipando in modo sorprendente un motivo che correrà lungo la sua produzione fino a *Palomar*.

Si può dunque trovare già qui un primo ordine di ragioni (oltre a quelle dell'economia) che inducono a concentrare l'attenzione sul Calvino giornalista (in assenza comunque di uno studio completo) e sul collaboratore di quotidiani in particolare. Racconti a parte, la collaborazione alla stampa comunista più o meno ufficiale dal 1946 al '56 (dall'«Unità» al «Contemporaneo») ripropone oggi i suoi scritti meno noti. Scritti che rappresentano anche (con rare eccezioni) la sua intera produzione extraletteraria di questi anni, e che non sono mai stati raccolti in volume verosimilmente per un loro carattere spesso più contingente e occasionale di altri, e ancor più per una loro funzione preparatoria e preliminare alla contemporanea e successiva produzione narrativa e saggistica. Scritti tanto trascurati dalla critica (con l'eccezione di Giovanni Falaschi), quanto ricchi di rivelazioni e anticipazioni sulla nascita di un processo; e perciò meritevoli di una più diffusa attenzione. A questo gruppo piuttosto folto di articoli interagenti tra loro, fanno da pendant le collaborazioni 1974-84 al «Corriere della Sera» e alla «Repubblica», per un'analoga assiduità e regolarità di interventi e rispettiva omogeneità problematica, ma anche per la costruzione quasi programmatica attraverso di essi, di un discorso saggistico e narrativo già compiuto e pronto per quelle che sarebbero state due delle ultime opere in volume da lui pubblicate, *Collezione di sabbia* e *Palomar*. Una scelta, inoltre, che considerando due fasi lontane tra loro ed evidenziando proprio l'inizio e la fine del processo, permette di illuminarne con più forza gli elementi di continuità e di discontinuità.

Che cosa dunque avranno pensato degli uomini le capre di Bikini, si chiede Calvino. E ricordando un cane che lo metteva in soggezione quando si faceva la barba o lavorava a tavolino, si chiede ancora come gli animali giudichino «tutte le cose strane» che gli uomini fanno ogni giorno, se non forse «un'offesa all'ordine elementare delle cose». Calvino imposta così nei suoi termini essenziali un rapporto-distacco tra insensatezza colpevole dell'uomo e inesplicabilità innocente della natura, disumanità del mondo civilizzato e animalità-umanità elementare, che mette in discussione la contrapposizione razionalità umana-irrazionalità animale e reca i primissimi segni di una sottintesa sfiducia nella ragione dell'uomo moderno e nella sua tensione progettuale e progressiva.

In tal modo Calvino sembra andare al di là delle posizioni ideologiche marxiste dichiarate, cui pur si rifanno costantemente gli altri scritti coevi (anche se, in fondo, la sua posizione è già oggi quella di un razionalista diviso tra i philosophes e Rousseau). Nel suo discorso si apre comunque una profonda contraddizione, se è vero che nella stessa rubrica egli pone il problema di un più responsabile e consapevole rapporto uomo-natura: già alludendo, qui e altrove, a una necessaria e possibile integrazione uomo-mondo come superamento della lacerazione aperta tra i due termini, e cioè come superamento dei conflitti di guerra e di classe, delle sopraffazioni sociali e morali che hanno insanguinato l'Europa (prima guerra mondiale, nazifascismo, atomica). L'insensatezza infatti, se talora sembra riguardare l'uomo tout court, senza attributi classisti, più spesso tende a identificarsi nella crisi e disfatta dell'individualismo e della ragione borghese, alla quale si contrappone l'alternativa di una razionalità e progettualità nuova fondata sul marxismo e sulla lotta delle masse («l'Unità», ed. piemontese, 22 giugno, 6 ottobre, 10 novembre, 1 dicembre 1946, 23 dicembre 1947, 19 febbraio 1948).

Il nuovo intellettuale che Calvino prefigura nei suoi scritti e nel suo comportamento del dopoguerra, ha un acuto senso dell'emergenza dei problemi da affrontare in un'Italia appena uscita dal fascismo e dalla guerra, prende posizione nella lotta contro le ingiustizie e per una società diversa, e cerca di far passare questa lotta anche dentro la sua intera esperienza giornalistica: dalle rubriche alle recensioni ai servizi. La sua ricerca di una integrazione io-mondo sul terreno pratico e politico, è al tempo stesso ricerca di una nuova etica, costume, cultura, e perciò di una nuova letteratura, attraverso una riflessione e un discorso che si viene via via liberando dalle implicazioni più equivoche ed estrinseche dell' "impegno".

C'è un gruppo di scritti, tra il 1946 e il '48, che teorizza una letteratura «corale», partecipe di un'«esperienza collettiva di vita e di fatica, dopo tanta letteratura sedentaria e solitaria» («l'Unità», ed. piemontese, 12 maggio e 30 luglio 1946, 20 luglio 1947, 22 giugno 1948; ivi, ed. della Liguria, 5 gennaio 1947). Su questa strada talora Calvino arriva a esaltare la letteratura che *impara dalla vita* e addirittura si compenetra di essa, in una sorta di vitalismo *barbaro* quasi contrapposto alla cultura e all'arte («l'Unità», ed. piemontese, 12 maggio, 30 luglio e 18 agosto 1946, 20 luglio 1947, 27 maggio e 22 giugno 1948; ivi, ed. della Liguria, 5 gennaio 1947). Ma più in generale egli vien tracciando fin d'ora alcune linee fondamentali di una poetica originale, nella prospettiva di quella nuova razionalità e integrazione, dentro e contro l'insensatezza.

La discriminante tra un neorealismo vitalistico o descrittivo, e una diversa prospettiva di ricerca che del neorealismo è per certi aspetti la versione più eccentrica, passa anche attraverso alcuni degli scrittori di cui Calvino si occupa sull'«Unità», sempre tra il '46 e il '48: Micheli, Terra, Taddei, e anche (almeno nella sua lettura) Pavese e Vittorini da una parte, e dall'altra uno He-

43

mingway e un Anderson già fuori dal mito americano, la Morante di *Menzogna e sortilegio* e il Conrad della sua tesi di laurea, che nel '47 preannuncia la serie dei *suoi* autori, esplicitati negli anni cinquanta: Stevenson, Stendhal, Nievo, Ariosto («l'Unità», Roma, 3 agosto 1954 e 1 aprile 1955); ma nel '47 fa la sua timida apparizione, in una breve nota siglata, Queneau («l'Unità», ed. piemontese, 1 giugno 1947).

La elaborazione e proposta delle nuove linee di poetica, nasce dunque, tra gli anni quaranta e cinquanta, non soltanto dal rifiuto (comune a tanta intellettualità nel dopoguerra) di una tradizione aristocratica, aulica, libresca, specialistica, solipsistica, ma anche (in modo sempre più consapevole) da una critica del neorealismo ottimistico, mimetico, istintivo, pietistico-sociale, retorico. Ecco le principali:

La favola, l'avventura — È la formulazione di poetica che più tarda a manifestarsi in questa sua produzione giornalistica: forse per una ritrosia a scoprirsi, a svelare disposizioni e predilezioni non proprio consonanti con il clima "impegnato" dei primi anni. Segni in qualche modo rivelatori si possono comunque cogliere nel tono divertito e incantato di certi servizi del '47 (anche sul Festival della gioventù a Praga), nella recensione di *Menzogna e sortilegio* nel '48 («l'Unità», ed. piemontese, 17 agosto 1948); in certi spunti su Conrad e Stevenson negli anni cinquanta (vedere l'avventura «attraverso gli occhi d'un ragazzo, mettere tra sé e quel mondo lo schermo d'una tensione fantastica infantile»: «l'Unità», ed. piemontese, 15 giugno 1947; ivi, Roma, 3 agosto 1954, 1 aprile 1955); e soprattutto nelle favole allegorico-polemiche del '54 sul «Contemporaneo».

La nuova epica nazionale — Una letteratura cioè, capace di rielaborare quei materiali anonimi, popolari, che sono le testimonianze orali dei soldati e dei partigiani, le tante piccole e vere odissee e iliadi dell'otto settembre e dopo. L'«antimilitarista» Omero, Anderson, Stevenson, Fadeev diventano negli anni quaranta e cinquanta i modelli disparati di una consapevole ricerca, alla quale Calvino ricondurrà esplicitamente alcuni suoi racconti partigiani e in parte lo stesso *Sentiero dei nidi di ragno* («l'Unità», ed. piemontese, 15 settembre 1946, 2 e 30 novembre 1947; ivi, Roma, 1 aprile 1955; Prefazione a *Il sentiero dei nidi di ragno*, Torino, Einaudi, 1964, p. 8).

La narrativa operaia — È la linea di poetica alla quale appartengono i suoi numerosi (e dichiaratamente falliti) tentativi, prolungatisi dal '47 al '54, di «dare un'immagine d'integrazione umana», esprimendo narrativamente «la città, la civiltà industriale, gli operai» e insieme la «natura, avventura, ardua ricerca d'una felicità naturale oggi» (Nota a *I giovani del Po*, «Officina», gennaio 1957. Ma cfr. «l'Unità», ed. piemontese, 6 ottobre 1946, 26 gennaio, 9 marzo e 30 novembre 1947; «Il Contemporaneo», 6 novembre 1954). *Lo scrittore spietato* — Il motivo è, fin dal '46, insistente, quasi ossessivo. Ma non si tratta soltanto di «spietatamente mettere a nudo» il mondo borghese e la sua crisi, con cui quel processo di integrazione deve fare i conti («l'Unità», ed. piemontese, 27 ottobre 1946; ivi, Roma, 30 dicembre 1954). Lo scrittore deve essere «spietato» anche e soprattutto nella verifica e critica delle proprie idee, posizioni, solidarietà, senza indulgere mai a facili travestimenti e bagni proletari del vecchio io borghese («l'Unità», ed. piemontese, 12 maggio, 30 luglio e 6 ottobre 1946; ivi, ed. della Liguria, 5 gennaio 1947; ivi, ed. piemontese, 22 giugno 1948).

Lo scrittore artigiano — Uno scrittore e una letteratura cioè, fondati su una operatività consapevole, complessità di esperienze, «chiarezza razionale», perizia tecnica, etico rigore, e capaci perciò di realizzare un'area di «perfetta integrazione dell'uomo con il mondo». Qui la sua galleria ideale allinea tra il '47 e il '55 quattro modelli fondamentali: lo "scrittore artigiano" Anderson, il "bravo capitano" Conrad, i solitari eroi di Hemingway, lo «stile attentissimo» di Stevenson («l'Unità», ed. della Liguria, 5 gennaio 1947; ivi, ed. piemontese, 30 novembre 1947; ivi, Roma, 3 agosto 1954; «Il Contemporaneo», 13 novembre 1954; «l'Unità», Roma, 1 aprile 1955).

Il midollo di leone — Calvino ne parla esplicitamente nel '54, a proposito di Conrad: il «midollo di leone» è appunto la «lezione» che si può trarre dalla sua narrativa, e che «può essere appresa appieno solo da chi ha fiducia nelle forze dell'uomo, da chi riconosce la propria nobiltà nel lavoro, da chi sa che quel "principio di fedeltà" cui egli soprattutto teneva non può essere rivolto solo al passato». Ma c'è in questo scritto e negli altri precedenti, l'ipotesi illusoria di un'area di integrazione uomo-mondo e di nuova razionalità, estrapolata con atto volontaristico dall'interno di un universo di insensatezza e disgregazione. Un'area *separata* e quasi *protetta* di "salute" viene cioè astrattamente contrapposta all'universo della "malattia". La vera e matura poetica del «midollo di leone» scaturisce invece dall'esigenza di penetrare e disvelare proprio quell'universo. Già in rubriche e recensioni del 1946-47 egli professa un marxismo problematico, antidogmatico, fondato sul «bisogno di conoscere la parte avversaria»; un marxismo che diventa quasi la metafora dell' «intelligenza del negativo», motivo centrale del famoso saggio di «Paragone» del '55 («l'Unità», ed. piemontese, 6 ottobre 1946, 9 marzo, 23 dicembre 1947; «Paragone», giugno 1955).

Tutto questo sottintende una certa oscillazione di Calvino, tra la dichiarata esistenza di due universi ideali (vecchio disordine e nuovo ordine), che dà la possibilità allo scrittore di attestarsi sul fronte confortevole delle certezze; e invece (motivo più fecondo) l'intima presa di coscienza di un unico contraddittorio e conflittuale universo, che costringe lo scrittore a continuamente distinguere, capire, scegliere.

Il discorso sull'insensatezza e irrazionalità e la tensione a un'integrazione uomo-mondo, continua in Calvino anche dopo la crisi del '56. Ma qualcosa certamente muta. Più precisamente, il '56 fa piena luce su ciò che Calvino recava fin dall'inizio dentro di sé. Se è vero infatti che l'istanza marxista e la politicità intellettuale di Calvino non sono mai state formali né estrinseche ma praticate e vissute, appare ora soprattutto chiaro che il nodo di fondo è sempre rimasto quello del contrasto tra fiducia e sfiducia nella stessa ragione umana. È una constatazione che riporta direttamente alle capre di Bikini.

Calvino teorizza dunque fin dal '55 (nel saggio di «Paragone») il suo ritorno quasi programmatico a una disincantata razionalità di tradizione settecentesca, che in realtà è sempre stata il nucleo intimo e segreto della sua esperienza intellettuale e letteraria, e che ora semmai sta maturando la coscienza della necessità di dover fare tutto da sola, senza sostegni né conforti né solidarietà collettive.

C'è del resto un articolo del '47 che contiene un'insolita e sorprendente confessione, quasi svelando in anticipo le ragioni e la sostanza della crisi del '56: «Faccio racconti di partigiani, di contadini, di contrabbandieri, in cui partigiani, contadini, contrabbandieri non sono che pretesti [...]: in fondo non studio che me stesso, non cerco che di esprimere me stesso [...]: non sono in fin dei conti che uno dei vecchi scrittori individualisti che però s'esteriorizza in "simboli" di interesse attuale e collettivo. [...] ho avuto una solitaria e chiusa fanciullezza di ragazzo borghese e solo più adulto, spinto da un indeterminato anticonformismo [...] mi sono riconosciuto nel popolo che lottava [...]». Da ciò un pericolo: «sentirmi spegnere a poco a poco assieme all'entusiasmo che accomuna sempre scrittori e popolo nei momenti rivoluzionari, il mordente dello stile e la necessità storica dell'invenzione d'un nuovo linguaggio» («l'Unità», ed. della Liguria, 5 gennaio 1947). Il '56 *spegne* quell'entusiasmo (ma non la tensione stilistica) e riporta in piena luce il *vecchio* individualismo, seppure in un contesto problematico e produttivo che Calvino nel '47 non poteva neppure immaginare. Mentre quell'insensatezza e quell'integrazione vengono perdendo le implicazioni ideali e conflittuali della sua battaglia antiborghese e marxista.

Ma che fine hanno fatto appunto, in tutto questo discorso, le capre di Bikini e il cane di casa? La loro presenza muta, interrogativa e inquietante si avverte in realtà con costante intermittenza, per piccole ma nitide tracce: a riproporre insistentemente, anzitutto, quella persistenza di una inesplicabilità della natura. Quanto più cioè Calvino porta avanti la sua penetrazione e disvelamento dell'universo di insensatezza umana, la sua tensione progettuale alternativa e critico-costruttiva, il suo processo di integrazione e ricomposizione tra uomo e mondo, tanto più riemerge sul suo cammino un'*alterità* non-umana immutabile, imperscrutabile, non integrabile, irrisolta.

Dalle rubriche dell' «Unità» viene affiorando negli anni quaranta, tra pregiudizio ideologico e interesse problematico, una ricorrente apertura di credito nei confronti di Freud e della psicoanalisi che rimanda a una zona oscura, prerazionale o arazionale, da penetrare e capire, con una più o meno implicita consapevolezza di difficoltà e impotenza da parte della ragione umana: rubriche nelle quali spesso Calvino si interroga sul confine misterioso e sfuggente che separa o unisce la psicologia animale e la psicologia umana («l'Unità», ed. piemontese, 25 luglio, 10 e 17 novembre 1946, 12 gennaio 1947).

Indirette conferme vengono poi, sempre negli anni quaranta, dagli stessi articoli di critica alla "pseudorazionalità" individualistica borghese e di proposta di una nuova razionalità e di un nuovo intellettuale. Quella critica infatti sottintende talora una sfiducia più profonda, che arriva a minare questa stessa proposta, al di là delle professioni di marxismo.

Tracce più evidenti si scoprono nelle rubriche del «Contemporaneo». In alcune favole allegorico-polemiche dei "Viaggi di Gulliver" (1954), la condanna della guerra, prevaricazione, repressione, sfruttamento da parte di questa o quella potenza o potere (Germania, Stati Uniti o padroni), rimanda a un'insensatezza umana punita da una natura indecifrabile e innocente: i guerrafondai dagli avvoltoi, il dittatore della moda dai seni femminili, e così via. Mentre in alcune note di attualità e di costume dell'altra rubrica, "Le armi e gli amori", Calvino ripropone il suo atteggiamento interrogativo e critico nei confronti

47

di entrambi i termini. Nella sua intelligente lettura politica e sociale di un clamoroso fatto di cronaca, il caso Cannarozzo, un dichiarato «desiderio di ragionare e d'intendere» si appunta sulla follia come «cieco fatto di natura» e «buio» impenetrabile («Il Contemporaneo», 29 gennaio 1955); e in una delle sue riflessioni sulla frenesia, nervosismo, universale dissennatezza del consumismo nascente, la «ragione umana» e selettiva del fotografo professionista, viene implicitamente travolta dalla follia del dilettante, che fotografa tutto mistificandolo come «naturale» (ivi, 30 aprile e 18 giugno 1955).

Una rilettura inoltre della contemporanea e successiva produzione narrativa di Calvino, rivelerebbe altre profonde tracce di quella vena segreta che parte idealmente dalle capre di Bikini. Bastino qui due campioni fondamentali. Nelle riflessioni del ragazzo partigiano Pin sui grilli e dello scrutatore comunista e razionalista sui mostri del Cottolengo, si delinea in sostanza un'*alterità* oscura e innocente (e nel secondo caso, forse più autenticamente umana), come prova oggettiva di una insensata violenza e impotenza conoscitiva dell'uomo, e come prova altresì di una impossibile integrazione tra due *diversità* irriducibili.

Certo, tra gli anni cinquanta e sessanta Calvino continua nella sua tensione conoscitiva e costruttiva, nella sua ricerca di una ricomposizione della frattura tra uomo e mondo, attraverso una narrativa più accentuatamente saggistica o favolistica. Perfino quando avverte tutta l'intrinseca precarietà e improduttività del suo rapporto con il reale, Calvino spinge la sua ricerca verso orizzonti lontani e immaginari del passato (con *Le cosmicomiche* nel '65 e *Ti con zero* nel '67), ma non l'abbandona. E tuttavia, come *La giornata d'uno scrutatore* rivela il carattere illusorio o apparente di quella ricomposizione, così nell'avventura dell'uomo-mente dal nome impronunciabile si consuma ogni tensione costruttiva e progettuale.

Inizia qui l'ultima stagione di Calvino. Attraverso e oltre l'esperienza strutturalista e combinatoria, viene infatti maturando quella collaborazione al «Corriere della Sera» e alla «Repubblica» che insieme ad altri scritti editi e inediti prepara e via via costruisce *Palomar* (1983) e *Collezione di sabbia* (1984), pur tra articoli storici, politici e letterari diversi. Il signor Palomar e il viaggiatore Calvino si alternano e confondono in scritti che recano già in sé due precise destinazioni, e che talora verranno anche scomposti e rielaborati in funzione di esse: giustificando così il ricorso tout court alle opere in volume come oggetto di analisi.

C'è in tutte queste pagine una continuità di fondo del motivo originario delle capre, ma ormai nel quadro di una totale sfiducia nella capacità e possibilità di conoscenza e progettazione da parte della ragione umana. Molto tempo è passato del resto, e molte cose sono successe da allora, con una progressiva caduta di prospettive e di certezze. Calvino dà una motivazione implicita e personale di quel passaggio, contrapponendo in uno di questi scritti i «due aspetti della cultura dei Lumi — quello d'un progresso unilineare e unificante e quello della conoscenza dettagliata delle diversità e delle loro ragioni» (*Collezione di sabbia*, Milano, Garzanti, 1984, p. 38).

Ma negli articoli e servizi raccolti e riorganizzati in *Collezione di sabbia*, le "diversità" occupano l'intero orizzonte; la realtà tende di fatto a coincidere con l'*alterità*. Le collezioni, musei, esposizioni, scavi, monumenti, lontani paesi (Giappone, Messico, Iran) frequentati e *letti* dall'intellettuale Calvino, sono altrettanti mondi peregrini, singolari, imprevedibili. Quanto più libera, estesa, infaticabile appare l'esplorazione di questi mondi, dei loro oggetti e piante, riti e linguaggi, tanto più misterioso, inafferrabile, oscuro, ne appare il significato.

«Non si sa cosa vuol dire»: l'affermazione iterata del piccolo maestro messicano di *Palomar*, risuona anche in queste pagine (*Palomar*, Torino, Einaudi, 1983, pp. 97-100). Resta soltanto la possibilità di una osservazione interrogativa e congetturante. *Costeggiare* gli oggetti, in sostanza. «La superficie delle cose è inesauribile», dice il signor Palomar (ivi, p. 57). Ma questa interrogazione di sempre nuove superfici scopre anche sempre nuovi misteri, e riafferma continuamente la caducità di ogni giudizio.

Ecco perciò che in un tale universo, nessuna conoscenza unificante, progettuale è possibile. La «distanza tra il caso e il disegno» (*Collezione di sabbia*, cit., p. 198) appare incolmabile. La «scienza dell'unicità dell'oggetto» che Calvino mutua e reinterpreta da Barthes (ivi, p. 81), consente appunto avventure intellettuali tanto straordinarie quanto limitate. Dentro un universo frantumato in una molteplicità di oggetti *unici* e di superfici indecifrabili in sostanza, un processo di integrazione non è neppure pensabile. L'uomo che voglia appropriarsi di ciò che lo circonda, arriva tutt'al più a diventare «uomo-più-cose» (ivi, p. 118). Il collezionismo è perciò l'unica logica capace di dare «unità e senso d'insieme omogeneo alla dispersione delle cose» (ivi). Ma è una logica apparente, così come sfuggente è la logica che regola gli armoniosi giardini giapponesi e le aggrovigliate foreste messicane: «tra le ramificazioni d'argomenti — dichiara l'inesausto e impotente osservatore — mi sembra ogni tanto d'intravedere una ragione decisiva, che un attimo dopo scompare» (ivi, p. 201; ma si vedano anche le pp. 175-8). Quello che egli intravede sempre più spesso in realtà, è il vuoto: come la porta che «non s'apre su nulla» in una moschea, o il trono vuoto in un bassorilievo, in Iran, o semplicemente la morte (ivi, pp. 199, 203, 207-8, 218).

Questo rapporto tra l'intellettuale-viaggiatore e l'universo dell'*alterità*, sembra talora porsi come contrasto tra la razionalità occidentale e un insieme di culture diverse che ne mettono duramente alla prova la capacità di approccio e di interpretazione; e perciò, anche, tra le rumorose frenesie e incongruità del mondo moderno e gli spazi silenziosi e antichi dei templi e delle foreste giapponesi e messicane. Ma è breve illusione. L'*alterità* finisce pur sempre per confermarsi come il risvolto, la prova oggettiva di una universale insensatezza umana, fino a mostrarne i segni di vecchie ferite o di nuove minacce.

Nell'emisfero occidentale dell'*alterità* continuano poi a sfilare immagini di deformità o estraneità incolpevole, che ancora una volta alludono a più o meno oscure violenze, e talora a una misteriosa ragionevolezza non-umana. Ideale confratello del «ragazzo-pianta-pesce» gemente nell'ospizio del Cottolengo, è l'«uomo-pesce» di pietra della Colonna traiana, nemico ucciso in battaglia dai dominatori romani (ivi, p. 99). Mentre il regno delle fate celtiche, «irriducibilmente "altro"» per la letteratura stessa, viene emblematizzato da Calvino come mondo vergine, innocente, benefico, fermentante di inespresse fecondità, rispetto ai cupi e crudeli processi di stregoneria come «tipico prodotto della cultura moderna» (ivi, pp. 136-9).

Palomar conclude e completa l'intero processo. Uomo introverso e disincantato, senza più capacità né volontà di disegni generali e progettuali, il signor Palomar cerca di stabilire comunque un rapporto con il mondo, o più precisamente con un'area di realtà circoscritta e quasi separata da quell'insensatezza umana universale («massacri» e «nevrastenie» ormai del tutto disideologizzati), applicando la sua attenzione interrogativa di miope osservatore puntiglioso «alle cose singole», all' «oggetto limitato e preciso» (*Palomar*, cit., pp. 5, 54). Ma quanto più egli fissa «nei minimi dettagli il poco che riesce a vedere» intorno a sé (ivi, pp. 63-4), tanto più impossibile ne risulta un qualsiasi rapporto di conoscenza, integrazione e armonia. Gli oggetti più familiari e consueti, un'aiola, una stella, un geco, sono cioè per il signor Palomar altrettanto indecifrabili e inafferrabili che gli oggetti singolari e insoliti delle collezioni e dei paesi visitati dal viaggiatore-Calvino.

Ogni oggetto infatti, è scomponibile e ricomponibile all'infinito nei suoi elementi, ma non è conoscibile: il movimento incessante dell'onda, il volo mutevole degli uccelli, la molteplicità delle erbe nel prato, sono la faccia di una realtà sempre sfuggente e confusa, di un ordine tutto apparente: che tra l'altro vanifica ancora una volta ogni illusione di separatezza. Resta soltanto la «superficie inesauribile» delle cose, oltre la quale non si può andare (ivi, pp. 57, 99), e la possibilità di esercitare su di essa le interrogazioni e congetture di «un'attenzione minuziosa e prolungata» (ivi, p. 115).

Calvino porta qui alle estreme conseguenze la scelta della congetturalità infinita rispetto al disegno concluso, la convinzione che non si possono né devono suggerire conoscenze ma riaffermare incessantemente la necessità di cercarle: con una implicita e salutare critica dei camuffamenti ideologici e delle euforie "comunicative". Ma qui egli sconta anche l'approdo definitivo della sua rinuncia alle istanze critico-costruttive, trasformatrici e progettuali. L'esperienza del signor Palomar infatti tende a esaurirsi in un esercizio della ragione che nei suoi limiti è del tutto autosufficiente; la ragione osservante e interrogante rimane alla fine prigioniera di se stessa e delle sue minuziose distinzioni e scomposizioni; la complessità del mondo si riduce a mobilità, molteplicità, intrico di puri oggetti e segni. Le inquietudini, ansie, insicurezze del signor Palomar trovano anzi in questo esercizio della ragione un paradossale equilibrio, tra ironico e funereo: come in un ideale ciclo di esperienze, con un principio e una fine.

Gli unici testi in cui questo equilibrio si rompe, sono quelli che vedono riesplodere il motivo di un'*alterità* innocente, sofferente; di una natura «irreducibile all'assimilazione umana» (ivi, p. 95); di una zona angosciosa e imperscrutabile, verso la quale non è possibile né consentito nessun autosufficiente esercizio della ragione. Qui le capre di Bikini trovano i loro veri confratelli ideali, l'espressione più compiuta della loro condizione dolorosa e indecifrabile: vittime dimenticate di una immotivata violenza.

Il signor Palomar non si interroga più sulla «superficie inesauribile» delle cose, ma sul segreto inaccessibile di alcuni *mostri* chiusi in gabbia dall'uomo, nello zoo di Barcellona o nel rettilario di Parigi, quasi per dimostrare che il mondo vero è il suo; mentre in quelle gabbie scrive Calvino «c'è il mondo di prima dell'uomo, o di dopo, a dimostrare che il mondo dell'uomo non è eterno e non è l'unico» (ivi, p. 87). Il signor Palomar si interroga così sulla muta angoscia del gorilla albino, sulla enigmatica tristezza dell'iguana, sulla «desolazione attonita» dei coccodrilli, e sulla loro diversità subìta, sul loro «sgomento di vivere». Mentre torna e si approfondisce il motivo di un'*alterità* tanto più insondabile, impenetrabile, quanto più fermentante, feconda, nella quale (forse) si nasconde il «senso ultimo» delle cose (ivi, pp.82-9).

Attraverso due fasi fondamentali della produzione giornalistica di Calvino, e le sue interazioni con la produzione narrativa, si delinea perciò il passaggio emblematico dell'intellettuale italiano di questi decenni, dalla tensione progettuale e costruttiva, alla piena crisi di essa, in un processo che è tuttavia segnato fin dall'inizio da un'intima sfiducia nei poteri della ragione e nelle prospettive del progresso. Ma soprattutto si delinea, all'interno e al di là di ciò, la crescente presa di coscienza di una zona non-umana, oscura, gemente, che l'uomo di fatto crea con la sua insensatezza e cerca inutilmente di capire con la sua razionalità. Sia nella fase di minore che di massima sfiducia nella ragione, Calvino appunto esprime e vive questa inesausta tensione di conoscenza e di ricerca, e al tempo stesso il senso acuto di un limite invalicabile ritornante: due poli tra i quali si realizza e si consuma la sua esperienza di intellettuale moderno.

La vena segreta di un'*alterità* offesa e incolpevole, immutabile e irriducibile, via via emergente da tutto il suo discorso, mina perciò l'immagine di razionalista spericolato e sicuro, spregiudicato e prudente, avventuroso e algido, alla quale Calvino viene tanto spesso ricondotto; ma lo arricchisce di nuova complessità e pregnanza. Dietro e dentro le sue disincantate storie partigiane, problematiche ricognizioni sulla società, favole etico-politiche, divertimenti fantastici, giochi combinatori, si rivela un senso tragico e misterioso dell'esistenza, la constatazione di infelicità inespresse e inesplicabili, la presa di coscienza di una dolorosa incompletezza umana. Dalla sua scrittura netta e funzionale, raffinata e smagliante, affiorano figure mostruose e verità irraggiungibili, a riaffermare il supremo senso del *limite*.

Nel suo lungo cammino dalle capre di Bikini agli squamati di Parigi, Calvino arriva fino al punto estremo, porta le sue domande fino ai recessi più profondi e alle origini più lontane di quel mondo silenzioso e impenetrabile, e lì deve arrestarsi: «Il pensiero d'un tempo fuori della nostra esperienza è insostenibile. Palomar s'affretta a uscire dal padiglione dei rettili, che si può frequentare solo di tanto in tanto e di sfuggita» (ivi, p. 89).

Antonio Faeti
CON COSIMO E CON GURDULÙ
NOTE SU ITALO CALVINO E LA SCUOLA

Una tentazione — per la verità assai modesta — poteva e doveva essere preliminarmente considerata: si trattava del desiderio, più o meno consapevole, di accostare "davvero" Calvino alla scuola, pensando così di riuscire a incrociare due percorsi, quello dell'opera dello scrittore e quello della storia delle nostre istituzioni educative più importanti, osservate nel loro sviluppo, dal 1945 al 1985. Spiegherò brevemente come era nata la tentazione e come è stata vinta con una rapida decisione.

Avevo raccolto e letto vari interventi, apparsi su quotidiani e su riviste, dedicati ad alcuni convegni in cui si era discusso di Italo Calvino. Mi aveva colpito, in particolare, un articolo di Giorgio De Rienzo sul «Corriere della Sera», in cui si rimproverava ai relatori di un convegno tenuto a San Remo, soprattutto di non avere davvero mai messo a confronto l'opera di Calvino con le specificità di cui risultavano possessori. Scriveva De Rienzo: «Chiusi per lo più in se stessi (nel loro sapere stretto), gli scienziati hanno reso dunque "inesistente" lo scopo più visibile del convegno sanremese. E dal canto loro i letterati hanno fatto il verso agli scienziati, con gran pompe di gerghi, talvolta incomprensibili del tutto, hanno proposto "griglie" metodologiche, più che esempi pratici di lettura».[1]

Non so se il mio «sapere stretto» di pedagogista risulterà mai di qualche utilità nel leggere Calvino, ma accettavo il rimprovero di De Rienzo come se fosse rivolto anche a me. E pensavo di confrontare le cose che so della scuola con quelle che credo di avere ricavato dai libri di Calvino; pensavo di riuscire a individuare alcune zone in cui la scuola e i suoi libri si sono posti in stretta relazione; pensavo di giungere, in qualche caso, fino a riconoscere una pedagogia e una didattica di Italo Calvino, e di scoprire come esse fossero anche state sapientemente valutate dalla scuola e accolte nei propri programmi e inserite nei propri contenuti.

Ma ho subito dovuto constatare che la mia fatica si rivelava, più che aspra e scoraggiante, del tutto inutile. Ho esplorato, per

53

l'occasione, una recente storia a più voci della nostra scuola dal 1945 al 1983,[2] e ho ribadito un'ipotesi in me già molto radicata: questa scuola, con le sue leggi, le sue violenze burocratiche, le sue vicende penose di riforme promesse e mai realizzate, i suoi ritardi, i suoi istituzionalizzati tradimenti, non si è mai resa degna di essere confrontata con Italo Calvino. Alludo alla scuola dei ministri, dei provveditori, dei funzionari, dei custodi legittimati della nostra educazione, e so bene che un buon numero di insegnanti ha invece letto Calvino, ne ha ricavato utilissimi insegnamenti, e li ha saputi trasmettere ai propri alunni. Si dovrebbe quindi scrivere una storia delle vicende segrete, spesso "illegali", dei docenti che hanno costruito un collegamento tra Calvino e la scuola, ma non è questa certo la sede per realizzare un'impresa di questo tipo, che richiede un'ampia ricerca e deve fondarsi su molte testimonianze.

Calvino è entrato "davvero" nella nostra scuola solo in quanto un certo numero di insegnanti, quasi sempre maltrattati dalle autorità e dai colleghi più sprovveduti e più remissivi, perché sperimentatori e innovatori, ha scoperto nella sua opera alcuni momenti fondamentali, su cui poteva anche fondare certe proposte, e da cui poteva ricavare sostanza e alimento per il proprio antagonismo pedagogico. E devo subito chiarire che l'enorme successo di una "lettura per la scuola media" come *Marcovaldo*, non mi induce ad emettere un giudizio più cauto. So, infatti, che la scuola dei burocrati e degli obbedienti esecutori di ordini riesce ad ingoiare, a snaturare, a deturpare qualunque prodotto. Ho esplorato, qualche anno fa, il problema dell'utilizzazione perversa e insufficiente dell'opera di Gianni Rodari nella nostra scuola ufficiale, e ho compreso come, molto spesso, proprio l'"adozione" di un libro davvero importante e ricco di offerte pedagogicamente validissime, nasconda solo l'incauta fabbricazione di un alibi. Ci si serve troppo spesso di *Marcovaldo* senza valutare neppure, con sincerità e onestà, quanto l'autore ha premesso ad un uso scolastico del suo libro.

Ecco, la tentazione è stata vinta accantonando il problema del rapporto con la scuola ufficiale: se Calvino si accosterà davvero, qualche volta, in questa mia relazione, alla scuola, sarà sempre presa in considerazione l'altra scuola, quella che va avanti con coraggio e con sapienza, ad onta dei ministri, dei programmi, delle circolari, dei dirigenti scolastici, delle gerarchie burocratiche. C'era una diversa tentazione da vincere, ma era ancora più leggera e più facilmente superabile della precedente. Avevo per un po' pensato di comunicare agli organizzatori del convegno che intendevo modificare il titolo della mia relazione, passando da *Calvino e la scuola* (affrontato dalla mia committenza) a *Calvino e l'educazione*. Ma il compito di chiarire come Calvino sia stato anche "educatore", mi è sembrato insieme banale e temerario. Perché ritengo pedagogicamente importanti tutti i grandi scrittori di cui sono stato lettore, ma sono sempre assolutamente impaurito quando devo spiegare, in termini specifici e ineludibili, di quale "pedagogia" si tratta di volta in volta.

Così, nella mia relazione, parole come "scuola", "pedagogia", "educazione" risulteranno spesso indebitamente equivalenti, anche se cercherò sempre di evitare queste fuorvianti sovrapposizioni.

In un testo di Italo Calvino c'è una dichiarazione che potrebbe non solo privare di legittimità l'esistenza stessa di ogni scuola, ma addirittura togliere fondatezza all'intero edificio pedagogico. Si tratta di una riflessione del signor Palomar che suona così, insieme raggelante e definitiva: «La soluzione di continuità tra le generazioni dipende dall'impossibilità di trasmettere l'esperienza, di far evitare agli altri gli errori già commessi da noi. La vera distanza tra due generazioni è data dagli elementi che esse hanno in comune e che obbligano alla ripetizione ciclica delle stesse esperienze, come nei comportamenti delle specie animali trasmessi come eredità biologica; mentre invece gli elementi di vere diversità tra noi e loro sono il risultato dei cambiamenti irreversibili che ogni epoca porta con sé, cioè dipendono dalla eredità storica che noi abbiamo trasmesso a loro, la vera eredità di cui siamo responsabili, anche se talora inconsapevoli. Per questo non abbiamo niente da insegnare: su ciò che più somiglia alla nostra esperienza non possiamo influire; in ciò che porta la nostra impronta non sappiamo riconoscerci».[3]

Non possiamo insegnare, non abbiamo niente da insegnare: penso che, per poter continuare ad eseguire il mio compito, devo attribuire queste considerazioni non a Calvino, ma, autenticamente, al signor Palomar, ovvero, in questo caso, ad un interlocutore che Calvino ha costruito anche per riversare su di lui l'intera, dolorosa coerenza di un'identità in cui non si riconosce pienamente.

La mia più recente lettura di Calvino — i tre racconti del volume *Sotto il sole giaguaro* — mi ha offerto la possibilità di compiere una riflessione in tutto opposta a quelle del signor Palomar che ho appena trascritto. I tre sensi resi protagonisti del libro, il gusto, l'olfatto, l'udito, mi rammentano un'ipotesi pedagogica che, di tanto in tanto, riappare e poi si dilegua, sempre lasciando in me una forte impressione e un desiderio inappagato. Educare, oggi, vuole anche dire adoperarsi perché, nelle giovanissime generazioni, si attivino dei "sensi capaci". C'è infatti una tendenza diffusa, da tempo, che spegne e atrofizza proprio i sensi, e sono in tanti a sostenere che l'universo dei suoni e dei rumori rende sordi, mentre quello in cui si realizza la nostra iconosfera non consente più di vedere davvero nulla, e il mondo del fast food ha unificato i sapori fino a privare i palati della possibilità di riconoscere i diversi alimenti. Nel racconto che dà il titolo alla raccolta c'è anche una fremente connessione, stabilita tra il gusto del cibo e la conoscenza; e il tragico sedimento cannibalistico, cupamente evocato, non spegne l'esaltante consapevolezza di chi riesce a inserire il proprio palato in una immensa cosmogonia alimentare.

Questi "sensi" esplorati da Calvino, io li contrappongo nettamente alla quiete remissiva di chi non sembra più possederli, e tanto meno volerli educare: concordo con Manganelli quando scrive che, nel raccontare di essi, e nel descriverne la potenza, Calvino ha dato un'altra prova della sua «fantasia corporale e volatile».[4]

In queste tre parole, ad onta del definitivo pessimismo del signor Palomar, io individuo peraltro anche un coerente programma pedagogico, e ribadisco l'utopia educativa di una scuola in cui la fantasia venisse considerata essenziale, e poi fosse educata a rendersi, insieme, corporale e volatile. Del resto poi, penso, e con molta tristezza, che, se Calvino avesse potuto completare il libro raccontando anche la vista e il tatto, avrebbe fornito così perfino la sua versione di un libro probabilmente amato e rimosso, ripensato e cancellato: il vecchio, tipico volumetto di scuola in cui i sensi, i regni (vegetale, animale, minerale), insomma le autentiche tipologie del nobile e arcano sapere degli abbecedari, si condensavano in una magica proposta che poteva ben transitare da una generazione all'altra, senza perdere lucentezza o fascino.

E una stupenda narrazione, degna di un "abbecedario" incantevole, sopravvissuto senza tempo e senza identità al rogo di tutte le biblioteche scolastiche di una remota era positivistica dell'educazione, è contenuta nelle *Cosmicomiche*. C'è uno zio che è rimasto pesce mentre i suoi familiari sono già tutti anfibi e si vergognano di questo parente antiquato. E c'è una fanciulla che è davvero un compiuto esemplare di anfibio e viene fatta conoscere, con molte esitazioni, dal suo fidanzato, allo zio pesce.

Accetterà di essere educata e istruita, di essere condotta verso un'affascinante regressione, di riprendere a nuotare, di cedere alla sapienza disinibita e pedagogicamente aggressiva di uno zio che ignora lo sconforto del signor Palomar e mette in evidenza le lusinghe ineludibili di un antistoricismo che sa di splendide nuotate e di cacce ammalianti nei fondali oceanici. Le ragioni problematiche di un'educazione autenticamente aperta, e giocata davvero con variegato senso del rischio, sono peraltro qui esposte con accorto dosaggio. Lo zio ha, dalla sua, una visione acuta dei cattivi esiti provocati da un progressismo acritico e oltranzista: «le terre emerse, secondo il prozio, erano un fenomeno limitato: sarebbero scomparse com'eran saltate fuori, o, comunque, sarebbero state soggette a continui cambiamenti: vulcani, glaciazioni, terremoti, corrugamenti, mutamenti di clima e di vegetazione. E la nostra vita là in mezzo avrebbe dovuto affrontare trasformazioni continue, attraverso le quali intere popolazioni sarebbero scomparse, e sarebbe potuto sopravvivere solo chi era disposto a cambiare talmente le basi della propria esistenza, che le ragioni per cui era bello vivere sarebbero state completamente sconvolte e dimenticate».[5]

Lo zio acquatico pronuncia pertanto una meditata orazione pedagogica, fondata su ragioni che sono — o dovrebbero essere — anche rilevanti per gli ecologisti e per i ''verdi'' di oggi. Non si va solo ''avanti'', o meglio non sempre ''si va avanti'' quando si segue chi conclama di procedere in quella direzione: accade che, a volte, gli autentici progressisti scelgano convenientemente di tornare ad essere pesci, dopo avere opportunamente valutato la qualità della vita degli anfibi. Del resto, la vittoria pedagogica dello zio lascia esistere ancora molti dubbi, che consentono anche al nipote abbandonato di riflettere con positiva serenità sulle proprie condizioni: «Fu una batosta dura per me. Ma poi, che farci? Continuai la mia strada, in mezzo alle trasformazioni del mondo, anch'io trasformandomi. Ogni tanto, tra le tante forme degli esseri viventi, incontravo qualcuno che ''era uno'' più di quanto io non lo fossi: uno che annunciava il futuro, ornitorinco che allatta il piccolo uscito dall'uovo, giraffa allampanata in mezzo alla vegetazione ancora bassa; o uno che testimoniava un passato senza ritorno, dinosauro superstite dopo ch'era cominciato il Cenozoico, oppure — coccodrillo — un passato che aveva trovato il modo di conservarsi immobile nei secoli. Tutti costoro avevano qualcosa, lo so, che li rendeva in qualche modo superiori a me, sublimi, e che rendeva me, in confronto a loro, mediocre. Eppure non mi sarei cambiato con nessuno di loro».[6]

Però esistono anche tentazioni a cui non si deve proprio resistere. In un suo appunto Walter Benjamin collega Fourier a Jean Paul: «... in realtà Jean Paul, nella *Levana*, è altrettanto affine a Fourier pedagogo quanto Scheerbart, nella sua *Architettura in vetro*, al Fourier utopista».[7]

Ho pensato di creare una sequenza in cui compaiono Calvino, Fourier e Jean Paul, e ritengo di poterla definire come un percorso pedagogico che si configura più volte nell'opera di Calvino e che potrebbe essere offerto alla scuola come un'indicazione con la quale sarebbe sempre utile confrontarsi. Benjamin, purtroppo, non chiarisce perché sente di dover accostare Fourier a Jean Paul, ma una delle inevitabili ipotesi che possono legittimare questa vicinanza — per tanti versi addirittura paradossale — è quella fondata su un azzardato parallelismo. L'utopia pedagogica di Fourier raggiunge momenti giocosi e spassosi quando delinea il "sistema" delle Piccole Orde in cui vanno inseriti i bambini e gli adolescenti: «Questo metodo lascia ai bambini la scelta, la libertà di cui non godono nello stato attuale, dove si vuole sempre obbligarli ad un unico sistema di costumi. Lo stato societario apre loro due vie contrastanti, favorendo le inclinazioni opposte, gusto dell'agghindarsi e gusto del sudiciume. Tra i bambini, circa i due terzi dei maschi sono inclini alla sporcizia; provano gusto ad avvoltolarsi nel fango, giocano a maneggiare cose sudice, sono dispettosi, monelli, sboccati, il loro tono è arrogante, le loro locuzioni grossolane, amano il baccano, sfidano i pericoli, le intemperie, ecc., per il piacere di combinar disastri.

Questi bambini si arruolano nelle Piccole Orde, la cui funzione è di compiere, per punto di onore e con coraggio, i lavori più ripugnanti, che avvilirebbero qualsiasi classe di operai. La loro corporazione è una sorta di legione mezzo selvaggia, che contrasta con la gentilezza raffinata dell'Armonia nel tono ma non nei sentimenti, perché è la più ardente in patriottismo».[8]

I bambini che si sentono irresistibilmente attratti da rifiuti non verranno contraddetti né castigati: saranno i giocosi netturbini di Armonia. Il Fourier pedagogista brilla di sorprendente ironia, e dettaglia, con la cura di un ingegnoso costumista, anche la divisa di questo suo esercito infantile che garantisce l'igiene proprio mentre segue senza ritegno la propria inclinazione per la sozzura: «Le acconciature delle Piccole Orde devono essere di tipo grottesco e barbaro. Per esempio, come uniforme di parata, adotteranno probabilmente il costume barbaresco o ungherese, dolman alla ussara con gli alamari e bavero di astrakan, e calzoni larghi».[9]

58

Calvino ha curato per Einaudi un'edizione degli scritti di Fourier nel 1971; il suo Cosimo Piovasco di Rondò è invece del 1957, ma nel ragazzo di dodici anni che fugge sugli alberi perché non sopporta le folli nequizie di un'educazione balorda e vessatoria, c'è un potenziale militante di una Piccola Orda di Armonia. Cosimo potrebbe portare con sé anche la sua ilare amica Violante, che gli assomiglia nel pretendere il rapido realizzarsi di un'utopia pedagogica.

Nella mia sequenza che prolunga quella di Benjamin, Calvino è già comparso prima di Jean Paul e, poiché Benjamin non dà ragione del collegamento fra Jean Paul e Fourier, formulerò un'ipotesi che, peraltro, chiama ancora in causa Calvino. Penso che Jean Paul e Fourier siano stati avvicinati perché prevale, in entrambi, una modellistica giocosa che li fa teorizzare e prefigurare come se non avessero mai abbandonato le costruzioni, i labirinti, i percorsi di una camera dei balocchi. In Jean Paul c'è poi una lucidità che lo avvicina ai giochi linguistici cari a Calvino e gli fa porre l'educazione all'*humour* proprio accanto a quella matematica: «Dopo il severo regime, dopo l'ora severa della matematica, il meglio che possa venire son delle sanculottidi che affranchino e l'ora di ricreazione dell'umorismo. Se la matematica, come il nettunista, forma col freddo e lentamente, l'umorismo, come il vulcanista, forma rapidamente e col fuoco.

E tuttavia anche lo sguardo dell'*humour*, per creare, infila lunghe serie di idee, se pure più oscure di quelle con le quali si esercita l'inferenza. I primogeniti della facoltà associativa-conoscitiva son fatti d'umorismo. Pertanto, dalla geometria alle elettriche creazioni artistiche della comicità — come lo provano il Lichtenberg, il Kästner, il d'Alembert, e i Francesi in generale —, più che salto d'un fosso, il trapasso è passaggio al sentiero vicino.

Gli Spartani, Catone, Seneca, Tacito, Bacone, il Young, il Lessing, il Lichtenberg, sono esempi del modo in cui la poderosa, piena, irrorante nube temporalesca del sapere si scarichi nel lampeggìo dell'umorismo. Ogni invenzione è dapprima un'improvvisa idea: fuori da questo ballonzolante punto si svolge poi (*pointe*) una camminante forma vitale. La facoltà associativa-conoscitiva appaia e triplica: un'immagine umoristica, come Diana neonata, aiuta la madre a sgravarsi del gemello fratello Apollo».[10]

Jean Paul ha scritto *Levana* nel 1807 e avrebbe considerato altamente educativo il *Piccolo sillabario illustrato* che Calvino ha posto fra gli altri contributi di OULIPO, *La letteratura potenziale Creazioni Ri-creazioni Ricreazioni*.[11] Non ho ancora scoperto tracce precise di un interesse di Calvino per Jean Paul, ma posso senz'altro collocare Calvino fra gli educatori che usano il riso per educare, se non altro perché il suo contributo meglio e più consistentemente accolto dalla scuola è proprio quel *Marcovaldo* in cui Almansi scopre uno dei capisaldi della sua «ragion comica», mentre individua un «fattore GNAC» che consente a Calvino di «uscire dai codici troppo rigidi di una lingua normalizzata, di una struttura binaria, di una vicenda che si scrive attraverso una sequenza prevedibile di avvenimenti e di parole. Il fattore GNAC, anti-ordine, anti-binario, anti-simmetrico, è quello che salva Calvino dai suoi miti, dalla sua ossessione, da se stesso».[12]

La scuola, peraltro, quella che inventa, studia, produce, innova malgrado i ministri e i burocrati, non solo ha letto *Marcovaldo* ma di Calvino ha anche seguito la lezione ludico-linguistica, proponendo autonomi prolungamenti, ricchi di sapienza divertita.[13]

Di un reale collegamento tra Calvino e la scuola esistono poi prove convincenti su cui è indispensabile soffermarsi.

Prima di passarle in rassegna intendo valermi anche di una lievissima traccia che per me ha assunto un grande valore simbolico. Nel testo di una conferenza che Calvino tenne a San Remo nel 1958, leggo questa frase: «E perfino in Tolstoj, nel più grande realista che sia mai esistito, perfino in *Guerra e Pace*, nel libro più pienamente realistico che mai sia stato scritto, cos'è che veramente ci dà quel respiro d'immensità se non il passare dal cicaleccio d'un salone principesco alle rotte voci d'un accampamento di soldati come se queste parole ci giungessero attraverso gli spazi, da un altro pianeta, come un ronzio d'api in un bugno vuoto?».[14] Sono molto colpito dall'improvvisa e segreta citazione pascoliana. Nel 1958 essa poteva riferirsi ad un pubblico tutto doverosamente pervaso da inevitabili rimembranze pascoliane, nel 1980, quando fu stampata per la prima volta, si offriva certo a lettori che, per larghissima parte, di Pascoli non dovevano sapere assolutamente nulla. E tuttavia Calvino, che ha corretto e accorciato altri saggi compresi in questa raccolta ha lasciato dov'era la citazione. La frase proviene dalla poesia *I due fanciulli*, di Giovanni Pascoli, e di essa contiene un intero verso: «ronzio d'un'ape dentro il bugno vuoto».[15]

In questo ricordo pascoliano, sopravvissuto dopo tanti anni, sento il segno di un affetto sincero ma, volutamente, non sottolineato, per una scuola di cui i versi pascoliani, puliti, chiari, ma anche, a ben vedere e a ben leggere, intriganti, complessi, sfuggenti, siano dignitosamente protagonisti. Una scuola forse poco appariscente, ma in cui si lavora molto, senza rincorrere abbagli momentanei o mode culturali, o il succo più superficiale e molesto delle mode culturali. Potrei spingermi fino a rammentare quel verso famoso di Pascoli in cui il poeta ricorda la sua appassionata dedizione ai sogni ariosteschi («e mentre aereo mi poneva in via/con l'ippogrifo pel sognato alone»), per ottenere un nuovo, questa volta molto più complesso, rapporto con la ribadita passione ariostesca di Calvino.

Mi limiterò invece a segnalare un'altra, appariscente coincidenza. Pietro Citati inizia così un suo scritto dedicato al libro postumo di Calvino: «Come Pascoli lavorava contemporaneamente a tre tavoli di lavoro scrivendo su ognuno di essi delle poesie totalmente diverse dalle altre, Italo Calvino tentava nel medesimo tempo delle narrazioni che in apparenza avrebbero dovuto escludersi a vicenda. Questo rende così misteriosa e affascinante la sua opera, che non possiamo sottoporre facilmente alla linea di un'evoluzione. Negli ultimi anni di vita, da un lato scriveva le prose di *Palomar*, nelle quali era arrivato alla totale crisi espressiva, al silenzio e al balbettio davanti all'ineffabile: dall'altro, aveva intrapreso una serie di racconti dedicati ai *Cinque sensi* dove l'esistenza del mondo reale e sensuale non viene messa in questione».[16]

Sono colpito dal collegamento che Citati realizza, in modo sfuggente e attraente, tra Pascoli e Calvino (del resto, in una novella, uno dei protagonisti recita anche Carducci[17], quasi a ribadire un'appartenenza rispettata e non decisa a un certo mondo), ma utilizzo pienamente l'osservazione trascritta per ritrovare il dissidio tra il Palomar pessimista e anti-pedagogico, e un Calvino più lieto, più aperto nei confronti di un universo non solo degno di essere scrutato, ma meritevole anche di ricevere consigli e incoraggiamenti.

Ad una domanda in cui gli si chiedeva che cosa dobbiamo portare nel 2000 e che cosa ci servirà nel 2000, Calvino rispondeva all'intervistatore:[18] «Imparare molte poesie a memoria; da bambini, da giovani, anche da vecchi. Fanno compagnia, uno se le ripete mentalmente...». Nella stessa intervista c'è un breve dialogo che può essere riferito ad uno dei grandi dibattiti pedagogici da cui è stata recentemente sfiorata anche la nostra scuola. A questa domanda: «L'umanità sarà ancora capace di fantasia nel Duemila?» Calvino risponde: «Sono piuttosto diffidente con questo imperativo della creatività. Io credo che per prima cosa ci vogliono delle basi di esattezza, metodo, concretezza, senso della realtà... È soltanto su una certa solidità prosaica che può nascere una creatività: la fantasia è come la marmellata, bisogna che sia spalmata su una solida fetta di pane. Se no, rimane come una cosa informe, come una marmellata, su cui non si può costruire niente».

Questa intervista mi riporta il ricordo di altre due interviste in cui l'intervistatore è Italo Calvino e gli intervistati sono, prima "l'uomo di Neanderthal" e poi Montezuma. Sono due preziosi documenti, prima trasmessi alla radio e poi riportati in volume, di come si possa seguire una felice impostazione pedagogica, realizzando anche un prezioso sussidio didattico. Calvino ha creato un intervistatore che non comprende proprio la connessione che, nell'uomo di Neanderthal, stringe in un'unica, affascinante proposta, la fantasia alla manualità: «INTERVISTATORE — Ora che il Signor Neander ci ha descritto il lavoro snervante, monotono... NEANDER — Monotono sei tu, monotono! Le sai fare le tacche nelle pietre, tu, le tacche tutte le stesse, le sai fare monotone le tacche? No, e allora cosa parli? Io sì che le so fare! E da quando mi ci sono messo, da quando ho visto che ci ho il pollice, lo vedi il pollice? Il pollice che lo metto di qui e le altre dita le metto di là e in mezzo ci sta una pietra, nella mano, stretta forte che non scappa, da quando ho visto che tenevo la pietra nella mano e ci davo dei colpi, così, oppure così, allora quello che posso fare con le pietre lo posso fare con tutto, con i suoni che mi escono dalla bocca, posso fare dei suoni così, a a a, p p p, gn gn gn, e allora non smetto più di fare suoni, mi metto a parlare, a parlare e non la smetto più, mi metto a parlare di parlare, mi metto a lavorare delle pietre che servono a lavorare delle pietre, e intanto mi viene da pensare, penso a tutte le cose che potrei pensare quando penso, e mi viene anche voglia di fare qualcosa per far capire agli altri qualcosa, per esempio di dipingermi delle strisce rosse sulla faccia, non per altro ma per far capire che mi sono fatto delle strisce rosse sulla faccia, e a mia moglie mi viene voglia di farle una collana di denti di cinghiale, non per altro ma per far capire che mia moglie ha una collana di denti di cinghiale, e la tua no, chissà cosa ti credi di avere tu che non ci avevo io, non mi mancava proprio niente, tutto quello che è stato fatto dopo già lo facevo io, tutto quello che è stato detto e pensato e significato c'era già in quello che dicevo e pensavo e significavo, tutta la complicazione della complicazione era già lì, basta che io prendo questo ciottolo con il pollice e il cavo della mano e le altre quattro dita che ci si piegano sopra, e c'è già tutto, ci avevo tutto quello che poi si è avuto, tutto quello che poi si è saputo e potuto ce lo avevo non perché era mio ma perché c'era, perché c'era già, perché era lì, mentre dopo lo si è avuto e saputo e potuto sempre un po' meno, sempre un po' meno di quello che poteva essere, di quello che c'era prima, che avevo io prima, che ero io prima, davvero io allora c'ero in tutto e per tutto, mica come te, e tutto c'era in tutto e per tutto, tutto quello che ci vuole per esserci in tutto e per tutto, anche tutto quello che poi c'è stato di balordo c'era già in quel deng! deng! ding! ding! dunque cosa vieni a dire, cosa ti credi di essere, cosa ti credi di esserci e invece non ci sei, se ci sei è solo perché io sì che c'ero e c'era l'orso e le pietre e le collane e le martellate sulle dita e tutto quello che ci vuole per esserci e che quando c'è c'è».[19]

Il fascino persistente di questo brano si collega in me proprio alle vicissitudini che il rapporto tra storia e antropologia ha dovuto subire nella nostra scuola. Anche oggi si discute poco e male di come l'insegnamento della storia deve essere nutrito con l'apporto di altre scienze umane, e questo Uomo di Neanderthal intervistato da Calvino possiede tutto intero il senso di un problema e quello di una impostazione di ricerca. Come uomo che riassume e condensa la Storia, attivando anche un paradigma in cui c'è un percorso selettivo pervaso dalla solennità che illumina le prime cose, i primi atti, le prime parole, l'Uomo di Neanderthal è un grande simbolo anche in termini pedagogici ed educativi. Uno dei grandi temi da cui la scuola ufficiale restò gelidamente esclusa era proprio, nel dibattito fra pedagogisti, in quegli anni, teso a ritrovare gli emblematici collegamenti perduti, del cui intero possesso giustamente si gloria l'Uomo di Neanderthal creato da Calvino. La profonda, geniale risposta che l'Uomo di Neanderthal dà a Calvino, esprime il senso di una compiutezza non più ritrovata e denuncia il sardonico possesso di un privilegio di cui, peraltro, proprio la scuola deve ritrovare il senso. Negli anni in cui compariva questo scritto di Calvino, nella scuola italiana si parlava molto di ''tempo pieno'' e, per esempio, anche della necessità di un'abolizione delle gerarchie fra le materie di studio, in vista di una diversa connessione tra le aree del sapere.

Al brano della risposta dell'Uomo di Neanderthal sento pertanto di dovere accostare le riflessioni di un grande pedagogista, Célestin Freinet, che dedicò tutta la sua opera alla ricerca dei modi didattici per costruire quella interezza culturale di cui l'Uomo è consapevolmente dotato: «Si tratta proprio di ottenere questa integrazione del lavoro, di evitare il meccanismo che istupidisce, di esaltare la spiritualità che guida e idealizza il gesto, di restaurare il valore generale al pari della portata individuale e sociale di tale gesto, di ristabilire l'interdipendenza delle diverse

63

funzioni, l'identità profonda delle loro pulsioni e dei loro fini, affinché non esista più questo arbitrario fossato che la civiltà moderna ha spinto all'estremo, tra l'attività fisica da un lato e la vita, il pensiero, l'affettività dell'individuo dall'altro. Dobbiamo far incontrare e completarsi la spiritualizzazione del lavoro e la materializzazione, per così dire, dello sforzo cerebrale, al fine di accedere ad un nuovo processo di pensiero isolato dalle sue considerazioni umane, mai spinto fino a quella speculazione intellettualista che rischia di diventare un gioco pericoloso e squilibrante».[20]

L'affettuosa e calorosa presentazione di questo nostro antenato simbolico e primigenio, dopo gli anni in cui tutto sembra essersi spento, e la scuola sembra poter solo accettare le rigorose imposizioni di una società insieme rigida e sconnessa, dominata dall'incubo di Chernobyl ma priva di spirito progettuale, resta come un poetico frammento di una memoria a cui si deve consapevolmente ritornare. Nello stesso volume Calvino ''intervista'' anche Montezuma: «CALVINO — Montezuma, ormai m'hai spiegato perché era impossibile che voi vinceste. La guerra tra gli dei vuol dire che dietro gli avventurieri di Cortés c'era l'idea dell'Occidente, la storia che non si ferma, che avanza inglobando le civiltà per cui la storia s'è fermata. MONTEZUMA — Anche tu sovrapponi i tuoi dei ai fatti. Che cos'è questo che tu chiami la storia? Forse è solo la mancanza d'un equilibrio. Mentre dove la convivenza degli uomini trova un equilibrio duraturo, là dici che la storia s'è fermata. Se con la vostra storia foste riusciti a rendervi meno schiavi, ora non verresti a rimproverare me di non avervi fermato in tempo. Cosa cerchi da me? Ti sei accorto di non sapere più cos'è, la vostra storia, e ti chiedi se non poteva avere un altro corso. E secondo te, quest'altro corso avrei dovuto darglielo io, alla storia. E come? Mettendomi a pensare con la vostra testa? Anche voi avete bisogno di classificare sotto i nomi dei vostri dei ogni cosa nuova che sconvolge i vostri orizzonti, e non siete mai sicuri che siano veri dei o spiriti maligni, e non tardate a caderne prigionieri. Le leggi delle forze materiali vi appaiono chiare, ma non per questo cessate d'aspettare che dietro ad esse vi si riveli il disegno del destino del mondo. Sì, è vero, in quell'inizio del vostro Sedicesimo Secolo forse la sorte del mondo non era decisa. La vostra civiltà del moto perpetuo non sapeva ancora dove stava andando — come oggi non sa più dove andare — e noi, la civiltà della permanenza e dell'equilibrio, potevamo ancora inglobarla nella nostra armonia. CALVINO — Era tardi! Avreste dovuto essere voi Aztechi a sbarcare presso Siviglia, a invadere l'Estremadura! La storia ha un senso che non si può cambiare! MONTEZUMA — Un senso che gli vuoi imporre tu, uomo bianco! Altrimenti il mondo si sfascia sotto i tuoi piedi. Anch'io avevo un mondo che mi reggeva, un mondo che non era il tuo. Anch'io volevo che il senso di tutto non si perdesse. CALVINO — So perché ci tenevi. Perché se il senso del tuo mondo si perdeva, allora anche le montagne di teschi accatastate negli ossari dei templi non avrebbero avuto più senso, e la pietra degli altari sarebbe diventata un banco di macellaio imbrattato di sangue umano innocente! MONTEZUMA — Così oggi guardi le tue carneficine, uomo bianco».[21]

Anche i fondamenti pedagogici di un incontro tra due culture possono essere ritrovati in un dibattito che, da varie sedi, giunse fino alla scuola. Si rischiò, sul finire degli Anni Sessanta, di rovesciare, semplicemente e simmetricamente, i vecchi termini del discorso e le vecchie prospettive logore e inutilizzabili. Ma, al posto del bianco fiero, impavido e giusto, si trasformò in protagonista un pellerossa che era, del pari, fiero e impavido e giusto, come se avesse indossato lui la famigerata giubba blu dei suoi nemici. Il Montezuma di Calvino ha i suoi reperti da macellaio, Calvino non si lascia intimidire, ne denuncia la presenza, il suo interlocutore allude prontamente ai tanti genocidi, ai tanti olocausti che i bianchi hanno perpetrato. Giustamente l'intervista non si realizza fra un vincitore e un vinto. Entrambi conoscono lo spessore complesso, indecifrabile, sconnesso, della Storia e della Vita. Proprio in ambito scolastico, prendendo nettamente le distanze dal suo signor Palomar che sanciva l'impossibilità di un colloquio educativo con i giovani, Calvino, rispondendo ad una domanda di uno studente di Pesaro: «Se incontrasse una persona stanca dell'esistere cosa le direbbe per attaccarla alla vita, per dimostrarle che vale la pena di vivere?», sembrava rifarsi al dolente bilancio dell'intervista di Montezuma, chiarendo peraltro che anche così, anche dopo aver guadagnato le più cupe consapevolezze, si può e si deve vivere: «È una domanda molto difficile. Non direi mai a uno che si dichiara stanco di esistere: "Ah, la vita è così bella. Ah vedessi, sapessi!". No, direi che la vita è piena di sangue, di fastidi, per bene che vada avrai sempre dei fastidi, per bene che ti vada avrai sempre dei guai; se sei triste perché non hai un amore guarda che appena avrai l'amore nasceranno un sacco di guai che non te l'immagini, qualsiasi cosa positiva ti darà ancora più guai. È questa la vita, solo in mezzo a questo, ad un certo punto, troverai qualcosa che vale la pena. Quello che ti viene dato, ti viene dato anche attraverso il dolore, attraverso la noia, attraverso tutte queste cose. Questo direi. E non cercherei di cantargli *La vie en rose*. La vita non è rosa ma proprio per quello è il nostro elemento, quindi uno che ha dei problemi è più vicino alla realtà della vita, la sente di più di uno che è assolutamente indifferente o a cui le cose vanno tutte bene».[22]

Con queste frasi, che a mio avviso propongono, proprio ai giovani e proprio negli anni in cui si riempie la loro vita, attraverso i *media*, di immense quantità di "rosa", profuso un po' dovunque, Calvino sembra tradire il suo Palomar; ma, mentre si fa educatore, tuttavia, accoglie la lezione del suo personaggio, e la usa per attivare una pedagogia della dignità consapevole, che non nega il dolore, ma lo inserisce in un contesto in cui può perfino renderlo fattore di conoscenza e di forza esistenziale. Dice bene allora Asor Rosa: «Da questo punto di vista *Palomar* è la coerente conclusione di un percorso. È vero che, a rileggerlo oggi, vi si coglie un impressionante presentimento di morte. Ma questo senso del limite della natura (e persino della ragione) umana è proprio di ogni grande, autentica, esperienza laica. Quello che importa non è l'inevitabile — e umano — trasalimento di fronte al grande mistero che avanza, alla linea d'ombra che tutto tende ad abbracciare. Quello che conta è l'ostinato rigore della ricerca, perseguito fino alla fine. Ancora una volta sullo sgomento dell'individuo e sulla sua tentazione di annullamento, ha prevalso il *dovere* dello sguardo e dell'ordine: ricercatore curioso e paziente, fino all'ultimo».[23]

Ma il colloquio più intenso e segreto che può legare Calvino alla scuola — e qui intendo una specie di scuola emblematica, fatta di figure secolari, di luoghi e tipologie quasi fantastiche — è una dichiarazione fatta poco prima di morire: «Quando ho cominciato a scrivere ero un giovane di poche letture; tentare la ricostruzione di una biblioteca *genetica* vuol dire risalire rapidamente ai libri d'infanzia: ogni elenco credo deve cominciare da *Pinocchio* che ho sempre considerato un modello di narrazione, dove ogni motivo si presenta e ritorna con ritmo e nettezza esemplari, ogni episodio ha una funzione e una necessità nel disegno generale della peripezia, ogni personaggio ha un'evidenza visiva e un'inconfondibilità di linguaggio. Se una continuità può essere ravvisata nella mia prima formazione — diciamo tra i sei e i ventitré anni — è quella che va da *Pinocchio* a *America* di Kafka, altro libro decisivo della mia vita, che ho sempre considerato "il romanzo" per eccellenza nella letteratura mondiale del

Novecento forse non solo in quella».[24]

Quello così individuato, più che un itinerario personale è, a mio avviso, anche un autentico abbozzo di "pedagogia della lettura" in cui potrebbero essenzialmente valere i riferimenti al rapporto tra personaggio e territorio, oppure anche alle fasi della vita, in cui *Pinocchio* diventerebbe, naturalmente, una specie di "metafora d'infanzia" capace di riassumere tutti i bambini dei libri di Calvino, e *America* lo spazio dell'adolescenza-giovinezza, posto, anche in senso pedagogico, proprio dopo *Pinocchio*, in una coerente sequenza.

Forse l'itinerario dovrebbe essere completato con una specie di antefatto: quella fiaba intitolata *L'uomo verde d'alghe* che Calvino ha ricavato dal patrimonio favolistico della sua Riviera ligure di Ponente e collocato nella sua raccolta: «Furono fissate le nozze della figlia del Re col capitano. Il giorno delle nozze nel porto i marinai vedono uscire dall'acqua un uomo coperto d'alghe verdi dalla testa ai piedi, con pesci e granchiolini che gli uscivano dalle tasche e dagli strappi del vestito. Era Baciccin Tribordo. Sale a riva, e tutto parato d'alghe che gli coprono la testa e il corpo e strascicano per terra, cammina per la città. Proprio in quel momento avanzava il corteo nuziale, e si trova davanti l'uomo verde d'alghe. Il corteo si ferma — Chi è costui? chiede il Re. —Arrestatelo! — S'avanzano le guardie, ma Baciccin Tribordo alzò una mano e il diamante dell'anello scintillò al sole. — L'anello di mia figlia! — disse il Re. — Sì, è questo il mio salvatore, — disse la figlia, — è questo il mio sposo. Baciccin Tribordo raccontò la sua storia; il capitano fu arrestato. Verde d'alghe com'era si mise vicino alla sposa vestita di bianco e fu unito a lei in matrimonio».[25]

In questa fiaba c'è anche il motivo ariostesco della fanciulla legata nella grotta marina e così un altro fondamento irrinunciabile prende corpo proprio a partire dalle origini regionali di un autore che sarà sempre lettore di tutto, ma senza mai dimenticare le proprie radici.

Il rapporto molto stretto che ha legato il mondo letterario di Calvino alla fiaba è una diretta e coerente derivazione che si collega a quella scelta iniziale "per Pinocchio". Alla prima, e poi fondamentale vocazione, alla sua collocazione irrinunciabile, Calvino si riferisce con serena certezza nella bellissima prefazione scritta nel 1964 per la ristampa del suo *Il sentiero dei nidi di ragno*: «Fu Pavese il primo a parlare di tono fiabesco a mio proposito, e io, che fino ad allora non me n'ero reso conto, da quel momento in poi lo seppi fin troppo, e cercai di confermare la definizione.

La mia storia cominciava a esser segnata, e ora mi pare tutta contenuta in quell'inizio».[26]

Uno scrittore che "sa fin troppo" di avere optato irrinunciabilmente "per la fiaba", possiede forse, anche solo in questo senso, una specie di patto preliminare con l'infanzia, con la scuola, con i problemi educativi. Motivi di struggente adesione alle diramazioni più nascoste (ma più rilevanti) di un narrare realizzato inserendosi consapevolmente nella tradizione del fiabesco, pervadono l'introduzione al *Sentiero*. Uno di essi sembra espresso, con volontà di provocazione, proprio contro un possibile signor Palomar che stia lì a controllare tutto, a dosare tutto, forse a raggelare tutto: «La *mia* storia era quella dell'adolescenza durata troppo a lungo, per il giovane che aveva preso la guerra come un *alibi*, nel senso proprio e in quello traslato. Nel giro di pochi anni, d'improvviso l'*alibi* era diventato un *qui e ora*. Troppo presto, per me; o troppo tardi: i sogni sognati troppo a lungo io ero impreparato a viverli. Prima, il capovolgersi della guerra estranea, il trasformarsi in eroi e in capi degli oscuri e refrattari di ieri. Ora, nella pace, il fervore delle nuove energie che animava tutte le relazioni, che invadeva tutti gli strumenti della vita pubblica, ed ecco anche il lontano castello della letteratura s'apriva come un porto vicino e amico, pronto ad accogliere il giovane provinciale con fanfare e bandiere. E una carica amorosa elettrizzava l'aria, illuminava gli occhi delle ragazze che la guerra e la pace ci avevano restituito e fatto più vicine, divenute ora davvero coetanee e compagne, in un'intesa che era il nuovo regalo di quei primi mesi di pace, a riempire di dialoghi e di risa le calde sere dell'Italia resuscitata».[27]

Esistono molti modi, come è noto, di leggere il fiabesco, o anche solo di accostarsi ad esso; ma qui si ha l'immersione totale di un adulto, che ripensa al se stesso adolescente, rammentando le ragazze rese più vicine dalla guerra e dalla pace, nelle calde sere di un'Italia resuscitata, piena di dialoghi e di risa, entro un territorio notturno e lucente, in cui la sensualità diffusa richiama l'eros universale delle novelle arabe. Ancora, contro lo sguardo anatomizzante del signor Palomar, distaccato e sempre propedeutico alla realizzazione di oculate tassonomie, c'è una riflessione sulla possibilità affettuosa di riconoscere globalmente un clima e di calarsi in esso con ingovernabile dedizione.

Non c'è quindi da stupirsi quando si constata come Calvino sia riuscito a parlare di fiabe ai ragazzi, proprio nella sede più facilmente istituzionalizzabile, e proprio in anni in cui il fiabesco faceva ancora i conti con la superficiale avversione di una pedagogia "progressista", vogliosa di riempire le menti infantili di cronachismo, di "realismo", di efferatezza quasi giornalistici. Riporterò così interamente il brano che, nell'antologia per la scuola media, curata insieme a G.B. Salinari, Calvino ha premesso al settore destinato a contenere le fiabe: «Il bambino che si perde nel bosco e giunge alla casa dell'Orco; il principino che per un incantesimo non ride mai e la principessa che cade in un profondo sonno; la ragazza bella e buona vittima di una crudele matrigna e salvata da una vecchia fata: le situazioni come queste sono tipiche d'un genere di narrazioni che si tramandano da tempo immemorabile: le *fiabe* (o "fole" o "novelline" o "racconti di fate"), che le nonne raccontano ai bambini (o meglio raccontavano, specialmente nelle campagne). Le fiabe sono costituite da situazioni che si ripetono pressappoco identiche in tutta Europa, combinandosi variamente con caratteristiche locali. Spesso vi appaiono elementi che sembrano risalire al Medioevo: castelli muniti di torri, tornei di guerrieri, un mondo diviso in re, nobili e poveri pecorai o boscaioli. Ma gli studiosi assicurano che le origini delle fiabe sono più antiche ancora, come è indicato da elementi che esse hanno in comune con le mitologie delle religioni pagane classiche e primitive. Secondo alcuni studiosi, le prove che gli eroi delle fiabe devono affrontare corrispondono alle "iniziazioni rituali" (una specie di esame di coraggio) che i giovani dell'età della pietra devono passare per essere ammessi tra i cacciatori della tribù. Di queste origini remote e misteriose resta alla fiaba il carattere magico e meraviglioso che affascina l'immaginazione dell'infanzia come quello delle persone più colte e mature; e di là certo viene anche la morale elementare e suggestiva che le fiabe contengono: la vita umana vista come un seguito di difficoltà da superare con animo disinteressato e fiducia nell'avvenire. È naturale che le fiabe, tramandate attraverso i secoli da narratori rimasti anonimi, da vecchiette che non sapevano leggere né scrivere, non incantino solamente i bambini ma anche i poeti e gli scrittori; e che accanto alla tradizione delle fiabe popolari sia sorta una raffinata produzione di fiabe letterarie».[28]

Mi sembra che, come tutti gli scritti in cui si condensano sapere, forza di convinzione, personale e profonda adesione, chiarezza eccezionale nella individuazione degli elementi davvero insostenibili, rispetto a quelli eventualmente trascurabili, anche questa introduzione possa essere definita come un eccezionale strumento didattico. I passaggi necessari per leggerla da questo punto di vista sono dati dalla evidente riassuntività, che qui si realizza, applicata a questi tre decenni di studi sulla fiaba, senza trascurare nessuno dei grandi risultati a cui si è pervenuti. Ma poi c'è questa lingua pulita e avvincente che, resa capace di trasmettere ad un pubblico di adolescenti i risultati di anni di ricerche, di dibattiti, anche di scontri, diventa un modello che allude ad una non dichiarata, ma coerente, pedagogia di Calvino, il cui fondamento sembra essere questo: si diano ai giovanissimi strumenti che non abbassino in alcun modo lo "stato delle ricerche", ma ci si industri per ritrovare i modi che rendono convincentemente trasmissibili anche i contenuti più alti, più nuovi, più complessi.

A chiarire quali siano gli intenti da cui muove quando ottiene un risultato come quello appena riportato, è lo stesso Calvino, in una occasione in cui si pone in dichiarato confronto con una dimensione esplicitamente pedagogica. Richiesto dalla rivista «Rinascita» di rispondere alle domande: *Per chi si scrive un romanzo? Per chi si scrive una poesia?*, Calvino esprime tra l'altro queste considerazioni: «Il lettore che dobbiamo prevedere per i nostri libri avrà esigenze epistemologiche, semantiche, metodologico-pratiche che vorrà continuamente confrontare anche sul piano letterario, come esempi di procedimenti simbolici, come costruzione di modelli logici. (Parlo anche — e forse soprattutto — del lettore *politico*.) Giunto a questo punto non posso più evitare due problemi che certo stanno a cuore all'inchiesta di "Rinascita". Primo: questo presupporre un lettore sempre più colto non prescinde dall'urgenza di risolvere il problema dei dislivelli culturali? Oggi questo problema si pone drammaticamente tanto nelle società capitaliste avanzate, quanto in quelle ex-coloniali e semicoloniali, quanto in quelle socialiste: i dislivelli culturali rischiano di perpetuare i dislivelli di classe da cui hanno tratto origine. Questo è il nodo che ora si trova di fronte in tutto il mondo la pedagogia, e subito più in là la politica. L'apporto che la letteratura può dare è solo indiretto: per esempio, rifiutando decisamente ogni soluzione paternalistica; se si presuppone un lettore meno colto dello scrittore e si assume verso di lui un'attitudine pedagogica, divulgativa, rassicuratrice, non si fa che confermare il dislivello; ogni tentativo d'edulcorare la situazione con palliativi (una letteratura "popolare") è un passo indietro, non un passo avanti. La letteratura non è la scuola; la letteratura deve presupporre un pubblico più colto, *più colto di quanto non sia lo scrittore*; che questo pubblico esista o no non importa. Lo scrittore parla a un lettore che ne sa più di lui, si finge un se stesso che ne sa di più di quel che lui sa, per parlare a qualcuno che ne sa di più ancora. La letteratura non può che giocare al rialzo, puntare sul rincaro, rilanciare la posta...».[29]

Calvino lancia una sfida ai pedagogisti: io gioco al rialzo, e voi fuggite o attrezzate proposte metodologiche all'altezza dell'ineludibile posta in gioco? Un indizio forse ancora più attraente, nell'itinerario di ricerca che qui abbozzo sui rapporti tra Calvino e la fiaba, è dato da un'altra presenza ritrovata nell'antologia. Negli anni in cui Calvino lavorò a quella impresa pochi pedagogisti e pochi insegnanti, molto accorti e preparati, avevano già accettato quello che poi si chiamerà la "rivalutazione del fiabesco". Essi però separavano la fiaba dalla favola e denunciavano, di quest'ultima, il moralismo serioso e inibente. Calvino invece precisa: «Le favole costituiscono così, nel loro insieme, un teatrino dei difetti degli uomini; ne viene fuori una visione pessimistica dell'umanità, e anche la morale di ogni singola favola è di solito una morale dura, che non si fa illusioni sui poteri della bontà in un mondo dominato dalla forza... Questo spirito, in cui la critica alle cose del mondo è attenuata dallo scetticismo, ci fa spesso apparire il mondo della favola come freddo, immobile, distante. Ciò non toglie che, per esempio nel Settecento italiano, i favolisti (come il Clasio) siano tra i poeti che meglio esprimono lo spirito lucido, razionale, pungente della loro epoca».[30]

L'attenzione critica rivolta al fiabesco accompagna e attraversa tutta l'opera di Calvino scrittore. Il fondamento da cui muove è riassunto in una considerazione che potrebbe essere vista anche come un'introduzione all'arte di fabbricare storie (in luogo della didattica dello scrivere a cui ci si attiene tanto spesso...): «La fantasia popolare non è dunque sconfinata come un oceano, ma non bisogna per questo immaginarla come un serbatoio d'una capacità determinata: a pari livello di civiltà, così come le operazioni aritmetiche, anche le operazioni narrative non possono essere molto diverse presso un popolo o un altro: ma quello che sulla base di questi procedimenti elementari viene costruito può presentare combinazioni, permutazioni e trasformazioni illimitate».[31]

Ma, dalla raccolta einaudiana del 1956 agli ultimi scritti, il rapporto con la fiaba si evolve e, in un certo senso, si perfeziona fino a conseguire un particolare risultato che segnalerò alla fine di questo percorso che sto per delineare. Nella prefazione alla raccolta del 1956 la fiaba era ancora, anche per Calvino, considerata soprattutto alla luce di una nobile e colta tradizione, stabilita dai ricercatori, dai folkloristi, dagli studiosi che avevano raccolto, trascritto, forse "salvato" le fiabe. E Calvino era anche attento a valutare la collocazione delle fiabe entro i confini (ma certo non solo quelli) della "letteratura per l'infanzia". «Nelle mie stesure, per le quali ho dovuto tener conto dei bambini che le leggeranno o a cui saranno lette, ho naturalmente smorzato ogni carica di questo genere. Una tale necessità già basta a sottolineare la diversa destinazione della fiaba nei vari livelli culturali. Questa che noi siamo abituati a considerare "letteratura per l'infanzia", ancora nell'Ottocento (e forse anche oggi), dove viveva come costume di tradizione orale, non aveva una destinazione d'età: era un racconto di meraviglie, piena espressione dei bisogni poetici di quello stadio culturale. La fiaba infantile esiste sì, ma come genere a sé, trascurato dai narratori più ambiziosi, e perpetuato attraverso una tradizione più umile, familiare, con caratteristiche che si possono sintetizzare nelle seguenti: tema pauroso e truculento, particolari scatologici o coprolalici, versi intercalati alla prosa con tendenza alla filastrocca (cfr. ad esempio la mia 37, *Il bambino nel sacco*). Caratteristiche in gran parte (truculenza, scurrilità) opposte a quelli che sono oggi i requisiti della letteratura infantile. La spinta verso il meraviglioso resta dominante anche se confrontata con l'intento moralistico. La morale della fiaba è sempre implicita, nella vittoria delle semplici virtù dei personaggi buoni e nel castigo delle altrettanto semplici e assolute perversità di malvagi; quasi mai vi si insiste in forma sentenziosa e pedagogica. E forse la funzione morale che il raccontar fiabe ha nell'intendimento popolare, va cercata non nella direzione dei contenuti ma nell'istituzione stessa della fiaba, nel fatto di raccontarle e d'udirle».[32]

Nel 1973 Calvino colloca un suo contributo nel volume quinto della *Storia d'Italia*, il volume dedicato ai "documenti".

È, a mio avviso, pur nella sua brevità, il momento più alto, consapevole e riassuntivo dei tanti in cui Calvino si è occupato di fiabe. È una lettura magistrale della fiaba *Peppi, spersu pri lu munnu*, raccolta dal Pitré, e in queste due paginette in cui l'aiutante magico è il bue e la "prova" dell'eroe si compie per mezzo di un aratro, Calvino scopre essenzialmente gli interrogativi che poi lo porteranno a formulare una affascinante conclusione: «È un mito regressivo, di restaurazione d'una cultura preistorica (di cacciatori e raccoglitori boschivi) o semplicemente d'un'agricoltura non latifondista (di allevatori o orticultori)? Oppure è il mito profetico d'un nuovo patto con gli elementi (il sole e i suoi mediatori) per un diverso corso del tempo, un diverso destino umano in una diversa astronomia? Possiamo definire questo come un *ultimo* tentativo della fiaba di ricostruire un universo totale. Con la scomparsa d'una totalità naturale arcaica la fiaba muore, cioè perde la facoltà di moltiplicare le sue varianti. Altre rappresentazioni d'una totalità del mondo in una sequenza di eventi prendono forma, moltiplicano le loro varianti, muoiono, parzialmente risuscitano e parzialmente rimuoiono. E questo sempre ripetendo qualcosa delle prime forme di racconto, per cui in ogni storia che abbia un senso si può riconoscere la prima storia mai raccontata e l'ultima, dopo la quale il mondo non si lascerà più raccontare in una storia».[33]

Sono parole in un certo senso definitive, e quasi di congedo. Sembrerebbero esprimere la volontà di fermarsi di fronte ad una scoperta che si fonda anche su prove: la piccola cosmogonia racchiusa in questa fiaba minima esprime la massima concentrazione possibile, forse quella davvero ultimativa.

Il mio percorso però non si arresta qui e procede ancora un poco, in una direzione che può dirsi collaterale. Retrocedo fino alle novelle che compongono *Marcovaldo*, fino a queste "fiabe", scritte tra il 1952 e il 1963, di cui lo stesso Calvino ci guida in questo modo alla lettura: «Le storielle di Marcovaldo cominciano quando la grande ondata "neorealista" già accenna al riflusso: i temi che romanzi e film del dopoguerra avevano ampiamente illustrato, quali la vita della povera gente che non sa cosa mettere in pentola per pranzo e per cena, rischiano di diventare luoghi comuni per la letteratura, anche se nella realtà restano largamente attuali. L'Autore esperimenta allora questo tipo di favola moderna, di divagazione comico-melanconica in margine al "neorealismo"».[34]

La fiaba comico-melanconica si mostra un ottimo strumento per raccontare la città specialmente quando, in agosto, Marcovaldo la vede "diversa", composita, in bilico tra natura e cultura, quasi un cosmo che precisa e sistema, con più fredda e atterrita evidenza, quello agricolo di Peppi, modello superato, pur nella sua compatta e ineludibile precisione: «Certo, la mancanza di qualcosa saltava agli occhi: ma non della fila di macchine parcheggiate, o dell'ingorgo al crocevia, o del flusso di folla sulla porta del grande magazzino, o dell'isolotto di gente ferma in attesa del tram; ciò che mancava per colmare gli spazi vuoti e incurvare la superficie squadrata, era magari un'alluvione per lo scoppio delle condutture dell'acqua, o un'invasione di radici degli alberi del viale che spaccassero la pavimentazione. Lo sguardo di Marcovaldo scrutava intorno cercando l'affiorare d'una città diversa, una città di cortecce e squame e grumi e nervature sotto la città di vernice e catrame e vetro e intonaco.

Ed ecco che il caseggiato davanti al quale passava tutti i giorni gli si rivelava essere in realtà una pietraia di grigia arenaria porosa; la staccionata d'un cantiere era d'assi di pino ancora fresco con nodi che parevano gemme; sull'insegna del grande negozio di tessuti riposava una schiera di farfalline di tarme addormentate.

Si sarebbe detto che, appena disertata dagli uomini, la città fosse caduta in balìa d'abitatori fino a ieri nascosti, che ora prendevano il sopravvento: la passeggiata di Marcovaldo seguiva per un poco l'itinerario d'una fila di formiche, poi si lasciava sviare dal volo d'uno scarabeo smarrito, poi indugiava accompagnando il sinuoso incedere d'un lombrico. Non erano solo gli animali a invadere il campo: Marcovaldo scopriva che alle edicole dei giornali, sul lato nord, si forma un sottile strato di muffa, che gli alberelli in vaso davanti ai ristoranti si sforzano di spingere le loro foglie fuori dalla cornice d'ombra del marciapiede. Ma esisteva ancora la città? Quell'agglomerato di materie sintetiche che rinserrava le giornate di Marcovaldo, ora si rivelava un mosaico di pietre disparate, ognuna ben distinta dalle altre e alla vista e al contatto, per durezza e colore e consistenza».[35]

In questa città sconosciuta e "diversa", in una Parigi notturna e assolutamente ostile, Calvino ha ambientato un suo racconto del 1980, in cui l'antica fiaba araba della "mano mozza" sembra precipitare sui *boulevards*, rendendosi attuale nella storia di una ragazza che fugge, in macchina, inseguita da alcuni *loubards* o *rockies*, armati di catene. La ragazza riesce a salvarsi e, quando parcheggia l'auto, scopre che una delle catene con cui i *loubards* colpivano la sua macchina, è rimasta impigliata al mozzo di una ruota e, appesa alla catena, c'è la mano troncata di uno dei *loubards*. Così conclude Calvino: «La storia mi è stata raccontata col nome e cognome e indirizzo della persona a cui è capitata il mese scorso, conoscente di conoscenti di conoscenti. Dalle indagini che ho fatto, sarebbe una storia tutta vera, così come ve l'ho riferita. Altri però m'hanno detto d'aver sentito raccontare la stessa storia già anni fa, ambientata in altri quartieri e con qualche dettaglio diverso: sarebbe quindi una leggenda della metropoli moderna, che si tramanda di bocca in bocca. Ma ci potrebbe essere una terza possibilità: che sia una storia che si ripete nella realtà, tal quale, nelle grandi città dove tutti gli elementi in questione sono presenti e basta poco perché si combinino in questa sequenza, come una composizione chimica in una provetta, così come si ripetono intorno a noi tante storie anche più raccapriccianti e insensate di questa».[36]

Del resto, la polizia, a cui la ragazza si era rivolta, aveva raccomandato la calma: «ogni settimana a Parigi vengono ritrovati qualche mano o qualche piede che non si sa di chi sia e che nessuno viene a reclamare».

Peppi, a mio avviso, non poteva essere considerato ancora come definitivo emblema del fiabesco: dopo il fulgido narrare dell'aratro e del piccolo eroe contadino, ci sono ancora la fiaba melanconica e la fiaba "insensata". E la città è qui guardata con occhio partecipe, quasi con l'occhio dolente e smarrito del ragazzo Pin che vede i tedeschi, gli adulti, i partigiani, la sorella, come se qualcosa di loro sempre gli sfuggisse e solo il suo "sentiero dei nidi di ragno" possedesse un ordine arcano che gli adulti "insensati" possono solo distruggere.

Dalla scuola, da una rivista di insegnanti per insegnanti, un ricordo di Calvino a tre mesi dalla morte si domanda che cosa sia stata, per Calvino, l'"inventiva". E risponde: «che l'inventiva è fatta di ars combinatoria e di intertestualità parodistica vien detto in forma di apologo nel *Barone rampante* nel famoso incontro fra Cosimo e Napoleone. E nelle ultime parole del libro vien detto chiaro che l'esercizio di inventiva letteraria è effimera cura dell'angoscia dell'inevitabile disillusione del vivere (...). E il signor Palomar ha definitivamente rinunciato alla funzione trasformativa dei bei modelli inventati dall'utopia. Si sforza di non inventare ma di rispecchiare una segreta armonia del mondo. Ma questa armonia probabilmente non c'è, comunque Palomar non può comprenderla, né osservarla, né calcolarla. Ma la via alla saggezza sta in questo esercizio di meditazione per un'illuminazione impossibile».[37]

In un racconto di Calvino, in uno di quelli che amo maggiormente, *La poubelle agrée*, ho peraltro potuto anche definire una specie di fruttuosa intesa, di sostanziosa collaborazione, dello stesso Calvino con il signor Palomar. L'accordo si realizza fondandosi su una proposta di cui spremo facilmente una forma di irresistibile succo pedagogico. Tutto il racconto si articola sulle riflessioni che Calvino compie mentre disimpegna l'unica faccenda domestica a cui si dedica con soddisfazione e con competenza, e che consiste nel vuotare la *poubelle* (Calvino risiede ancora a Parigi), ovvero la pattumiera di famiglia, nella *poubelle* più grande che verrà prelevata dagli spazzini. Attraverso questo atto Calvino stabilisce un rapporto preciso con la società, con il mondo, con gli altri. E le fasi minime che lo compongono sono parti di un ordinato rituale, fiducioso e preciso, in cui il patto si realizza tutto intero se Calvino tiene fede al primo atto, quello di portar fuori la *poubelle*. È un racconto che si prolunga in molte direzioni: per una scuola che non insegna ad osservare e non insegna ad interpretare e non insegna a raccogliere il senso di queste due attività e non insegna ad esporre in modo appropriato il frutto di simili operazioni, il racconto è una sfida. E tale sfida non è sardonica o preventivamente sfiduciata: può proprio essere raccolta partendo dall'esemplare scelta di un'occasione simbolicamente minima, scelta appunto perché su di essa mai si punterebbero gli occhi di chi non sa vedere.

Non sento di poter concludere, neppure provvisoriamente, questo insieme di note sul tema *Calvino e la scuola*, se non mi riferisco, certo con una rapidità pochissimo collegata all'entità dell'argomento, a quello spazio in cui Calvino ha collocato i numerosi "doppi" di cui sono pieni i suoi libri e i suoi racconti. Il "doppio" dovrebbe essere, nelle sue considerevoli prospettive pedagogiche, utilizzato ampiamente da tutti gli educatori. Con molti "doppi" di alunni che appaiono indecifrabili, si potrebbe piacevolmente dialogare, e spesso il "doppio" appare proprio per mettere in evidenza quella parte d'una personalità, a cui si delega il compito di comunicare. E poi c'è la "doppiezza" come tragico e mortifero rifugio, e altro ancora.[38]

Fra i tanti "doppi" raccontati e descritti da Calvino voglio subito ricavarne uno che lo scrittore offrì proprio alla scuola media nell'antologia già citata. È una riflessione, sapientemente didattica, premessa ad alcuni brani di Don Chisciotte che il libro propone agli alunni in lettura: «I dialoghi tra il cavaliere e il suo scudiero occupano molte pagine del libro: l'uno parla fiorito, con espressioni antiquate; l'altro è popolaresco nel linguaggio, e come pensiero si tiene sempre (quest'accostamento è proprio degno di Sancio Panza) coi piedi per terra. Dapprincipio crede in ogni parola di Don Chisciotte, poi s'accorge che sono tutte fantasie; un po' s'illude di fargli sentire la voce del buon senso, un po' gli viene il dubbio che il Cavaliere abbia anche un po' ragione; spesso parteggia per la gente savia, compiangendo la pazzia del padrone, ma alle volte ne sembra contagiato lui stesso. Il contrasto dei due personaggi non è rigido, come tra due maschere sempre uguali; sono entrambi esseri viventi, complessi, pieni di sfumature: Sancio Panza ha il suo lato donchisciottesco; Don Chisciotte ha le sue debolezze umane sanciopanzesche».[39]

Ma il "doppio" meglio definito in senso pedagogico, quello che oggi mi sembra più attuale, proprio mentre si è fatto silenzio sulla diseguaglianza incolmabile che distrugge sul nascere le speranze di alcuni quando arrivano a scuola sfavoriti e comunque privi di quelle garanzie intorno alla validità di un "punto di partenza" uguale per tutti, è contenuto in un vecchio racconto, *Pranzo con un pastore*. La voce narrante, un Calvino più che mai riconoscibile, è quella di un ragazzo che pranza, fra molte ansie, sensi di colpa, amarezze, con un giovane pastore, dipendente del padre, agiato agricoltore, e da questi invitato ad una tavola in cui si trova in condizioni di estremo disagio: «Soffrivo di questo paragonare me e lui, lui che doveva guardare le capre altrui per vivere, e puzzare di ariete, ed era forte da abbattere le querce, e io che vivevo sulle sedie a sdraio, accanto alla radio leggendo libretti d'opera, che presto sarei andato all'università e non volevo mettermi la flanella sulla pelle perché mi faceva prudere la schiena. Le cose ch'erano mancate a me per esser lui, e quelle che eran mancate a lui per esser me, io le sentivo allora come un'ingiustizia, che faceva me e lui due esseri incompleti che si nascondevano, diffidenti e vergognosi, dietro quella zuppiera di minestra».[40]

Sono entrambi "incompleti": e questa è una lucida constatazione che dovrebbe effettuarsi ogni giorno, in tante aule, da parte di tanti docenti.

Cosimo e Gurdulù sono poi due "doppi" particolarmente intriganti, quando si decide di accostarli. Nella apparente lontananza arborea del primo, che fugge e non fugge, e nella remota distanza del secondo, che è sempre lì, ma è sempre qualcos'altro, si compone una struggente "metafora di infanzia" che raccoglie e unifica infinite figure di bambini. La fuga impettita e calcolata del piccolo e fiero barone induce il fratello a riflettere sull'autentica collocazione di Cosimo: «Insomma, Cosimo, con tutta la sua famosa fuga, viveva accosto a noi quasi come prima. Era un solitario che non sfuggiva la gente. Anzi si sarebbe detto che solo la gente gli stesse a cuore».[41]

Gurdulù, obbediente, disponibile, malleabile non sa mai veramente dov'è: «Scopriti il capo, bestia! Non vedi che sei davanti al re! La faccia di Gurdulù s'illuminò; era una larga faccia accaldata in cui si mischiavano caratteri franchi e moreschi: una picchiettatura di efelidi rosse su una pelle olivastra; occhi celesti liquidi venati di sangue sopra un naso camuso e una boccaccia dalle labbra tumide; pelo biondiccio ma crespo e una barba ispida a chiazze. E in mezzo a questo pelo, impigliati, ricci di castagna e spighe d'avena».[42]

Il bambino che si ottiene, come avverrebbe se anche qui si seguisse il finale del *Visconte dimezzato*, sommando Cosimo a Gurdulù, è più che mai presente nelle nostre scuole: dubito che sia mai stato individuato e capito meno di ora.

Un ultimo riferimento, davvero conclusivo. Quando uscì l'antologia curata da Calvino nacque una polemica. Si scoprì, con disappunto, che Calvino, proprio lui, aveva preferito usare le traduzioni di Monti, Pindemonte e Caro anziché optare subito per più nuovi e aggiornati prodotti. Calvino rispose con un intervento che è un vero modello di consapevolezza didattica e pedagogica, al di là delle mode e delle tentazioni più opportunistiche: «Chiediamoci cosa comunicano loro oggi i poemi. Primo, un insieme di miti come prima organizzazione logico-fantastica dell'universo; secondo, un insieme di vicende e personaggi che per essere entrati a far parte del sistema di segni di molti popoli, ci servono come elementi di un comune linguaggio metaforico; terzo, un insieme di valori morali nei quali possiamo in qualche misura riconoscerci (comunque situarci in rapporto ad essi); quarto, un respiro di vita collettiva e di senso della totalità. Tutto questo, certamente, ma anche un modo d'organizzare il discorso diverso da quello consueto per cui un significato di piena immediatezza richiede a ogni verso, per essere raggiunto, quel sovrappiù di tensione che è la decifrazione di un codice. Insomma, ciò che la lettura d'un poema epico mette in particolare evidenza non è poi altro che il meccanismo di qualsiasi lettura. E l'italiano della tradizione poetica — questa lingua che è esistita solo nei libri e le cui colpe sono troppo note a tutti perché valga la pena di ricordarle qui — ha la prerogativa di mettere questo meccanismo ancor più in evidenza, specie al nostro occhio d'oggi: in questo lo spessore del testo scritto è continuamente frapposto tra il lettore e la materia narrata, cosicché il recupero della comunicazione poetica avviene sempre al di là di un ostacolo da superare. È per questo che imparare a leggere le traduzioni classiciste dei classici ha oggi un senso niente affatto classicistico, dato il distacco storico con cui vediamo questo tipo di versificazione e di linguaggio: perché insieme alla prima lettura delle imprese di Ettore e Ulisse e Enea si dà la prima esperienza di cos'è un linguaggio letterario come istituzione. In rapporto a questo primo incontro si potranno situare le sorprese di successive riscoperte di Omero e Virgilio, nel testo o nelle traduzioni più moderne, illuminazioni che forse non si avrebbero se non si fosse partiti di là. Ma ora non vorremmo estrapolare regole generali dalla nostra autobiografia di lettori...».[43]

Rilevo che in questa lucidissima serie di proposte pedagogiche scopro il Calvino che combatte lo spreco, il Calvino che, alla propria lingua chiara e nitida, accosta soluzioni di problemi educativi in cui molte occasioni trovano una sintesi assai felice. E avvicino a questa sua pagina uno scritto del 1967 in cui Calvino riflette sui possibili compiti di una macchina capace di produrre letteratura: «Quale sarebbe lo stile d'un automa letterario? Penso che la sua vera vocazione sarebbe il classicismo: il banco di prova d'una macchina poetico-elettronica sarà la produzione di opere tradizionali, di poesie con forme metriche chiuse, di romanzi con tutte le regole. In questo senso l'uso che finora l'avanguardia letteraria ha fatto delle macchine elettroniche è ancora troppo umano. La macchina in questi esperimenti, soprattutto in Italia, è uno strumento del caso, della destrutturazione formale, della contestazione dei nessi logici abituali: cioè io direi che resta uno strumento ancora squisitamente lirico, serve un bisogno tipicamente umano: la produzione di disordine. La vera macchina letteraria sarà quella che sentirà essa stessa il bisogno di produrre disordine ma come reazione a una sua precedente produzione di ordine, la macchina che produrrà avanguardia per sbloccare i propri circuiti intasati da una troppo lunga produzione di classicismo. Infatti, dato che gli sviluppi della cibernetica vertono sulle macchine capaci di apprendere, di cambiare il proprio programma, di sviluppare la propria sensibilità e i propri bisogni, nulla ci vieta di prevedere una macchina letteraria che a un certo punto senta l'insoddisfazione del proprio tradizionalismo e si metta a proporre nuovi modi d'intendere la scrittura, e a sconvolgere completamente i propri codici. Per far contenti i critici che ricercano le omologie tra fatti letterari e fatti storici sociologici economici, la macchina potrebbe collegare i propri cambiamenti di stile alle variazioni di determinati indici statistici della produzione, del reddito, delle spese militari, della distribuzione dei poteri decisionali. Sarà quella, la letteratura che corrisponde perfettamente a un'ipotesi teorica, cioè finalmente *la* letteratura».[44]

Queste osservazioni Calvino le ha scritte nel 1967: credo che potrebbero essere assunte come introduzione a qualunque tipo, o modalità, o prospettiva di impiego del *computer* nella scuola.

Calvino e la scuola: si sono davvero, convincentemente incontrati, e ben oltre le possibilità grandissime, ma generiche, attraverso cui si realizza un contatto tra uno scrittore così importante e un'istituzione educativa. Anche quest'ultima citazione, allora avveneristica, oggi attuale, dimostra poi che la capacità di guardare lontano è la virtù che la scuola deve acquisire da chi ne è o ne fu in possesso.

1 G. De Rienzo, *Italo Calvino e il convegno inesistente*, «Corriere della Sera», Milano, 1 dicembre 1986.

2 M. Gattullo - A. Visalberghi (a cura di), *La scuola italiana dal 1945 al 1983*, La Nuova Italia, Firenze 1986.

3 I. Calvino, *Palomar*, Einaudi, Torino 1983, p. 108.

4 G. Manganelli, nel risvolto di copertina di I. Calvino, *Sotto il sole giaguaro*, Garzanti, Milano 1986.

5 I. Calvino, *Le cosmicomiche*, Einaudi, Torino, 1965, p. 95.

6 I. Calvino, *Le cosmicomiche*, cit. pp. 98-99.

7 W. Benjamin, *Parigi capitale del XIX secolo*, Einaudi, Torino, 1986, p. 8.

8 C. Fourier, *Teoria dei quattro movimenti. Il nuovo mondo amoroso*, Einaudi, Torino, 1971, pp. 206-07 (a cura di Italo Calvino).

9 C. Fourier, cit., p. 209.

10 Jean Paul, *Levana*, UTET, Torino, 1932, pp. 329-30.

11 Oulipo, *La letteratura potenziale (Creazioni Ri-creazioni Ricreazioni)* ed. italiana di R. Campangoli e Y. Hersant, Clueb, Bologna, 1985.

12 G. Almansi, *La ragion comica*, Feltrinelli, Milano 1986, p. 149.

13 Alludo specialmente a E. Zamponi, *I draghi locopei*, Einaudi, Torino 1986.

14 I. Calvino, *Una pietra sopra*, Einaudi, Torino, 1980, p. 26. Il testo di questa conferenza del 1958, *Natura e storia nel romanzo*, non era mai stato pubblicato.

15 G. Pascoli, *Poesie*, Mondadori, Milano, 1944, p. 234.

16 P. Citati, *I sensi di Calvino*, «Corriere della sera», Milano, 17 giugno 1986.

17 I. Calvino, *Ultimo viene il corvo*, Einaudi, Torino 1976 (Prima edizione: 1949), p. 58.

18 Tutti i brani dell'intervista sono ricavati da: B. Placido, *La precisione è utile, parola di Calvino*, «la Repubblica», Roma, 24 settembre 1985.

19 I. Calvino, *L'uomo di Neanderthal*, in AA.VV. *Interviste impossibili*, Bompiani, Milano 1975, pp. 11 e 12.

20 C. Freinet, *L'educazione del lavoro*, Editori Riuniti, Roma 1977, p. 329.

21 I. Calvino, *Montezuma*, in A.A.V.V. *Interviste*, cit. pp. 92-93.

22 *Intervista inedita a Italo Calvino. Lo scrittore? È un idiota come Flaubert*, «l'Unità», Milano, 17 agosto 1986.

23 A. Asor Rosa, *Il cuore duro di Calvino*, «la Repubblica», Roma, 1 dicembre 1985.

24 M. Corti, *Il mio primo modello è stato Pinocchio*, «la Repubblica», Roma, 20 settembre 1985.

25 *L'uomo verde d'alghe* in *Fiabe italiane raccolte, trascritte e annotate da Italo Calvino*, Einaudi, Torino 1956, p. 7. Del rapporto di questa fiaba con *Pinocchio* si è parlato nel convegno di San Giovanni Valdarno dedicato a *Calvino e la fiaba*: B. Pescini, *Il signore delle fiabe*, «il Manifesto», Roma, 9 dicembre 1986.

26 I. Calvino, prefazione alla ristampa del 1964 de *Il sentiero dei nidi di ragno*. Qui cito dall'edizione del 1972, p. 17.

27 I. Calvino, prefazione cit., p. 20.

28 I. Calvino, *La fiaba*, in I. Calvino - G.B. Salinari, *La lettura*, Zanichelli, Bologna 1973^2, vol. I, p. 105. Il brano è stato scritto nel 1969 come attestano i documenti dell'archivio della casa editrice Zanichelli che ho potuto consultare per la gentilezza dell'ingegner Federico Enriques che qui ringrazio affettuosamente.

29 I. Calvino, *Per chi si scrive?* in *Una pietra sopra*, cit., p. 161.

30 I. Calvino, *La favola*, in *La lettura*, cit., vol. I, p. 18.

31 I. Calvino, *Una pietra sopra*, cit., p. 166.

32 I. Calvino, *Fiabe italiane*, cit., p. XXXIV dell'introduzione.

33 I. Calvino, *La tradizione popolare nelle fiabe* in *Storia d'Italia*, vol. V, *I documenti*, Einaudi, Torino 1973.

34 I. Calvino, prefazione a *Marcovaldo*, edizione compresa nella collana "Letture per la scuola media", Einaudi, Torino 1966.

35 I. Calvino, *Marcovaldo*, cit., pp. 123 e 124.

36 I. Calvino, *La mano che ti segue*, «la Repubblica», Roma, 26 agosto 1980.

37 M. Bonfantini, *Calvino e l'inventiva*, «Rossoscuola» n. 28, Torino, 28 dicembre 1985.

38 Sul tema del "doppio" ho, in questa occasione, letto il volume a cura di Enzo Funari, *Il doppio. Tra patologia e necessità*, Cortina, Milano 1986, di cui ho particolarmente apprezzato il contributo di M. Casonato: *Dracula è infelice: non può specchiarsi*, p. 75; e ho naturalmente ripreso anche il classico studio di Otto Rank, *Il doppio*, Sugarco, Milano 1979 (ed. or. 1914).

39 I. Calvino, presentazione di *Don Chisciotte della Mancia*, in *La lettura*, cit., vol. II, p. 710.

40 I. Calvino, *Pranzo con un pastore*, in *Ultimo viene il corvo*, Einaudi, Torino 1976, p. 66 (Prima edizione: 1949).

41 I. Calvino, *Il barone rampante*, Garzanti, Milano 1985, p. 87 (ed. or. Einaudi, Torino 1957).

42 I. Calvino, *Il cavaliere inesistente*, Einaudi, Torino 1959.

43 I. Calvino, *Perché Monti Pindemonte e Caro* in «Zanichelli Scuola» n. 41, Bologna, aprile 1970.

44 I. Calvino, *Cibernetica e fantasmi* in *Una pietra sopra*, cit., p. 170 e 171.

LE FORME DELLA REALTÀ

Luigi Baldacci (presidente)

La vicenda di Calvino uomo e scrittore è senz'altro contrassegnata da un allontanamento da quell'impegno politico che invece contraddistingue la sua attività giovanile. Ecco una prima forma della realtà: quella socio-politica, che sarà illustrata dalla relazione di Falaschi, mentre Spinazzola traccerà il senso dell'evoluzione di cui ho detto sopra.

Uno dei saggi più belli di Calvino (e Calvino saggista è ancora da studiare, e certamente è grande anche indipendentemente dallo scrittore), raccolto in *Una pietra sopra*, ha il titolo di *Natura e storia nel romanzo*. Natura e storia, altre due "forme" della realtà che sarà compito di Di Nola indagare; mentre a Nava è toccato il grande impegno di identificare i tracciati nella selva ariostesca disegnata dai mille percorsi della fantasia di Calvino: gli estremi di questi sempre più complicati percorsi stanno forse nell'immobilità del re in ascolto, seduto sul suo trono, e nella dimensione mentale, ancora indefinibile come spazio, in cui devono cominciare ad apparire segni e punti e molecole perché si possa dire che lo spazio esista.

Do ora la parola a Vittorio Spinazzola.

Vittorio Spinazzola
L'IO DIVISO DI ITALO CALVINO

L'idea di letteratura esplicata da Italo Calvino nel corso della sua carriera, così versatile e complessa, appare sorretta dalla tensione di due spinte concorrenti. Per lui, scrivere era anzitutto compiere un atto di libertà immaginativa, di estrosità sbrigliata. La singolarità della presenza calviniana nel panorama letterario secondonovecentesco si fonda su una rivendicazione del primato della fantasia creatrice, contro ogni vincolo che ne mortifichi l'insorgere.

Ma quanto più intensamente egli avvertiva lo stimolo energetico dell'immaginazione avventurosa, tanto più sentiva il bisogno di controllarlo, disciplinandone l'esuberanza. E nel riprendere un dominio fermo delle proprie capacità inventive, era portato a indagarne i meccanismi strutturali, in una prospettiva sistematica che ne riconducesse gli slanci ai paradigmi logici di un'*ars combinatoria* immanente ad ogni narrare.

Il fatto è che l'esaltazione della creatività fantastica gli si accompagnava al convincimento corrosivo del suo carattere intrinseco di illusione soggettiva, di inganno e autoinganno, evasivo e consolatorio. Da ciò l'esigenza urgente di conferire all'attività letteraria il valore di un contributo di verità, sia pur sempre parziale e precaria, ma oggettivamente fondata. La fantasia veniva così ad essere intesa non come fine ma come mezzo, per un richiamo ai principi della nostra costituzione biopsichica, nelle possibilità conoscitive e nelle responsabilità morali che le ineriscono.

In altre parole, a Calvino il fare letteratura appariva in prima istanza forma suprema di un godimento di sé, nell'affermazione autonoma delle proprie risorse di costruttività immaginosa. Ma il rischio dell'arroccamento egocentrico lo induceva per contro ad aprirsi a una visione dell'artisticità come fatto eminentemente comunicativo e relazionale: l'elaborazione solitaria dell'io trova adempimento funzionale solo nel proporsi come occasione d'incontro con gli altri, appagando le attese dell'immaginario collettivo e meritandone una remunerazione gratificante.

Così l'opera letteraria, germinata quale espressione di solitudine, si realizza come bisogno di socialità. La dimensione della scrittura non può sussistere se non rapportandosi a quella della lettura: il punto essenziale d'impegno militante della concezione letteraria calviniana sta nella consapevolezza mai smentita dell'interdipendenza necessaria fra i due ruoli diversi di chi scrive e di coloro che leggono.

Come è noto, la testimonianza più significativa e suggestiva dell'interesse portato da Calvino al problema dei destinatari è fornito dal suo libro di maggior ricchezza architettonica. Romanzo e antiromanzo e metaromanzo, collezione di racconti in forma di esordi romanzeschi incompiuti, quasi a saggiare l'universo delle potenzialità narrative, *Se una notte d'inverno un viaggiatore* assume la figura del Lettore a protagonista di una vicenda che ha per asse tematico le peripezie del Prodotto letterario. Nel doppio criterio di conduzione della pagina, l'argomentazione riflessiva e l'illuminazione simbolica collaborano a sviluppare un discorso sull'arte di pregnanza totale. La creatività estetica può solo raggiungere risultati imperfetti ed equivoci, perché relativi, quindi frustranti: nondimeno continua a replicare i suoi sforzi in quanto a sospingerla è la necessità vitale di un desiderio fantasticante che non conosce soste, né dalla parte del fruitore né dell'autore di testi letterari.

Edito nel 1979, *Se una notte* appare quasi la sintesi conclusiva delle esperienze e meditazioni intrecciate nelle varie vicende di un'operosità più che trentennale. La narratività viene vagheggiata come un orizzonte di scelte operative che lo scrittore è chiamato a compiere in presenza se non in funzione o addirittura in collaborazione con i destinatari elettivi, di cui disegna entro di sé l'immagine. Appunto perciò il raccontare si pone a specchio e paragone dell'esistere, che non consiste se non nell'effettuare le proprie scelte di vita. La fertilità inventiva dell'operazione letteraria se ne lievita, così come la responsabilità civile se ne accentua. E qui trova fondamento una concessione di credito, travagliata e condizionata ma fiduciosa, al futuro dell'arte del racconto.

Certo, Calvino era abitato da un'inquietudine, una nevrosi insanabile. A uno sguardo d'insieme, la sua opera appare percorsa da un rovello avviluppato, incapace di risolversi in una posizione stabile. Tuttavia, c'è una linea di continuità riconoscibile negli svolgimenti e anche erramenti della sua ricerca ininterrotta: l'aspirazione a mantenere sempre vivo il colloquio col pubblico, pur senza effettuare alcuna concessione alla corrività della letteratura come spettacolo.

Anche le sue prove più laboriosamente artefatte non esibiscono mai un assetto astruso, che ostacoli e respinga il lettore profano. E non erano soltanto i destinatari di competenza specialistica maggiore, quelli che gli stavano a cuore: no, era anche l'interlocutore collettivo più eterogeneo e più vasto, formato dai ceti di media cultura, espressione del recente consolidamento della civiltà urbano-industriale in Italia.

Motivo essenziale di fascino della personalità calviniana è la contraddizione per cui uno scrittore dal temperamento così schivo, così aristocraticamente riservato poté improntare i suoi rapporti con i fruitori a un democraticismo tanto affabile e cordiale. Mai, in lui, alcuna ostentazione di superiorità autoritaria, come di chi parla dall'alto e di lontano, convinto del possesso d'una carismaticità infallibile. Il suo è l'atteggiamento paritario di chi si rivolge ad eguali, per sollecitare un colloquio, non per imporre l'enfasi di un Verbo sussiegoso.

Il segreto di questa attitudine dialogica sta, com'è ovvio, in un linguaggio che si mantiene sostanzialmente inalterato nelle varie metamorfosi dei modelli narrativi adottati dallo scrittore. Lo stile di Calvino tende a coniugare i due registri della tersità impeccabile e della precisione stringata; l'eleganza letteraria viene fatta risiedere in una coincidenza di limpidezza e proprietà, fuori del decorativismo aulico e della sbracatura plebea, con una forte funzionalità tecnico-strumentale: «più la lingua si modella sulle attività pratiche, più diventa omogenea sotto tutti gli aspetti, non solo, ma pure acquista stile».

L'affermazione è contenuta in un intervento nel dibattito giornalistico provocato, nel 1965, dal noto scritto di Pasolini sulla questione della lingua. In un altro articolo dello stesso anno, Calvino indica con nettezza ulteriore il suo orientamento, in polemica con quella che definisce la minaccia permanente dell'"antilingua" retorica: «il mio ideale è un italiano che sia il più possibile *concreto* e il più possibile *preciso*. Il nemico da battere è la tendenza dell'italiano a usare espressioni *astratte* e *generiche*». La parola deve rinviare con immediatezza alla cosa: è sul perseguimento di questo ideale che si misura il contributo calviniano a un rinnovamento linguistico-letterario condotto sotto il segno di una modernità classicamente atteggiata. Non per nulla, pochi anni dopo, egli sosterrà che il più grande scrittore italiano è Galileo, ricordando l'ammirazione leopardiana «per la precisione e l'eleganza congiunte» della sua prosa.

Si capisce allora la riluttanza invincibile a ogni regressione dialettale, e d'altronde il rifiuto di accondiscendenza alla banalità del parlato quotidiano, cui viene contrapposta la «parola che indica uno sforzo di ripensare le cose diffidando delle espressioni correnti», come leggiamo in una nota pubblicistica del 1978.

Va detto che questo criterio di espressività trasparentemente comunicativa era insidiato in lui dalle tentazioni ricorrenti di un purismo lirico-elegiaco, che aveva radice nella prosa d'arte prebellica: e ciò non soltanto nelle prime prove narrative, ma anche in anni più tardi. A contrastarle però insorgeva una consapevolezza ironica e autoironica affilata, che promuoveva il ritorno a una norma di medietà prosastica sdrammatizzante. Sì, a volte il lessico appare alquanto rarefatto e selettivo; la pagina rischia di caricarsi di un sovrappiù di letterarietà: ma l'autore per solito è bene attento a reprimere gli spunti di innalzamento tonale, mantenendo il livello equilibrato del discorso sotto un controllo, anzi, sin troppo stretto: e, s'intende, escludendo con rigore particolare ogni cedimento all'effusività patetica. I due punti di riferimento, opposti e complementari, fra cui si colloca questa armonia di scrittura sono la lucidità metafisica delle invenzioni stracittadine di Bontempelli e la fermezza di linee dell'evocazione assorta nel toscanesimo di Bilenchi.

L'ordinamento sintattico è il suo punto di forza più sicuro: è ammirevole la maestria con cui Calvino fronteggia, alterna, compensa un periodare simmetricamente proporzionato, ritmicamente scandito, con un fraseggiato dinamico, dalle movenze fresche e sciolte. La facilità difficile di questo linguaggio consiste nel fare riferimento al parlato quotidiano, come lingua della contemporaneità vivente, non già per mimarlo ma per sublimarlo in una luce di grazia signorile, quale poteva essere appresa solo dai testi scritti della civiltà gentilizia, anteriori alle goffaggini, volgarità, ridondanze del mondo elocutivo borghese.

L'aristocraticismo stilistico calviniano è, ovviamente, senso della misura, sorveglianza discreta del flusso discorsivo, così da conferirgli l'assetto più levigato e compatto: non però esangue, anzi tale da custodire nella sua asciuttezza una pregnanza di suggestioni evocative e di implicazioni pensose. Stile testimoniale, potremmo anche definirlo, per l'alacrità della tensione visiva che lo sostiene, espandendosi nel concretismo delle descrizioni analitiche. Ma lo sguardo del narratore, disincantato e assorto, seleziona le inquadrature, panoramiche o primi piani, in modo che la loro stessa configurazione assuma un'evidenza di significato etico e conoscitivo.

Calvino non temeva di apparire didascalico e nemmeno divulgativo: voleva però che le sue intenzioni suasorie prendessero corpo dalla strutturazione della compagine testuale, senza lasciar luogo a inserti trattatistici separati. Di qui il diniego dell'eredità del realismo romantico, con la sua impurità polimorfa, con il suo proposito di attingere una totalità sapienziale nel sincretismo d'una rappresentazione distesamente romanzesca, in cui interessi letterari ed extraletterari si affrontavano in modo esplicito.

Meglio, anche qui, ricorrere ai moduli narrativi dell'età preborghese, o d'una borghesità nascente: quelli in cui la coscienza letteraria della classe dirigente in fieri filtra la popolarità della propria tradizione espressiva, ponendola a confronto con la lezione di nobiltà formale dell'umanesimo classico. La novella dunque, nelle tipologie più prossime agli archetipi d'una narratività primaria, l'apologo, l'*exemplum*, la fiaba: infine, il *conte philosophique*, forma deputata del loro ammodernamento in chiave non più di buon senso arcaico ma di criticismo intellettuale.

Calvino non poteva non simpatizzare con un modello di racconto che trascorre con leggerezza ilare sui fatti, evitando gli appesantimenti predicatori ma affidando alla stretta concatenazione della vicenda uno scopo dimostrativo perentorio. Nello scrittore ligure, a rendere più galoppante il decorso delle peripezie provvedevano le reminiscenze sia del narrare picaresco sia cavalleresco: tale appunto è la convergenza da cui nasce la trilogia *I nostri antenati*.

Ma nei *contes* della grande stagione settecentesca vibrava una fiducia nella ragione troppo baldanzosa perché il suo animo arrovellato la rieccheggiasse senza riserve. Il canone della letterarietà illuminista poteva anche essere rilanciato in ambito ultranovecentesco, facendogli assimilare i frutti del favoleggiamento fantascientifico, con la sua ariosità cosmica, o cosmicomica. Il patto però era di depurare la *science fiction* d'ogni slancio mitopoietico per ridurla a stretta obbedienza nei riguardi d'una epistemologia dell'indeterminazione probabilistica. E nel passaggio dalle *Cosmicomiche* a *Ti con zero* la felicità dei procedimenti di sintesi simbolica è sempre più sovrastata dalla minaccia di una scissione fra le sue due componenti, invenzione estetica ed esposizione di pensiero.

D'altronde non meno appariscente è la laboriosità dello sforzo compiuto con *Il castello dei destini incrociati* per dare composizione sistematica a un insieme di spunti novellistici volti a illustrare, se non a esaurire le modalità d'intreccio del caso e della necessità nei destini umani. Non diversa è la sensazione suscitata dalla disposizione seriale dei paradigmi inventivi schierati nelle *Città invisibili*, anche qui con il ricorso a una cornice unificante.

Parrebbe che Calvino subisse il richiamo della narrazione a respiro ampio e intrecci multipli, ma non vi acconsentisse, surrogandola con vari espedienti volti a collegare in modo più o meno intrinseco una successione di racconti. Solo sul finire della carriera volle e seppe instaurare un rapporto di interdipendenza davvero organico tra una pluralità di testi novellistici e un contesto romanzescamente articolato. Ma l'equilibrio inedito di *Se una notte d'inverno un viaggiatore* trae la sua originalità irripetibile dal carattere accentuatamente metaromanzesco di un'operazione a forte carattere programmatico.

Eppure, alle origini della carriera calviniana c'è proprio un romanzo: quella sorta di *Bildungsroman* ad ampio sfondo corale che è *Il sentiero dei nidi di ragno*. Va però rilevato che l'evocazione del clima resistenziale, così ansiosamente e anche ambiguamente librato tra rifiuto del passato e sogno del futuro, era l'unica circostanza in cui lo scrittore potesse vagheggiare una sua idea di socialità, attraverso la rete di relazioni instaurate tra i personaggi: principio costitutivo, questo, di ogni macchinazione romanzesca.

La predilezione successiva per la novella o il racconto lungo nasce dal proposito di fermare lo sguardo sulla singolarità interminabile dei casi esistenziali dell'individuo, alle prese con le difficoltà del vivere, storicamente sempre diverse e antropologicamente sempre eguali. Si può sottolineare che proprio i racconti d'ambiente contemporaneo e d'argomento sociopolitico sono quelli in cui campeggia maggiormente la solitudine dell'io protagonista, assorto a interiorizzare il senso degli eventi occorsigli: cioè a decifrare i messaggi provenientigli dal mondo circostante e a tradurli nel codice di una semiologia generale dell'esistenza.

Si attenua così la portata dell'alternanza fra narrare favolistico e narrare realistico attuata nel primo dopoguerra: decisivo appare in entrambi i casi il ricorso a personaggi ben fisionomizzati, lasciando impregiudicata la scelta del modulo più adatto ad assumere un carico adeguato di valenze etico-conoscitive. Il vero punto di svolta è rappresentato da *La giornata di uno scrutatore*, perché nel libretto del 1963 l'esplorazione dell'universo della diversità, giunto ai limiti ultimi di deformazione e stravolgimento della natura umana, precipita in uno stato di crisi drammatica. Quando si sia toccata con mano l'insensatezza dell'esistere, che senso ha continuar a celebrare letterariamente l'individualità coscienziale?

La narrativa calviniana trapassa dal piano delle figurazioni concrete a quello delle stilizzazioni astratte: i personaggi si riducono a entità affabulatrici, sempre più reclinate nel soliloquio, sino al caso estremo del signor Palomar. In questo itinerario, viene a oscurarsi il doppio presupposto della narrativa del giovane scrittore: da un lato la centralità assoluta concessa a un personaggio protagonista rappresentativamente coeso, dall'altro però l'antipsicologismo di una ritrattistica in cui l'analisi motivazionale era sostituita dalla restituzione dei dati di comportamento, di attività pratica o mentale.

I due procedimenti collaboravano a galvanizzare il resoconto delle modalità d'incontro dell'io con il mondo, tra frustrazioni e arricchimenti di consapevolezza, sempre comunque nella prospettiva d'una affermazione dinamica dell'individuo di fronte ai suoi simili. Sono congegni d'azione, quelli messi a punto dallo scrittore: anche se proprio la loro velocità di movimento rende più sensibile la difficoltà inquietante del percorso da compiere.

In effetti l'apertura verso gli altri, la disponibilità a partecipare le peripezie dell'essere collettivo appariva accompagnata dalla riluttanza ad assumersi un'identità stabilmente definita, quale è richiesta da una integrazione comunitaria responsabilmente accettata. D'altronde, per la coscienza individuale è davvero difficile assegnare un valore certo alle esperienze fattuali, quando l'intelligenza non sia in grado di inquadrarle e ordinarle secondo schemi interpretativi coerenti.

Ciò tuttavia non vuol dire che Calvino si limiti a inscenare una ripresa del dilemma classico tra il piano dell'esperienza pratica, confusamente equivoca, e quello della teoresi, nel suo sforzo nomenclatorio, classificatore, giudicatore. Il punto essenziale è che il personaggio, l'uomo calviniano ha una natura irremovibilmente egocentrica: il suo organismo biopsichico obbedisce anzitutto all'imperativo categorico di conservare e accrescere la propria vitalità.

Ma per raggiungere lo scopo della realizzazione di sé, è preferibile slanciarsi nel mondo o non è meglio ritrarsene, alzando le barriere di autodifesa dell'io? Questo è il rovello per cui ogni avventura esistenziale gli si qualifica come un itinerario di perplessità, che a loro volta rinfocolano l'ansia o la nostalgia dello smemoramento operativo. Un meccanismo misto di attrazione e di repulsione verso la realtà costituita rappresenta la vera condizione d'essere dei personaggi.

Il loro ideale inconfessato è la purezza dell'ascesi, la contemplazione della vanità del tutto: ma a ributtarli nella mischia è proprio l'ardore vitalistico che impedisce loro di perdersi nell'estasi e li affanna nello sforzo di corroborare la propria individualità specifica, separata. Valga a conferma di ciò l'alternativa fra le immagini metaforiche di San Girolamo e San Giorgio, evocata nel *Castello dei destini incrociati*: il saggio asceta raccolto in meditazione solitaria, fuori del mondo, a contemplarne con animo partecipe gli errori; e il guerriero vigoroso, intento a combattere il nemico che è fuori e dentro di noi, nella vita pubblica e nella privata.

Posto in questi termini di assolutezza, il dilemma non poteva tollerare risposta. Il destino delle creature calviniane si consuma nell'inquietudine: la ricerca dell'appagamento perfetto di sé attingerà davvero la meta solo rovesciandosi in abbandono alla morte. L'io del resto ne era consapevole da sempre: la curiosità che lo spingeva verso l'ignoto, per esplorarlo e appropriarselo, non gli si traduceva che nel turbamento di fronte al mistero insondabile del reale, sempre più sfuggente quanto più vi si inoltri. La propensione a cercare il proprio compimento negli altri induceva un'ansia irresistibile di riassicurarsi il possesso di sé, sino a morirne.

Questo stato di ambivalenza, per così dire risolutamente irrisoluta, assume la maggior plasticità emblematica nei rapporti del personaggio protagonista, sempre di sesso maschile, con la femminilità. Per un lato, ne è affascinato, ne coltiva l'immagine con struggimento, ne insegue le parvenze con tenacia: il congiungimento con la donna, il raggiungimento della donna gli si configura come obbiettivo vitale supremo, sulla spinta dell'eros. Per l'altro verso però la femminilità lo impaurisce e respinge, facendogli pervenire la richiesta minacciosa d'una rinuncia al godimento intero della propria autonomia. L'acquisto gli pare allora convertirsi in perdita, giacché la soddisfazione del desiderio erotico esige un prezzo irreparabile di spossessamento vitale.

L'inganno dell'esistenza si smaschera finalmente: quanto più irresistibile è il richiamo amoroso, tanto più brusco è l'approdo alla regressione nel nulla. Così accade nei tre racconti della raccolta postuma *Sotto il sole giaguaro*: l'appello rivolto dalla donna ai sensi dell'uomo lo conduce soltanto a un appuntamento con la morte. Del resto il primo libro, *Il sentiero dei nidi di ragno*, può essere letto altrettanto agevolmente in chiave di misoginia sadica e vendicativa. È vero che in altre opere, da *Il visconte dimezzato* a *Se una notte d'inverno un viaggiatore*, le figure femminili sono gratificate d'un tributo incondizionato di simpatia ammirativa, per la superiorità delle loro doti di assennatezza spregiudicata e intraprendenza decisa: i personaggi maschili finiscono per apparire del tutto a rimorchio delle loro compagne, alle quali soltanto va addebitato il lieto fine delle vicende. Ma in questo modo il sesso forte non fa che confermare la sua debolezza, la sua inferiorità rispetto alle risorse energetiche muliebri.

La narrativa calviniana riprende insomma e varia entrambi gli aspetti dell'illustrazione di un tema fondamentale per tanta parte della letteratura otto-novecentesca: la crisi della virilità, connessa al venir meno della divisione di ruolo fra i sessi sancita dall'etica del patriarcato. Il marasma epocale derivatone è parso investire tutte le istituzioni civili: tale è giudicato l'effetto della scomparsa di un principio di autorità capace di dirimere sovranamente i rapporti interindividuali, regolando sia il patto d'unione fra i coniugi sia quello di sovrintendenza sull'avvenire dei figli. Non per nulla lo stato di orfanità è un dato anagrafico così ricorrente, nei personaggi letterari.

Per parte sua, lo scrittore ligure manifesta una predilezione per due disposizioni d'animo opposte: quella infantile cui appartengono Pin o anche l'adulto bambino Marcovaldo, nella loro innocenza inesperta e nella volonterosità frescamente trasognata con cui si apprestano a inoltrarsi nel mondo; e quella di un'anzianità avanzata sino alla decrepitezza, che è la condizione di chi ha visto tutto e sa tutto, ha esaurito ogni esperienza e assimilato ogni scibile, quindi è in grado di raccontare testimonialmente qualsiasi racconto, come fa il Marco Polo delle *Città invisibili* o meglio ancora il Qwfwq delle *Cosmicomiche*, iperbolicamente vecchio della vecchiaia stessa dell'universo.

Nell'uno e nell'altro caso, il personaggio non appare inserito in un ordine di convivenza organica, su posizioni di responsabilità operativa: i primi aspirano ancora ad entrare nella dimensione della maturità virile, i secondi l'hanno ormai oltrepassata. Non si tratta però solo di questo; l'osservazione va generalizzata ulteriormente. Le creature calviniane non ripetono mai i caratteri dell'umanità media e comune: escono dalla norma, con una fisionomia inequivocabilmente separata e diversa. A volte la loro diversità è frutto di libera scelta, come per il barone Cosimo Piovasco di Rondò, che preferisce la vita arboricola a quella terrestre; a volte invece è uno *status* oggettivo, come per il visconte Medardo di Terralba, dimezzato da una palla di cannone, oppure per l'inesistente cavalier Agilulfo.

L'ambito favolistico, è ovvio, consente di esaltare al massimo l'eccezionalità paradossale delle figure protagoniste. Ma anche nei racconti d'impianto realistico il personaggio centrale si diversifica nettamente dalla tipologia del cittadino medio, per la superiorità delle sue competenze culturali: appartiene infatti alla categoria professionistica degli intellettuali. Ecco allora i due ritratti opposti e speculari di Amerigo Ormea nella *Giornata di uno scrutatore* e del Quinto Anfossi di *La speculazione edilizia*: il primo assorto nel rimeditare angosciatamente il valore della coscienza come criterio di identificazione personale dell'essere umano; l'altro smarrito alle prese con le tentazioni di cedimento al conformismo d'una società eguagliata nella degradazione dei valori.

In questi due ultimi profili, come in quello successivo del signor Palomar, è naturalmente più agevole riconoscere un tratto peculiare della personalità biografica calviniana. La consapevolezza orgogliosa della propria alterità lo induceva a interrogarsi con maggior cruccio su un quesito generalissimo: la possibilità, anzi la pensabilità d'un progresso di umanizzazione tale da investire globalmente non solo la storia ma la natura umana.

Si capisce allora che il rifiuto di lasciarsi integrare nei canoni di avvilimento della civiltà odierna avesse per corrispettivo la rinunzia a ogni esibizionismo narcisistico. Nessun riferimento diretto dunque, nella pagina, alla concretezza delle peripezie vissute dallo scrittore: a campeggiare doveva essere la presenza impersonale di un io narrante dedito solo a metaforizzare il problema della comunanza di destini del genere umano. Ma l'ipertrofia della coscienza analitica, di cui Calvino ebbe a soffrire sempre più, si avvolgeva nella spirale delle sue premesse antiteoretiche. A contare, per lui, era sempre e solo il piano dell'esperienza esistenziale. E qui l'unitarietà della nostra costituzione biopsichica gli si rifrangeva in una moltitudine molecolare di circostanze irripetibili.

Veniva meno, allora, non solo ogni prospettiva teleologica ma ogni fiducia in un processo evolutivo capace di abbracciare senza esclusione i membri della collettività umana per portarli tutti a un regime di autocoscienza qualitativamente superiore, in quanto omogeneamente armoniosa. D'altronde, se qualsiasi fenomeno vitale ha la stessa carica di significatività e assenza di significato, quale criterio di selezione potrà adottare la fantasia artistica nel ricrearne le parvenze? Del caos non si danno mappe: inutile disegnarle e ridisegnarle, perché si equivalgono tutte. Il pericolo maggiore sovrastante l'itinerario mentale calviniano era che la sfiducia nelle nostre risorse di interpretazione e di intervento sul reale si estendesse agli atti dell'inventività simbolica.

Lo scrittore ne esce, diciamo così, in avanti, con una afferma-zione di metodo rigorosa: attribuire un valore esemplare al singo-lo spunto narrativo, considerandolo un'occasione per ridefinire le strutture permanenti dell'immaginario. Così l'attività immagi-nativa superava i motivi di dubbio su se stessa, dandosi un nuovo tipo di giustificazione assai forte, perché sorretta come e più di prima da una pluralità di valenze gnoseologiche, didattiche, eti-che.

A garantire la continuità di sviluppo dell'opera calviniana è la presenza costante di un'istanza narrativa dalla fisionomia incon-fondibile. Ogni libro, ogni pagina reca l'impronta di una figura d'autore discretissimo sì ma sommamente autorevole, che dirige senza sforzo movenze e inflessioni del racconto, secondo un dise-gno studiatamente programmato. Ed è lui che provvede ad al-leggerire d'un sorriso intelligente la penosità delle emozioni tra-smesse dai fatti d'intreccio.

Suoi attributi primari sono, classicamente, l'onnipotenza e l'onniscienza, intese come capacità di rappresentare e delucida-re, con esatta purezza verbale, la materia di discorso più varia e complessa, penetrandone le implicazioni e stabilendone le con-nessioni. Nondimeno, a detenere la sovranità del racconto non è la controfigura di una divinità creatrice, che esibisca un possesso incontestabile così delle parole come delle cose. La vera risorsa dell'io narrante calviniano è soltanto un criterio di dubbio siste-matico, che lo induce a problematizzare ogni dato, a destabiliz-zarne l'assetto, rintracciandone le componenti genetiche e inse-guendone le conseguenze eventuali su una doppia prospettiva di fuga, che si sottrae vertiginosamente allo sguardo.

In primo luogo, avremo dunque l'atteggiamento straniato di chi osserva dall'esterno e dall'alto, col cannocchiale o col micro-scopio, un materiale fenomenico in cui non è implicato perso-nalmente: gli importa solo darne un resoconto ordinato, depu-rando il coagulo che ha sotto gli occhi delle efflorescenze di superficie che potrebbero farne fraintendere la sostanza. È facile però rilevare la turbolenza della partecipazione emotiva sottesa a questo atteggiamento di imperturbabilità asettica.

Lo spettacolo della realtà, l'autore vuol farlo rivivere davanti a sé, dentro di sé: vuole animarne dall'interno il flusso vitale. Ecco allora da un lato la cristallizzazione degli eventi narrativi, con una tecnica tra il pittorico e il fotografico, che scompone, articola, fissa il movimento narrativo in scene e immagini chia-ramente distinte, dove il particolare acquista una fermezza di contorni definitivi. Dall'altra parte, una tecnica di tipo cinematografico, puntata sugli effetti di velocità d'un succedersi di inquadrature trascorrenti sulle cose per captarne il mutamento continuo.

Il soggetto che conduce il racconto si fa forte anzitutto della sua indole percettiva, sensibilistica, da cui è spinto a cogliere e registrare con prontezza ogni variare di risultanze sensoriali. Non per questo però lo vediamo abbandonarsi al loro vortice. Dal mondo stesso dell'oggettività, così instabile e appunto perciò inquietante, gli proviene lo stimolo a decantare l'accumulo di impressioni che minacciano di sopraffarlo. Occorre distaccarsene, per salvaguardare l'autonomia dell'io percipiente, che seppur non è in grado di dominare il mondo esterno, non sarà mai disposto a sentirsene dominato interiormente.

In tal modo, gli uomini e le cose appaiono immersi in una lontananza imaginosa, da cui sono evocati per virtù di finzione affabulatrice; e contemporaneamente assumono un'evidenza di visione immediata, che assilla il narratore senza scampo. Il punto di vista narrativo obbedisce a una ricerca di assolutezza formale non librata al di sopra ma immanente il sobbollire informe della relatività.

Nulla di strano, allora, se nella trattazione della materia tematica c'è uno scambio di procedimenti ricorrenti. Le irrequietezze e i rovelli antropologici fondamentali vengono collocati in un contesto ambientale contemporaneo; i risentimenti problematici desunti dall'attualità più turbinosa sono proiettati su orizzonti remoti. L'essenziale è che il marasma di circostanze fattuali, pur conservando la sua ricchezza di seduzioni incantatrici, appaia sottoposto a un processo di decantazione stilistica, che abbia insieme qualità di riordinamento culturale, in quanto volto a illuminare le costanti esistenziali del comportamento umano.

Occorre però effettuare un chiarimento ulteriore, a proposito della vocazione illuminista attribuita a Calvino, in nome peraltro di un concetto di illuminismo spesso banalmente riduttivo e semplificatore. In realtà, per lo scrittore ligure il ricorso ai lumi della ragione conoscitiva è sempre un mezzo, mai uno scopo. La razionalità esaurisce il suo potere entro se stessa, nell'accertare le strutture della conoscenza e con ciò stesso illustrarne i limiti costitutivi. Il reale non è razionale; l'empiria non tollera trascendimenti; l'entità individuale conserva un suo segreto inesauribile.

È vero però che non per questo la riflessione calviniana cessa di affaticarsi sull'indole dei rapporti interpersonali. La formazione politica dello scrittore corroborava efficacemente il suo impegno in proposito, avvalorando il convincimento della natura relazionale di ogni esperienza umana. Ma egli non nutrì mai un interesse davvero approfondito per la dimensione socioeconomica. Certo, gli sarebbe stato utile avvalersene per dare spessore di concretezza alla rappresentazione letteraria degli scambi di attività fra i soggetti, in una prospettiva di interazione fra il singolo e la collettività di appartenenza, storicamente determinata. Ma la realtà che gli premeva focalizzare era piuttosto quella del rimando immediato dalla particolarità della sorte individuale alla totalità del destino antropologico.

L'ambiziosità stessa del proposito non poteva però che portarlo a due conclusioni obbligate: ogni atto di volontà e moto di pensiero è vincolato dalla necessità dell'obbedienza a un codice iscritto nel nostro essere biopsichico; d'altronde, il determinismo universale si rifrange e risolve in una casualità fantasmagorica di fenomeni atomisticamente isolati. Una volta giunto a questo approdo, il compito dell'intelletto cognitivo è concluso: la legge di interrelazione reciproca che collega *ad infinitum* microcosmo e macrocosmo gli si è rivelata solo per capovolgerglisi in sanzione di legittimità a un caos puntiforme di dati irrelati.

Qui subentra la coscienza etica, cui spetta una funzione davvero decisiva: restituire un significato di responsabilità alla presenza dell'individuo fra i suoi simili, reprimendo lo sgomento indotto dalla scoperta dell'insignificanza del Tutto. Di libro in libro il moralismo calviniano si accentua, parallelamente all'esasperarsi dello scetticismo relativistico: basti confrontare la spregiudicatezza del quadro di costumi offerto dal *Sentiero dei nidi di ragno* con la rigidezza dell'invito formulato nelle *Città invisibili* a non accettare «l'inferno che abitiamo tutti i giorni, che formiamo stando insieme», applicandosi a riconoscere «chi e cosa, in mezzo all'inferno, non è inferno, e farlo durare, e dargli spazio».

Nel loro accoramento, e anche nell'enfasi inconsueta, queste parole testimoniano bene la tensione con cui lo scrittore vuol ribadire la fiducia in un patrimonio di risorse etiche elementari, insediato da sempre e per sempre nella nostra natura, come capacità prelogica di discriminare il bene dal male. Non si può non essere colpiti dal fatto che uno scrittore così arrovellato custodisse entro di sé un nucleo di moralità così semplice e candida. Due osservazioni si impongono, tuttavia, in proposito.

Per Calvino, la dimensione della moralità si costituisce tutta e solo nel soggetto singolo: riguarda cioè l'io e l'esistenza, non la società e la storia. D'altra parte, il suo campo di esplicazione concerne non tanto i diritti dell'individuo verso se stesso quanto i suoi doveri nei confronti degli altri. L'ethos calviniano, insomma, ha un'indole tradizionalmente personalistica: ma incita non alla chiusura nel privato, sì invece all'assunzione aperta di responsabilità nelle relazioni pubbliche di vita.

In questa luce, si capiscono meglio i motivi della riluttanza a fornire una rappresentazione analiticamente dispiegata della complessità di vita interiore dei personaggi. Beninteso, ciò non significa che essi appaiano destituiti di tortuosità e sobbollimenti psichici. Ma la tecnica ritrattistica adottata evita di sondarli in profondo, preferendo attestarsi sulla restituzione dei dati di comportamento, pratico e verbale: toccherà al lettore integrarli, risalendo alle motivazioni intime che il testo si limita ad alludere, per via ellittica.

Come tutte le scelte tecniche, anche questa ha una ragione ideologica. Le teorie freudiane non esulavano certo dalla cultura di Calvino. Allo scrittore però non interessava desumerne criteri e orientamenti opportuni per raffigurare puntualmente i conflitti su cui è costruita e da cui è lacerata l'unità della persona. Ciò avrebbe comportato un'evocazione distesa delle forze inconsce da cui l'io è agito, al di là delle barriere della coscienza. Ne sarebbe stata infirmata la perentorietà dell'apriorismo moralistico calviniano: la certezza del margine di libertà di cui va supposto che l'uomo goda, se si vuol ritenerlo capace di eludere ogni condizionamento, per responsabilizzarsi positivamente di fronte al prossimo.

Meglio dunque non addentrarsi sul terreno infido dei meandri psichici; meglio attenersi alle risultanze esterne dell'attività interiore, classificandole in base a uno schema dualistico inequivocabile: la lotta fra l'aggressività degli istinti antisociali e il presidio che la ragione altruistica trova nella coscienza.

Siamo a un punto davvero nodale. La centralità assoluta concessa al personaggio *uti singulus* è orientata a rischiararne solarmente le relazioni sociali, ma non porta la stessa luce sui meccanismi emotivi della sua vita psichica. La natura della libido rappresenta il limite davanti a cui si arresta la razionalità discorsiva calviniana. Questa d'altronde è la condizione per il consumarsi dell'equivoco da cui è surrettiziamente sorretta l'intera compagine della sua narrativa.

I personaggi appaiono infatti indiscutibilmente mossi da una pulsione vitale, proveniente dai recessi dell'Es, con la carica erotica che non può non inerirle. Ma nel regolare la loro esistenza, l'autore si manifesta sovrastato dalla paura che la vitalità dell'eros si perverta in istinto di prevaricazione, per scatenarsi infine in delirio di onnipotenza, distruttiva e autodistruttiva. Trasferito sui personaggi, questo timore li fa apparire in preda a un bisogno costante di autorepressione, secondo le direttive di un Superio esigentissimo.

Diciamolo meglio. Il narratore è molto, troppo consapevole della reversibilità degli istinti, della contraddittorietà dei moti pulsionali. Proprio perciò si sottrae all'impegno di una scepsi analitica, ricorrendo invece alla pregnanza sintetica dei simboli e delle metafore. Così, i segreti sentimentali del cuore restano inviolati. Per corrispettivo, un riserbo analogo viene osservato sulle manifestazioni della carnalità sessuale. L'amore viene considerato come un dato, piuttosto che come un problema: questo è il presupposto per concentrare lo sguardo sui comportamenti interpersonali attivi, ai quali è assegnabile un valore morale sicuro, verificando se sono o non sono al servizio di uno scopo di umanità disinteressata.

Ma il dubbio, la titubanza da cui Calvino era assillato non tollerava rimozioni, perché investiva la possibilità stessa di agire amorosamente, cioè moralmente: la possibilità insomma che *in interiore homine* le energie benefiche, costruttive, prendano il sopravvento su quelle malefiche, deflagranti. L'umanesimo calviniano si basa su un'idea di uomo totale, che ammette esplicitamente di esser dibattuto da pulsioni opposte, facendone la premessa per uno sviluppo equilibrato della propria personalità: la maturazione dell'io consiste nell'acquisto della capacità di dirigere, non soffocare le tendenze regressive.

Ma l'accettazione pacificata di sé, quindi degli altri, era un obbiettivo destinato a mostrarsi sempre più irraggiungibile. Già la serie di simboli leggibili nelle opere della trilogia fiabesca mostra il progredire di un pessimismo incontenibile. Ecco il primo, incarnato dal visconte Medardo, diviso paritariamente tra viziosità sadica e bontà angelica: due mezzi uomini, peraltro nient'affatto disposti a ricongiungersi, tanto che la ricomposizione unitaria avrà luogo non per impulsi endogeni ma per effetto di un intervento esterno, la virtù amorosa femminile di Pamela. Nella sua ingenuità esibita, questo è il punto di equilibrio meccanico da cui prende avvio una parabola i cui sussulti si prolungheranno negli anni, ora accelerando ora anche procrastinando ma senza poter eludere una declinazione catastrofica obbligata. Ecco infatti subito poi un simbolo già più ambiguo: il barone Cosimo si pone al riparo dalle offese dei propri simili, cioè anche dalla propria offensività, innalzandosi sopra di loro, dalla terra agli alberi, e da ultimo librandosi in cielo. A progressione d'angoscia, il simbolo successivo è più cupamente rivelatore: il cavalier Agilulfo, la cui volontà di esistere attivamente, vittoriosamente, si dissolve nella prova di impotenza al congiungimento sessuale.

Il turbinare caleidoscopico delle tre fantasie avventurose si arresta a questo traguardo: la paralisi dell'energia vitale, col trascolorare del dinamismo di Eros nell'inerzia di Thanatos. A riscontro, dopo pochi anni, ecco un altro simbolo altrettanto drammatico: lo scrutatore Ormea vede oggettivarsi davanti a sé, nei ricoverati del Cottolengo, le mostruosità deformi da cui si sente abitato ed alle quali può opporre solo un'immagine contristata di purezza degli affetti di sangue.

Da allora in poi, lo scrittore appare dominato da un'ossessione mentale: il significato e il valore dell'azione, o più largamente del movimento vitale. Come per una sorta di coazione a ripetere, si accumulano le variazioni su un unico tema, l'ansia di possedere la realtà. Ma il desiderio dell'io di espandersi nel mondo è votato a un esito di frustrazione immancabile. Il pensiero logico, la metodologia scientifica non sono in grado di elaborare le condizioni che rendano produttivo lo slancio del soggetto teso a proiettarsi fuori di sé, per trovare una convalida oggettiva della propria presenza nel mondo.

Le metafore del viaggio, del vagabondaggio avventuroso si risolvono in una *quête* senza meta entro lo spazio incommensurabile ma chiuso dell'identità. Così Marco Polo espone i resoconti emblematici delle sue peregrinazioni interiori, nelle contrade mentali dove tutto è accaduto e proprio perciò non può non tornare ad accadere: visione suprema d'apocalisse è quella della città in cui il dominio dell'uomo sulla natura ha portato ad estinguere ogni specie animale ostile, ma per vedere insorgere un'altra fauna più temibile, chimere draghi basilischi, a invadere i sogni e impadronirsi delle menti.

D'altronde, quando il paladino Astolfo del *Castello dei destini incrociati* giunge fin sulla Luna, sperando di scoprirvi il senso universale delle parole e delle cose, s'imbatte solo in un deserto: «ogni viaggio attraverso foreste battaglie tesori banchetti alcove ci riporta qui, al centro d'un orizzonte vuoto». E nella *Taverna dei destini incrociati* l'allegorismo della discesa alle origini del Tutto riverbera i colori d'una mistica del negativo: «Chiunque risalga le cose divise m'incontra», dice l'Angelo del Male, «chiunque scenda al fondo delle contraddizioni s'imbatte in me, chi torna a mescolare il separato ritrova la mia ala membranosa sulla guancia».

Solo vari anni più tardi assisteremo a un risorgere di fiducia. In *Se una notte* la serie delle appropriazioni mancate, quasi degli amplessi interrotti del Lettore con il Testo, trova una conclusione serena. Anche qui però, come nel *Visconte*, non è l'uomo, è la donna a incarnare la potenzialità risolutiva dell'azione, quando sia motivata dalla naturalità generosa di un amore vissuto non come possesso ma come dedizione. D'altronde, va tenuto conto di un fatto: il romanzo assegna alla Letteratura un ruolo decisivo, in quanto istituzione mediatrice del rapporto con la realtà da parte di un io desiderante proteso ad arricchire, oltrepassare, sublimare immaginosamente la sua esperienza pratica di vita.

È sempre nei meccanismi psichici che Calvino vuol ritrovare radice al sogno o all'auspicio cui non sa rinunciare del tutto: quello di un'umanità riconciliata armoniosamente con se stessa. A conferma, va ricordata la persistenza di una vibrazione utopica nel suo pensiero, come richiamo alla concepibilità, sia pure in termini astratti, di un ideale di rasserenamento organico dell'esistenza. Non sono solo gli studi su Fourier a documentarlo; è anche, non meno significativamente, uno dei racconti fatti da Marco Polo a Kublai Kan. Tra le tante città invivibili elencate dal viaggiatore instancabile, trova posto anche Tecla, la cui edificazione procede senza fine, incastellatura su incastellatura, giacché il progetto cui gli abitanti si ispirano è la volta stellata del cielo.

In effetti, la logica dell'indeterminismo relativistico autorizzava a non escludere a priori l'eventualità che, fra tutti i futuri possibili, prendesse corpo il migliore, anzi l'ottimo. Così si riapriva, sull'orizzonte buio dell'evoluzione della specie, un varco o almeno un'ipotesi di speranza: quanto basta per giustificare l'impegno di continuar a dare testimonianza letteraria della somma di fallimenti storici di cui si costituisce il presente.

Nella nota introduttiva ai "discorsi di letteratura e società" raccolti col titolo *Una pietra sopra*, Calvino commemora e sancisce, con la solita asciuttezza concisa, il tramonto della sua «ambizione giovanile»: il «progetto di costruzione di una nuova letteratura che a sua volta servisse alla costruzione di una nuova società». Agli occhi dello scrittore maturo, queste «buone intenzioni costruttive» avevano subìto una sconfitta clamorosa, nell'ordine dei fatti. Dei due termini del binomio, letteratura e società, era stato il secondo a tradire: nell'anno 1980 «la società si manifesta come collasso, come frana, come cancrena (o, nel-

103

le sue apparenze meno catastrofiche, come vita alla giornata)».

La letteratura invece conserva una vitalità superstite, almeno «come coscienza che nessun crollo sarà tanto definitivo da escludere altri crolli». Certo, ad animarla non è più la figura dell'intellettuale «impegnato», con la sua «pretesa d'interpretare e guidare un processo storico». Ma Calvino non aveva atteso il 1980 per prendere le distanze da «una letteratura che con troppo ostentata modestia identifichi la sua funzione storica con quella esemplificativa e pedagogica», tanto da ridursi «alla mimesi pura e semplice delle organizzazioni di Partito e delle Camere del Lavoro».

Queste parole si leggono in un testo del 1955, *Il midollo del leone*, dove pure lo scrittore si colloca «tra quelli che credono in una letteratura che sia presenza attiva nella storia, in una letteratura come educazione, di grado e di qualità insostituibile»: una letteratura che ricerchi e insegni poche cose ma decisive, «il modo di guardare il prossimo e se stessi, di porre in relazione fatti personali e fatti generali, di attribuire valore a piccole cose o a grandi, di considerare i propri limiti e vizi e gli altrui, di trovare le proporzioni della vita, e il posto dell'amore in essa, e la sua forza e il suo ritmo, e il posto della morte, il modo di pensarci o non pensarci». Questa sorta di manifesto programmatico non ha subito modifiche sostanziali, nei decenni successivi: l'ultimo Calvino avrebbe potuto tranquillamente risottoscriverlo.

Com'è risaputo, la grande svolta della sua vita si produsse all'epoca del xx Congresso del Partito Comunista Sovietico e dei fatti d'Ungheria. La conseguenza fu l'abbandono della milizia nel Partito Comunista, all'età di trentaquattro anni. La crisi ideologico-politica della destalinizzazione significò per Calvino il crollo totale, e irrimediabile, del sogno di palingenesi nutrito ai tempi della Resistenza e della fase di esordio della democrazia repubblicana.

Nel rinnovamento millenaristico che sembrava alle porte, il giovane letterato torinese si sentiva delegato a un compito privilegiato e difficile: non porsi volontaristicamente al servizio immediato della società, ma socializzarsi nell'intimo, proponendo alla classe dirigente *in fieri* la voce autentica delle ansietà e attese, dei fervori e smarrimenti che rendevano tanto auspicabile ma facevano anche tanto contrastato il progetto di riforma della convivenza civile.

In questa prospettiva, alla politica restava però assegnato un ruolo cruciale, come garante della concordia d'intenti tra dimensione letteraria e dimensione sociale. In effetti, sarà appunto una delusione politica a provocare il divorzio fra di esse. A sua volta poi, la revoca della fiducia all'agire politico avrebbe investito il campo generale della storia, che è sua sede di realizzazione.

Ma appunto perciò è assai sintomatico che, nel dichiarare di voler porre una pietra sopra le sue illusioni di una volta, Calvino eviti ogni devoluzione di responsabilità, e anzi non menzioni neppure quell'insieme di fenomeni storico-politici ben concreti denominati socialismo, comunismo, sovietismo. Come spiegare questo silenzio? Il fatto è che lo scrittore, pur dopo l'abbandono dell'impegno militante, non cessò di cercar di fare i conti con la politicità, come fattore di miglioramento pratico delle istituzioni di civiltà.

Il punto di massima incredulità nelle parole d'ordine della democrazia e del progresso è segnato dal racconto *La giornata d'uno scrutatore*, del 1963: qui solo l'appello muto ai sentimenti affettivi indica un argine di resistenza al caos doloroso della condizione umana. Ma già l'anno dopo lo scritto *L'antitesi operaia* testimonia un orientamento diverso: nessun assenso viene attribuito ai progetti di contestazione globale del capitalismo allestiti dalla ''nuova sinistra'' di quel periodo; un riconoscimento di ragionevolezza è però concesso alla linea, diciamo pure, delle ''riforme di struttura'', secondo il lessico del tempo, considerate luogo d'incontro fra le istanze evolutive espresse all'interno del sistema e le rivendicazioni ammodernatrici del movimento operaio.

Dodici anni più tardi, nella conferenza *Usi politici giusti e sbagliati della letteratura*, troviamo esaltata l'utilità, l'influenza politica delle lettere nella loro «capacità d'imporre modelli di linguaggio, di visione, d'immaginazione, di lavoro mentale, di correlazione di fatti, insomma la creazione (e per creazione intendo organizzazione e scelta) di quel genere di modelli-valori che sono al tempo stesso estetici ed etici, essenziali in ogni progetto d'azione, specialmente nella vita politica».

È vero che qui l'accento batte molto sul «modo critico» con cui la letteratura odierna «vede se stessa»: «Questo genere di consapevolezza non influenza solo la letteratura: può essere utile alla politica per farle scoprire quanto di essa è solo costruzione verbale, mito, *topos* letterario. La politica, come la letteratura, deve innanzitutto conoscere se stessa e diffidare di se stessa». Ma questa convergenza di metaletteratura e metapolitica conferma soltanto un fatto indiscutibile: a venir messa in crisi definitiva, nel 1956, era una concezione assolutista della politica, come depositaria e promotrice di ogni valore umano.

Questo fideismo assegnava alla politica anche la funzione di mediare dinamicamente prassi letteraria e prassi sociale, in vista di una umanizzazione piena dell'uomo. Una volta venuta meno questa davvero pia illusione, i due ambiti non potevano non tornare a separarsi: su posizioni di dignità però ben diverse, anzi contrapposte. Agli occhi disincantati dello scrittore, la società tornava ad essere ciò che era da sempre, il luogo dei disvalori, dove si accumulano e moltiplicano le mistificazioni ai danni dell'esistenza individuale. La letteratura invece, venendo restituita a se stessa, conservava il suo valore, come espressione sublimata d'una coscienza critica del disastro permanente in cui l'essere collettivo versa.

Poiché d'altronde non si dà coscienza senza riferimento a un paradigma di moralità costituita, l'istituzione letteraria assurgeva a vera custode di un codice dell'altruismo disinteressato, dotato d'un crisma di naturalità imprescrittibile. Non solo. Quanto più l'intelligenza affina gli sforzi di comprensione sistematica del reale, e con ciò stesso si interroga sempre più drammaticamente sui propri limiti, tanto più cresce il bisogno di ancoraggio ad alcuni criteri di comportamento morale considerati in sé veri, cioè sottratti alla scepsi scientifica. La letteratura sintetizza dunque, nella sua inventività simbolica, le due istanze del comprendere e del giudicare.

Sul piano propriamente creativo, la rivendicazione d'un primato totale della letterarietà ebbe per Calvino risultati discutibili. Sembra difficile sostenere che la sua produzione precedente fosse assoggettata a un imperativo di ideologia sociale. La partecipazione dell'autore alle speranze di rigenerazione della civiltà non deprimeva affatto la libertà di mosse della sua fantasia narrativa: anzi, la incitava a rappresentare vividamente le difficoltà di un incontro davvero organico tra individuo e società, tra antropologia e storia.

Lungo gli anni sessanta invece l'immaginazione letteraria rischia di porsi al servizio di una ideologia antideologica, costruita su un'alleanza tra scientismo strutturalista ed epistemologia congetturale e probabilista. Da ciò l'assetto tipico di varie opere del periodo: uno schema iperrazionalistico, congegnato su una simmetria sofisticata di rispondenze e incastri architettonici, entro cui muovere un gioco di forze irrazionali, declinate verso un esito obbligato di distruzione, follia, morte; salvo ne resta soltanto l'ammonimento a non cedere comunque agli empiti dello sconforto disperato.

106

È vero tuttavia che nel corso del decennio successivo gli stati d'animo dello scrittore mutano, in sintonia con il riaffacciarsi delle speranze e volontà o velleità d'un mutamento qualitativo dell'ordine sociale. Dal sommovimento sessantottesco Calvino fu tratto a riconsiderare poteri e funzioni della fantasia creativa: non più però secondo l'ottica tradizionale del rapporto letteratura-società, ma secondo quella, più feconda, del rapporto fra produzione e fruizione dei testi, fra scrittura e lettura.

D'altronde questa nuova svolta non era dovuta solo a una sensibilità indubbia per il clima dei tempi. Si trattava piuttosto del risultato di una lunga meditazione sullo statuto privilegiato che egli stesso assegnava all'attività letteraria, nel contesto della vita di relazione. In concreto, l'intellettuale, il letterato si trovava assegnata una responsabilità massima, come colui al quale incombe di filtrare e chiarire, in atto di consenso o dissenso, la moltitudine confusa dei messaggi senza destinatario emessi dalla collettività di appartenenza.

In effetti, la «attitudine di perplessità sistematica», che Calvino asserisce, ancora nella presentazione di *Una pietra sopra*, essere subentrata all'originaria fede nel progresso, galvanizzava e non deprimeva il criticismo. La «applicazione a cercar di comprendere e indicare e comporre» appariva infatti tanto più essenziale in quanto le si contrapponeva «il senso del complicato e del molteplice e del relativo e dello sfaccettato».

Si può dubitare se l'apoditticità di questa percezione del reale si sia calata adeguatamente nei testi narrativi, o non ne abbia soverchiato troppo l'autonomia inventiva. Certo è comunque che ne veniva stimolata e avvantaggiata la lucidità di un atteggiamento indagatore, espresso assai proficuamente, senza mediazioni fantastiche, nelle forme dirette della scrittura saggistica.

Calvino infittisce le sue prose di intervento e dibattito sull'attualità della cultura e del costume, su problemi psicosociali, su occasioni librarie. Questa attività militante, condotta su giornali e riviste, come prefatore e conferenziere, ha configurato l'immagine della sua personalità più divulgata: un intellettuale profondamente laico, forte di una saggezza imperturbata, estraneo alle corrività facilone, ai compiacimenti snobistici, alle meschinità provinciali.

Il ritratto, o se vogliamo anche l'autoritratto, era certo unilaterale. Nondimeno, è pur vero che lo scrittore ligure va considerato uno fra gli interpreti più attenti e acuti del grande travaglio attraverso cui l'Italia, o meglio l'Italia del Nord, ha attuato il

107

passaggio definitivo da una fase di civiltà prevalentemente agricola ad una urbano-industriale.

Calvino era più che disposto a riconoscere l'importanza di una fuoruscita dall'arretratezza, in nome di un ammodernamento razionale delle strutture produttive, e assieme delle strutture mentali, i modelli di costume e comportamento: nessuna traccia in lui di rimpianti per l'arcaismo contadino. Ma il fascino della modernità non gli faceva chiudere gli occhi di fronte ai risvolti di irrazionalità incoercibile del razionalismo utilitaristico. La coscienza individuale, non che attingere una qualità di vita più piena, rischiava di subire un processo di spersonalizzazione livellatrice, e contemporaneamente di trovarsi spinta nel chiuso dell'isolamento autistico.

Allo stesso modo, come negare la rilevanza del fatto che la cultura scientifica venisse occupando uno spazio ben più ampio di quello concessole dal predominio troppo esclusivo della cultura umanistica? Superato ogni antagonismo preconcetto fra le due dimensioni culturali, l'intellettualità umanistica aveva tutto da guadagnare a familiarizzarsi con le conquiste della scienza, appropriandosene le metodologie, portandosi insomma ai livelli del sapere tecnologico più avanzato. La collezione del *Menabò* basta a documentare il fervore con cui Calvino, assieme a Vittorini, sosteneva queste convinzioni.

Nondimeno, impossibile non rendersi conto del pericolo che la creatività artistica fosse confinata a un ruolo puramente ludico, di svago consolatorio, senza sostanza problematica né spirito di ricerca. Calvino era nella posizione migliore per valutare la portata dei passi avanti storici indotti dallo sviluppo dell'industrialesimo non solo nell'aggiornamento ma nella circolazione più intensa delle idee. Non poteva però sfuggirgli il rilievo delle nuove questioni che se ne aprivano, nel campo della produzione letteraria e dello *status* dello scrittore.

Nell'osservare questi fenomeni, egli era avvantaggiato dall'inserimento in un'area culturale e sociale evoluta, come quella della metropoli del Piemonte: della "torinesità" seppe accogliere le aperture d'orizzonte internazionali, senza rinnegarne l'attaccamento al passato. Ma il giovamento maggiore gli venne dalla sua doppia qualifica professionale: letterato di mestiere e insieme funzionario di un'azienda editoriale come la Einaudi, dove la qualità prestigiosa del prodotto si confrontava davvicino con gli obblighi del mercato commerciale.

Più facile dunque per lui accettare un dato di evidenza, cui la mentalità paleoumanistica rilutta: il testo scritto, elaborato da un ingegno individuale, adempie la sua funzione solo trasformandosi in merce libraria. Scrittore ed editore hanno un interesse reciproco, in quanto mirino entrambi a dare la maggior risonanza all'evento della pubblicazione; l'uno e l'altro però sono anche sottoposti allo stesso rischio, di uniformarsi passivamente alle richieste maggioritarie, alle attese più scontate del largo pubblico che i mezzi dell'editoria industrializzata consentono di raggiungere.

Come letterato e come intellettuale, Calvino apprezzò positivamente l'opportunità di allargare e approfondire il rapporto non solo con l'utenza libraria ma con l'opinione pubblica più vasta. Capì infatti che ciò non implicava alcuna necessità invincibile di adeguamento al conformismo, anzi esaltava l'atteggiamento di responsabilità autonoma di chi vuole e sa orientare le idee correnti, non facendosene condizionare. Non rifiutò dunque affatto di proporsi come uomo pubblico, pronto a intervenire sugli accadimenti di maggior richiamo, per elucidarne la consistenza, ricapitolarne i caratteri, riportarli a proporzioni appropriate.

Le manifestazioni di novità, le infatuazioni o nevrosi collettive eccitavano in lui una risposta di pacatezza, come di chi bada a capire e far capire, ossia aiuta i lettori a superare gli stati emotivi per orientarsi equilibratamente nella realtà. Tale era per lui la vera missione del dotto. Gli strumenti della comunicazione di massa moderna non la vanificano: al contrario, le permettono di attingere un'efficacia vasta e profonda come non mai, in qualsiasi passato. A ciò peraltro deve corrispondere un accrescimento di consapevolezza pensosa, da parte di chi ricorra alle tribune, alle tecniche più idonee per informare e formare l'opinione pubblica. Ecco dunque avvalorata la rinunzia a circonfondere la propria personalità di un'aura di prestigio mandarinesco, per rispettare un atteggiamento di modestia discorsiva, agli antipodi del superomismo divistico sfoggiato dagli *opinion leader* di facile impiego e consumo.

Gli è che per Calvino era impensabile assumere le pose solenni del vate e del profeta, sicuro delle verità infallibili da esibire a chi lo legga o lo ascolti. Il suo temperamento lo chiamava a scegliersi la parte dell'educatore di massa, intento a persuadere la coscienza comune della complessità dei problemi che volta a volta la agitano: non si fa mai abbastanza per divulgare il metodo d'una scepsi instancabile, d'una diffidenza di principio per le soluzioni prefabbricate.

Di qui la tendenza, nelle prese di posizione sull'attualità, a pronunziarsi piuttosto *post factum* che *ante factum*, con una predilezione insistita per la stesura del bilancio di una somma di dati d'esperienza, a suffragio della volontà di giungere a un chiarimento concettuale e valutativo spassionato. Questa inclinazione ha potuto far tacciare lo scrittore d'un eccesso di prudenza cautelosa e moderatrice. Ma in realtà l'invito alla calma era per lui tutt'uno con il richiamo fermo a un impegno di opposizioni contro la marea magmatica dell'oggettività fattuale. Nessun condizionamento esterno, nessun travolgimento psichico deve poter indurre il soggetto umano all'abbandono, alla resa: la consapevolezza della problematicità labirintica dell'esistenza è la premessa destinata a render più efficacemente operativa la sfida al labirinto.

L'attività pubblicistica calviniana non smentisce in nulla l'attaccamento a questa parola d'ordine, che condensa il valore stoico della sua moralità culturale e civile. Perciò appunto il crescere dello scetticismo relativistico non gli impedì di continuare a proporsi come interlocutore attivo di quelle forze sociopolitiche democratiche, di sinistra, dalle quali vedeva custodito un patrimonio di energie generose, indispensabili per il futuro del Paese. La persuasione triste della vanità dei sogni d'orgoglio e d'ambizione sprofondati nel futuro non lo induceva affatto ad aderire rassegnatamente al presente. E la critica serrata alla mitologia del progresso rinfocolava, anzi, l'insofferenza per il conservatorismo passatista.

Tardocapitalista o neocapitalista, il secolo in cui gli era occorso vivere non poteva non apparirgli superbo e sciocco: anche se non era da lui enfatizzare in questi termini il suo stato d'animo. L'alacrità dell'immagine che dava di se stesso era soltanto il rovescio d'una solitudine contristata, quasi da esule in luogo straniero. D'altronde, qui appunto scorgiamo anche la maggior conferma dell'adesione calviniana al credo di un intellettualismo liberaldemocratico, insediato profondamente e gloriosamente nel terreno della civiltà borghese. L'arricchimento della coscienza culturale è ciò che importa soprattutto coltivare, in sé e negli altri: ecco il presupposto dottrinario dell'elitarismo individualista, che Calvino ambiva propagare nella compagine della società massificata d'oggi.

Il compito era arduo, se non impraticabile. Certo, l'evoluzione dei tempi non ebbe a favorirlo. Si spiega così la circostanza singolare per cui una fra le personalità dominanti della nostra vita letteraria abbia continuato a presentarsi in figura di isolato, privo di seguito, inadatto a far scuola. Il diaframma che lo separava dall'universo sociale circostante poteva esser reso trasparente, non fatto cadere. Egli non mancò di essere toccato dagli slanci ottimistici della generazione sessantottesca, e ne trasse stimoli di ripensamento importanti: fu però lontano dal farli suoi. Del resto, anche questa stagione di esultanza volontaristica era destinata a consumarsi presto, con un esito frustrante: gli anni ottanta si incaricheranno di castigare duramente le ingenuità, gli errori, le colpe del decennio precedente.

D'altronde, per Calvino non si trattava solo di registrare una nuova caduta di illusioni epocali. Il fatto è che dentro di lui ogni accensione di vitalità era accompagnata dall'insorgere di un'istanza autopunitiva, che trascolorava in ansia di sfinimento letale. Al dinamismo di *Se una notte d'inverno un viaggiatore* fa seguito *Palomar*, libro testamentario, resoconto finale di un itinerario verso il nulla, sia pur in un'ultima affermazione di propositi didascalici: *Come imparare a essere morto*, è il titolo del capitolo conclusivo.

Il criticismo etico non rinunzia a dichiarare ancora la sua buona intenzione, assieme alla sua impotenza: «Finché si tratta di riprovare i guasti della società e gli abusi di chi ne abusa, egli», ossia Palomar-Calvino, «non ha esitazioni (se non in quanto teme che, a parlarne troppo, anche le cose più giuste possano suonare ripetitive, ovvie, stracche)». Ma quanto a pronunziarsi sui rimedi, qui la riflessione si blocca. Dall'empiria non si esce; ma di relativismo, infine, si muore. Il mondo, la vita rifiutano di lasciarsi costringere entro schemi scientifici o modelli logici, e tantomeno costruzioni progettuali, utili solo per dare forma sistematica e copertura plausibile al desiderio irrazionalmente perenne dell'uomo di assumere potere sugli uomini e le cose.

Sul piano dell'antropologia morale, sussiste sì la verità di alcuni «principi sottintesi e non dimostrabili», ai quali ricorrere per valutare la concretezza dell'esperienza quotidiana. Ma norme di comportamento così empiriche non tollerano in alcun modo di essere sistematizzate e modellizzate. L'oltranzismo consequenziario dell'intelligenza scettica ha fatto il deserto. Sola rimane la letteratura, a dare testimonianza dello scacco cui l'esistenza è condannata.

Dalla staticità raggelata della struttura di corrispondenze e parallelismi geometrici, dalla compostezza d'uno stile inappuntabilmente elzeviristico, *Palomar* sprigiona la confessione d'un sentimento non più solo di «ansia» e «inquietudine», ma ormai di «impazienza». Il personaggio protagonista perde man mano spessore, da un capitolo all'altro, riducendosi a portavoce di una coscienza annichilita dall'incapacità di dare senso all'esistere. Per converso, diviene più agevole identificarlo come una controfigura dell'autore, nella fisionomia disincarnata del suo essere intellettuale e letterario.

La successione degli apologhi, aneddoti, ghiribizzi scandisce una serie di rinunzie: ad agire, a osservare e descrivere, a contemplare anche, sinché l'io pensante, ormai nudo e privato d'ogni supporto di fatti vissuti, giunge allo spossessamento di sé, riversandosi nel vuoto universale. A resistere con maggior tenacia è il desiderio di letteratura, inteso almeno come compiacimento di raccontare lo scorrere inutile del tempo: espediente supremo, questo, non per edulcorare l'insensatezza del tutto, ma comunque per riaffermare la propria vitalità soggettiva. Siamo però al punto di illuminazione conclusiva: narrare se stessi significa non già sentirsi vivi ma percepire la morte sopravveniente. La letteratura ha dettato così la propria epigrafe.

Giovanni Falaschi
NEGLI ANNI DEL NEOREALISMO

1 — Oggi è il momento di massima sfortuna del neorealismo e contemporaneamente di massima fortuna di Calvino; nel che sembra implicito il giudizio che Calvino non fu un neorealista, e la questione dei suoi rapporti con quella stagione letteraria potrebbe essere così definitivamente risolta. Ma se una parte della produzione di Calvino suscita, soprattutto in Italia, qualche dissenso, essa è piuttosto quella dell'ultimo periodo, mentre è unanime l'apprezzamento per i *Racconti*, alcuni dei quali sono comunque legati al neorealismo, e si legge volentieri anche il *Sentiero*, soprattutto se accompagnato dalla bella prefazione che Calvino vi premise nel '64 parlando del clima neorealista in cui quel libro maturò. In questo nostro atteggiamento c'è qualcosa di non perfettamente chiaro, perché rifiutiamo il neorealismo pur apprezzando uno scrittore che ha dichiarato di essere stato, ai suoi esordi, profondamente legato a quel movimento (ma si potrebbe pensare che è la categoria di neorealismo ad essere ambigua).

Nel '59 uscì il saggio di Barilli in cui i *Racconti* erano stroncati come neorealisti; s'inaugurava così la stagione del processo e della condanna del neorealismo nella quale si trovarono concordi gli scrittori del Gruppo 63. Ma a complicare le cose c'è il fatto che la Neoavanguardia ebbe in Vittorini una delle sue bandiere, e considerò un modello proprio *Conversazione in Sicilia*, che a loro volta Calvino e altri giovani scrittori avevano ritenuto uno dei testi più importanti del neorealismo. E Vittorini stesso lo considerava tale, e non rifiutava l'opinione in cui era tenuto di essere stato un caposcuola del neorealismo.

Oltre a Vittorini, i punti di riferimento italiani dell'attività creativa e critica del Gruppo 63 erano Gadda e Contini. La cosa interessante è che questi ultimi erano anche i punti di riferimento di Pasolini, il quale aveva scritto i suoi romanzi neorealistici alla metà degli anni Cinquanta e nel '60 scrisse *In morte del Realismo* estendendo il quadro dei neorealisti fino ad includervi Gadda. Ma Gadda, nell'*Inchiesta* di Carlo Bo del '51, aveva preso le

113

distanze dal neorealismo rifiutandone linguaggio, contenuti e intenzioni politiche.

In questa disparità di giudizi critici ci sono troppe convergenze, e troppo clamorose, perché si possa pensare che ci si trovi di fronte ai consueti conflitti d'interpretazione di una stagione letteraria. Il fatto è che la categoria di neorealismo è forse la più equivoca e intimamente contraddittoria che io conosca, perché vuol conciliare due istanze in sé contrastanti. Il vizio è alle origini del fenomeno, negli anni Trenta.

Se non il primo caso di opera del cosiddetto neorealismo, ho scelto quello più famoso, *Conversazione in Sicilia*. Nei suoi dintorni, fra il '38 e il '44, vanno registrati oltre 40 interventi[1] fra recensioni al romanzo, ritratti di Vittorini e riferimenti particolarmente significativi alla sua personalità letteraria. Ebbene: solo una volta si legge che è un neorealista, e tuttavia, che è lo stesso, molti parlano del suo "realismo" identificandolo nella polemica sociale o nell'eccessiva indulgenza per situazioni moralmente scabrose (come quella degli amori di Concezione); e contemporaneamente, però, alcuni usano per lui la categoria di "surrealismo", "metafisico surrealismo"; e altri ancora quella di "lirismo" e simili. Il neorealismo, quindi, ha come marchio d'origine lo sperimentalismo linguistico (con quel tanto di astrattezza e rigidità che inerisce alla ricerca di un codice assoluto) e il contenutismo (con quel tanto di rigido e pesante che inerisce alla convinzione ferrea che certe cose si debbano comunque dire perché *vere*), cioè la ricerca letteraria e formale e la concretezza del messaggio socio-politico o l'appello moralistico. Ovvio quindi che contenutisti e formalisti del dopoguerra potessero tirarlo, se volevano, dalla loro parte, o rifiutare quello dei due aspetti che non piaceva loro; ovvio anche, però, che in seguito alle pressioni politiche sul realismo in letteratura, caratteristiche degli ultimi anni Quaranta e dei primi Cinquanta, il neorealismo fosse proprio identificato col contenutismo (contenuto antifascista, partigiano, contadino, operaio, color locale e così via).

E Calvino?

Nei suoi numerosi scritti critici su «l'Unità» dell'immediato dopoguerra interviene su autori neorealisti ma non usa mai quest'aggettivo; in una lettera inedita a Giuseppe De Robertis del 12 gennaio 1950 parla di «noialtri cosiddetti "neorealisti"».[2] Ma rispondendo alla già ricordata *Inchiesta* di Carlo Bo, piuttosto che discutere la formula parla della difficoltà di «trovare» prima ancora che di «attaccare» la realtà.

Calvino era molto più attento ai fatti letterari che alle etichette, così come nel '70 — riferendosi agli stessi anni postbellici — confesserà di essere stato più attento ai fatti politici e sindacali che alle discussioni sui rapporti tra politica e cultura.

Nella *Nota* a *I nostri antenati* del '60 parla del proprio passato di autore di racconti neorealistici e poi di romanzi neorealistici che, a parte il *Sentiero*, «non riuscivano bene» e restavano nel cassetto. Ma ecco che, nella prefazione allo stesso *Sentiero* del '64, anche lui punta piuttosto sulla componente formale del neorealismo e butta là la definizione di «neoespressionismo». Finché nel '69 tende, mi pare, a restringere l'area dello stesso neoespressionismo a tre racconti soli «in cui», scrive in appendice alla nuova edizione di *Ultimo viene il corvo*, «le intenzioni della favolistica politica prevalgono sulla diretta osservazione e rappresentazione»: come a dire che il neorealismo lo toccava soprattutto in quei racconti che definiva «più datati» ed erano quelli immediatamente ''politici''. Insomma: in un primo tempo Calvino non si è posto molto il problema se l'etichetta di neorealista fosse giusta per lui, o comunque l'ha tollerata, ma quando è diventata convinzione comune che l'etichetta rimandava ad un contenuto socio-politico e all'obbedienza alla precettistica realistica di Alicata o di E. Sereni, allora ha teso giustamente a dimostrare che la sua attività letteraria non cadeva sotto quel segno.

2 — Questa relazione ha come titolo *Negli anni del neorealismo*, e per quanto essi coprano abbondantemente un ventennio (dagli inizi degli anni Trenta alla metà circa dei Cinquanta) il termine *a quo* è di necessità, per Calvino, il '45 e quello *ad quem* è, per una scelta di comodo che intendo fare in questa sede, il '50.

Ho condotto una ricerca sui racconti e in particolare su quelli editi su «l'Unità» (ma non ho trascurato di esaminare altri periodici) perché, dato il veicolo che fu scelto dallo scrittore per offrirli ai lettori, essi mostrano materialmente un punto di contatto tra lui e un canale di comunicazione politicamente molto significativo. Ho esaminato «l'Unità» degli anni 1946-50: cinque anni in tutto; ma poiché questo quotidiano usciva in quattro edizioni diverse (Milano, Roma, Torino e Genova), che erano in sostanza quattro giornali diversi, diffusi in aree geografiche differenti, si verificava che articoli di vario genere usciti su un'edizione fossero replicati in altre. Di qui la necessità, per avere un panorama completo degli interventi di Calvino su «l'Unità», di esaminare tutte e quattro le edizioni per quei cinque anni, per un totale di venti annate.[3]

Tra il '46 e il '50 Calvino pubblicò dunque su «l'Unità» almeno 28 racconti, alcuni dei quali furono riediti nelle diverse edizioni, talvolta con titolo mutato, per un totale di 25 repliche. Quindi «l'Unità» pubblicò almeno 53 pezzi a firma sua. Per complicare un po' il quadro, bisogna infatti tener presente che Calvino pubblicò anche racconti su altri periodici («Aretusa», «Il Politecnico», «Il Settimanale», «Darsena nuova» etc.) e che non sempre i racconti de «l'Unità» videro la luce solo lì: si ha il caso di racconti riediti successivamente altrove (un paio finirono, per esempio, su «Il Settimanale», organo dell'ANPI diretto da Gatto); oppure il caso inverso. Le repliche su «l'Unità» venivano effettuate o a tamburo battente, per cui tra il febbraio e il marzo '48 *Il giardino incantato* uscì su tutte e quattro le edizioni, o anche a distanza di un anno o più, in questo caso anche con leggere varianti, delle quali ho fatto un esame; e inoltre ho seguito il percorso dei racconti dal quotidiano alla raccolta in volume. È infatti noto che Calvino raccolse 30 racconti in *Ultimo viene il corvo* nel '49 (d'ora in poi UC^1): una parte li ripubblicò nei *Racconti* (d'ora in poi R) del '58, e 25 di quei 30 li accolse nella nuova edizione di UC (d'ora in poi UC^2) del '69. Queste tre edizioni in volume contengono 15 racconti che erano già usciti su «l'Unità», ed esistono dunque varianti testuali stratificate nel tempo: talvolta dalla prima edizione sul quotidiano (o su altro periodico) alla sua replica, soprattutto se troppo protratta, poi ancora varianti in previsione di UC^1, quindi ulteriori correzioni per l'edizione di R; e un'analisi condotta per campioni sintomatici mi fa supporre che per UC^2 Calvino abbia ripreso il testo di R (naturalmente per quei racconti che sono comuni ai due volumi).

Di tutto questo voglio offrire un resoconto che, se pure incompleto, sia però sufficiente a illuminare il mutamento testuale anche alla luce di quanto ho detto prima circa l'abbandono della poetica neorealistica da parte di Calvino. Necessariamente, quindi, procederò a ritroso, documentando prima le differenze testuali fra UC^1 e R; e in seguito esibirò quelle tra il testo de «l'Unità» e UC^1. (Evidenzio fra parentesi quadra le espunzioni, e fuori parentesi e in corsivo l'eventuale acquisto con funzione di raccordo sintattico).

La direzione delle correzioni nel passaggio da UC^1 a R investe 1) prima di tutto *a*) le situazioni «sconce» e quei particolari piccanti che nel '58 Calvino dovette sentire come una estremizzazione non necessaria o comunque compiaciuta di situazioni osées; e *b*) le unità lessicali sconvenienti.

a) Da *Uomo nei gerbidi* viene tolto in R questo riferimento malizioso alle case di tolleranza:

[— In città ci sono palazzi foderati di specchi, — raccontai, — con saloni che entrando ti fa l'effetto come di un albero di Natale, sai l'albero di Natale?
— Con candeline appese?
— Con donne, nude sul petto e dietro; involte in stoffe di tutti i colori, che si ripetono mille volte negli specchi.
— Bello. Mi ci porti?
— Ti ci porterò, una volta.]
— Questa qui, — disse Baciccin, — non ci ha tanta passione per andare in città [...]

Da *L'avventura di un soldato* esibisco un reperto topograficamente collocato immediatamente sotto un ampio brano amputato in R:

E questa piccola mano [s'accucciò tra coscia e coscia, buona e zitta in quel caldo e molle asilo, e] aveva movimenti continui e generali e minuscoli [...]

In *Dollari e vecchie mondane* il taglio più lungo è il seguente:

— Ehi, tu — fece a una che ballava [appoggiata di schiena all'uomo che le teneva le mani sopra i seni. L'uomo girò verso Emanuele, era] *con* un garzone con la fronte mangiata dai capelli e la camicia aperta.

In *Si dorme come cani*:

E gli venne voglia di piangere. [Allora avanzò quella mano cautamente, in mezzo a quei corpi e incontrò due ginocchi di donna, e fece salire su la mano, piano.
La più vecchia dei borsanera aveva sempre sui seni quella faccia d'uomo come schiacciato da tonnellate di sonno: a toccarlo in tutto il corpo non reagiva e solo qua e là accennava a parziali risvegli. Adesso la donna sentiva una mano, una piccola mano tutta calli e rughe che le saliva sotto la sottana, e strinse le cosce intorno a quella mano che se ne stette subito buona e quieta. Il bassitalia non riusciva a dormire ma era più contento: il morbido caldo in cui affondava la sua piccola mano sembrava gli s'infondesse per tutto il corpo].

Per quanto riguarda invece *b*) la ''scabrosità'' del lessico è corretta col ricorso a cassature o sostituzioni. È un caso di amputazione il seguente da *Paura sul sentiero*: Binda corre a perdifiato invaso dal terrore e sogna che il bosco notturno divenga tranquillo e ospitale:

Poi scavarsi un varco tra le foglie del castagno, e affondarci, lui e Regina, prima togliere i ricci che avrebbero punto [il sedere a] Regina, ma più si scava nelle foglie più ricci si trovano, impossibile far posto [al sedere di] *a* Regina là in mezzo, [al grande, morbido sedere di Regina] *a Regina* dalla pelle liscia e sottile.

Le sostituzioni si effettuano in favore di un lessico che attenui la pesantezza dell'originale: le «cosce» diventano «gambe» in *Si*

117

dorme come cani («vide la mano d'un venezia infilata nelle *cosce* di sua figlia») e due volte in *L'avventura di un soldato* (risparmio gli esempi).

Queste varianti e correzioni, oltre ad avere una direzione speciale (il sesso), documentano una tendenza di carattere generale che si può sintetizzare come *attenuazione e taglio dell'eccessivo*, quindi *abolizione delle tinte forti e delle situazioni estreme*. Taglio dell'eccesso prima di tutto sentimentale, come in

disapprovavo quel tono di superiorità affettuosa di mia madre [: alla condiscendenza aristocratica di lei finivo per preferire i modi di mio padre, la sua affabilità un po' servile. E poi odiavo], quel "tu" padronale che [nostra madre dava al giovane] *gli* dava;

o taglio dell'eccesso logico quando sconfina nell'inattendibile, come in «una di quelle sue spiritosaggini [che nessuno capiva e che doveva ripetere due volte] *che non facevano ridere nessuno*» (*Pranzo con un pastore*). Altrove è punito l'eccesso dell'intenzione: «In quello del Comune c'è proibito. [Noi si chiama una guardia e vi si fa mettere dentro]» (*I fratelli Bagnasco*). Tagli dell'eccesso dell'immagine : «pelle gialla che ricadeva [in grinze addosso al suo scheletro] *grinzosa sulle ossa*» (*L'occhio del padrone*); del lessico improprio perché enfatico: «noi tre [poveri] ragazzi contro un mondo crudele [e servizievole]» (*Pranzo con un pastore*). Taglio della sensazione forte: «[impressionato] *un po' allarmato* per il baccano» (*Dollari e vecchie mondane*); «e prese a muovere passi incerti per quel grande atrio [così spietatamente] luminoso e freddo» (*Si dorme come cani*).

Si potrebbe ipotizzare che il taglio dell'eccessivo riguardi anche lo spreco della segmentazione, quindi soprattutto corregga l'iperframmentazione su base ritmica, il massiccio intervento interpuntorio dei primi anni; ma in tal senso gl'interventi mi sembrano inesistenti, pena lo scardinamento del tutto (aggiustamenti comunque se ne erano avuti nel passaggio dall'edizione su quotidiano a UC[1]). Sicché alla fin fine, in un impianto linguistico che nasce già come sicuro, la normalizzazione sarà piuttosto e soltanto aggiustamento sintattico, e perciò correzione, come in questo caso:

e io che vivevo sulle sedie a sdraio, accanto alla radio leggendo libretti d'opera, che presto sarei andato all'Università, e non [volendo] *volevo* mettermi la flanella sulla pelle perché mi faceva prudere la schiena (*Pranzo con un pastore*);

oppure: «offrì una sigaretta all'ospite. Se le accesero senza chiedere [a nessuno se disturbava] *permesso* a nessuno» (*Pranzo con un pastore*).

Altro tipo 2) di intervento che sembra diverso da quelli già visti e quindi classificabile a parte riguarda la citazione: in *I figli poltroni* uno dei ragazzi recita sempre *La leggenda di Teodorico* del Carducci, ma il testo della poesia è abbreviato in R, dove manca anche il seguente passo:

> Io vado al cinema [:ormai i film nuovi non mi tirano più, vado in certi cinemetti popolari con le panche in platea dove rivedo film di sette, otto anni fa che so ormai a memoria: "Notti messicane", "Napoli terra d'amore", forse per non far fatica a tener dietro alla storia].

Sottende all'amputazione la necessità di tagliare la citazione come intrusione dall'esterno, con evidente rifiuto del predeterminato; se pure in entrambi i casi non si tratti ancora una volta della tendenza a eliminare l'eccesso, nella fattispecie quello documentario (e nel pezzo citato anche l'eccesso come inattendibilità: il poltrone che non vuol faticare a vedere film nuovi).

È ovvio che la direzione variantistica nel passaggio da UC^1 a R potrebbe essere verificata (da chi lo volesse fare) nelle macrovarianti costituite dal sommario delle due raccolte: la mortalità dei titoli, per altro relativamente bassa, nel passaggio dall'una all'altra e i temi esclusi significano necessariamente che *I racconti* selezionano il meglio delle prove narrative brevi: UC^1 fa loro sicuramente da sfondo. Ma a sua volta esso è il risultato di una selezione del materiale da un collettore costituito dalle pagine de «l'Unità» e dalle riviste, anche se non tutto quello che è compreso in UC^1 era stato pubblicato in quelle sedi né forse pubblicato tout court. Ne consegue che proprio l'esame del rapporto tra i racconti editi su «l'Unità» e quelli accolti in UC^1 è un osservatorio importante di quella che si potrebbe chiamare una selezione di primo grado.

Non va però data per scontata la linearità dei rapporti tra «l'Unità», UC^1 e R, poiché un sondaggio su un campione scelto a caso (*Uomo nei gerbidi*) sembra indicare che Calvino abbia tenuto presente, nell'apportare le correzioni per R, il testo dell'edizione sul quotidiano. Dico *sembra* perché in seguito addurrò elementi in favore di un'altra ipotesi. Ecco per il momento l'elenco di un buon 80% delle lezioni comuni ai due testimoni estremi («l'Unità» e R) rispetto a UC^1 (fra parentesi quadra la lezione di

119

quest'ultimo quando esso non sopprime; in corsivo la lezione degli altri testimoni).

sospesa *laggiù* sull'orizzonte
Quando *di* [la] mattina
partì a *grandi* zig-zag
ché [che] è un momento
rimase *quella* [una] zona ambigua e smarrita
Arrivava *in* [a] Colla Bella
una fascia *d'una* [di] terra
Gia. [Già!] Io poi li sbaglio tutti, però.
Caricatevele [Caricàtevele] da voi
e le treccine *giù* per le spalle

Altro segnale di complicazione è costituito da un ulteriore elemento che illustrerò limitatamente, ancora, a un singolo caso.

Confrontando il testo di *Paura sul sentiero*, edito su «l'Unità» di Genova (25 aprile 1947) col titolo di *Missione notturna*, con quello di UC[1] ho notato una considerevolmente maggiore lunghezza del racconto nel secondo testimone: interi capoversi aggiunti dopo, così ho ritenuto in prima istanza. Ma il confronto con le varianti di altri racconti e la natura compatta dei blocchi assenti su «l'Unità» rendevano assai strano il caso; per cui ho dovuto ipotizzare che non si trattasse tanto di aggiunta di inserti in UC[1], quanto di sottrazione dei medesimi ne «l'Unità» da un testo nato più lungo e restato inedito nella sua completezza o edito in altra sede e poi ripreso per il volume. L'ipotesi ha avuto una conferma nel casuale ritrovamento di un testimone precedente contenente il testo più lungo a stampa: la rivista viareggina «Darsena nuova» del giugno-luglio '46. Le amputazioni per la stampa sul quotidiano si giustificano con la mancanza di spazio.

Questo caso ci deve rendere circospetti almeno quando ci si trovi in presenza di varianti testuali consistenti in brevi sequenze narrative che UC[1] *sembra* aggiungere all'edizione del quotidiano. Ma io propendo per l'altra ipotesi, e cioè che l'edizione in volume non faccia altro che recuperare un testo più lungo sacrificato, per mancanza di spazio, su «l'Unità». Che tale testo sia rimasto manoscritto o sia stato stampato altrove potrà essere appurato solo da chi possa fare una ricerca dei testimoni di ogni racconto, anche nell'archivio privato dello scrittore, e la loro collazione (astrattamente parlando si deve fare una terza ipotesi: lo scrittore può aver ora aggiunto ora sottratto in vista di UC[1], a seconda dei casi, ma la ritengo improbabile).

Ma se non sulla successione e la cronologia delle varianti, il caso già visto di *Paura sul sentiero* ci dice pure qualcosa sul montaggio dei racconti calviniani, se ne affrontiamo l'aspetto della amputabilità. Faccio due esempi soltanto. *Il bosco degli animali* appare costruito come una favola, nella quale si ripete parecchie volte la stessa situazione: Giuà insegue nel bosco il tedesco, il quale si appropria di volta in volta di un animale appartenente ad un membro del villaggio; quando Giuà sta per sparargli, si fa vivo il proprietario il quale teme che il cacciatore sbagli il colpo e uccida l'animale e non il tedesco. L'amputazione (se di questo, come penso, si tratta) riguarda il particolare della cattura di qualche animale e della preghiera del proprietario rivolta a Giuà: così la logica del racconto è salva, ma la quantità delle sequenze che si ripetono può essere ridotta.

In *Si dorme come cani*, che è al contrario del primo un racconto picaresco, dove maturano sempre situazioni inedite e il ritmo è dato — anziché dalla ripetitività — dalla trovata delle novità, basta amputare qualche situazione qua e là (tra l'edizione dell'11 giugno '48 su «l'Unità» torinese e UC[1] la differenza consiste in una decina di brevi inserti che mancano nel testo del quotidiano) perché il ritmo si mantenga ugualmente e il racconto non ne soffra.

Ma per ampliare la casistica ecco il caso di *Ultimo viene il corvo*, racconto eponimo del volume del '49. Fu edito su «l'Unità» milanese il 5 gennaio '47 (ciò può spiegare perché Calvino lo data, nel sommario de *I Racconti*, al '46, anno della composizione) e su quella genovese il 31 agosto dello stesso anno. Ebbene: in entrambi i testimoni il racconto presenta tagli rispetto a UC[1] ma, cosa interessante, non sempre i pezzi amputati sono i medesimi, come risulta da questo esempio:

"Se spari in acqua spaventi i pesci e niente altro", voleva dire l'uomo, ma non finì neppure. Era affiorata una trota; galleggiava con la pancia bianca. "Cribbio", dissero gli uomini.
Il ragazzo ricaricò l'arma e la girò intorno. L'aria era tersa e tesa, si distinguevano gli aghi sui pini dell'altra riva e la rete d'acqua della corrente. Una increspatura saettante alla superficie: un'altra trota. Sparò: ora galleggiava morta. Gli uomini guardarono un po' la trota e un po' lui. "Questo spara bene", dissero.
Il ragazzo muoveva ancora la bocca del fucile in aria («l'Unità», Milano).

"Se spari in acqua spaventi i pesci e nient'altro", voleva dire l'uomo ma non finì neanche. Era affiorata una trota, con un guizzo, e il ragazzo le aveva sparato una botta addosso, come l'aspettasse proprio lì. Ora la trota galleggiava con la pancia bianca. "Cribbio", dissero gli uomini.
Il ragazzo muoveva ancora la bocca del fucile in aria («l'Unità», Genova).

Come si vede, il testo più lungo è il primo citato, ma il secondo non è affatto il risultato di una sua semplice amputazione, poiché contiene un segmento lì tagliato. Ebbene: UC[1] non dà solo il testo più lungo, ma una crasi dei due, quindi contiene anche il particolare del guizzo della trota che è ne «l'Unità» genovese. Ne consegue che UC[1] non deriva né dall'una né dall'altra edizione del quotidiano, ma plausibilmente dal manoscritto su cui Calvino intervenne due volte per ritagliare il racconto da pubblicare sul quotidiano e un'altra per approntare l'edizione in volume (ciò, naturalmente, se i pochi numeri del quotidiano che non ho potuto vedere non contengono questo racconto integro). Ciò significa che in questo caso la trafila non è manoscritto → quotidiano e sue repliche → volume, ma che il manoscritto funziona come archetipo di tutte le riproduzioni a stampa. Se il fenomeno sia da estendere a tutti i racconti che trovarono ospitalità su «l'Unità», come io ritengo, potrà essere chiarito solo da un esame condotto su tutti i casi; ma non c'è dubbio, allora, che quando si dice che una o più edizioni del quotidiano replicarono il testo uscito prima in una di esse, il termine "replica" ha valore relativo, non assoluto.

Lasciamo per ora da parte *Ultimo viene il corvo* e la questione dei tagli (che di questo mi pare si tratti) di sequenze da un originale più lungo per l'edizione dei pezzi su «l'Unità», e vediamo invece i ritocchi minimi che distinguono il testo di un altro racconto, *Il giardino incantato* edito sul quotidiano, dalla veste con cui fu stampato in UC[1].

e si trovarono di fronte ad un giardino sotto il cielo aperto, con aiuole, tutte ben ravviate, di petunie e convolvoli, e viali e balaustre e spalliere di bosso («l'Unità», Torino)

e si trovarono sotto il cielo aperto con di fronte aiuole tutte ben ravviate di petunie e convolvoli, e viali e balaustrate e spalliere di bosso (UC[1])

dove le varianti sono volte a dare il miglior assetto testuale al materiale senza disperderlo (manca solo «giardino» perché implicito in «aiuole»), materiale prima offerto un po' disordinatamente, e sempre entro l'eccesso di frammentazione, e quindi con sovrabbondanza delle virgole. La regolarizzazione avviene sempre ben entro l'italiano scritto, suprema legge e guida della lingua calviniana, e il parlato non è mai accolto in quanto tale ma come ispiratore di scioltezza, sia nella grafia (da *ad* a *a*, da *ed* a *e*) che nel lessico (da *alfine* a *infine*); per cui la dialettica non è mai tra parlato e scritto ma, appunto, tra asperità e scioltezza, dove per asperità s'intenda qualunque minima punta. Ecco allora che

122

forme della preposizione articolata, anche consegnate dalla tradizione scritta e parlata, sono sacrificate per forme più normali quando sono avvertite come troppo culte in quanto scritte e contemporaneamente troppo parlate: «*colla* giacca bianca» diventa «*con* giacca bianca», «*pei* viali» diventa «*per i* viali» (e forse nei ritocchi si rivela l'antifiorentinismo di Calvino). Eliminazione delle punte, s'è detto, come verifica di quello che abbiamo già chiamato taglio dell'eccessivo: così viene abolito il *Ma* in posizione forte, a inizio di periodo, con effetto decisamente riduttivo del contrasto: «*Ma* tutto era deserto» «*E* tutto era d.»; «*Ma non* era bello» «*Non* era b.». Dunque, taglio delle tinte forti, letteralmente; e qui è da notare il lapsus in cui Calvino era incorso prima della revisione testuale: quando Giovannino si tuffa nella piscina si vede «le mani come pesci *rossi*». È una spia sicura della passione del primo Calvino per Cecchi; non bisognerà però attendere UC[1] per la correzione: «rosa» è già nella replica su «l'Unità» milanese.

I ritocchi apportati al testo dei racconti in vista della stampa di UC[1] sono databili al '49, e tuttavia alcune correzioni sono talora documentate dal testo delle repliche di un racconto su una delle edizioni de «l'Unità». Prendiamo ancora una volta in considerazione il caso di *Ultimo viene il corvo*. Per la replica (ma le correzioni già viste e quelle di cui si parlerà ora danno al termine il significato relativo che si è detto) Calvino lo rivide eliminando alcune incongruenze come quella del ragazzo che si stende «a terra *su* un mucchio di pietrame» che nell'edizione genovese diventa «...*dietro* un m. di p.»; oppure si tende a precisare l'azione prima espressa genericamente («uomini in divisa che *andavano*» diventa «uomini in d. che *avanzavano*»), o l'attività mentale: «Ma forse era meglio fare una prova» acquisisce l'avverbio: «Ma forse *prima* era meglio etc.». Tutti questi interventi saranno recepiti da UC[1], così come la replica instaura il livellamento su *a* ed *e* a scapito di *ad* e *ed* (nonostante un caso in direzione contraria) che abbiamo visto essere tendenza costante dell'edizione in volume. Inoltre la replica offre due volte «traversò» in luogo di «attraversò» (per semplificazione ma anche mimesi col movimento veloce di animali) e taglia un breve inserto in fine del racconto, superfluo in questo genere di composizioni programmaticamente tese al finale drammatico, ''a botta secca''.

Nel primo testo:

Il proiettile lo prese giusto in mezzo a un'aquila ad ali spiegate che aveva ricamata sulla giubba.

[Il ragazzo s'avvicinò alla pietra, controllò se aveva colpito giusto.]
Il corvo s'abbassava lentamente, a giri.

Il taglio del secondo periodo è definitivo e anche le correzioni viste sopra passano in UC[1]. Tutto questo dimostra che UC[1] potenzia una direzione delle correzioni già avviata prima, e che di conseguenza stilisticamente e linguisticamente il periodo 1946-49 è compatto; e inoltre, ma la cosa dovrebbe avere i necessari riscontri sull'originale, dato il mantenimento delle correzioni della replica nel testo edito in UC[1], e non potendosi in questo caso pensare che Calvino abbia accantonato il primo testo a stampa lavorando sulla replica, si dovrà ammettere che abbia continuato a correggere l'originale manoscritto il quale — dopo l'edizione su «l'Unità» milanese — dovrebbe mostrare due distinte fasi correttorie in direzione unica.

3 — In questa analisi abbiamo proceduto, così come avevamo anticipato, a ritroso, partendo dall'edizione dei *Racconti* del '58 per tornare fin sull'originale manoscritto. Consideriamo ora quel biennio 1949-50 che ci sembra uno snodo significativo.

Si è detto che nel passaggio dall'uno all'altro volume di racconti si ha una perdita di alcuni pezzi e l'acquisizione di altri; e Calvino, che sapeva ben amministrarsi ed aveva un forte senso autocritico, ebbe nella scelta la mano felice perché tralasciò i meno riusciti. Ma quello che si deve attribuire alla vicenda di ogni scrittore — un percorso fatto di tentativi riusciti ma anche di abbandoni — per lui può essere documentato anche attraverso i racconti editi su periodici e mai raccolti in volume. E se focalizziamo il biennio che si è detto, possiamo dare a questi tentativi e alla selezione connotati e significato precisi.

Nel 1949-50 Calvino pubblicò su «l'Unità» quattro racconti, ma non li ha mai raccolti; non solo, ma procedendo nella ricerca sulla sola edizione milanese del periodico, ho trovato che nel 1952-53 vi pubblicò almeno dieci racconti, una buona metà dei quali non sono stati più recuperati. L'indice di mortalità è quindi ora assai alto. Ma non basta, perché passando da «l'Unità» a «Rinascita» si trova che nel 1950-52 vi pubblicò due racconti: uno non è più stato recuperato, l'altro non è che un brano de *I giovani del Po*, il romanzo operaio che Calvino tenne nel cassetto perché lo considerava una prova poco felice; e lo rispolverò più tardi per «Officina» ma non lo ha mai raccolto in volume. I racconti dispersi sulla stampa comunista sono a sfondo esistenziale o d'argomento sociologico, oppure sono favole di satira politica. Accanto a questi ci sono inchieste sindacali e articoli politici, recensioni teatrali e, su «Rinascita», pezzi di teoria letteraria con cui egli partecipa al dibattito in corso sul realismo, dimostrando la buona volontà del militante nel discutere la precettistica che in materia d'arte e di letteratura i dirigenti del PCI elaborano per i propri intellettuali; ma non molto convinto, mi pare, di poter lui incamminarsi su quella strada. Il contesto in cui quest'operazione avviene è noto: irrigidimento a sinistra, scontro duro con i moderati, timori di guerra. Calvino ha certezze politiche ma non ha certezze letterarie, e anzi attraversa ora la prima grande crisi della sua attività. Dubita persino di essere uno scrittore, fa delle prove di romanzo realistico che non gli vengono bene e le lascia nel cassetto. In un'altra lettera inedita a Giuseppe De Robertis scrive: «Del *Bianco veliero* che Lei ha la bontà di ricordare, devo dirLe che non si muoverà dal cassetto in cui giace da quattro anni, sebbene mi sia già un po' pentito di non averlo pubblicato a suo tempo» (3 aprile '52); il *Bianco veliero* so che è la storia di una borsanerista, e forse il racconto *Va' così che vai bene,* che sappiamo essere un frammento di romanzo inedito, deriva proprio da qui. Fa dei tentativi, riusciti, in altre direzioni ma che non arrivano a costituirsi come nuova esperienza narrativa ad eccezione forse dei racconti dedicati a Marcovaldo, che costituiscono un esiguo filone unitario, continuo ma protratto nel tempo: dieci racconti in cinque anni (1952-56). Per rendersene conto, va tenuto presente che *L'avventura di un soldato* è del '49, ma questa strada delle ''avventure'' darà frutti consistenti quasi dieci anni dopo: Calvino ne scrisse infatti cinque nel '58. Il fatto è che nel momento in cui la lotta politica da una parte si fa più difficile e dura, dall'altra però i termini sembrano più chiari solo perché è possibile impostarli con maggiore rigidità, Calvino soffre in un modo che direi esemplare il contrasto tra ragioni politiche sempre più invadenti e ragioni letterarie: «Così, in uggia con me stesso e con tutto mi misi, come per passatempo privato, a scrivere *Il visconte dimezzato* nel 1951».

Credo che sia interessante vedere che cosa, ai primi accenni dell'irrigidimento zdanoviano del PCI, si produce all'interno del racconto calviniano, e come si destruttura l'organismo dei bei racconti del '46-48. Scelgo il disperso *Voglia di mare,* uscito su «l'Unità» piemontese il 16 ottobre '48 e replicato il 24 novembre sull'edizione romana col titolo *La piazza degli acrobati.* Un ragazzo si mette di solito alla finestra (posto privilegiato di chi sta a guardare; e alla ''vista'' di Calvino sono dedicati altri interventi in questo Convegno) a leggere, e vede la consueta piazza grigia, squallida, che rende impossibile l'esistenza anche solo fantastica dei grandi spazi marini e delle foreste di cui sono pieni i libri che legge. Ma ecco che un giorno la piazza si anima perché arriva il circo Vladimiri: si alza una pertica, si tendono funi per l'esercizio degli acrobati, si recinge il perimetro del circo con tendoni per impedirne la vista a chi non paga l'ingresso; e allora tutto si trasforma; basta pensare che pertica e tendoni sono albero e vele di una nave e tutto ciò che prima era scritto sui libri diventa realtà: il nuovo mezzo del movimento non è la grigia piazza, ma l'aria dove volteggiano gli acrobati. Qui ci son tutti gli ingredienti del racconto del primo Calvino, ma lo scrittore ci dà il doppio spazio della terra e dell'avventura, non lo spazio unico dei migliori racconti. Insomma, smonta il racconto nelle sue componenti, e in più ambienta il tutto nello scenario della città, dove vive questo ragazzo che è prima astratto e triste come il padrone del *Giardino incantato*, poi felice come Giovannino e Serenella dello stesso racconto. Diciamo che non c'è più il racconto d'avventura, ma la genesi del racconto d'avventura, con forte mutamento d'ambiente dal paesaggio campagnolo alla città.

Un altro racconto è ambientato a Napoli (*Freddo a Napoli*, «l'Unità» piemontese, 8 gennaio '49), ed è un misto di resoconto di viaggio e di racconto, dove uno degli elementi caratteristici del primo Calvino, il movimento delle figure, qui è garantito dal formicolare dei bassi; è dunque una realtà sociologica che prende il sopravvento. Insomma, il vecchio racconto si decompone e l'avventura viene costretta entro uno spazio misurabile con gli strumenti anche non letterari della politica e della sociologia. Una combinazione di elementi eterogenei, e la destrutturazione del consueto racconto si ha anche in *Lasciare Anna*, altro disperso dove si concede qualcosa all'esistenza di personaggi ''veri'' (cosa nuova in Calvino) e alla problematica di coppia (anche questa nuova, ma qui c'è la lezione di Pavese). Del resto anche *I giovani del Po* è una combinazione di forze eterogenee, generalmente duplicate: il giovane proletario sindacalizzato e la studentessa borghese fascistoide, il contrasto tra il paese di riviera e la città operaia, tra l'amico restato a casa e il protagonista inurbato, e così via. I critici sono concordi nel ritenere che si tratti di un romanzo pavesiano, ma anche questo rendere evidente la fonte dimostra l'insicurezza di Calvino che arriva a trasferire direttamente sulla pagina la lotta sindacale di cui aveva dato i resoconti come cronista comunista.

Gli ultimi anni Quaranta chiudono dunque in modo anche drammatico una breve stagione che era stata felice, e nella quale

Calvino aveva scritto dei bellissimi racconti e un romanzo. È difficile esprimere in un saggio la situazione vissuta da lui e dai suoi coetanei negli anni '45-48. Si può parlare di ottimismo, di congiunzione di destini, di ansia di partire da zero, di scrittura che nasceva rapida, come legata al ritmo biologico di individui giovani, di ritmo personale in sintonia con quello convulso e febbrile di quegli anni di ricostruzione, quando di riviste per autori importanti ce n'era qualcuna ma mai comunque troppo chiusa da non aprire agli sconosciuti (penso ad «Aretusa» dove Calvino pubblicò il suo primo pezzo dietro presentazione di Pavese), e in provincia altre spuntavano come funghi raggiungendo spesso un livello notevole. Chi ricorda d'aver letto, o soltanto sentito nominare, «Darsena nuova», ''Rassegna mensile di Storia e Arte e Uomo'', stampata a Viareggio dall'editore Tatra? Suppongo pochi. Eppure sul n. 4 dell'a. II, 1946, il sommario riporta *La selva* di Pavese, un pezzo di Viani e *Paura sul sentiero* di Calvino, insieme a una folta schiera di autori noti ma meno importanti, e autori poco noti.

«Ci si strappava le parole di bocca», ha scritto Calvino. Ecco Micheli che fa l'impiegato e nei ritagli di tempo scrive un libro di 400 pagine, lo consegna a Pavese tra il luglio e il settembre '43; durante l'invasione nazista si rifugia nel viareggino portandosi dietro il manoscritto, e trova modo di aggiungere 200 pagine. Quindi comincia il *Falansterio*, lo porta a termine dopo centinaia di pagine, e scrive un terzo romanzo ancora più lungo dei primi due. Einaudi gli stampa subito il primo libro, *Pane duro*, che vince il Viareggio nel '46 e ottiene una recensione di Calvino e un'altra di Debenedetti. Ma questo non basta a descrivere quella febbre del dopoguerra, perché un saggio critico come il mio procede o per astrazioni o per episodi aneddotici, e solo un racconto può rendere il groviglio di quel periodo accidentato. Ma il racconto c'è già, ed è la bellissima introduzione di Calvino al *Sentiero* del '64 che rende superfluo un approccio anche diverso. Solo aggiungo che mi piace immaginare il giovanissimo Calvino d'allora che esce da una riunione di partito e stende poi un pezzo per «l'Unità» — dove teneva una rubrica dal titolo bontempelliano di *Gente nel tempo* — e passa dalla Einaudi col manoscritto in tasca di un racconto da sottoporre alla Ginzburg o allo spigoloso Pavese; e intanto manda racconti a Ferrata per «l'Unità» milanese e magari, mi immagino, sta in ansia per le sorti dello splendido *Campo di mine* inviato al concorso per un racconto inedito bandito da «l'Unità» di Genova. Calvino vinse il premio ex-aequo con Marcello Venturi, e la proclamazione avvenne, è il caso di dirlo,

127

al cospetto del popolo, durante un gran veglione organizzato dalla redazione del quotidiano per la notte di Capodanno del '46. Facevano parte della giuria Baratono, Bontempelli, Mafai, ed il poeta partigiano Bini (cioè Serbandini), Ugolini, Micheli, la scrittrice Willi Dias, di cui non ho letto nulla, e poi due operai, due studenti, due insegnanti, un impiegato, e il Direttore delle Poste e Telegrafi di Genova.

Quando stavo lavorando al mio libro sulla letteratura della Resistenza (ed è l'unico ricordo che cito) Calvino mi disse: «Non so se alla fine della ricerca troverai che eravamo dei bravi scrittori; solo mi piacerebbe che tu ti facessi l'idea che eravamo dei giovani simpatici». E simpatici erano, ma Calvino era anche un grande scrittore. Erano anni di massima apertura culturale, nei quali non pesarono mai in modo determinante giudizi di sufficienza o condanna verso l'arte che più tardi sarà chiamata degenerata o borghese: le letture, almeno quelle di Calvino, furono vaste e ad ampio spettro, soprattutto rivolte, oltre che verso i classici e gli americani, che erano allora di moda, verso il grande romanzo europeo dell'Ottocento e le avanguardie novecentesche. A proposito: Queneau, come ha anche ricordato Ferretti, è una lettura di questi anni; *Pierrot mon ami*, tradotto da Einaudi nel '47, era così letto da Calvino che lo definiva un libro «cubista»: «Le sue storie sono popolate di gente colorata e clownesca, domatori e fachiri, poeti incompresi e prostitute, con disavventure da comica finale, colpi di scena da pochade, sentimentalismi ingenui da vecchio tango, e personaggi sballottati da un continente all'altro che finiscono sempre per incontrarsi tutti insieme» («l'Unità» piemontese, 1° giugno 1947). Ebbene: *Furto in una pasticceria*, *Si dorme come cani* e *Dollari e vecchie mondane* son successivi a questa lettura, ed è possibile che l'assunzione di un mondo degradato e formicolante, di assembramenti casuali alla stazione, di piccola delinquenza, fosse stimolata anche da questo scrittore oltre che dalla tradizione picaresca (ma è anche possibile che Calvino leggesse questo scrittore secondo la sua diretta osservazione dei colori dell'epoca). Le pagine de «l'Unità» ci offrono comunque molte schede per cominciare a fare il regesto delle letture del giovane scrittore, magari in vista di un saggio intitolato *La biblioteca di Calvino* di cui in questa sede ci è possibile dare appena un'idea per quei primi anni. Sarà comunque interessante notare che la curva che già si è tracciata per i racconti, in qualche modo combacia con quella delle letture: intorno al '48, e poi successivamente, dall'attenzione alla letteratura americana secondo quello che si può definire il gusto corrente (Anderson,

Caldwell, Faulkner, Hemingway etc.) si passa a selezionare il materiale secondo un criterio non solo letterario; Calvino presta attenzione alla letteratura d'opposizione (Fast, Wright) e contemporaneamente continua a dedicarla al romanzo e alla saggistica sovietica. Qui segnalo fra gli altri la recensione al Propp tradotto da Einaudi nel '49 («l'Unità» piemontese, 6 luglio '49). Inoltre, dato che Calvino si laureò su Conrad — ma non solo per questo motivo — è sicura un'attenzione alla letteratura inglese e alla saggistica; conosceva senz'altro i saggi di Cecchi, come scrive allo stesso in una lettera inedita e come era facile immaginare, e certo conosceva gli scritti di Praz. Qui do una scheda, ma importante: le osservazioni sulla crisi del personaggio contenute nel *Midollo del leone* del '55 ritengo che risentano del volume *La crisi dell'eroe nel romanzo vittoriano* di Praz uscito nel '52.

4 — Delle tre strade che gli si aprivano (fare il politico, il giornalista o lo scrittore) Calvino le percorse, in quegli anni, tutte e tre. Ma questo non mi fa pensare a tormentose indecisioni, quanto, al contrario, a una convinzione profonda che il destino individuale fosse legato con mille fili a quello della collettività: quindi il servizio giornalistico, l'articolo di cultura letteraria e il racconto convivevano tranquillamente senza che l'uno tendesse a insidiare la consistenza dell'altro, come invece abbiamo visto che accadrà alla fine degli anni Quaranta e primi Cinquanta. Calvino, insomma, non era convinto che dovesse esistere una gerarchia nell'ambito del lavoro ma che questo potesse, e quindi dovesse, essere una dimostrazione d'intelligenza e di dignità. Era evidentemente questa una scelta — per altro esplicitata su «l'Unità» — contro gli scrittori di mestiere che non avevano nessuna esperienza di altri mestieri e quindi nessuna conoscenza tecnica precisa se non di quello che sapevano dai libri. Mentre per Calvino fare lo scrittore significava sì perfetta conoscenza del materiale da usare (strutture del racconto e vocabolario) ma anche uso preciso di termini esatti e concreti coi quali la lingua italiana avrebbe potuto arricchirsi: da qui l'ammirazione per Conrad, il quale aveva trasferito sulla pagina il vocabolario tecnico di cui si era impadronito durante la lunga esperienza marinaresca. Da qui l'uso, in Calvino, di un vocabolario speciale, botanico e zoologico, e l'ambientazione della storia nel paesaggio sanremese, il racconto di fatti (come la lotta partigiana) di cui aveva avuto esperienza diretta.

Il lavoro è quindi il modo con cui l'individuo esiste e comunica agli altri la propria esistenza. Le implicazioni morali di questo scrivere come assunzione di responsabilità sociale sono già state di recente sottolineate da Asor Rosa, e certo rimandano a Pavese e ad una linea piemontese nella quale si situa anche Fenoglio, che fu una scoperta di Calvino e non di Vittorini. Ma scrivere come atto individuale comporta anche l'assunzione della responsabilità di differenziarsi: il giovane Calvino non rinnega la lezione dei padri, ma punta a mettere su un laboratorio artigianale in proprio, a darsi una maniera. In altra lettera inedita a Giuseppe De Robertis, ringraziandolo per la recensione al *Sentiero*, scriveva: «Concordo anche con la critica che Lei mi fa, di far sentire spesso la mano per mania di virtuosismo. Ma sento come una mia ragione poetica ineliminabile un gusto d'abilità minuta, di mestiere, cui mi sembra che i "vostri" non partecipassero» (6 febbraio '48). E a proposito di quella necessità di differenziarsi, la stessa lettera dà indicazioni precise: «Son molto contento che Lei abbia sentito in me la scuola della generazione che mi ha preceduto. Io lavoro in direzione diversa (e polemica) da loro, ma ci tengo a salvare il più possibile della loro esperienza». Ora, questo insistere sul mestiere e sull'abilità minuta e sul far diversamente rende interessante il suo rapporto coi modelli. Sintetizzando, direi che, più che imitare soluzioni linguistiche, Calvino imita atteggiamenti, e quindi le fonti testuali sono d'importanza minore rispetto alla lezione dei maestri come modelli intellettuali. Certo, si trovano nel *Sentiero* e in qualche racconto dialoghi secondo lo schema da lui chiamato del «dialogo-canto» tipico della linea Hemingway-Saroyan-Vittorini, ma cosa ci si trova, per esempio di Conrad, amatissimo da Calvino? La lezione, come si è detto, di scrivere con un vocabolario preciso di cose precise, ma anche il senso della colpa umana che grava sull'uomo rendendolo inerte, incapace di riscatto, una colpa antica, la stessa che opprime Lord Jim come un peso di male. È la scelta di cui Calvino investe alcuni partigiani del *Sentiero*.

Fu nella Resistenza che Calvino vide la concretezza dei gesti di rivolta che potevano riscattare gli uomini dall'angosciosa oppressione in cui erano vissuti. Ha scritto Pampaloni che quella di Calvino è stata una letteratura "generazionale"; e lo è stata senz'altro, almeno per un buon tratto. Infatti la Resistenza gli rese possibile il pensare di partire da zero, ben sapendo che un tale programma poteva essere attuato solo da chi aveva un passato alle spalle, col quale anche ingaggiare un conflitto (argomento precisato nella citata lettera ancora a De Robertis).

«Ci eravamo fatta una linea, ossia una specie di triangolo: *I Malavoglia, Conversazione in Sicilia, Paesi tuoi*, da cui partire, ognu-

130

no sulla base del nuovo lessico locale e del paesaggio». Accettare dei punti di riferimento volle dire sapere da chi e da che cosa si doveva prendere le distanze. Ecco che nel '46 Calvino, su «l'Unità», parla proprio di *Paesi tuoi* e *Uomini e no*; non scrive un pezzo sui due libri, ma fa due puntate precise bersagliando il travestimento degli autori: l'intellettuale Pavese aveva indossato i panni di Berto calandosi in una campagna primordiale, Vittorini sceglieva quelli dello spaesato intellettuale bombarolo Enne 2. La polemica si ripeterà nei saggi più tardi contro il bersaglio categoriale dell'uomo ermetico, il protagonista lirico-autobiografico-intellettuale.

5 — Calvino e il neorealismo, quindi anche Calvino e la realtà. Ma che cos'è la realtà?

Nel lessico pubblicistico e teorico di Calvino in questi anni va registrato un uso frequente del termine realtà secondo l'accezione allora corrente di ciò che è esterno al soggetto, mondo naturale o sociale; ma anche di interno ad esso, come eredità negativa, «cattiva» natura interiore (coesistente, però, con quella "buona"). Siamo come si vede ben lontani dalle tarde riflessioni degli anni Settanta che si leggono nell'intervento al Convegno fiorentino su "I livelli della realtà" edito in *Una pietra sopra*. Sembra che, nei pezzi non letterari, Calvino si esprima col consueto lessico di ascendenza ottocentesca e assuma i termini della dialettica hegeliana o marxista allora corrente nel linguaggio politico ed estetico. Ma il quadro è più ampio, perché, come sempre accade negli scrittori, la ricerca letteraria offre immagini e situazioni in cui la realtà assume aspetti molteplici. Diciamo meglio: personaggi e situazioni esemplificano la realtà, ne danno per dir così le immagini, e queste sono così numerose e diverse fra loro che non possono essere considerate come rappresentazioni di una dialettica politico-sociale: la realtà è ciò che esiste come opposto all'attività umana ma anche, conseguentemente, ciò che l'attività umana crea per superare quanto le si oppone. Realtà è termine negativo e positivo insieme perché esprime un *dato*, l'esistente di per sé, ma anche ciò che è creato dall'uomo. Mutuando il linguaggio da alcuni splendidi saggi calviniani, si può dire che il dato ha una propria "natura" naturale, o storica o umana. L'uomo, sembra sostenere Calvino, si trova perennemente entro un mondo di elementi *dati*, i quali tendono ad esistere di per sé come totalità o come paurosa ambiguità. Ci sono incarnazioni di queste forze che tendono a schiacciare l'uomo; in altra sede ho fatto gli esempi del partigiano di *Andato al comando* e della donna di *Visti alla mensa*, esempi che si possono moltiplicare. Diciamo allora che il *dato* è ciò che vive di forza propria, autosufficiente e separato, autonomo, impenetrabile e duro, e che resiste all'essere ridotto ad altro, cioè ad essere superato ed elaborato, quindi in sostanza, anche dominato ed analizzato. Ci sono parole chiave per intendere il terrore che deriva all'uomo dal trovarsi di fronte al non individuabile, all'irriducibile; aggettivi come "irto", "fitto", "denso", "folto"; sostantivi come "bosco" se inanimato; collettivi come "sciame", "stormo", "volo", quando è usato come spostamento caotico e imprevedibile di corpi che tendono a confondere e schiacciare l'uomo, o come movimento lineare e sostanzialmente meccanico, indirizzato ad una meta fissa, quale quello del corvo che scende implacabile a giri sulla testa del soldato tedesco. Persino certi plurali condensano l'orrore che nasce nell'uomo di fronte all'insuperabile (non addomesticabile, non riducibile alle forme della convivenza, che devono essere ordinate e precise). Il *dato* nel suo aspetto negativo ha sostanzialmente tutta la varietà dei fatti che costituiscono la vita di ognuno e, scendendo al particolare, la vita dello scrittore Calvino. Il *dato* è per esempio la tradizione nel suo doppio aspetto di peso da scrollarsi di dosso e di esempio di superamento di altri dati negativi che hanno pesato in passato su altri scrittori: ecco la polemica di Calvino coi maestri, ben sintetizzata nella lettera già vista a G. De Robertis, dove lo scrittore dice di lavorare in polemica coi predecessori ma cercando di utilizzarne la lezione. Oltre che letterario il dato può essere linguistico, come lingua che fa troppo alone, imprecisa, che tende alla confusione e alla nebbia. Oppure è eredità morale sentita come male che schiaccia l'individuo: è il male già visto che grava su Lord Jim ma anche sul giovane borghese Calvino che traveste se stesso e il fratello nei protagonisti di alcuni racconti raccolti più tardi sotto l'etichetta delle "memorie difficili". Oppure il *dato* è il solidificarsi della memoria resistenziale in una mitologia storica, il passato che diventa intoccabile: ecco allora la risposta calviniana che consiste nell'operazione di smascheramento dell'oleografia attraverso la celebrazione di una scassata brigata partigiana nel *Sentiero*.

Non potrebbe essere mai scritto sulla narrativa di Calvino un saggio dal titolo debenedettiano *Il personaggio uomo*, perché quella di Calvino è una narrativa senza personaggi e senza uomini. Fin dagli esordi egli butta a mare tutto il dibattito sull'uomo che imperversava sui periodici del dopoguerra. Nel '46, dopo aver polemizzato con l'Uomo scritto con la maiuscola, scriveva:

«propendo per una concezione dell'uomo come non staccato dalla natura, di animale più evoluto in mezzo agli animali, e mi sembra che una tale concezione non abbassi l'uomo, ma gli dia una responsabilità maggiore, lo impegni ad una moralità non arbitraria, impedisca tante storture». Il fatto è che Calvino non è uno scrittore antropocentrico perché non crede ad una gerarchia fra gli esseri ma piuttosto alla necessità della loro relazione. Da qui la sua battaglia piuttosto decisa, e protratta, contro l'uomo totale, quello che chiama l'io lirico-intellettuale-autobiografico tipico dell'uomo ermetico: l'uomo che schiaccia la natura è una paurosa astrattezza come quella della natura che schiaccia l'uomo. Nella relazione uomo-natura-storia i tre elementi convivono ridimensionandosi: lo scrittore può diventare il bambino Pin del sentiero, la monaca scrittrice di una delle storie degli *Antenati*, o addirittura si cosifica come strumento della scrittura (si pensi alle "cesoiuzze" del sonetto cavalcantiano ammirato da Calvino), o si trasforma nell'atto dello scrivere oppure in un altro scrittore come Dumas in *Il conte di Montecristo*. Ma sostanzialmente lo scrittore si identifica con ciò che ha scritto (Calvino del resto ha anche sostenuto che si può pensare alla letteratura come a una biblioteca, cioè soli libri e, intorno ad essi, il deserto).

Nei racconti in cui l'integrazione armoniosa fra uomo e natura avviene si ha la metamorfosi del personaggio in uomo-natura: ha la barba di muschio, i capelli lunghi, pelle lavorata dall'acqua, maneggia pesci, rospi, cetonie, si confondono le sue membra con le alghe e le piante: giardiniere o pescatore o soltanto bambino esploratore, la sua perfetta integrazione avviene in un Eden dove tutti gli oggetti sono al loro posto, e quindi perfettamente individuabili attraverso una nomenclatura scientifica, in un mezzo puro: l'acqua del mare o di una piscina, l'aria tersa e tesa; è il giardino delle delizie di Bosch sintomaticamente riprodotto in copertina della prima edizione di *Ultimo viene il corvo*. Ma Calvino sapeva che l'Eden è impossibile, e così, ridotto ad immagine, esso stesso è pauroso (il giardino di Bosch è stato considerato anche emblema della sua vena "nordica"). C'è, in tutta la sua produzione, anche dietro gli esiti più ironici e che più somigliano ad un divertimento, una tristezza assoluta, perché Calvino aveva il sentimento della totalità ma sapeva contemporaneamente che ogni gesto ne esclude altri, che ogni decisione presa lascia fuori tutte quelle possibili, che oltre la pagina scritta c'è un mondo caotico di cui essa rappresenta soltanto un ordine provvisorio.

Il neorealismo continua, com'è noto, fin dentro gli anni Cinquanta, con caratteristiche molto diverse che non il neorealismo anni Quaranta; e ormai i critici letterari hanno accettato la distinzione del fenomeno in due fasi: prima e dopo gli anni 1949-50. La seconda di esse è definita da una più precisa poetica, la quale tende non solo a isolare la questione sociale, ma ad accettare schemi politici per inquadrarla: ed ecco allora il dovere dell'ottimismo, l'istanza pedagogica, il mimetismo linguistico etc. Sono cose molto note, con le quali però la produzione letteraria di Calvino ha assai poco a che fare: persino nel suo carattere ramificato, pluridirezionale, essa sembra tendere a scrollarsi di dosso quell'unitarietà e monodirezionalità che è alla base di ogni precettistica. Il fatto è che lo strappo, nel tessuto della sua produzione, costituito dal *Visconte dimezzato* del '51 — costruito su quel tema del dimidiamento che abbiamo visto manifestarsi come destrutturazione del racconto calviniano nel periodo della crisi letteraria — segna una strada irreversibile. Altro strappo, e forse altrettanto profondo, quello politico del 1956-57 e, nel decennio successivo, quello delle *Cosmicomiche*, con le quali Calvino sembra volersi liberare di quei connotati (lingua a parte) che ancora tenevano la sua produzione letteraria legata ad una realtà riconoscibile come nazionale.

NOTE

1 Essi sono riprodotti, a c. di L. Desideri, nel volume *Per Vittorini*, un numero della rivista «Empoli», 1987, che contiene alcuni contributi sullo scrittore siciliano (quello di chi scrive è uno studio delle recensioni coeve a *Conversazione*).

2 Firenze, Archivio del Gabinetto Vieusseux, Fondo Giuseppe De Robertis (vi si trovano altre nove lettere indirizzate allo stesso negli anni 1948-58, ad alcune delle quali farò riferimento in seguito). Presso lo stesso Archivio (nei Fondi intestati ai destinatari) si trovano 8 lettere di Calvino a Giacomo Debenedetti degli anni 1955-59; 23 a Emilio Cecchi degli anni 1952-58. Tranne alcune di quelle inviate a De Robertis e un paio a Cecchi, queste lettere hanno scarso interesse per il tema che tratto in questa sede (quelle dirette a Cecchi e Debenedetti riguardano soprattutto problemi editoriali e premi letterari) rispetto al quale sono anche un po' avanzate cronologicamente. Ringrazio l'allora (1986) direttore dell'Archivio Vieusseux G. Zampa, il prof. D. De Robertis e la signora Esther Calvino per avermi concesso di citare da queste lettere.

3 Circa le difficoltà di una ricognizione sulla stampa dell'immediato dopoguerra, dopo l'alluvione del 1966 che ha danneggiato fra l'altro la grande collezione dei periodici giacente presso la Biblioteca Nazionale di Firenze, che possedeva tutte e quattro le edizioni de «l'Unità», informo di quanto segue: che non tutte le biblioteche che sotto elencherò contengono le raccolte complete, e che proprio per questo è stato necessario vedere molte raccolte in varie biblioteche; in pratica, ogni esplorazione successiva alla prima è stata fatta per cercare

di completare i numeri mancanti; ma solo per l'edizione romana e quella milanese i dati sono definitivi. Le biblioteche consultate sono: Nazionale Centrale di Firenze per le quattro edizioni; Istituto per la Resistenza in Toscana per l'edizione romana; Nazionale di Roma per l'edizione torinese (qui avverto che risultano tagliati e asportati gli articoli di Calvino per i primi due anni almeno della sua collaborazione a questa edizione del periodico comunista) e quella milanese; Istituto Feltrinelli di Milano per quella milanese; Archivio della Federazione del Partito Comunista di La Spezia per quella genovese; Archivio della Federazione del Partito Comunista di Milano per quella milanese e torinese. Questo frammentare la ricerca aumenta le possibilità di errore del ricercatore. Perciò userò, parlando del numero dei racconti, la formula cautelativa "almeno".

RACCONTI EDITI SU «L'UNITÀ», ORGANO DEL PCI (1946-1950)

La bibliografia è limitata al primo quinquennio della collaborazione di Calvino al giornale.

Per le 4 edizioni de «l'Unità» uso queste sigle:
GE per l' "edizione ligure" stampata a Genova
MI per l' "edizione dell'Italia settentrionale" stampata a Milano
ROMA per l' "edizione dell'Italia centrale" stampata a Roma
TO per l' "edizione piemontese" stampata a Torino

Il titolo di ogni racconto è quello col quale esso compare nei *Racconti*, 1958 (R); oppure, se non incluso in R, in entrambe le edizioni di *Ultimo viene il corvo*, 1949 e 1969 (UC^1 e UC^2), o nella prima delle due. Per i racconti dispersi, in caso di loro repliche sul quotidiano do il titolo dell'ultima replica. Registro il racconto sotto l'anno della sua prima comparsa sul quotidiano quando la replica avvenne nell'anno successivo, o quando il quotidiano riproduce un racconto uscito in altra sede nell'anno precedente; infatti, in alcuni casi sono riuscito a stabilire anticipazioni o repliche dei racconti in sede diversa dal quotidiano. Per quanto ho detto alla n. 3 al testo, l'elenco potrebbe risultare non completo.

1946
Di padre in figlio MI 28 aprile (*Sogni nella vallata: Di padre in figlio*); TO 23 marzo 1947 (*Il toro rosso*). UC^1
E il settimo si riposò TO 9 giugno
Uomo nei gerbidi TO 23 giugno (*L'uomo nei gerbidi*); MI 4 maggio e GE 8 maggio 1947 (*La casa di Baciccin*). UC, R
Campo di mine GE 18 agosto. UC, R
I fratelli Bagnasco MI 22 settembre (*I due fratelli Bagnasco*), ROMA 24 dicembre 1947 (*I due fratelli*). UC^1 (*Dopo un po' si riparte*), UC^2, R
Mio cugino il pescatore TO 29 settembre (*Ragionamento del cugino*); «Il Settimanale» (Milano), a. II, n. 48, 20 dicembre 1947
Cinque dopodomani: guerra finita! TO 7 novembre

1947
Ultimo viene il corvo MI 5 gennaio; GE 31 agosto. UC, R
Visti alla mensa TO 8 gennaio (*Alla mensa*); MI 16 febbraio. UC
L'occhio del padrone GE 30 marzo. UC^1 (*Pomeriggio coi mietitori*), UC^2, R
Paura sul sentiero GE 25 aprile (*Missione notturna*); «Il Settimanale» (Milano), a.

135

II, n. 24, 14 giugno; già in «Darsena nuova», giugno-luglio 1946. UC, R
La fame a Bèvera GE 18 maggio (*L'ultimo viaggio di Bisma*); MI 29 giugno (*Storia di Bisma e del mulo*). UC
Furto in una pasticceria TO 19 giugno; MI 3 agosto; GE 16 novembre (*Furto alla pasticceria*). UC, R
Un bastimento carico di granchi GE 6 luglio; MI 5 ottobre. UC, R

1948
I figli poltroni TO 8 gennaio; MI 22 gennaio e ROMA 4 maggio (*I fratelli poltroni*). UC, R
Il giardino incantato TO 1 febbraio; MI 11 marzo; ROMA 14 marzo; GE 21 marzo. UC, R
Il bosco degli animali TO 20 aprile. UC, R
Si dorme come cani TO 11 giugno; ROMA 1 luglio; MI 4 luglio; GE 7 luglio. UC, R
Il gatto e il poliziotto TO 28 agosto (*Armi nascoste*). UC, R
Pranzo con un pastore TO 15 settembre. UC, R
La piazza degli acrobati TO 16 ottobre (*Voglia di mare*); ROMA 24 novembre
Isabella e Fioravanti TO 31 ottobre; ROMA 13 novembre; MI 25 dicembre
Chi ha messo una mina nel mare? TO 23 novembre (*Il padrone delle mine*). UC

1949
Freddo a Napoli TO 8 gennaio
Lasciare Anna TO 2 aprile; ROMA 30 aprile

1950
Lettera ad Amelia sui dischi volanti TO 7 aprile
Il cannone scomparso TO 17 agosto (*Un cannone per i fichi*); GE 19 agosto (*La storia del soldato che rubò un cannone*); MI 20 agosto (*Il cannone tra i fichi*); ROMA 6 settembre
Mai nessuno degli uomini lo seppe TO 9 novembre (*Mai nessuno lo seppe*). R

TAVOLA DI CORRISPONDENZA DEI RACCONTI NELLA PRIMA (1949) E SECONDA (1969) EDIZIONE DI *ULTIMO VIENE IL CORVO*) (UC[1] E UC[2]) E NE *I RACCONTI* (1958) (R)

UC[1]	UC[2]	R
Un pomeriggio, Adamo		
Un bastimento carico di granchi		
Il giardino incantato		
Alba sui rami nudi	....	....
Di padre in figlio	....	....
Uomo nei gerbidi		
Pomeriggio coi mietitori	L'occhio del padrone	L'occhio del padrone
I figli poltroni		
Pranzo con un pastore		
Dopo un po' si riparte	I fratelli Bagnasco	I fratelli Bagnasco
La casa degli alveari		
La stessa cosa del sangue	....	....
Attesa della morte in un albergo	....	....
Angoscia in caserma	....	....
Paura sul sentiero		

136

La fame a Bèvera
Andato al comando
Ultimo viene il corvo
Uno dei tre è ancora vivo
Il bosco degli animali
Campo di mine
Visti alla mensa ....
Furto in una pasticceria
Dollari e vecchie mondane
L'avventura di un soldato
Si dorme come cani
Desiderio in novembre ....
Impiccagione di un giudice ....
Il gatto e il poliziotto
Chi ha messo la mina
nel mare? ....

....   Va' così che vai bene
....   Un letto di passaggio
....   Pesci grossi, pesci piccoli
....   Un bel gioco dura poco
....   Paese infido

In terza colonna R che cronologicamente è intermedio. Non si sono registrate le aggiunte di R rispetto a UC^1 e UC^2 perché R è raccolta autonoma. Nella nota apposta a UC^2 Calvino giustifica le ultime tre esclusioni del nostro elenco per essere il contenuto evocativo di quei tre racconti «ancora troppo legato a un appello emotivo»; e l'esclusione degli altri due («novelle») per il loro «pendere sulla china del regionalismo naturalistico campagnolo». L'inclusione in UC^2 di 5 racconti in sostituzione di altrettanti di UC^1 si giustifica col desiderio di mantenere in UC^2 lo stesso numero di racconti (30), con la congruenza tematica e immaginativa dei nuovi rispetto al corpus dei vecchi, e in 4 casi forse col fatto che gli inclusi sono posteriori almeno al mese, se non proprio all'anno (1949), in cui uscì UC^1 (*Va' così che vai bene* è invece «un frammento di romanzo fallito del 1947»).

ELENCO DEI VOLUMI RECENSITI DA CALVINO SU «L'UNITÀ»
("EDIZIONE PIEMONTESE") NEGLI ANNI 1946-1950

L'elenco è limitato alle recensioni di soli volumi (conseguentemente restano escluse quelle a pezzi giornalistici e articoli di rivista) di letteratura e critica (unica eccezione un volume di F. Balbo). La scelta dell'edizione piemontese de «l'Unità» è obbligata dal fatto che Calvino ne fu prima collaboratore esterno, poi redattore capo della terza pagina, cosicché i suoi interventi furono continui e numerosi, mentre le altre edizioni del quotidiano comunista vi attinsero saltuariamente per replicare qualche pezzo (esse pubblicarono in prima istanza solo alcuni racconti, come risulta dall'elenco dei racconti che qui precede).
Le recensioni, cioè la forma della presa diretta sui testi prescelti, ci si offrono sia come lunghi articoli che come brevi pezzi, autonomi o all'interno delle rubriche dedicate alle proposte di lettura, come "Libri nuovi", "Novità librarie" etc.

Non metto in elenco i riferimenti ad opere letterarie he appaiono nella rubrica "Gente nel tempo", un osservatorio politico-letterario e di costume, dal tono moraleggiante o polemico. Questo perché opere o personaggi ivi citati più che essere trattati in quanto tali, costituiscono argomento per riflessioni su comportamenti "esemplari", negativi o positivi. In ogni caso, le opere che Calvino vi cita potrebbero essere utili al fine di ricostruire le sue letture di questi anni e dei precedenti, come a dire le prime acquisizioni della sua biblioteca personale; ma questo è un discorso diverso, e molto più ampio, da quello delle recensioni.

Quanto ai pezzi su autori scomparsi, autentici classici della sua e nostra contemporaneità, segnalo quelli su Conrad perché, prendendo spunto dal venticinquennale della sua morte, Calvino recensisce le più recenti iniziative editoriali; ma non segnalo un pezzo sul centenario della nascita di Maupassant, che non ha queste caratteristiche recensorie.

Segnalo invece le indicazioni di lettura contenute in alcuni "panorami" dedicati alle novità librarie, schede di lettura più o meno brevi, montate all'interno di un discorso di genere, letterario o editoriale (libri per ragazzi, divulgativi etc., o strenne, collane etc.).

Non segnalo pezzi su pièces teatrali anche quando son relativi a rappresentazioni di testi che la tradizione ha ormai definitivamente consegnato anche alla storia letteraria (come, ad esempio, *Mirra* di Alfieri o *Ricciarda* di Foscolo).

Molto spesso il titolo dato dal giornale, o forse da Calvino, alla recensione altro non è che quello del libro recensito; titolo che io riproduco in questo elenco, affinché chi lo scorra si renda immediatamente conto del testo di cui trattasi nella recensione. Per questo motivo, anche quando i pezzi hanno un titolo diverso, metto in elenco ugualmente gli estremi bibliografici del volume facendoli seguire dal titolo originale del pezzo, fra parentesi quadra.

I pezzi elencati sono solo quelli firmati da Calvino per esteso, o abbreviatamente (Calv.), o siglati (i.c.), pur non potendo in via di principio sottrargli la paternità di brevi segnalazioni anonime nelle rubriche letterarie.

Il termine ad quem (1950) non è giustificato oggettivamente, cioè dalla qualità o quantità del materiale a disposizione; ma solo soggettivamente, dal limite che mi sono posto per questa ricerca in questa occasione.

1946

12 maggio : S. Micheli, *Pane duro* (Einaudi) [*Adesso viene Micheli l'uomo di massa*]

14 luglio : F. Fortini, *Foglio di via* (Einaudi)

30 luglio : S. Terra, *Rancore* (Einaudi)

27 ottobre : E. Taddei, *Rotaia* (Einaudi)

R. Rangoni, *Uccidere il re* (Tatra)

15 dicembre : C. Levi, *Paura della libertà* (Einaudi)

1947

12 gennaio : J.P. Sartre, *Il muro* (Einaudi)

K.A. Porter, *Bianco cavallo, bianco cavaliere e altri racconti* (Einaudi)

26 gennaio : I. Il'f e Petrov, *Il Paese di Dio* (Einaudi)

9 marzo : F. Balbo, *Laboratorio dell'uomo* (Einaudi)

8 maggio: R. Wright, *Ragazzo negro* (Einaudi)

1 gennaio : R. Queneau, *Pierrot amico mio* (Einaudi)

15 giugno : J. Conrad, *La linea d'ombra* (Einaudi)

20 luglio : C. Pavese, *Il compagno* (Einaudi)
17 agosto : S. Micheli, *Un figlio, ella disse* (Einaudi)
21 settembre : N. Ginzburg, *È stato così* (Einaudi)
2 novembre : A. Fadeev, *La giovane guardia* (Macchia) [*L'uomo nuovo nel romanzo sovietico*]
30 novembre : S. Anderson, *Storia di me e dei miei racconti* (Einaudi) [*Anderson scrittore artigiano*]

1948
6 maggio : P. Levi, *Se questo è un uomo* (Einaudi)
8 maggio : Vercors, *Il silenzio del mare, Il cammino verso la stella, Le armi della notte* (Einaudi) [*Le armi della notte*]
27 maggio : A. Palazzeschi, *I fratelli Cuccoli* (Vallecchi)
22 giugno : E. Vittorini, *Il garofano rosso* (Mondadori) [*Censurato 13 anni fa perché parlava di fascisti illusi*]
26 giugno : Pitigrilli, *La piscina di Siloe* (Sonzogno) [*Pitigrilli edificante*]
17 agosto : E. Morante, *Menzogna e sortilegio* (Einaudi) [*Un romanzo sul serio*]
19 ottobre : C. Musso Susa, *Notte di Roma* (Einaudi) [*Racconti tra Tevere e Po*]
22 dicembre : H. Fast, *La via della libertà* (Einaudi) [*Gideon Jackson nella realtà*]
                J.W. Beach, *Tecnica del romanzo novecentesco* (Bompiani) [*Sistematica del romanzo*]
25 dicembre : A. Gramsci, *L'albero del riccio* (Einaudi)
30 dicembre : C. Pavese, *Prima che il gallo canti* (Einaudi)

1949
26 marzo : D. Invrea, *Giordano e la paura* (Vallecchi)
1 giugno : E. Vittorini, *Le donne di Messina* (Bompiani)
11 giugno : J. Amado, *Terre del finimondo* (Bompiani)
12 giugno : P. Desideri, *Piccolo dizionario cinese-italiano-francese-inglese* (Rosenberg) [*Un dizionario che si farà strada*]
24 giugno : F.S. Fitzgerald, *Tenera è la notte* (Einaudi)
             M. Fessier, *Nessuno l'avrebbe detto* (Einaudi)
             M. Vicentini, *In principio era l'odio* (Einaudi)
6 luglio : V.Ja. Propp, *Le radici storiche dei racconti di fate* (Einaudi) [*Sono solo fantasie i racconti di fate?*]
30 luglio : A. Seghers, *La rivolta dei pescatori di Santa Barbara* (Einaudi) [*Una rivolta di pescatori in un libro di Anna Seghers*]
             R. Viganò, *L'Agnese va a morire* (Einaudi)
6 agosto : J. Conrad, *Gioventù e altri due racconti* (Bompiani) [*Joseph Conrad scrittore poeta e uomo di mare*]
11 agosto : L. Hughes, *Mulatto* (Mondadori)
             J. Joyce, *Gente di Dublino* (Einaudi)
             A. Halper, *Dolci speranze* (Bompiani)
26 agosto : H. Mann, *Lidice* (Mondadori)
22 ottobre : A. Monti, *Tradimento e fedeltà* (Einaudi)
3 novembre : *Racconti lombardi dell'ultimo '800*, a c. di G. Ferrata (Bompiani) [*Racconti lombardi*]
4 novembre : V. Panova, *L'officina sull'Ural* (Einaudi)
8 novembre : J. Icaza, *I meticci* (Einaudi)
12 novembre : J. Conrad, *Lord Jim* (Bompiani; *Il tifone* e *Il negro di "Narciso"* Mondadori) [*L'opera di Conrad*]

139

23 novembre : *Il fiore del verso russo*, a c. di R. Poggioli (Einaudi) [*Un'antologia faziosa*]

Panorami delle novità librarie (fra parentesi quadra il contenuto)

15 dicembre 1948 *Le novità della casa editrice Einaudi* [A. Gramsci, *Gli intellettuali e l'organizzazione della cultura*; K. Marx, *Manoscritti economico-filosofici del 1844*; H. Lefebvre, *Il materialismo dialettico*; Ch. Caldwell, *La fine di una cultura*; A. I. Herzen, *Passato e pensieri*; V. Gordon Childe, *Il progresso del mondo antico*; C. Pavese, *Prima che il gallo canti*; R. Peyrefitte, *Le amicizie particolari*]

22 giugno 1949 *Libri per pochi e libri per tutti* [sulle collane popolari "Amena Garzanti", "BMM", "BUR", "PBSL" di Einaudi e in particolare su G. Sadoul, *Storia del cinema*]

23 dicembre 1949 *Libri belli e buoni per le strenne* [classici e novità, libri per ragazzi della Einaudi: *Decameron, I miserabili, L'origine della specie* e M. Prenant, *Darwin; Avventure di Tom Sawyer, Pinocchio* e *Capitani coraggiosi*. Edizioni "Milano-Sera": *I monti di Roma* (sonetti del Belli con disegni di Scipione), A. Gatto, *La coda di paglia* (con disegni di Maccari). Per le donne: *L'avvenire non viene da solo*, antologia per le ragazze a c. della FGCI; E. Morante, *Menzogna e sortilegio*; N. Ginzburg, *È stato così*; L. Tolstoj, *Anna Karenina*; R. Viganò, *L'Agnese va a morire* (tutti della Einaudi). Opere di formazione ideologica delle edd. "Rinascita": G. Stalin, *Opere complete*, vol. I; A. Marabini, *Prime lotte socialiste*; M. Montagnana, *Ricordi di un operaio torinese*; G. Germanetto, *Ricordi di un barbiere*; A. Gramsci, *Note sul Machiavelli*, Einaudi. Per i più piccoli: Margutte, *La storia del gallo Sebastiano*]

28 febbraio 1950 : *Come nasce un libro per il popolo* [sulle caratteristiche della Piccola Biblioteca Scientifica e Letteraria della Einaudi]

Giovanni Falaschi

Alfonso M. Di Nola
NATURA, STORIA E ANTROPOLOGIA

Se l'intera opera di Calvino si presta ad una lettura antropologica, le *Fiabe* in particolare divengono un'area di singolare interesse per sondarvi una fra le tematiche antropologiche attualmente più vivaci e dibattute, quella della coppia oppositoria natura/cultura. È tuttavia da rilevare subito che un'analisi condotta secondo una tale tematica riguarda soltanto parzialmente Calvino e lo coinvolge, invece, come raccoglitore e traduttore in un libro che ebbe grande fortuna. Le *Fiabe*, destinate per intenzione dell'autore principalmente ai fanciulli — e lo dimostra la decisa censura di ogni situazione cruda e oscena — riuscirono ad aprire a tutti i lettori italiani il mondo sigillato e poco noto dei folkloristi che avevano registrato lo sterminato patrimonio demologico del Paese, ma erano restati estranei ad un'ampia fruizione nazionale. E sopra quel patrimonio Calvino lavorò con precisione filologica, selezionando appassionatamente i testi e illuminandoli con interpretazioni, presenti principalmente nelle note, che, anche se privilegiavano il filone di matrice ottocentesca e degli inizi del Novecento, non ignoravano le correnti strutturalistiche e contemporanee. Opera di letterato della nuova generazione che, in posizione anticrociana, aveva accolto le suggestioni di De Martino e quelle che derivavano dalle "rivelazioni" della coraggiosa e confusa collezione viola einaudiana, Calvino portò, con le *Fiabe*, a termine un sottile impasto di documento attentamente trascritto, di rilettura e riscrittura rispondenti a precise esigenze narrative, di dichiarata violazione dei palinsesti demologici usati che spesso furono modificati o contaminati da fusioni fra un testo e l'altro secondo il gusto dell'autore.

Forse nessuno fra gli oggetti della ricerca antropologica contemporanea appare dibattuto e incertamente o polivalentemente definito come la relazione fra cultura e natura, la cui analisi è stata sollecitata negli ultimi decenni dalla lunga serie di elaborazioni che sopra di essa si sviluppa nella estesa produzione di Claude Lévi-Strauss. In una rapida sintesi la posizione di Lévi-Strauss, fondandosi sulla scomposizione strutturalistica delle narrazioni mitiche prevalentemente sud- e nordamericane, sta nell'aver rappresentato la storia umana come storia dell'*esprit* universale che, attraverso propri sistemi di classificazione e di relazioni (metafora e metonimia), proietta nei miti anche (e non soltanto) la vicenda del passaggio dalla natura alla cultura. Miele e cenere (o tabacco), crudo e cotto, cui si riferiscono i titoli dei due primi volumi delle *Mythologiques*, si configurano come le polarità di una coppia dialettica costituita da un momento di pre-cultura, o natura, e da un momento di ingresso nella condizione umana di cultura. Alla coppia si aggiunge un terzo elemento nuovamente non-culturale, quello soprannaturale, che esprime l'esito triadico della coppia oppositoria. Questa estrema semplificazione dell'ipotesi lévi-straussiana esige, proprio per quanto attiene a natura/cultura, una precisazione utile a comprendere il dibattito posteriore ad essa e talune critiche forse estremistiche attuali. Quando Lévi-Strauss in *Le cru et le cuit*, il primo delle *Mythologiques*, traspone, in forma spesso intricata e difficilmente leggibile, l'intero problema sul piano del parallelo del mito con la musica, si insinua nel discorso una lunga osservazione della dinamica natura/cultura quale può essere rilevata nei due ambiti della musica e della pittura. Ambedue queste esperienze umane si configurano come dato di cultura, ma nella pittura l'elemento culturale pittorico, da intendere come arte e rappresentazione, è almeno parzialmente presente in natura, se si fa riferimento, per esempio, all'ordine cromatico e compositorio delle piume degli uccelli o dei fiori. Nella musica, come espressione artistica, esiste soltanto una base di carattere naturale, il balbettio o il suono confuso o il rumore, che vengono sollevati culturalmente a linguaggio. Le quali osservazioni rendono meno semplicistico il rapporto natura/cultura in Lévi-Strauss e lo configurano in una dinamica complessa nella quale il passaggio dall'uno all'altro polo non può essere ridotto ad una assoluta opposizione qualitativa fra umano e non umano.

La critica molto decisa alla scelta interpretativa di Lévi-Strauss era già iniziata dopo la pubblicazione, nel 1964, di *Le cru et le cuit*, con alcuni interventi di N. Yalman e di E. Leach, ma può ritenersi pienamente matura nel saggio su natura/cultura steso da Leach nel 1980 per l'Enciclopedia Einaudi. Leach, nelle prospettive proprie della Social Anthropology, nullifica le linee essenziali della teoria lévi-straussiana, nella quale gli sembra predomini una irriducibile opposizione conflittuale senza mediazioni, quelle mediazioni cui si è fatto cenno a proposito delle genesi culturale della pittura. La cultura, per molti versi analoga all'artificiale contrapposto al naturale, sarebbe troppo spesso concepita come "abito della natura nuda", e l'uomo inteso come essere umano, cioè dotato di cultura, si presenterebbe come uomo-animale rivestito di cultura. Il richiamo ad Hobbes diviene evidente. Contro questa posizione radicale, che, del resto, continua a circolare in molta parte dell'antropologia, Leach propone varie prospettive, che vanno dalla definizione della natura come parte della cultura, alla natura concepita come modello di cultura umana, alla natura intesa come cultura, prospettive che vengono anche proposte attraverso un'analisi del pensiero psicoanalitico e marxistico sul problema.

Questi accenni riduzionistici agli sviluppi teorici della bipolarità natura/cultura erano indispensabili ai fini di una lettura antropologica delle fiabe calviniane, ma soltanto come prelimine di un'altra diversa scelta interpretativa, che si distanzia nettamente dalle teorizzazioni indicate. Ci interessa qui prendere in considerazione il dato culturale e mitico, sia esso appartenente ad etnie distanti, come quelle indagate da Lévi-Strauss, sia esso patrimonio di livelli subalterni e popolari, come quello elaborato da Calvino, non più nella sua possibile oggettivazione ed estraniazione speculativa. Gli studiosi ricordati hanno costruito complesse reti interpretative su realtà "vissute" o "narrate" da gruppi umani, scoprendo in esse gli elementi che consentivano di portare a livello di definizione teorica e in soluzioni controverse la relazione o solidarietà o opposizione fra i due termini, il naturale e l'artificiale. I processi di teorizzazione evidentemente sono il risultato di un'indagine ex externo sulla materialità dei dati e dipendono da presupposti filosofici, quali il dispiegarsi dell'esprit in Lévi-Strauss, che troverebbero conferma nei dati medesimi organizzati e confrontati.

Riteniamo che l'altra via di analisi possa partire proprio dal *vissuto* che questa o quella cultura, in specifiche epoche storiche e secondo varianti dipendenti dal mutare delle epoche e delle umane condizioni, realizza delle immagini mitiche, dei comportamenti rituali, delle rappresentazioni che ha creato o ha ereditato per tradizione. Banalmente va detto che un narratore di una delle tante versioni della fiaba dell'orco mangia-uomini realizza e trasmette un'esperienza che ignora ogni categoria classificatoria e ogni orizzonte teorizzato. Egli si configura il suo universo nelle proprie misure culturali, sempre variabili e mai riducibili alla rigida gabbia delle ipotesi speculative. In termini diversi una cosa è assumere i contesti narrativi, comportamentali e rituali a materia di operazioni intellettuali, di descrizioni classificatorie, di verifica e accertamento di pregiudiziali e di ipotesi, altra cosa è tentare di comprenderli nella loro dinamica e nel loro funzionamento "interno", quali vengono partecipati dai loro portatori e fruitori, secondo valori che spesso contrastano con quelli risultanti dalla teorizzazione. Sono due livelli che si giustificano e si legittimano separatamente sulla base di differenti statuti, la cui parallela importanza è spesso trascurata dall'elaborazione antropologica contemporanea.

Assumiamo, per esempio, la fiaba calviniana su sant'Antonio che dà il fuoco agli uomini, fiaba che il raccoglitore ha ricavato dalle due versioni sarde di Nughedu San Nicolò (Sassari) e di Ozieri (Sassari) e che ad Ozieri è a fondamento di una festa commemorativa annuale. Nel narrato, che interesserebbe molto Lévi-Strauss come esempio locale dei miti di origine del fuoco, "una volta, al mondo, non c'era il fuoco", e gli uomini soffrivano il freddo. Prometeo rapisce il fuoco all'Olimpo degli dei, sant'Antonio che, nella leggenda popolare formatasi nell'ultimo Medioevo, è lo scaltro nemico del demonio, che inganna operando da trickster, riesce con uno dei suoi sotterfugi, a sottrarre il fuoco dall'inferno e lo porta sulla terra dopo che ha acceso la punta del suo bastone, ricattando i diavoli. Da quel momento "con grande contentezza degli uomini, ci fu il fuoco sulla terra". Ci si trova in presenza di un tipico contesto appartenente all'ordine di narrazioni definite in etnologia "miti di fondazione culturale", nei quali un eroe realizza condizioni utili agli uomini, attraverso il superamento di una condizione precedente vissuta come negativa o drammatica (gli uomini avevano freddo perché mancavano del fuoco). Nella partecipazione che dell'evento realizzano i narratori e gli ascoltatori subalterni la realtà si scinde in due piani, quello che, nella sua negatività, è deprivato di un bene (il fuoco), quello che è modificato dall'acquisto di un bene sottratto, nel caso specifico, con l'astuzia ai custodi infernali. L'operatore del passaggio dal primo al secondo stato non è, nella fiaba sarda, un eroe, del tipo di Eracle che viene dichiarato "salvatore del mondo" poiché libera, con le sue imprese, anch'esse talvolta tricksteriche, gli uomini dai mostri. Protagonista, nella rielaborazione cristiana di un mito che probabilmente apparteneva già alle plebi tardoantiche nel prototipo pagano di Prometeo, diviene un santo benefico, che ha avuto pietà degli uomini e ha lasciato momentaneamente il deserto per sovvenire al loro bisogno.

Fino a questo punto di interpretazione la prospettiva popolare e concreta di narratore e fruitore distingue certamente un tempo distante, remoto (diremmo, in termini teorici, "astorico") e un tempo attuale, presente, che è la vita reale degli uomini. Fra i due tempi si colloca un intervento fondante ed eccezionale. I due livelli temporali possono essere reinterpretati come opposizione natura/cultura, anche se la percezione dei due poli non è avvertita, dai fruitori della fiaba, come è invece avvertita quella dei due tempi. Questa dialettica di mutazione esistenziale e di ingresso in una realtà positiva attraverso il superamento di una realtà negativa, sempre nei riguardi della scoperta e della conquista del fuoco trova un suo parallelo in un tema mitologico ampiamente diffuso nell'area oceanica: gli uomini vivevano nella foresta e non riuscivano a cacciare gli animali e a raccogliere le piante alimentari spontanee poiché non vedevano, quando un personaggio di tratti eroici entrò nella foresta e portò il fuoco sul suo dito acceso e fiammeggiante. Per tornare alla opposizione narrativa fra "quel tempo" e "questo tempo", la condizione iniziale (natura) che deve essere superata si riferisce ad una necessità accessoria (il riscaldarsi) nella storia cristiana, mentre va fatta risalire ad un bisogno primario, quello alimentare, nella leggenda dei Mari del Sud. Nei due casi, tuttavia, si rivela la incongruità tipica della sintassi mitica, la quale costituisce in bene culturale inventato, scoperto o donato al genere umano, un bene già esistente, nell'inferno per quanto attiene alla fiaba calviniana, presso gli stessi uomini per quanto attiene al mito del portatore del fuoco con il dito acceso.

D'altra parte per bene culturale e in genere per cultura va inteso nella favolistica — e nei vissuti popolari ad essa collegati — non soltanto un oggetto materiale, una istituzione, una realtà ergologica che modifica uno status precedente e opera in modo trasformante. Più in generale quella che nella terminologia dotta è indicata come "cultura" si riferisce anche all'acquisto di una situazione vivibile e umana da parte del gruppo prima esposto ai rischi di una situazione terrifica e violenta. Sussiste, cioè, una evidente differenziazione fra i narrati che indicano la fondazione e la scoperta di un bene, e quelli che rappresentano come "bene" e come "positività" il mutamento di uno statuto di disordine, di esposizione del gruppo al male e alla distruzione.

Per il primo arco di narrazioni, abbiamo ricordato, come esemplare, la storia calviniana dell'invenzione del fuoco, cui si potrebbe aggiungere l'altro modello della fiaba dell'invenzione del grano saraceno, appartenente al ciclo indicato come "Quando Gesù andava per il mondo". Nel rifacimento compiuto da

145

Calvino su fonti settentrionali e con richiamo del parallelo slavo, nel quale il frumento sostituisce il saraceno (lo ricorda nella sua precisa nota alla favola), Gesù Cristo, accompagnato nella sua avventura da Pietro e Giovanni, inventa per l'umanità, servendosi del fuoco, "il primo grano saraceno che si vide sulla terra".

Il secondo arco di narrazioni è singolarmente ricco in tutta la narrativa mondiale di matrice popolare e circola intorno a figure di valenza simbolica che costituiscono, ancora una volta, le epifanie di un tempo astorico (e rinnovantesi di volta in volta), che è dominato dal terrore e dal caos. Le figure del mago-drago da domare, della Maschera Micillina (dove il termine "maschera" nella sua probabile origine longobarda *masca* assume il significato di "spettro" e "strega"), la strega-bistrega, gli stregoni che piovono, il gigante, l'orco, il serpente, che tornano nel testo di Calvino, vengono a significare situazioni vissute come ostili e nefaste, che il gruppo, rappresentato dall'eroe protagonista, supera di volta in volta attraverso l'astuzia o la forza o l'intervento soprannaturale e magico. Resta pienamente confermata, in tutti questi casi (e Calvino ne ha chiara consapevolezza) l'ipotesi di Propp che interpreta queste narrazioni come residui di prove iniziatiche. L'affabulazione popolare certamente non ha consapevolezza del carattere originario di esse, e tuttavia si configura immediatamente e a livello del vissuto lo scontro con l'avversario preternaturale e il superamento della situazione negativa come conseguenza di una prova realizzata in un tempo distante o nel tempo storico nel quale l'evento è collocato in alcune favole. Senza insistere sui codici sottostanti a questo tipo di narrazioni (se, cioè, essi riflettano conflitti con l'ambiente naturale o con eventi storici o, nella terminologia lévi-straussiana, accadimenti e tensioni cosmici), va rilevato nella concretezza che il tempo attuale viene sperimentato come risultato rassicurante di una lotta contro un "altro tempo", che è quello inumano o disumano o preternaturale gestito dalle figure orrifiche e tremende. La prova si ricompone come momento del passaggio fra i due tempi e come vittoria dell'umana condizione sulla natura ostile o sulla storia invivibile. È pure da osservare che questa struttura temporale, la transizione, cioè, dal tempo negativo al tempo positivo, viene spesso ad integrarsi in una parallela struttura spaziale. Natura nella sua codificazione di avversità non è soltanto l'*illud tempus* della fiaba (genericamente espresso dal modo verbale imperfetto del "c'era una volta"), ma anche la foresta, il bosco che diviene il capovolgimento della situazione storica vissuta nel suolo coltivato e si carica di misteri e di segreti, ponendosi come classico topos fatato, incantato, attraversato da oscure presenze minaccianti.

Nelle culture rurali, cui la massima parte dei testi calviniani appartengono, la foresta assume i tratti del vero e proprio *unheimlich* freudiano, nel significato di disturbante e di inconsueto. Il gigante e l'uomo selvatico di due fiabe vivono nel bosco, nel bosco si consumano le vicende di tipi ben noti come quello di Cappuccetto rosso e Biancaneve. Evincere il mostro o l'orco che dominano il territorio selvoso significa, in fondo, rendere accessibile e praticabile un'area sottratta al dominio del coltivatore e dell'abitante del villaggio rurale e ricondurre a decifrazione vissuta un ambiente disumano ed angosciante.

Nella lunga consuetudine con la narrazione orale popolare, principalmente in aree contadine, ho avuto modo di verificare l'importanza di meccanismi narrativi, dei quali lo stesso Calvino ha indiretta cognizione. Tutte le situazioni spazio-temporali evinte e superate attraverso le gesta che costituiscono la trama affabulante passano ad un'esperienza psicologica molto diffusa, quella dell'evocazione intenzionale delle vicende di confronto e lotta con il male. Le "paure" — e Calvino vi fa riferimento nella sua nota alla fiaba di Giovanni senza paura — consistono in affabulazioni terrificanti che il gruppo familiare nelle sere invernali accanto al focolare costruisce anche in gara fra i narratori: così ho avuto occasione di rilevarle recentemente nel Casentino. Ovvero divengono sfide di narratori giovani che costruiscono, spesso su invenzione, narrati terrifici. È va pure osservato che il meccanismo dell'evocazione terrifica è alla base della stessa richiesta di affabulazione che viene fatta, nelle famiglie, dai bambini ai narratori anziani, quasi che il bambino, che pure ha vissuto, nella prima comunicazione orale della trama fiabistica, un suo personale terrore, coronato dal superamento dello stato angosciato, abbia bisogno di rinnovarne la dinamica. È, dunque, vero che la paura ha in sé una valenza pedagogica, nella sua ambiguità di sensazione-emozione che attrae e respinge, e che, nella favolistica orale, essa rinnova ogni volta lo status di fondazione e di liberazione espresso nella vicenda. La fortuna delle fiabe è anche in questa loro funzione liberatoria e si spiega perché i contenuti di esse si adeguano alla variazione epocale: mutano le immagini, ma la loro struttura psicologica residua nelle differenti società, fino alle evidenze recenti che informano di un nuovo tipo di favolistica dei paesi industrializzati, soprattutto nota per esempi statunitensi, nella quale le baby-sitter, per intrattenere i bambini loro affidati, sostituiscono ai personaggi classici, all'orco, al mostro, alla fata cattiva, oggetti improvvisamente animati nello scenario della civiltà industriale, televisori o frigoriferi o elettrodomestici che parlano, si spostano, assaltano, distruggono e, infine, vengono debellati.

In ultima analisi, i termini oppositori che abbiamo indicati come natura/cultura, tralasciandone il riferimento alle correnti teorizzazioni e tentando di individuarne la dialettica dall'"interno", si ripropongono ininterrottamente. Ogni gruppo umano si sente sempre esposto ai pericoli di orchi e di mostri ritornanti, alla reversione della selva dominata in caos angosciante, il che, in termini antropologici, è la perpetua condizione storica di esposizione del gruppo al crollo esistenziale e alla re-immersione nel negativo superato: guerre, carestie, sottili ansie indeterminate, malattie e morte restano all'angolo. E la favola, con la sua potenzialità di rievocare, per annullarla, la pulsione orrifica, diviene il fondamentale meccanismo di salvazione dal tempo e dagli spazi minaccianti.

Giuseppe Nava
LA GEOGRAFIA DI CALVINO

La geografia d'uno scrittore, intesa come l'insieme dei luoghi, reali o immaginari, storici o naturali, che formano oggetto di rappresentazione nella sua opera, accampandosi in primo piano o collocandosi sullo sfondo dell'azione, vivendo in simbiosi con i personaggi o alonandosi dell'affettività del narratore, costituisce di per sé un tema affascinante, come appare dal mirabile studio incompiuto di Benjamin su *Parigi capitale del secolo XIX*; e lo è ancora di più quando, come nel caso di Calvino, l'alleanza di letteratura e scienza conferisce alla dimensione geografica un valore gnoseologico e finisce con l'investire le nozioni tradizionali di spazio e tempo e la loro applicazione narrativa. Dagli orti suburbani e dagli scoscesi pendii delle colline liguri al grigiore desolato della Terra senza colori o all'incombere di lune smisurate in lontane ere preistoriche, fino alle città surreali di pietre preziose e di aerei corridoi, di pozzi acquatici e di cupi sotterranei, ai castelli e alle taverne dei tarocchi come ai luoghi deputati delle convenzioni romanzesche, la narrativa di Calvino presenta una ricchezza e una varietà di forme dello spazio, che non cessa di stupire e far riflettere il lettore. Un sottile filo rosso collega tra loro le diverse soluzioni calviniane, dal *Sentiero dei nidi di ragno* agli ultimi racconti, pur nella latitudine dell'escursione dal realistico al fantastico, che esse presentano: il rifiuto d'una rappresentazione naturalistica del reale, con l'intreccio di rapporti più o meno deterministici tra ambienti naturali e sociali e psicologie dei personaggi, che il naturalismo comporta. Calvino ha dichiarato più volte, in interviste e saggi,[1] il suo disinteresse per la «descrittiva geografico-sociologica», i cui compiti possono oggi essere meglio assolti dal cinema, dal giornalismo, dalla saggistica, in pieno accordo con ciò che Giacomo Debenedetti avrebbe scritto poi nelle sue lezioni sul romanzo contemporaneo;[2] così come non ha avuto difficoltà ad ammettere il suo senso di estraneità per lo studio dei caratteri e delle psicologie come entità romanzesche compiute ed autosufficienti. Non per questo egli si riconosce nel lirismo paesistico, che caratterizza tanta parte della letteratura italiana del primo Novecento, tra prosa d'arte ed ermetismo: a Calvino pare di avvertire negli scrittori «più legati ai luoghi», che «cercano nell'espressione d'un sentimento, d'un ritmo di vita quello che è il segreto accento autoctono», un «bisogno d'eccitazione nostalgica», un «sovrappiù di commozione»,[3] che non aiuta a capire il mondo in cui viviamo. Scriverà Calvino in quel lucido saggio che è *Il midollo del leone*, bilancio critico dell'esperienza neorealista e insieme testimonianza del suo ideale d'«intelligenza umana e razionale»: «un rapporto affettivo con la realtà non c'interessa; non ci interessa la commozione, la nostalgia, l'idillio, schermi pietosi, soluzioni ingannevoli per la difficoltà dell'oggi».[4]

Se quindi nel primo romanzo e nei racconti d'argomento resistenziale è attivo e operante un paesaggio che è quello ligure, tra mare e collina, tra orti e uliveti, tra terrazze e boschi, non è per ragioni di fedeltà documentaria né per un vincolo di natura autobiografica, anche se l'aver vissuto l'infanzia a Sanremo conta pure qualcosa, ma per una motivazione più profonda e consapevole, che il rapporto con la storia e la realtà non può prescindere dal confronto con la natura, sentita come l'*habitat* originario dell'uomo, da cui questi trae la sua linfa vitale e in cui vive le sue esperienze primarie. Si tratta d'un dato fortemente originale della esperienza narrativa di Calvino, in anni in cui la passione, pur generosa e feconda, per la storia, fosse d'impianto idealistico o marxista, portava a considerare la natura come un residuo irrisolto del passato dell'uomo, da trasformare e annettere il più possibile alla storia, o addirittura come il luogo privilegiato dell'irrazionale e del regressivo. A distanza di tempo, nel saggio *Natura e storia nel romanzo*, del 1958, Calvino protesterà vivacemente contro l'interpretazione critica della narrativa dell'Ottocento come romanzo sociale tout-court, perché ridurrebbe i termini in questione solo a due, «uomo e società, ossia uomo e storia», e restringerebbe il rapporto io-natura alla poesia lirica, mentre a suo avviso l'epica moderna, di cui il grande romanzo dell'Ottocento è il fondamento, consiste nel rapporto tra tre elementi: individuo, natura, storia: «Un'istintiva inclinazione m'ha sempre spinto verso gli scrittori di ieri e di oggi in cui i termini natura e storia (o società che dir si voglia) appaiono compresenti. Ma non è solo una scelta di gusto: io credo che il termine *natura* è sempre presente in ogni grande narratore».[5] Nel *Sentiero dei nidi di ragno* la natura appare ancora parzialmente filtrata attraverso una serie di immagini montaliane, il «poeta della nostra giovinezza», come lo chiama Calvino, che ne ricorda le poesie «chiuse, dure, difficili» e l'universo «pietroso, secco, glaciale, negativo, senza illusioni» che «è stato per noi l'unica terra solida in cui potevamo affondare le radici».[6] Come non ricordare, leggendo del paesaggio suburbano, in cui si muove Pin diretto ai suoi magici nidi di ragno, le strade dei *Limoni*, «che riescono agli erbosi / fossi dove in pozzanghere / mezzo seccate agguantano i ragazzi / qualche sparuta anguilla; / le viuzze che seguono i ciglioni, / discendono tra i ciuffi delle canne / e mettono negli orti»? Ma proprio perché Calvino utilizza la natura in funzione narrativa, e non lirica, il riuso di testi montaliani, suggeriti quasi spontaneamente da quei luoghi liguri, da una esperienza in cui letteratura e autobiografia si fondono, non è che un aspetto secondario della presenza della natura nel romanzo. Occorre che la natura si faccia essa stessa narrazione, attraverso il doppio schema del romanzo d'avventure e della fiaba, le due strutture narrative in cui essa occupa un posto primario, come antagonista e come interlocutrice del personaggio, che hanno stimolato entrambe la fantasia e la riflessione di Calvino. È ben nota la consuetudine dello scrittore con il romanzo d'avventure, da Defoe, così caro anche a Vittorini, a Stevenson, a Conrad, a Kipling, come è risaputo l'interesse di raccoglitore e di studioso, che Calvino nutriva per le fiabe. Oltre al rapporto dialettico dell'uomo con la natura, i due generi hanno in comune lo schema generale dell'azione, per prove e superamenti, che ricalca un vero e proprio processo d'iniziazione. Scrive Calvino nel *Midollo del leone*: «ciò che ci interessa sopra ogni altra cosa sono le prove che l'uomo attraversa e il modo in cui egli le supera. Lo stampo delle favole più remote: il bambino abbandonato nel bosco o il cavaliere che deve superare incontri con belve e incantesimi, resta lo schema insostituibile di tutte le storie umane, resta il disegno dei grandi romanzi esemplari in cui una personalità morale si realizza muovendosi in una natura o in una società spietata»;[7] e in una conferenza del 1959 egli aggiunge: «Mi interessa della fiaba il disegno lineare della narrazione, il ritmo, l'essenzialità, il modo in cui il senso d'una vita è contenuto in una sintesi di fatti, di prove da superare, di momenti supremi. Così mi sono interessato del rapporto tra la fiaba e le più antiche forme di romanzo, come il romanzo cavalleresco del Medioevo e i grandi poemi del nostro Rinascimento».[8]

Nel *Sentiero dei nidi di ragno* i due modelli, quello della fiaba e l'altro del romanzo d'avventure, si sovrappongono attraverso il personaggio del ragazzo Pin, grazie alla sua età, che gli consente di guardare la natura con occhio ancora curioso e fresco, e all'eccezionalità del momento storico, che coinvolge, suo malgrado, il fanciullo nel mondo dei grandi e lo sottopone a prove, per cui non sempre possiede forze adeguate. Sotto questo aspetto il *Sentiero* può considerarsi il romanzo d'una iniziazione incompiuta: Pin supera via via le prove della prigione, della solitudine, dell'incendio, anche per mezzo di veri e propri "aiutanti" (Lupo Rosso, il Cugino), ma la sua malignità incosciente lo esclude alla fine dal mondo degli adulti, e l'oggetto magico, di cui è entrato in possesso per caso, la pistola rubata al tedesco, non basta a fargli compiere il salto di condizione, a cui aspira: la maturità va conquistata attraverso l'educazione della vita e non può essere ottenuta in dono, sembra voler dire il razionalista Calvino: a Pin rimane il conforto della compagnia del Cugino, con cui continua il cammino, la scoperta dell'amicizia. Calvino stesso ha motivato più tardi la felice invenzione del racconto filtrato attraverso l'occhio del personaggio infantile con l'esigenza di render possibile l'avventura in un'età, come quella moderna, e ha impiegato più volte il procedimento nei suoi racconti e romanzi successivi: «il personaggio del ragazzo era entrato nella letteratura dell'Ottocento per il bisogno di continuare a proporre all'uomo un atteggiamento di scoperta e di prova, una possibilità di trasformare ogni esperienza in vittoria, come è possibile solo al fanciullo».[9] Non è il caso d'elencare qui i moduli fiabeschi, di cui il *Sentiero* è intessuto, come del resto altri racconti resistenziali: basti pensare a Pin che lascia dietro di sé una scia di noccioli di ciliegia, perché Lupo Rosso lo ritrovi, in un calco trasparente del modello di Pollicino, o ai connotati magici che vengono conferiti al sentiero dei nidi di ragno: «È un posto magico, noto solo a Pin. Laggiù Pin potrà fare strani incantesimi, diventare un re, un dio»,[10] e ancora: «Questi sono posti magici, dove ogni volta si compie un incantesimo. E anche la pistola è magica, è come una bacchetta fatata. E anche il Cugino è un grande mago»: passi, questi, in cui l'autore sfrutta abilmente i margini di coincidenza tra la mentalità autistica dell'infanzia e l'animismo del racconto di fiaba. Ci interessa piuttosto cogliere nel romanzo la formazione d'un luogo archetipico della geografia di Calvino: il bosco, già tradizionalmente legato in sede antropologica ai riti d'iniziazione, come sostiene il Propp delle *Radici storiche dei racconti di fate*[11] (e nel bosco non manca neppure l'inevitabile capanna). L'arrivo nel bosco dopo una lunga marcia d'avvicinamento si colloca quasi al centro del romanzo: vi abita una sorta di banda-fantasma (il distaccamento del Dritto, che sembra «una compagnia di soldati che si sia smarrita durante una guerra di tanti anni fa, e sia rimasta a vagare per le foreste, senza più trovare la via del ritorno»[12]), e vi si celebrano «riti segreti»[13] sull'erba umida di nebbia (la fucilazione delle spie), o addirittura sacrifici umani in onore dei morti (l'uccisione dei due fascisti da parte dei cognati calabresi in occasione della sepoltura del loro congiunto): nella capanna Pin canta una «canzone misteriosa e truculenta», che «forse una volta cantavano i cantastorie nelle fiere».[14] Il *topos* del bosco, come il luogo dove si decide in modo più o meno drammatico la sorte d'un personaggio, ritorna in altri racconti di quegli anni, da *Andato al comando* al suggestivo *Ultimo viene il corvo* a *Paura sul sentiero*, dove il bosco notturno evoca l'incubo di Gund, «il grande tedesco che è in fondo a noi tutti, carico d'elmi, bandoliere, bocche d'armi puntate, che apre sopra a noi tutti le mani enormi e non riesce ad afferrarci mai»[15] (e non a caso in *Natura e storia nel romanzo*, Calvino ricorda proprio il cap. XVII dei *Promessi Sposi*, il viaggio di Renzo verso l'Adda di notte, e cita in particolare il «bellissimo brano dell'inoltrarsi nel bosco, e la paura di Renzo alle forme degli alberi nel buio»,[16] anche se avanza una netta riserva sul carattere ideologico e non critico del rapporto uomo-natura in Manzoni). Una variante gustosa è rappresentata dal *Bosco degli animali*, con le sue immagini surreali di pulcini sopra gli alberi, di «porcellini d'India che facevano capolino dal cavo dei tronchi», di tacchini sui rami di pino, che evocano un mondo alla rovescia di sapore bruegheliano, mentre il personaggio di Giuà dei Fichi, «tiratore schiappino» che diventa per caso «il più grande partigiano e cacciatore del paese»,[17] ricorda il tipo dell'"eroe suo malgrado" nelle fiabe e assume un indiretto valore polemico sia contro il concetto tradizionale di eroe militare sia contro la nascente retorica del personaggio "positivo". Infine in *Paese infido*, dall'accentuato impianto fiabesco, riconoscibile nel motivo della bimba con la mela rossa, che indica al partigiano ferito e accerchiato la via della salvezza, il bosco, che apre e chiude il racconto, è il luogo del rifugio, in contrapposizione agli abitati e agli spazi aperti, che pullulano d'insidie.

Accanto ai luoghi della fiaba e dell'avventura insieme, si dispongono nei racconti del dopoguerra i luoghi della deprivazione economica, le colline scabre e avare di memoria vagamente pavesiana, senza peraltro l'alone mitico di quelle, i terreni gerbidi, i pietreti, le vigne scheletrite d'una Liguria montanara, costretta a contendere a una natura ostile il magro vitto e imprigionata in rapporti di classe, che inselvatichiscono i contadini e avvelenano i padroni. È il filone delle storie più scopertamente realistiche (*Uomo nei gerbidi*, *I fratelli Bagnasco*, *L'occhio del padrone*, *I figli* poltroni, *Pranzo con un pastore*), che Calvino alterna alle altre, senza rimanerne peraltro troppo soddisfatto, benché s'adoperi a movimentarle col ricorso al consueto procedimento del narratore-fanciullo e con lo studio dei comportamenti piuttosto che delle psicologie, della rete di relazioni oppositive o complementari, simmetriche o irregolari, che si stabiliscono tra i personaggi. Commenterà lo scrittore stesso in una conferenza del 1959: «Di scrivere storie realistiche non ho mai smesso, ma per quanto io cerchi di dar loro più movimento che posso e di renderle deformi attraverso l'ironia e il paradosso, mi riescono sempre un po' troppo tristi; e sento il bisogno allora nel mio lavoro narrativo di alternare storie realistiche a storie fantastiche».[18] Occorre avvertire in proposito che in Calvino non c'è quasi mai una vera opposizione tra realismo e fantasia, mentre radicale è in lui l'insofferenza per il determinismo economico e psicologico del modello naturalista. Il miglior risultato in questo gruppo di racconti è forse ottenuto da *Pranzo con un pastore*, in cui l'io narrante fanciullo scopre per la prima volta lo spessore delle differenze di classe in un mobile intreccio di rapporti tra se stesso, i famigliari e il ragazzo pastore. Ma nei racconti del dopoguerra la natura non è per Calvino solo avventura o fatica: può assumere anche le forme d'un "idillio difficile", per usare un termine riuscito dello scrittore, presentarsi come il sogno d'un Eden ritrovato, dove l'uomo torni ad essere l'Adamo primitivo e colmi la sua donna di doni viventi del regno animale (*Un pomeriggio, Adamo*), o apparire come il «giardino incantato» del racconto omonimo, forse il più perfetto del primo Calvino. In un luminoso paesaggio estivo, tra mare e ferrovia, sullo sfondo di «grandi agavi grige» e di siepi di ipomea, due bimbi, Giovannino e Serenella, s'avventurano in un giardino deserto, dominato da una grande villa, all'apparenza disabitata: «Tutto era così bello: volte strettissime e altissime di foglie ricurve d'eucalipto e ritagli di cielo: restava solo quell'ansia dentro, del giardino che non era loro e da cui forse dovevano essere cacciati tra un momento. Ma nessun rumore si sentiva. Da un cespo di corbezzolo, a una svolta, s'alzò un volo di passeri, con gridi. Poi ritornò silenzio. Era forse un giardino abbandonato?».[19] Il terso nitore del quadro è appannato da un oscuro disagio, che s'accentua alla vista del padrone della villa, un «pallido ragazzo», non meno ansioso e inquieto dei due bimbi; e Giovannino e Serenella rifanno in silenzio il cammino percorso, mentre il cielo s'oscura di nuvole: «Era la paura di un incantesimo che gravasse su quella villa e quel giardino, su tutte quelle cose belle e comode, come un'antica ingiustizia commessa».[20]

L'idillio prende qui il valore d'un apologo sulla condizione umana: la felicità dello stato di natura non è recuperabile in una società divisa in classi. Con un'analoga limpidezza rappresentativa, in *Pesci grossi, pesci piccoli* la cala scoperta dal ragazzo, che a prima vista gli era parsa un paradiso sottomarino, si rivela un'«arena di duelli disperati»:[21] un'uguale logica predatrice insidia l'esistenza, naturale non meno che storica. Siamo in presenza d'una fruizione simbolica della natura, che per la sua perfetta evidenza non ha equivalenti nella narrativa italiana di quegli anni e preannuncia già le soluzioni future del ciclo dei *Nostri antenati*. Il paesaggio rimanda ad un "altro da sé", che non è la sua essenza segreta, come nella poesia simbolista, ma uno stato dell'uomo e della società. Rimane da osservare che lo sguardo di Calvino si rivolge fin d'ora alla natura con un'ottica a diverse velocità, che indugia su dimensioni spesso minimali, e che lo scrittore non manca di fare oggetto di rappresentazione il processo percettivo, il modo con cui l'occhio o altri sensi si rappresentano con diverse approssimazioni la realtà. Nel *Sentiero dei nidi di ragno* la camera della sorella di Pin è vista attraverso l'occhio del ragazzo, e il punto di vista dell'osservatore è variabile: per di più un senso intreccia i suoi dati con quelli di altri, cosicché la certezza naturalistica dell'oggettività della conoscenza è incrinata: «In camera di sua sorella, a guardarci in quel modo, sembra sempre che ci sia la nebbia: una striscia verticale piena di cose con intorno l'offuscarsi dell'ombra, e tutto sembra cambi dimensioni se s'avvicina o s'allontana l'occhio dalla fessura. Sembra di guardare attraverso una calza da donna e anche l'odore è lo stesso: l'odore di sua sorella».[22] Pin si dedica all'esplorazione di microcosmi naturali, che richiedono un'ottica ravvicinata, una lente supplementare sull'obbiettivo fotografico, verrebbe voglia di dire: eccolo che spia «gli accoppiamenti dei grilli, o infilza aghi di pino nelle verruche del dorso di piccoli rospi, o piscia sopra i formicai guardando la terra porosa sfriggere e sfaldarsi e lo sfangare via di centinaia di formiche rosse e nere»,[23] e in modo simile sono osservate le tane dei ragni. In *Ultimo viene il corvo* il ragazzo protagonista s'interroga su come sia possibile che la traiettoria congiunga il proiettile al bersaglio, superando fulmineamente la «distanza vuota» dell'aria, o su come le pigne possano essere contemporaneamente nei suoi occhi e in cima agli alberi dell'altra riva, anticipando nei modi del pensiero infantile una dimensione fenomenologica impensabile nel 1946 in Italia. In *Campo di mine*, uno dei migliori racconti del primo Calvino, dove si fondono perfettamente la suspense dell'avventura e la riflessione sul rapporto caso-necessità, un tema questo che attraversa l'intera opera dello scrittore, il protagonista si chiede se i suoi movimenti sul terreno minato siano riflessi o volontari, e che differenza ne consegua per la sua sopravvivenza: «Certo, se egli faceva un passo era perché non poteva fare diversamente, era perché il movimento dei suoi muscoli, il corso dei suoi pensieri lo portavano a fare quel passo. Ma c'era un momento in cui poteva fare tanto un passo quanto l'altro, in cui i pensieri erano in dubbio, i muscoli tesi senza direzione. Decise di non pensare, di lasciar muovere le gambe come un automa, di mettere i passi a caso sulle pietre; ma sempre aveva il dubbio che fosse la sua volontà a scegliere se voltarsi a destra o a sinistra, se posare un piede su una pietra o sull'altra».[24] Evidentemente nel primo Calvino ci sono già i presupposti per i suoi futuri interessi scientifici ed epistemologici, e lo studio della sua geografia è un osservatorio privilegiato per cogliere questi elementi di continuità, pur nel diverso quadro storico e culturale.

Se il bosco occupa tanta parte dei racconti del dopoguerra, esso si pone fin d'allora come il primo termine d'una coppia bipolare, al cui estremo opposto si colloca la città, in un rapporto che è insieme di contrasto e di complementarietà. Questa coppia ne implica un'altra, anch'essa bipolare, quella di natura e società, o di natura e storia, del resto teorizzata da Calvino nell'omonimo saggio del 1958. La città è il luogo dell'umana convivenza, difficile ma necessaria: se da un lato essa limita l'orizzonte dell'uomo, dall'altro lo arricchisce d'una nuova dimensione, lo provvede di nuove esperienze, lo sollecita a nuovi incontri: è anch'essa teatro di prove, che l'uomo è chiamato a superare, di sfide a cui è tenuto a dare una risposta. Come Calvino fosse legato al rapporto bosco-città fin quasi agli ultimi anni, lo si ricava da una sua bellissima fiaba per bambini, pubblicata nelle Emme Edizioni nel 1981, *La foresta-radice-labirinto*, che conferma il carattere di archetipo, che il bosco riveste nella sua opera. Re Clodoveo è di ritorno col suo esercito attraverso la foresta, mentre sua figlia Verbena è rinchiusa in città sotto la minaccia d'una congiura ordita dalla matrigna. Clodoveo vorrebbe ritrovare la città, Verbena andare incontro al padre nella foresta: la soluzione è offerta da un gelso magico, che cresce in città e le cui radici si collegano con i rami della foresta, per un processo di commutazione reciproca tra il basso e l'alto in dipendenza dall'osservatore. Verbena, seguendo le radici, raggiunge la foresta, mentre Clodoveo con i suoi soldati, arrampicandosi sui rami, rientra nella città; la matrigna cattiva, volendo ripercorrere il cammino

156

di Verbena, scende lungo le radici del gelso e si ritrova sulla punta d'un ramo, da cui precipita e muore. Ebbene, Calvino a un certo punto mette in bocca a Verbena queste parole: «La città di pietra squadrata e la foresta-groviglio m'erano sempre sembrate nemiche e separate, senza comunicazione possibile. Ma ora che ho trovato il passaggio mi sembra che diventino una cosa sola (...). Vorrei che la linfa della foresta attraversasse la città e riportasse la vita tra le sue pietre. Vorrei che in mezzo alla foresta si potesse andare e venire e incontrarsi e stare insieme come in una città».

Per ora, nelle opere del primo dopoguerra, domina una città di mare, con i suoi vicoli sottoproletari, con le sue osterie fumose, con la sua umanità stipata e rissosa, sempre in bilico tra abbrutimento e riscatto: in un carrugio, che ricorda la pratoliniana Via del Corno, Pin comincia la sua avventura; in una bettola sente per la prima volta la parola misteriosa *Gap*; in una prigione conosce il suo primo amico, Lupo Rosso; ma nella città si consumano anche la perdizione di sua sorella e il tradimento di Pelle. La città è il luogo, dove il nuovo muove i primi passi, ma anche dove il fascino sinistro del lusso e della violenza miete le sue vittime. Nella serie di racconti, che vanno da *Furto in pasticceria* a *Il gatto e il poliziotto*, la città di porto riflette il disordine vitale di quegli anni attraverso una galleria di personaggi picareschi: ladri, borsaneristi, vagabondi, mondane, marinai americani, con un ritmo inventivo accelerato, che ricorda le vecchie comiche cinematografiche, e una ricchezza di spunti surreali, che fanno pensare a Zavattini: il clima non è molto lontano da quello di *Miracolo a Milano*, anche se con più estro e minore utopia. L'ultimo dei racconti, *Il gatto e il poliziotto*, che è anche il migliore, chiude un'epoca: la storia del povero poliziotto che, mandato a perquisire un caseggiato operaio in cerca d'armi nascoste, sale turbato di piano in piano sognando una «foresta d'armi» e imbattendosi in povera gente, finché, giunto all'abbaino, si sente intimare «sei sotto il tiro della mia pistola»[25] e scopre una ragazza che compita le stente frasi d'un fotoromanzo di baronetti e donne «serpigne», assume il valore d'un amaro apologo.

Con il ciclo di racconti imperniati sul personaggio di Marcovaldo, che Calvino stesso data, almeno in parte, degli inizi degli anni Cinquanta, ci troviamo di fronte a una città radicalmente diversa: anonima, impersonale, ostile, dove solo a tratti è dato scorgere una vaga allusione a Torino. La abita una folla senza volto e senza voce, che non sia quella della contesa o del divieto (una figura di guardia è sempre presente nei primi racconti). I residui di natura, che vi sopravvivono a stento negli interstizi dell'asfalto o della fabbrica, riservano amare sorprese: i funghi sono velenosi, i piccioni immangiabili e proibiti, i conigli, cavie di laboratorio incapaci di muoversi all'aperto e portatori di malattie terribili, le galline allevate in reparto, fonte di discordie e sospetti assurdi: persino l'«aria buona» delle colline viciniori è una riserva per malati di tubercolosi. Se una mandria di mucche attraversa di notte la città, risvegliando la nostalgia di Marcovaldo per il loro mondo di «prati umidi, nebbie montane e guadi di torrente»,[26] nasconde una realtà di sfruttamento intensivo di uomini e animali. Se un «quadrato di giardino pubblico ritagliato in mezzo a quattro vie»[27] attira l'occhio di Marcovaldo e lo induce a scegliersi una panchina per passarvi una notte d'estate, la luce intermittente del semaforo, le voci rauche delle venditrici di sigarette di contrabbando e quelle smorzate degli operai che riparano uno scambio, il ronzio del saldatore e i cozzi metallici dei camion della nettezza gli impediscono o disturbano il sonno. La città ha subìto il profondo mutamento della civiltà industriale, che non solo riduce l'uomo a forza-lavoro e consumatore (la *Gallina di reparto* contiene anche un'impressionante descrizione della condizione dell'operaio di linea, con relativa sincronizzazione dei gesti e taglio dei tempi), ma si erge a orizzonte totale, inquina e stravolge, si fa essa stessa natura, creando un paesaggio artificiale sempre più indistinguibile dall'altro. Ecco allora i figli di Marcovaldo scambiare per un bosco i cartelloni pubblicitari dell'autostrada, o il fiume, «d'un colore azzurro che pareva un laghetto di montagna»,[28] rivelarsi avvelenato da una fabbrica di vernici, mentre il sabotaggio dell'insegna luminosa, che cancellava il cielo a Marcovaldo ogni venti secondi, si rivela funzionale alla sua sostituzione con un'altra, la cui intermittenza è di soli due secondi. Gli stessi codici semiologici sono cambiati: i figli di Marcovaldo, condotti in collina, non sanno interpretare i segni del paesaggio («Perché c'è una scala senza casa sopra? — chiese Michelino. — Non è una scala di casa: è come una via. — Una via... E le macchine come fanno coi gradini? — Intorno c'erano muri di giardini e dentro gli alberi. — Muri senza tetto... Ci hanno bombardato? — Sono giardini... una specie di cortili... — spiegava il padre»[29]), o li interpretano secondo il loro codice urbano. In questo *habitat* artificiale, indecifrabile anche linguisticamente (e il linguaggio, in Calvino, è uno strumento indispensabile per l'*homo faber* non meno che per l'*homo ludens*), Marcovaldo, manovale non qualificato e di fresco inurbamento, ma anche simbolo d'una condizione umana sempre più alienata, appare impotente a rispondere alla sfida, a superare la prova: i meccanismi tradizionali del processo d'iniziazione non funzionano più, o peggio, girano a vuoto, creando disorientamento e frustrazione (i racconti di Marcovaldo si chiudono generalmente con una piccola catastrofe, o ad ogni modo con un insuccesso).

Di fronte al profilarsi d'un cambiamento epocale, senza che ne sia ancora chiara la portata, la risposta di Calvino è di proiettare gli spazi del racconto in un passato favoloso, eppure non irreale, in cui l'avventura come dimensione di prova dell'uomo e di trasformazione della sua condizione risulti ancora possibile e la natura appaia pur sempre come il suo *habitat* primario. Così il paesaggio ligure è spostato nel Barocco grottesco del *Visconte* o nel Settecento, tra volterriano e russoviano, del *Barone*: luoghi temporalmente "altri", da cui si possa parlare dell'uomo in termini di apologo critico, senza affrontare direttamente i nuovi problemi posti dalla seconda "rivoluzione industriale". L'archetipo del bosco conosce una nuova vita con la foresta d'Ombrosa, che Cosimo Piovasco di Rondò elegge a sua dimora, perché gli consenta un punto di vista alternativo a quello della società del suo tempo. Scrive Calvino nel saggio *Tre correnti del romanzo italiano*: «Anch'io sono tra gli scrittori che hanno preso le mosse dalla letteratura della Resistenza, ma quello a cui non ho voluto rinunciare è stata la carica epica e avventurosa, di energia fisica e morale. Poiché le immagini della vita contemporanea non soddisfacevano questo mio bisogno, mi è venuto naturale di trasferire questa carica in avventure fantastiche, fuori dal nostro tempo, fuori dalla realtà. Un signore del Settecento che passa la vita arrampicato sugli alberi, un guerriero spezzato in due da una palla di cannone che continua a vivere dimezzato, un guerriero medievale che non esiste ma è solo un'armatura vuota. Perché? Da tutto il mio discorso avrete capito che l'azione mi è sempre piaciuta più dell'immobilità, la volontà più della rassegnazione, l'eccezionalità più della consuetudine».[30]

Poi, verso la fine degli anni Cinquanta, Calvino si confronta fino in fondo con la dimensione del "moderno", con la società industriale avanzata, che, se da un lato porta con sé degrado, adulterazione, catastrofe, dall'altro dischiude possibilità impensate di avventure conoscitive. Esemplare, in proposito, il *Dialogo sul satellite*, apparso in «Città aperta» del marzo 1958 e mai più riedito,[31] a cui preferiamo riferirci, piuttosto che ai noti saggi degli anni successivi *La sfida al labirinto* e *Vittorini: letteratura e progettazione*, per la maggiore carica di problematicità che esso contiene di fronte ai problemi dello sviluppo scientifico e indu striale: le ansie per l'uso disumano della tecnica vi si intrecciano con la consapevolezza dell'importanza decisiva per il letterato contemporaneo d'un confronto con la scienza. Nel dialogo Calvino drammatizza un dibattito, che certamente in sede etica non ha mai smesso di condurre, anche se a livello gnoseologico e letterario ha optato decisamente per le moderne concezioni epistemologiche e semiologiche. All'interlocutore euforico, che dichiara aperta col lancio del satellite un'era nuova, l'altro pensieroso ribatte riconoscendo che «sono giorni, questi, in cui prendono forma molte cose, idee e relazioni che terranno il campo nell'avvenire» ma esprimendo insieme il timore che il progresso tecnico, in un mondo alienato, possa portare nuove alienazioni: «Le conquiste della tecnica possono assumere un senso o quello opposto. Nelle astronavi potranno prender posto anche eserciti imperialisti, nazisti interplanetari, missionari gesuiti, catene di forzati. Culto tecnocratico e angoscia spaziale si conciliano bene con tutte le ideologie reazionarie». Il primo interlocutore ricorda allora che Galileo, «cambiando il rapporto della terra col cielo», ha influito non poco sul corso della storia. Il "doppio" pessimista dell'autore accusa il colpo e protesta di «non voler fermare niente»: bisognerebbe però «che la presenza del satellite non rimpicciolisse ma ingrandisse, aumentasse di peso e d'importanza ogni gesto umano, anche il più umile, e in tutti i lavori le lotte le ricerche si sentisse che l'era interplanetaria è cominciata». Il dialogo si conclude con queste battute: «Voglio che faccia operare sulla terra. E pensare all'universo. Voglio che dia più spazio ai pensieri umani. Da quando è là che gira, ho ripreso a pensare a cose cui non riflettevo da quando avevo diciott'anni. Di', tu: lo spazio curvo, hai mai capito com'è? — No, mai. — E l'universo in espansione? — Mah, una faccenda complicata — Però che problemi — Accidenti — Avremo da divertirci — Eh, lo credo».

Da queste riflessioni, che sono anche divertimenti, nascono i paesaggi delle *Cosmicomiche* e di *Ti con zero*, che contaminano i mari e le lune della remota preistoria con i grattacieli e gli anelli stradali di New York: nei nuovi racconti si profila una serie di processi discontinui, di spezzoni di tempo, compresi tra le origini del mondo e la città dell'avvenire, tra i luoghi estremi dell'evoluzione della specie, sospesa tra espansione e distruzione. Scrive Calvino in *Cibernetica e fantasmi*: «Nel modo in cui la cultura d'oggi vede il mondo, c'è una tendenza che affiora contemporaneamente da varie parti: il mondo nei suoi aspetti viene visto sempre più come *discreto* e non come *continuo*. Impiego il termine "discreto" nel senso che ha in matematica: quantità "discreta" cioè che si compone di parti separate».[32] Benché le *Cosmicomiche* contengano mirabili saggi di prosa descrittiva, come il nascere e il diffondersi dei colori sulla terra in seguito alla formazione dell'atmosfera, o la discesa verso il centro della terra mentre sulla crosta terrestre si propagano le prime onde sonore, per non citare che due esempi, Calvino non persegue mai una poetica del "meraviglioso": per lui, infatti, al centro della narrazione «non è la spiegazione d'un fatto straordinario, bensì l'*ordine* che questo fatto straordinario sviluppa in sé e attorno a sé, il disegno, la simmetria, la rete d'immagini che si depositano intorno ad esso come nella formazione d'un cristallo».[33] Sotto l'apparente veste fantascientifica, d'una fantascienza ad alto livello naturalmente, più vicina a Leopardi che ai modelli contemporanei, le *Cosmicomiche* rivestono spesso il carattere d'apologo[34] e si riallacciano per fili sottili ai motivi di fondo dell'opera calviniana: il mutamento come sfida e i processi d'adattamento come risposta più o meno adeguata. Che cos'è infatti lo *Zio acquatico* se non la storia d'una identità mirabilmente preservata, che rifiuta la fase successiva dell'evoluzione, d'una integrazione appagata e sempre uguale a se stessa, a cui si contrappone la "mediocrità" dell'io narrante, che continua la sua strada, in mezzo alle trasformazioni del mondo, trasformandosi anch'esso? E nei *Dinosauri* non è raffigurato lo "spaesamento" d'un superstite di vecchi mondi in una nuova fase dell'evoluzione, per accostarlo fulmineamente, senza soluzione di continuità, alla solitudine dell'uomo contemporaneo tra la folla?

Lungo la strada d'un rapporto euristico tra letteratura e scienza, assimilando il calcolo delle probabilità, la teoria dei modelli e la logica combinatoria, Calvino costruisce nelle *Città invisibili* una geografia puramente mentale, fatta di luoghi utopici, di sistemi di relazione. Il procedimento adottato è descritto in uno dei corsivi, che incorniciano i singoli testi e compongono una sorta di metatesto, che è l'elemento più suggestivo dell'intera opera: «Kublai Kan s'era accorto che le città di Marco Polo s'assomigliavano, come se il passaggio dall'una all'altra non implicasse un viaggio ma uno scambio d'elementi. Adesso, da ogni città che Marco gli descriveva, la mente del Gran Kan partiva per suo conto, e smontata la città pezzo per pezzo, la ricostruiva in un altro modo, sostituendo ingredienti, spostandoli, invertendoli».[35] Sorgono così delle macchine logico-fantastiche, che, se contengono un elemento di gioco, peraltro ritenuto da Calvino indispensabile per lo sviluppo della creatività, non cessano d'alludere agli incubi o ai desideri nascosti dell'uomo contemporaneo. Quelle città infatti sono le città d'un impero malato[36] e in esse, più che le meraviglie descritte, contano gli interstizi, le pieghe, i frantumi di tempo: «L'altrove è uno specchio in negativo: il viaggiatore riconosce il poco che è suo, scoprendo il molto che non ha avuto e non avrà»,[37] e ancora: «Alle volte mi basta uno scorcio che s'apre nel bel mezzo d'un paesaggio incongruo, un affiorare di luci nella nebbia, il dialogo di due passanti che s'incontrano nel viavai, per pensare che partendo di lì metterò assieme pezzo a pezzo la città perfetta, fatta di frammenti mescolati col resto, d'istanti separati da intervalli, di segnali che uno manda e non sa chi li raccoglie».[38]

Con il romanzo del 1979, *Se una notte d'inverno un viaggiatore*, la geografia in Calvino si trasforma in semiologia, diventa costruzione di segni all'interno d'una serie di modelli narrativi, senza rapporti con un referente esterno ma in relazione solo con i procedimenti adottati dallo scrittore, con le sue convenzioni narrative: i luoghi del testo, anziché i luoghi della realtà. Malgrado le apparenze, Calvino non si cimenta in un saggio di bravura letteraria ma compie un esercizio d'una qualche utilità, per usare un *understatement*, che non gli sarebbe dispiaciuto: mette il lettore sull'avviso dei meccanismi romanzeschi, producendo in lui un effetto di "straniamento", che lo rende più consapevole e meno esposto ai rischi d'una identificazione ormai anacronistica.[39]

Resta da dire dell'ultimo Calvino, quello di *Palomar*, che porta alle estreme conseguenze un'ottica fortemente ravvicinata e registra i processi percettivi più infinitesimali dell'osservatore. Volendo «evitare le sensazioni vaghe», il signor Palomar «si prefigge per ogni suo atto un oggetto limitato e preciso»,[40] e concentra la sua attenzione sui «circuiti tra gli occhi e il cervello», che gli rappresentano «un mondo scorporato, intersezioni di campi di forze, diagrammi vettoriali, fasci di rette che convergono, divergono, si rifrangono».[41] Anche i modelli diventano «trasparenti, diafani, sottili come ragnatele», fino a dissolversi per lasciare il passo a una «realtà mal padroneggiabile e non omogeneizzabile».[42] È un punto d'approdo provvisorio, che la morte ha reso tragicamente definitivo, proprio come accade a Palomar nell'ultimo capitolo del libro: facendo suo il paradosso d'Achille e della tartaruga, il personaggio decide che «si metterà a descrivere ogni istante della sua vita, e finché non li avrà descritti tutti non penserà più d'esser morto. In quel momento muore».[43] Noi possiamo solo dire con rispetto che se l'ultima fase di Calvino comporta una riduzione di orizzonte e di piacere narrativo, testimonia pur sempre della sua strenua volontà di conoscenza, della sua limpida onestà intellettuale.

NOTE

1 Cfr., per esempio, *Il midollo del leone*, in *Una pietra sopra*, Torino, Einaudi, 1980, p. 11; o *Dialogo di due scrittori in crisi*, ivi, pp. 67-69, rispettivamente del 1955 e del 1961.

2 G. Debenedetti, *Il romanzo del Novecento*, Milano, Garzanti, 1971, pp. 324-329 (sono lezioni appartenenti ai quaderni del 1962-63).

3 Cfr. *Il midollo del leone*, cit., pp. 11-12.

4 Ivi, p. 14.

5 Cfr. *Natura e storia nel romanzo*, in *Una pietra sopra*, cit., p. 24.

6 Cfr. *Tre correnti del romanzo italiano*, in *Una pietra sopra*, cit., pp. 48-49.

7 Cfr. *Il midollo del leone*, cit., p. 15.

8 Cfr. *Tre correnti del romanzo italiano*, cit., p. 56.

9 Cfr. *Natura e storia nel romanzo*, cit., p. 30.

10 *Il sentiero dei nidi di ragno*, Torino, Einaudi, 1971, p. 187 e p. 191.

11 La prima traduzione italiana delle *Radici storiche dei racconti di fate* è del 1949 (Torino, Einaudi).

12 *Il sentiero*, cit., p. 98.

13 Ivi, p. 115.

14 Ivi, p. 120.

15 *I racconti*, Torino, Einaudi 1983, p. 60.

16 Cfr. *Natura e storia nel romanzo*, cit., p. 22.

17 *I racconti*, cit., p. 80.

18 Cfr. *Tre correnti del romanzo italiano*, cit., p. 56.

19 *I racconti*, cit., p. 31.

20 Ivi, p. 33.

21 *I racconti*, cit., p. 14.

22 *Il sentiero*, cit., p. 41.

23 Ivi, p. 126.

24 *I racconti*, cit., p. 66.

25 Ivi, p. 132.

26 Ivi, p. 163.

27 Ivi, p. 166.

28 *Marcovaldo*, Torino, Einaudi, 1975, p. 80.

29 *Marcovaldo*, cit., p. 51.

30 Cfr. *Tre correnti del romanzo italiano*, cit., p. 56.

31 I motivi di fondo del *Dialogo* ritornano nella lettera all'Ortese, apparsa sul «Corriere della Sera» del 24 dicembre 1967, col titolo *Occhi al cielo*, e ripubblicata in *Una pietra sopra*, col nuovo titolo *Il rapporto con la luna*, dove si legge, tra l'altro: «Io non voglio però esortarla all'entusiasmo per le magnifiche sorti cosmonautiche dell'umanità: me ne guardo bene. Le notizie di nuovi lanci spaziali sono episodi d'una lotta di supremazia terrestre e come tali interessano solo la storia dei modi sbagliati con cui ancora i governi e gli stati maggiori pretendono di decidere le sorti del mondo passando sopra la testa dei popoli. Quel che m'interessa invece è tutto ciò che è appropriazione vera dello spazio e

degli oggetti celesti, cioè *conoscenza*: uscita dal nostro quadro limitato e certamente ingannevole, definizione d'un rapporto tra noi e l'universo extraumano. La luna, fin dall'antichità, ha significato per gli uomini questo desiderio, e la devozione lunare dei poeti così si spiega. Ma la luna dei poeti ha qualcosa a che vedere con le immagini lattiginose e bucherellate che i razzi trasmettono? Forse non ancora; ma il fatto che siamo obbligati a *ripensare* la luna in un modo nuovo ci porterà a ripensare in un modo nuovo tante cose [...]. Questo qualcosa che l'uomo acquista riguarda non solo le conoscenze specializzate degli scienziati ma anche il posto che queste cose hanno nell'immaginazione e nel linguaggio di tutti: e qui entriamo nei territori che la letteratura esplora e coltiva [...]. Il più grande scrittore della letteratura italiana d'ogni secolo, Galileo, appena si mette a parlare della luna innalza la sua prosa a un grado di precisione ed evidenza ed insieme di rarefazione lirica prodigiose. E la lingua di Galileo fu uno dei modelli della lingua di Leopardi, gran poeta lunare...». (*Una pietra sopra*, cit., p. 183).

32 Cfr. *Cibernetica e fantasmi*, in *Una pietra sopra*, cit., p. 167. Il tema è ribadito più avanti: «Il processo in atto oggi è quello d'una rivincita della discontinuità, divisibilità, combinatorietà, su tutto ciò che è corso continuo, gamma di sfumature che stingono una sull'altra. Il secolo decimonono, da Hegel a Darwin, aveva visto il trionfo della continuità storica e della continuità biologica che superava tutte le rotture delle antitesi dialettiche e delle mutazioni genetiche. Oggi questa prospettiva è radicalmente cambiata» (p. 168). La nuova prospettiva epistemologica non comporta in nessun modo per Calvino l'approdo allo scetticismo utilitaristico e all'inerzia morale, anzi accentua la responsabilità della scelta: «Non credo che dalla scienza moderna — e in particolare dalla teoria della relatività — si possa trarre giustificazione per un relativismo morale. Al contrario, la nostra epoca è caratterizzata da una netta separazione tra discorso scientifico e discorso sui valori: ciò vuol dire che la responsabilità morale non può mascherarsi dietro giustificazioni interessate. D'altra parte, credo che anche nel passato, più che la compattezza di etiche ben determinate, ciò che ha contato davvero è stata una ricerca morale, sempre problematica, sempre rischiosa [...]. Per il marxista questa problematicità dell'etica è portata alle ultime conseguenze: il marxista è colui che sa che ogni valore può essere negato (o riaffermato) nel processo storico da un valore antitetico» (*Scienza e letteratura*, in *Una pietra sopra*, cit., p. 189).

33 Cfr. *Definizioni di territori: il fantastico*, in *Una pietra sopra*, cit., p. 216.

34 In *Scienza e letteratura*, Calvino riflette sul modo in cui la letteratura possa costruire delle figure autonome e insieme collegarsi a un'attività morale, e fa questo esempio, tratto dalla sua stessa opera: «Se nel racconto *L'inseguimento* dico che in un sistema inseguitori-inseguiti ogni inseguito è anche un inseguitore (o deve trasformarsi in inseguitore), seguo innanzi tutto una logica *formale*, quasi direi geometrica, implicita nel mio racconto. Ma dico anche qualcosa che forse può muovere nel lettore un'attività morale. Il lettore può rifiutare o accettare questa metafora, ma se la rifiuterà si troverà a conoscere meglio ciò che vuole rifiutare, e se l'accetterà sarà spinto ad approfondire criticamente una situazione così insostenibile» (*Una pietra sopra*, cit., p. 190).

35 *Le città invisibili*, Torino, Einaudi, 1972, p. 49.

36 In un corsivo, Polo così risponde al sovrano, gravato da un vapore ipocondriaco: «Sì, l'impero è malato e, quel che è peggio, cerca d'assuefarsi alle sue piaghe. Il fine delle mie esplorazioni è questo: scrutando le tracce di felicità che ancora s'intravvedono, ne misuro la penuria. Se vuoi sapere quanto buio hai intorno, devi aguzzare lo sguardo sulle fioche luci lontane» (p. 65). In un

altro corsivo, Polo avanza questa ipotesi: «Forse del mondo è rimasto un terreno vago, ricoperto da immondezzai, e il giardino pensile della reggia del Gran Kan. Sono le nostre palpebre che li separano, ma non si sa quale è dentro e quale è fuori». (p. 110). E nel corsivo di chiusa Polo enuncia insieme una condizione negativa e le alternative per non soffrirne, lasciando vedere dove si rivolgano le sue preferenze: «L'inferno dei viventi non è qualcosa che sarà; se ce n'è uno, è quello che è già qui, l'inferno che abitiamo tutti i giorni, che formiamo stando insieme. Due modi ci sono per non soffrirne. Il primo riesce facile a molti: accettare l'inferno e diventarne parte fino al punto di non vederlo più. Il secondo è rischioso ed esige attenzione e apprendimento continui: cercare e saper riconoscere chi e cosa, in mezzo all'inferno, non è inferno, e farlo durare, e dargli spazio» (p. 170).

37 Ivi, p. 35.

38 Ivi, p. 169.

39 In un intervento del 1970, Calvino anticipava il futuro metaromanzo: «se ora conosciamo le regole del gioco "romanzesco" potremo costruire romanzi "artificiali", nati in laboratorio, potremo giocare al romanzo come si gioca a scacchi, con assoluta lealtà, ristabilendo una comunicazione tra lo scrittore, pienamente cosciente dei meccanismi che sta usando, e il lettore che sta al gioco perché ne conosce le regole e sa che non può esser preso più a zimbello». Anche in questa nuova forma ludico-combinatoria però, il romanzo non si ridurrà a un puro gioco: «siccome gli schemi del romanzo sono quelli d'un rito d'iniziazione, d'un addestramento delle nostre emozioni e paure e dei nostri processi conoscitivi, anche se praticato ironicamente il romanzo finirà per coinvolgerci nostro malgrado, autore e lettori, finirà per rimettere in gioco tutto quello che abbiamo dentro e tutto quello che abbiamo fuori» (*Il romanzo come spettacolo*, in *Una pietra sopra*, cit., p. 220).

40 *Palomar*, Torino, Einaudi, 1983, p. 5.

41 Ivi, pp. 17-18.

42 Ivi, p. 113.

43 Ivi, p. 128.

LE FORME DEL RACCONTO

Giovanni Falaschi (presidente).

Alla destrutturazione dei generi, operazione tipicamente novecentesca, Calvino ha dato un contributo formidabile: basta pensare alla collocazione, che può apparire incerta, dei pezzi di *Palomar*: racconti? pagine di diario (se non altro di un diario delle avventure della mente)? apologhi? riflessioni filosofiche? Ma già si scivola, come si vede, da una classificazione per forme ad una per contenuti. E altro esempio, che viene subito alla memoria, è quello di *Se una notte*; ma forse il testo più chiaro ed esplicito sulle forme è *I livelli della realtà in letteratura* edito in *Una pietra sopra*: tentativo di rappresentare logicamente la successione delle forme e il loro costituirsi in realtà. Ovvio che nel titolo di questa seduta, il "racconto" sia l'uso degli strumenti (la lingua) e delle strutture di genere (fiaba, romanzo etc.) nell'arte (come fantasia) del raccontare.

Con questo, anticipo i temi che saranno trattati da Mengaldo, Cardone e Ghidetti; al quale do la parola.

Enrico Ghidetti
IL FANTASTICO BEN TEMPERATO DI ITALO CALVINO

1. I viandanti ospiti del Castello dei destini incrociati, come quelli scampati nella Taverna dei destini incrociati, dopo una imboscata notturna nell'intrico della foresta, tutti per incantesimo muti, non utilizzano il mazzo dei tarocchi — nel primo caso quello composto dalle carte splendidamente miniate da Bonifacio Bembo per i signori di Milano intorno alla metà del Quattrocento, nel secondo dalle più rozze e popolari immagini "marsigliesi" — per divinare il futuro, ché d'ogni avvenire i viaggiatori sembrano «svuotati», sospesi come sono «in un viaggio né terminato né da terminare»,[1] ma per raccontare la propria vicenda ed esprimere il proprio stato d'animo, accostando Arcani Maggiori e Minori. I tarocchi, quindi, sono, in questo caso, adoperati per comprendere il passato e interpretare il presente: una labile traccia di futuro si rivelerà semmai a conclusione delle diverse combinazioni di carte, come una inevitabile necessità, l'ultimo fatale anello di una catena di eventi vissuti.

Con il Cavaliere di Coppe sul tavolo della taverna inizia la prima storia, quella dell'Indeciso, raccontata da un viandante precocemente incanutito e visibilmente sofferente, il quale, nel calare le carte che simboleggiano gli episodi salienti della sua esistenza, rivela, fin dall'inizio, il tratto fondamentale del suo stile di vita: la renitenza a decidere, dal momento che ogni scelta comporta una rinuncia. Nel suo «animo diviso» ogni circostanza rinnova «il tormento della scelta» (e si ricordi la conclusione della *Prefazione* 1964 al *Sentiero dei nidi di ragno*: «Un libro scritto non mi consolerà mai di ciò che ho distrutto scrivendolo...»).[2] Nel tentativo di sottrarsi alla necessità di scegliere tra due donne, l'Indeciso in fuga è arrivato ad una città sospesa nel vuoto (simile a quelle che Marco Polo nelle *Città invisibili* descriverà a Kublai Khan), forse la Città del Tutto, «dove tutte le parti si congiungono, le scelte si bilanciano, dove si riempie il vuoto che rimane tra quello che ci s'aspetta dalla vita e quello che ci tocca».[3] Qui incontra le Regine di Spade e di Coppe che, diversamente atteggiate, sembrano riproporgli la necessità di una scelta: forse

171

le due donne stavano ad indicare due diverse vie che s'aprono a chi ha ancora da trovare se stesso: la via delle passioni, che è sempre una via di fatto, aggressiva, a tagli netti, e la via della sapienza, che richiede di pensarci su e imparare a poco a poco.[4]

Ma la disposizione dei successivi tarocchi sembra confermare l'impossibilità e l'inutilità di ogni decisione, dal momento che «nel mondo dell'uniforme gli oggetti e i destini ti si squadernano davanti intercambiabili e immutabili, e chi crede di decidere è un illuso».[5] Si capisce allora che nucleo della perplessità del cavaliere è quella sete di assoluto che lo porterà al cospetto degli Arcani Maggiori: il Diavolo, «l'angelo che abita nel punto in cui le linee si biforcano»,[6] e il Mondo. Di qui la terrificante esperienza del Tutto e del Caos, al fondo della quale l'Indeciso — che «vuole uscire dalla limitazione individuale, dalle categorie, dai ruoli, sentire il tuono che romba nelle molecole, il mescolarsi delle sostanze prime e ultime»[7] (in un certo senso ripercorrendo il cammino attraverso le ere di Qfwfq nelle *Cosmicomiche*) — scoprirà che «ogni specie ed individuo e tutta la storia del genere umano non sono che un casuale anello d'una catena di mutazioni e evoluzioni».[8]

Calvino, com'è noto, scrisse *Il castello dei destini incrociati* suggestionato dall'iconologia dei tarocchi fino al punto di adoperare le carte «come una macchina narrativa combinatoria».[9] Le storie raccolte in quel libro sono perciò frutto di un'operazione cartomantica, sia pure compiuta *in partibus infidelium* da un illuminista, i responsi della quale si potranno, quindi, assumere in questa circostanza, in via d'ipotesi, come auspicio per ricostruire, nei suoi momenti essenziali, la vicenda dello scrittore con particolare attenzione al polo ''fantastico'' della sua vocazione. A chi obiettasse che alla *Storia dell'Indeciso* si sarebbe dovuta preferire, nello stesso libro, la esplicitamente autobiografica combinazione di carte intitolata *Anch'io cerco di dire la mia*, risponderemmo che la malagevole approssimazione al cuore del fantastico è possibile solo seguendo itinerari poco battuti, tortuosi e in ombra, piuttosto che la via diretta aperta da dichiarazioni e riflessioni sulla poetica e il mestiere dello scrittore, delle quali peraltro è costellata, a intervalli regolari, l'attività di Calvino.

A conforto di quella che potrebbe apparire una scelta quanto meno spericolata, vale la pena di segnalare che l'irresolutezza e perplessità, quali risultano dall'operazione cartomantica di cui sopra, trovano una prima, indiretta quanto significativa conferma nel disagio della critica incapace di svolgere fino in fondo la *reductio ad unum* dell'opera poliedrica di Calvino che dal felice equivoco neorealista del *Sentiero dei nidi di ragno* approda al racconto fantastico e quindi ad una sorta di fantascienza e, senza mai prender terra definitivamente, varca le colonne d'Ercole della metaletteratura con la virtuosistica esercitazione di *Se una notte d'inverno un viaggiatore*, rivelando anche da ultimo che l'intellettuale, affascinato dai nuovi orizzonti culturali aperti al nostro tempo dal pensiero scientifico e filosofico, non ha dimenticato lo scrittore ancora insaziabilmente curioso di novità e sperimentazioni letterarie, da quello «scoiattolo della penna» che aveva vaticinato in lui Cesare Pavese, quarant'anni or sono, salutandone l'esordio.[10]

2. Recensendo il primo romanzo dell'amico, Pavese osservava, tra l'altro, come l'«astuzia», che aveva consentito a Calvino di scrivere il «più bel racconto» apparso fino allora sulla Resistenza armata, fosse consistita nella scelta di un nuovo punto di vista: «arrampicarsi sulle piante, più per gioco che per paura, e osservare la vita partigiana come una favola di bosco, clamorosa, variopinta, diversa».

Nella *Prefazione* 1964 a *Il sentiero dei nidi di ragno* l'autore — dopo aver dichiarato *in limine* che, a distanza di anni, quel libro gli pareva «nato anonimamente dal clima generale d'un'epoca, da una tensione morale, da un gusto letterario», una manifestazione di quel «fatto fisiologico, esistenziale, collettivo» che fu l'«esplosione letteraria» degli anni immediatamente successivi alla guerra («ci muovevamo in un multicolore universo di storie»)[11] — spiega come, intimidito dal tema «troppo impegnativo e solenne», ma anche in polemica con i «detrattori della Resistenza» da una parte e i «sacerdoti d'una Resistenza agiografica ed edulcorata» dall'altra, avesse deciso di affrontarlo «non di petto ma di scorcio»: «Tutto doveva essere visto dagli occhi di un bambino, in un ambiente di monelli e vagabondi».[12] Nacque così, all'ombra di modelli disparati, da Hemingway a Babel' e Fadeev, da Stevenson a Nievo — perché «le letture e l'esperienza di vita non sono due universi ma uno. Ogni esperienza di vita per essere interpretata chiama certe letture e si fonde con esse»[13] — il «racconto picaresco» di Pin bambino, «immagine di regressione», secondo la definizione di Calvino stesso, che avrebbe dovuto simboleggiare il rapporto del giovane autore con un'esperienza più grande di lui: «L'inferiorità di Pin come bambino di fronte all'incomprensibile mondo dei grandi corrisponde a quella che nella stessa situazione provavo io, come borghese».[14] Ma c'è qualcosa d'altro a dar vita al «bambino vecchio» Pin, oltre la cattiva coscienza del borghese bruscamente risvegliato dal suo «tranquillo antifascismo» che si riduceva, in definitiva, ad «una questione di stile, di *sense of humour*»,[15] ed è il rifiuto del mondo dei grandi, dominato dalla paura e dalla «fatica di dover essere cattivi».[16] Pin si sente «sperduto in quella storia di sangue e di corpi nudi che è la vita degli uomini», e, mentre deve «muoversi nella notte solo e attraverso l'odio dei grandi», per rubare la pistola al tedesco, fantastica di costituire una banda di ragazzi «e tutti insieme andare contro i grandi e picchiarli».[17] Vive quindi diviso tra la degradata realtà del mondo, solo temporaneamente esorcizzata grazie a quell'oggetto magico, quell'emblema di potere che è la pistola, e le «storie meravigliose» che racconta a se stesso e i luoghi incantati che egli solo conosce e frequenta, riuscendo così ad aprire uno spiraglio su un orizzonte di luce e di colore, al di là della grigia nebbia dell'esperienza quotidiana: tanto che il sordido cuoco del distaccamento partigiano e la sua equivoca donna potrebbero rivelarsi due benigni gnomi e, chissà, magari adottarlo e insegnargli il linguaggio delle fate oppure il falchetto crudelmente ucciso potrebbe di nuovo alzarsi in volo «e lui, come nei racconti delle fate, andargli dietro, camminando per monti e per pianure, fino a un paese incantato in cui tutti siano buoni».[18]

Anche se le fantasticherie a occhi aperti di Pin nascono dal rifiuto e dalla rinuncia, purtuttavia esse sono i segni di un'altra "astuzia" di Calvino che si aggiunge a quella, già rilevata da Pavese, di salire sull'albero per mettere tra sé ed il mondo circostante una distanza di sicurezza ed allo stesso tempo per ampliare la visuale. L'autore presta infatti al personaggio suo emissario, per aiutarlo a muoversi nel contesto di una realtà ostile e irta di pericoli, quella «doppia vista» che — garantisce Leopardi nello *Zibaldone* — è raro privilegio dell'«uomo sensibile e immaginoso» al quale gli oggetti appaiono perciò «in certo modo doppi»: «Trista quella vita (ed è pur tale la vita comunemente) che non vede, non ode, non sente se non che oggetti semplici, quelli soli di cui gli occhi, gli orecchi e gli altri sentimenti ricevono la sensazione».[19] E del dono della doppia vista non c'è dubbio che Calvino abbia saputo far buon uso, ancorché discontinuo, nel corso della sua carriera di scrittore, anche se è innegabile che scelte ideologiche e ragioni morali abbiano costituito un ostacolo lungo il suo difficile itinerario al fantastico, contribuendo a quella condizione di perplessità di cui all'inizio. Il che non implica affatto una svalutazione dello scrittore civilmente impegnato, ma la constatazione di una difficoltà che avrà non poche conseguenze sul versante della produzione fantastica: in altre parole, accanto a Pin troveremo ancora a lungo l'intellettuale commissario Kim (del resto mai rinnegato) con quel suo «desiderio enorme di logica, di sicurezza sulle cause e gli effetti»[20] che gli genera tuttavia tanti «interrogativi irrisolti», proprio come, pur nel mutare dei tempi e delle circostanze, avverrà a Quinto Anfossi della *Speculazione edilizia* e ad Amerigo Ormea della *Giornata d'uno scrutatore* (probabilmente da considerarsi tra le prove più alte della narrativa italiana del secondo Novecento).

3. Al commissario Kim attribuiremo anche, allora, gli «altri romanzi neorealistici, su temi della vita popolare di quegli anni», tentati dopo il *Sentiero* e rimasti nel cassetto (con l'unica infelice eccezione de *I giovani del Po*), come Calvino ammette senza troppi rimpianti nella *Nota* 1960 alla trilogia *I nostri antenati*,[21] finché «stanco di quei faticati fallimenti, s'abbandonò alla sua vena più spontanea d'affabulatore e scrisse di getto *Il visconte dimezzato*»,[22] «come per un passatempo privato», specifica nella nota di cui sopra. Ancora una volta le considerazioni di Pavese sullo scrittore esordiente assumevano il tono perentorio dell'oracolo e non restava che trarne le conseguenze:

> Fu Pavese il primo a parlare di tono fiabesco a mio proposito, e io, che fino ad allora non me n'ero reso conto, da quel momento in poi lo seppi fin troppo, e cercai di confermare la definizione. La mia storia cominciava a esser segnata, e ora mi pare tutta contenuta in quell'inizio.[23]

Con il primo e il più inquietante dei tre antenati, Medardo di Terralba che, durante le guerre austroturche al tramonto del XVII secolo, nel corso di una cruenta battaglia in Boemia, una cannonata divide esattamente per metà, in ognuna concentrando tutto il bene e tutto il male, Calvino esordisce nel genere della narrativa fantastica, tanto più insolito e arduo in Italia dove non esisteva una tradizione in questo senso (anche se prove memorabili avevano offerto, a suo tempo, autori come Papini, Palazzeschi, Bontempelli e continuava ad offrire, di tutti maggiore, Landolfi) e dove, per valersi ancora una volta delle parole dello scrittore, il romanzo aveva ormai intrapreso il suo «corso elegiaco-moderato-sociologico».[24]

L'*exploit* dello scrittore suscitò scalpore soprattutto tra le vestali del neorealismo, ma fu premiato dall'intervento autorevole del principe della critica militante di allora, Emilio Cecchi che, in quell'occasione, osservava come in Calvino «su dal realismo spicca il volo il favoloso», un favoloso che sembra trovare il corrispettivo solo in modelli di arte figurativa: «il *Visconte* è una vera e propria favola di tempi remoti, piena di stregonerie, di barocchi miracoli e di capricciosi grotteschi, come una pittura di Girolamo Bosch» che, se richiama per il tema lo Stevenson del *Dr Jekyll* e del *Master of Ballantrae*, rivela una «icasticità figurativa [...] di puro gusto gotico»: «così viene spontaneo il ricordo di Altdorfer, di Grünewald, dei Brueghel, di Bosch».[25]

A conferma che l'intuizione di Cecchi coglieva nel segno, si può citare lo stesso Calvino, quando, giusto a proposito del primo dei tre antenati, illustra la sua tecnica di composizione:

> All'origine di ogni storia che ho scritto c'è un'immagine che mi gira per la testa, nata chissà come e che mi porto dietro magari per anni. A poco a poco mi viene da sviluppare questa immagine in una storia con un principio e una fine, e nello stesso tempo — ma i due processi sono spesso paralleli e indipendenti — mi convinco che essa racchiude qualche significato. Quando comincio a scrivere però, tutto ciò è nella mia mente ancora in uno stato lacunoso, appena accennato. È solo scrivendo che ogni cosa finisce per andare al suo posto.[26]

Dall'immagine al racconto, alla ricerca di un significato: la doppia vista dà l'avvio ad una operazione alchemica, il risultato della quale è garantito dallo «schema perfettamente geometrico» in cui la storia si organizza: la figura del «dimidiamento», la «metà grama» dal «gelido sorriso triangolare» all'inizio è solo un'immagine fantastica destinata ad assumere, agli occhi dei lettori contemporanei, la valenza allegorica della divisione del mondo uscito dalla guerra e insieme della condizione ideologico-morale dell'uomo contemporaneo. Ma, a conferma di quanto scrive l'autore sull'organizzazione *in itinere* del racconto, vale la pena di sottolineare che l'orrida mutilazione assume tale significato solo con il dipanarsi dell'intreccio: quando, ricomparsa la metà buona, l'azione contrastante delle parti divise fa sì che la vita degli abitanti di Torralba trascorra «tra carità e terrore», «tra malvagità e virtù ugualmente disumane», fino all'operazione di ricucimento e all'*happy end* che vede Medardo fisicamente e moralmente reintegrato nella sua mediocre interezza. Il messaggio scaturisce dal corso della narrazione, ma, a ben vedere, la suggestione della vicenda non si deve tanto alla consistenza ideologica dell'*exemplum*, quanto alla sinistra *silhouette* ammantata di nero e «votata a un'irreparabile, insana crudeltà», alla capacità cioè di riconoscere e rappresentare, in chiave di grottesco, il Male quale parte essenziale della vita.

Fra l'uscita di scena del primo antenato e l'entrata del secondo, c'è una parentesi che Calvino stesso autorizza a contrassegnare come «realistica» e comprende testi fra i suoi più giustamente celebrati, come *La formica argentina* e *L'entrata in guerra*, ma, chiuso il capitolo esaltante della Resistenza, la realtà sembra aver perduto i colori squillanti dell'epica, come lo scrittore ammetterà in una conferenza del 1959 che, in qualche modo, conferma l'esaurimento ormai prossimo dell'impegno realistico ed esplicitamente civile, dopo la pubblicazione, avvenuta l'anno precedente, dei *Racconti*:

La realtà intorno a me non mi ha più dato immagini così piene di quell'energia che mi piace d'esprimere. Di scrivere storie realistiche non ho mai smesso, ma per quanto io cerchi di dar loro più movimento che posso e di renderle deformi attraverso l'ironia e il paradosso, mi riescono sempre un po' troppo tristi; e sento il bisogno allora nel mio lavoro narrativo di alternare storie realistiche a storie fantastiche.[27]

La via che lo scrittore vede aperta di fronte a sé è ormai quella della «trasfigurazione fantastica»[28] ad individuare la quale è risultata fondamentale l'esperienza scientifica a metà, per dirla con le sue parole, della raccolta di *Fiabe italiane*, alla cui preparazione concorrono dottrina folklorica e tecnica filologica, ibridate tuttavia dalla necessità o volontà di «integrare con una mano leggera d'invenzione» i testi mutili o elisi.[29] Calvino confessava che, attendendo a quel lavoro, aveva trascorso due anni, fra il 1954 ed il 1956, «in mezzo a boschi e palazzi incantati», finché a poco a poco il mondo circostante non si era adeguato ad un clima e ad una logica speciali, per cui «ogni fatto si prestava a essere interpretato e risolto in termini di metamorfosi e incantesimo».[30]

Il disvelamento della «perduta logica» che governa il mondo fiabesco è il primo passo verso il definitivo accertamento della «verità» delle fiabe che costituiscono, nel loro insieme, «una spiegazione generale della vita», un «catalogo dei destini che possono darsi a un uomo e a una donna, soprattutto per la parte di vita che è appunto il farsi di un destino» e, nella complessa articolazione e iterazione di intrecci narrativi, confermano «la sostanza unitaria del tutto, uomini bestie piante cose, l'infinita possibilità di metamorfosi di ciò che esiste».[31]

Dal mondo incantato della fiaba popolare al supremo modello letterario di Ludovico Ariosto:

Questo poeta così assolutamente limpido e ilare e senza problemi, eppure in fondo così misterioso, così abile nel celare se stesso; questo incredulo italiano del Cinquecento che trae dalla cultura rinascimentale un senso della realtà senza illusioni e mentre Machiavelli fonda su quella stessa nozione disincantata dell'umanità una dura idea di scienza politica, egli si ostina a disegnare una fiaba...[32]

Ormai il territorio del fantastico di Calvino appare inequivocabilmente definito, né gli autori che l'onnivoro lettore arruolerà fra i suoi, né le opere acquisite che andranno a costituire il viatico del suo itinerario attraverso la letteratura dei nostri giorni, varranno più a modificarlo. Il fantastico come via iniziatica, luminosa ed ardua alle radici biologiche e spirituali della condizione umana, il fantastico non come elusione di una realtà storicamente determinata, come via d'uscita dallo strazio del presente, dallo sperpero della vita, ma come veridica rappresentazione per immagini di fiaba dell'essere nel mondo: il progetto appare difficile ed ambizioso e non mancheranno le indecisioni ed i ripensamenti, proprio come la mano di tarocchi, di cui all'inizio di questo discorso, aveva preannuciato.

Il barone rampante, come ebbe ad osservare Emilio Cecchi, come noi attratto dal «curioso problema della convivenza in Calvino di due anime, e di due poetiche, così differenti», non costituisce rispetto al primo «antenato» una «autoimitazione»:

si tratta — scrive il critico — di due agili e brillanti macchine narrative: che se deliberatamente sono fatte per accompagnarsi una con l'altra, testimoniano, al tempo stesso, d'una straordinariamente versatile capacità d'invenzione e di realizzazione.[33]

Ed effettivamente il Barone richiede un approccio diverso dal Visconte che tenga conto, ad un tempo, della dichiarata predilezione dell'autore per il Settecento illuminista[34] e di un marcato intento autobiografico che innesca felicemente la trasfigurazione di miti personali e di circostanze contemporanee in fantasie settecentesche, con il didascalico proposito di suggerire un modello di contegno e di stile intellettuale nei confronti dell'impegno etico-politico.[35]

L'allegoria, si sa, può essere la peggior nemica dell'estro fantastico, ma nel romanzo le pagine dedicate all'attività filantropica e politica del nobile arboricolo non alterano il contesto della fiaba nel quale personaggi storici e d'invenzione si incontrano e si scontrano, con la grazia e la disinvoltura di figure "ariostesche", sotto gli alberi fra i rami dei quali si muove, vive, ama, studia, soffre con «ostinazione sovrumana» il barone Cosimo Piovasco di Rondò. Approfondite ricerche araldiche potrebbero dimostrare che il nobile Cosimo, corrispondente dei savants dell'illuminismo, è un antenato di Pin: anch'egli predilige la vita solitaria a contatto con la natura, sogna di creare un esercito di adolescenti arboricoli per ridurre alla ragione la terra e i suoi abitanti adulti,[36] ma si trova poi sempre dalla parte degli uomini; anch'egli sa inventare storie meravigliose, solo che, rispetto al suo discendente plebeo, riesce, facendo valere il suo privilegio di intellettuale, a mettere fra sé e la storia la distanza necessaria a ben vedere: «chi vuol guardare bene la terra deve tenersi alla distanza necessaria».[37]

Tale distanza è destinata ad aumentare con il cavaliere inesistente che nascendo, come confessa l'autore, da un'idea e non da un'immagine,[38] comporta una rinuncia alla doppia vista: la cornice fantastica è un tributo diretto alla materia dei poemi cavallereschi, ma il protagonista è la personificazione di uno stile di vita dell'uomo contemporaneo: solitaria apparenza di vita protetta da una corazza caratteriale e intelligenza disumanamente e lucidamente ossessiva, destinata ad acquistare risalto allo specchio dello scudiero Gurdulù che ha smarrito la coscienza della propria individualità nel torrente fangoso dell'inconscio collettivo.

Il cavaliere non è una proiezione mentale degli ideali cavallereschi, ma un simbolo negativo, il paradossale risultato di una crudele ascesi intellettuale, una risposta nevrotica al mondo («un'immensa minestra senza forma in cui tutto si sfaceva e tingeva di sé ogni altra cosa»); quell'armatura bianca di «inumano candore» è una difesa contro la vita che è «un rotolarsi fra letti e bare». La fiaba, per la prima volta in Calvino, si tinge programmaticamente di nero e l'intreccio tende a sciogliersi[39] e a semplificarsi in azioni sceniche prossime per secchezza alle moralità medievali.

Con l'ultimo «antenato» si comincia così a delineare il motivo centrale della riflessione dello scrittore, inevitabilmente destinato a informare la sua produzione ultima, segnatamente quella che, certo impropriamente, è stata ascritta al genere fantascientifico.

Lo stesso Calvino, ripubblicando unitamente le storie degli antenati, dopo aver sottolineato che un tratto unificatore dei tre romanzi era costituito dalla presenza di un io narratore-commentatore, «forse per correggere la freddezza oggettiva propria del raccontare favoloso, con quest'elemento ravvicinatore e lirico», avvertiva che tale presenza aveva determinato lo spostamento della sua attenzione «dalla vicenda all'atto stesso dello scrivere, al rapporto tra la complessità della vita e il foglio su cui questa complessità si dispone sotto forma di segni alfabetici».[40] Emerge quindi in primo piano il problema cruciale della «lette-

179

raturizzazione» della vita, per dirla con Svevo, cioè della riduzione del disordine della vita all'ordine della letteratura, della
ricerca di un'imperquisibile geometria del vivere, il segreto della
quale solo il cavaliere inesistente presumeva di possedere.[41] Ma
al crocevia di letteratura e vita, dal quale si dipartono le opposte
strade che conducono a *La giornata di uno scrutatore* (spietato resoconto sul male e il disordine di vivere) e a *Se una notte d'inverno un
viaggiatore* (esemplificazione dell'impossibilità di fidare su presun-
te facoltà ordinatrici della scrittura letteraria perché: lo scrittore
in realtà «fa i libri come una pianta di zucca fa le zucche», per
parafrasare un celebre giudizio di Marx a proposito di Milton),[42]
lo scrittore fantastico indugia in esercizi di meditazione, mentre
l'Indeciso si prepara ad incontrare il XXI e ultimo degli Arcani
Maggiori: il Mondo, rappresentato da una figura femminile nuda con, ai quattro angoli, i simbolici animali dell'Apocalisse,
carta «molto positiva» — assicura un esperto — il cui significato
divinatorio sarebbe «Completezza. Perfezione. Ultima tappa.
Risultato estremo di tutti gli sforzi».[43] Ma non dimentichiamo
che un Arcano, per l'ambigua magia dei tarocchi, può esprimere
anche lo speculare contrario del suo primo significato.

4. Con le *Cosmicomiche* Calvino, affascinato dal tema del «meraviglioso» scientifico, sembra confermare in pieno l'ipotesi di
Roger Caillois della continuità tra fiaba, racconto fantastico e
fantascienza come momenti storicamente successivi della fenomenologia letteraria del sovrannaturale e del meraviglioso[44], e
certo la conferma è tanto più significativa per il fatto che il nostro
si è cimentato nell'ordine in tutti e tre i generi, consentendosi solo
rari sconfinamenti da una provincia all'altra. Ma a questo schema interpretativo si potrebbe obiettare, con Michel Butor, che la
fantascienza di Calvino in realtà sfugge ai requisiti fondamentali
del genere dal momento che non offre nessuno dei «tipi di spettacolo» che «l'agenzia turistica della fantascienza propone ai clien-
ti»: la vita futura, i mondi ignoti, i visitatori inattesi.[45]
Calvino non proietta infatti le sue fantasie extraterrestri sullo
schermo di un futuro possibile prossimo o lontano, catastrofico o
rassicurante, ma regredisce, per così dire, alle origini dell'universo e della vita, scrivendo fiabe in base ad ipotesi scientifiche sulla
remota genesi del mondo. Come le fiabe tramandano il catalogo
dei destini dell'umanità, così le cosmicomiche propongono i «miti d'origine» dell'universo in un repertorio parallelo al primo e
più antico. Lo scrittore insomma tenta una cosmogonia *sub specie
fabulae*, muovendo da presupposti scientifici: stavolta la doppia

vista scruta negli strumenti e nelle parole della scienza, e lo scrittore, respingendo ogni suggestione metafisica, fedele al suo dichiarato illuminismo, cerca di stabilire una fitta rete di corrispondenze fra macrocosmo e microcosmo, alla ricerca di una perduta armonia. Come Astolfo sull'alato Ippogrifo parte alla volta della luna in cerca del senno smarrito di Orlando, così Calvino parte per galassie remote in cerca di una origine perduta nel vuoto dello spazio e nell'assenza del tempo. Ne risulta una *suite* di avventure della mente che, pur nella grazia ironicamente fabulatoria dello scrittore maturo, ormai arrivato ad un alto traguardo di finitezza stilistica, induce a tratti nel lettore una sottile inquietudine per il senso di vertigine della regressione che trasmette.

Non è più la dimensione della fiaba che, accettando l'opinione di Caillois, si aggiunge senza interferire a quella della realtà; non è neppure quella del fantastico che consente l'irruzione del perturbante nel mondo reale e non è, come si è detto, fantascienza. Né un aiuto alla comprensione della novità rappresentata dalle *Cosmicomiche* potrebbe venire dall'elenco degli autori che a questa invenzione hanno presieduto, sciorinato dallo stesso Calvino (Leopardi, i *Comics* di Popeye, Samuel Beckett, Giordano Bruno, Landolfi, Kant, Borges), troppi e troppo disparati — anche se certamente plausibili — per aiutarci a comprendere il senso del libro. Se, per parte nostra, dovessimo citare un'opera che in qualche modo persegue un obiettivo analogo — l'ambizione della cosmogonia essendo un filo segreto ma tenace che attraversa tutta la letteratura fantastica moderna — ricorderemmo, ovviamente in un diverso contesto culturale, piuttosto certi racconti di Poe come *The Conversation of Eiros and Charmion* e soprattutto *Eureka an Essay on the Material and Spiritual Universe* pubblicato nel 1848, nel quale lo scrittore americano si proponeva di trattare «dell'universo fisico, metafisico e matematico —materiale e spirituale; della sua essenza, origine, creazione, presente condizione e destino».

Ci sia consentito suffragare questa ipotesi, con quanto ebbe a dire Calvino stesso in un'intervista sull'America del 1984:

...Oggi, se dovessi dire qual è l'autore che mi ha influenzato di più, non solo in ambito americano, ma in senso assoluto direi che è Edgar Allan Poe, perché è uno scrittore che nei limiti del racconto, sa fare di tutto. All'interno del racconto è un autore di possibilità illimitate; e poi mi pare come una figura mitica di eroe della letteratura, di eroe culturale, fondatore di tutti i generi della narrativa che saranno poi sviluppati in seguito.[46]

Forse le *Cosmicomiche* trascrivono un sogno fatto in presenza della ragione scientifica: sono state la rivolta contro la realtà in nome di una perduta armonia (di Pin e del suo nobile antenato Cosimo) e la fallita esplorazione della realtà alla ricerca di segrete geometrie di Agilulfo, il cavaliere inesistente, ad aprire questo nuovo, illimitato orizzonte di ricerca. L'attenzione dello scrittore si sposta così dalla terra e dai suoi antenati all'universo, nel tentativo di ripercorrere l'itinerario dal caos al cosmo, dalla materia alla vita. Ma la determinazione di scoprire un ordine che non sia «uno sfilacciato rattoppo della disgregazione», può diventare sogno di un mondo di cristallo gelidamente perfetto nella sua inalterabile quiete minerale, e quindi innescare una ossessione di conoscenza che neppure la scienza è in grado di placare:

...Se io amo l'ordine, — si legge nella cosmicomica *I cristalli* — non è come per tanti altri il segno d'un carattere sottomesso a una disciplina interiore, a una repressione degli istinti. In me l'idea d'un mondo assolutamente regolare, simmetrico, metodico, s'associa a questo primo impeto e rigoglio della natura, alla tensione amorosa, a quello che voi dite l'eros, mentre tutte le altre vostre immagini, quelle che secondo voi associano la passione e il disordine, l'amore e il traboccare smodato — fiume fuoco vortice vulcano —, per me sono i ricordi del nulla e dell'inappetenza e della noia.[47]

Il seme del dubbio, la causa d'incertezza è quindi nella domanda se l'ordine vero sia quello «che porta dentro di sé l'impurità, la distruzione».[48]

Il problema dell'Indeciso è finalmente esplicito: se la vita degli uomini della nostra e di altre epoche è disordine e sofferenza — tanto che è meglio, per quanto possibile, allontanare il punto di vista, magari salendo su un albero come il barone o riducendosi a pura e fredda intelligenza senza turbamenti sentimentali come il cavaliere —, se l'esplorazione dell'universo lascia intuire che il Cosmo è solo la faccia visibile del Caos, non resta che ripiegare sulla indagine tecnica dei modi di «letteraturizzazione» della vita, studiando la possibilità di conferire alla letteratura lo statuto di gioco matematico, di arte combinatoria (*Il castello dei destini incrociati*, *Se una notte d'inverno un viaggiatore*) oppure inventare una realtà da adattare di volta in volta ad uno schema mentale, cercando di collezionare quante più tessere possibili di un mosaico infinito (*Le città invisibili*, *Collezione di sabbia*) oppure, più semplicemente, ricominciare a guardare la realtà in attesa di una risposta che non verrà, come fa il signor Palomar, e sforzarsi di tradurre le immagini in parole, catturarle in una rete di analogie, seguendo una spirale mentale che potrebbe toccare, al fondo del silenzio, le origini del linguaggio.

A questo punto però il profilo del narratore fantastico appare sfocato nella luce fredda delle astrazioni intellettuali: l'invenzione ha lasciato il posto alla meditazione, la narrazione alla descrizione analitica; dalla colorita epica della Resistenza popolare alla discussione dei massimi sistemi l'itinerario dell'Indeciso è stato lungo e difficile, ma l'ultimo capitolo della sua storia conferma che, ancora una volta, non ha saputo o potuto scegliere e quindi rinunciare, attratto com'era dal miraggio del Tutto indiviso e perfettamente simmetrico, ostinatamente convinto di poter tradurre la scrittura in algoritmo, senza riconoscere, per amore di idee chiare e distinte, che la chiave dei segreti di cui era andato in traccia si sarebbe forse dovuta cercare nell'amorosa pazzia di Orlando.

NOTE

1 I. Calvino, *Il castello dei destini incrociati*, Torino, Einaudi, 1973 (1ª ed. della prima parte: 1969), p. 6.
2 *Op. cit.*, p. 57; I. Calvino, *Il sentiero dei nidi di ragno*, Torino, Einaudi, 1978 (1ª ed.: 1947), p. 24 e cfr., a proposito di questo passo, G. Falaschi, *I.C.*, in «Belfagor», n. 5, 30 settembre 1972, p. 533: «... Il libro è una scelta di dati e di elementi da una vastità più complessa di dati e di elementi; scrivere significa prima di tutto scegliere, portare a livello linguistico e a livello razionale ciò che è disordinato o, più che altro, carico di cose. La scrittura è quindi un dono, un atto eccezionale che però taglia fuori una parte delle cose; essendo scelta è anche sacrificio...», e più oltre, pp. 535-6: «Da questo materiale oggettivo rifiutato, dal tradimento consumato verso i compagni che erano stati diversi da quel che appare nel romanzo, nasce il complesso di colpa di Calvino, ed è il complesso della letteratura di fronte alla storia, dell'individuo di fronte alla società, del militante di fronte al partito».
3 *Il castello* ecc., cit., p. 58.
4 *Op. cit.*, pp. 59-60.
5 *Op. cit.*, p. 60.
6 *Op. cit.*, p. 61.
7 *Op. cit.*, p. 62.
8 *Op. cit.*, *ibidem*.
9 *Op. cit.*, p. 124.
10 C. Pavese in «l'Unità», 26 ottobre 1947, quindi in *Saggi letterari*, Torino, Einaudi, 1968, pp. 245-7. Sulla difficoltà di approccio all'opera di Calvino si vd. per tutti quanto scrive Giuseppe Bonura nelle prime righe della monografia dedicata allo scrittore: «Diciamo subito, per onestà morale prima ancora che critica, che avvicinarsi al mondo poetico di Italo Calvino è come voler raggiungere una meta che non solo si sposta in avanti continuamente, ma che spesso e volentieri scarta a destra e a sinistra con una logica che sembra obbedire al famoso "principio d'indeterminazione" stabilito dal fisico Werner Karl Heisenberg» (*Invito alla lettura di I. C.*, Milano, Mursia, 1985², p. 17).
11 I. Calvino, *Il sentiero dei nidi di ragno*, cit., pp. 7-8.

12 *Op. cit.*, pp. 12-13. E vd. più oltre: «...Il pericolo che alla nuova letteratura fosse assegnata una funzione celebrativa e didascalica era nell'aria: quando scrissi questo libro l'avevo appena avvertito, e già stavo a pelo ritto, a unghie sfoderate contro l'incombere di una nuova retorica» (p. 14).

13 *Op. cit.*, pp. 15-16.

14 *Op. cit.*, pp. 20-21.

15 *Op. cit.*, p. 18.

16 *Op. cit.*, p. 146.

17 *Op. cit.*, pp. 40 e 43.

18 *Op. cit.*, p. 167.

19 G. Leopardi, *Tutte le opere*, a c. di W. Binni ed E. Ghidetti, Firenze, Sansoni, 1976[2], II, p. 1196.

20 *Il sentiero* ecc., cit., p. 138.

21 I. Calvino, *I nostri antenati*, Milano, Garzanti, 1985, p. 400 e cfr. la *Nota introduttiva* a *Gli amori difficili*, Torino, Einaudi, 1970[2], p. VII: «Ciò che ancora restava per lui più incerta era la vocazione letteraria: dopo il primo romanzo pubblicato, tentò per anni di scriverne altri sulla stessa linea realistico-social-picaresca che venivano stroncati e cestinati senza misericordia dai suoi maestri e consiglieri...».

22 *Nota introduttiva* a *Gli amori difficili*, cit., *ibidem*.

23 *Il sentiero* ecc., cit., p. 17.

24 *Op. cit.*, pp. 21-22.

Per un sommario prospetto della letteratura fantastica del Novecento in Italia si vd. la *Prefazione* a *Notturno italiano. Racconti fantastici del Novecento*, a c. di E. Ghidetti e L. Lattarulo, cit. (di Lattarulo cfr. anche: *La ricerca narrativa tra logica e misticismo*, Roma, Edizioni Carte Segrete, 1982). Su Landolfi si vd. la nota a conclusione de *Le più belle pagine di T. Landolfi scelte da I. Calvino*, Milano, Rizzoli, 1982.

25 E. Cecchi, ora in *Letteratura italiana del Novecento*, a c. di P. Citati, Milano, Mondadori, 1972, II, pp. 1140-2.

26 *I nostri antenati*, cit., p. 401.

27 *Tre correnti del romanzo italiano*, in *Una pietra sopra. Discorsi di letteratura e società*, Torino, Einaudi, 1980, p. 56.

28 *Op. cit.*, p. 56.

29 *Fiabe italiane* raccolte dalla tradizione popolare durante gli ultimi cento anni e trascritte in lingua dai vari dialetti da Italo Calvino, Torino, Einaudi, 1985[9] (1ª ed.: 1956), p. XIII.

30 *Op. cit.*, p. XI; e poco più oltre: «ogni poco mi pareva che dalla scatola magica che avevo aperto, la perduta logica che governa il mondo delle fiabe si fosse scatenata, ritornando a dominare sulla terra» (*ivi*).

31 *Op. cit.*, p. XII.

32 *Una pietra sopra*, cit., p. 57, e vd. anche *Orlando furioso* di Ludovico Ariosto raccontato da I. Calvino, con una scelta del poema, Torino, Einaudi, 1970.

33 E. Cecchi, ora in *Letteratura* ecc., cit., pp. 1142 e 1144.

34 Vd. la *Nota introduttiva* a *Gli amori difficili*, cit., pp. VII-VIII: «La cultura illuminista e giacobina era il cavallo di battaglia degli storici in mezzo ai quali egli viveva nel lavoro editoriale quotidiano: da Franco Venturi ai più giovani e al loro maestro Cantimori; inoltre il suo retroterra personale, di discendente di frammassoni, gli faceva trovare nel mondo ideologico settecentesco un'aria di famiglia».

35 *Op. cit.*, p. VIII; *I nostri antenati*, cit., pp. 404-406.

36 *I nostri antenati*, cit., p. 98.

37 *Op. cit.*, p. 221.

38 *Op. cit.*, pp. 406-407.

39 *Op. cit.*, pp. 334 e 335.

40 *Op. cit.*, p. 408.

41 *Op. cit.*, p. 355: «...la vita è un rotolarsi tra letti e bare, e lui solo ne sapeva la geometria segreta, l'ordine, la regola per capirne il principio e la fine!».

42 I. Calvino, *Se una notte d'inverno un viaggiatore*, Torino, Einaudi, 1979, p. 189.

43 Stuart R. Kaplan, *I tarocchi*, Milano, Mondadori, 1979, pp. 132-3.

44 R. Caillois, *Dalla fiaba alla fantascienza* in appendice a *Il deserto del sogno*, Milano, Nuova Accademia, 1964, pp. 143-179 (n. ed.: Roma, Theoria, 1985).

45 M. Butor, *La crisi di crescenza della fantascienza*, in *Repertorio. Studi e conferenze (1948-1959)*, Milano, Il Saggiatore, 1961, pp. 198-204.

46 I. Calvino, *La mia città è New York*, in U. Rubeo, *Mal d'America*, Roma, Editori Riuniti, 1987, p. 158.

47 I. Calvino, *Ti con zero*, Torino, Einaudi, 1967, p. 40.

48 *Op. cit.*, p. 45.

Giorgio Raimondo Cardona
FIABA, RACCONTO E ROMANZO

Se giustapponiamo in ordine cronologico i molti scritti di Calvino, dalle opere maggiori ai singoli racconti, il percorso descritto appare, non si dirà lineare, ma conseguente all'estremo. I segnali che invitano a vedere una sostanziale coerenza in una produzione così complessa e palesemente diversificata sono così numerosi che è difficile pensare non siano voluti:

«Ha pubblicato finora quattro libri e sa rinnovarsi di volta in volta, pur restando sempre fedele a se stesso» dice il risvolto di copertina di una ristampa del *Sentiero* (Torino, Einaudi, 1954), di pugno forse dello stesso Calvino, che come sappiamo volle sempre scrivere lui stesso risvolti e presentazioni per i propri libri.

«Il *Cavaliere di Spade, L'Eremita, Il Bagatto* sono sempre io come di volta in volta mi sono immaginato d'essere [...]. Forse è arrivato il momento d'ammettere che il tarocco numero uno è il solo che rappresenta onestamente quello che sono riuscito a essere: un giocoliere o illusionista che dispone sul suo banco da fiera un certo numero di figure e spostandole, connettendole e scambiandole ottiene un certo numero d'effetti» (*Il Castello dei destini incrociati*, ivi, pp. 104-105).

«Ma, a pensarci bene, chi ha mai detto che questo autore ha un accento inconfondibile? Anzi, si sa che è un autore che cambia molto da libro a libro. E proprio in questi cambiamenti si riconosce che è lui» (*Se una notte d'inverno*, ivi, p. 9).

È l'autore stesso, così spesso affiorante allo scoperto nel testo, a chiederci di riconoscere l'unitarietà della sua ricerca e, soprattutto nelle ultime opere, anche a capirne la motivazione profonda ed esistenziale; e da questo punto di vista soprattutto il *Castello dei destini incrociati* è particolamente ricco di rivelazioni dirette. Quel che distingue Calvino da altri autori pur fortemente orientati è però la complessità del lavoro aggiunto; di opera in opera aumenta il bagaglio delle cognizioni, degli esperimenti, delle allusioni. Nell'arco quarantennale della sua attività è evidente un continuo processo di inglobamento di suggerimenti strutturali, contenutistici, stilistici che Calvino padroneggia pur sempre in un suo rigoroso pentagramma, evitando i sovratoni e senza mai cedere alla tentazione dell'orpello erudito, della citazione ad effetto. Il materiale delle sue pagine proviene, oltre che dall'immenso archivio memoriale accumulato da un'attenzione sempre all'ascolto, dagli stimoli di innumerevoli letture letterarie, antropologiche, linguistico-semiologiche, scientifiche, alimento di una continua rielaborazione, secondo una traiettoria tesa e precisa. Ma pur fatto oggetto di minutissima riflessione critica, ed egli stesso eccellente analista dei suoi procedimenti, in un processo circolare di interazione tra autore e critici che forse non ha riscontri nella nostra letteratura[1], Calvino ha sempre preso le distanze, con estrema misura del resto, da quelle interpretazioni che potevano svuotare di significato la sua opera riducendola al gioco combinatorio, all'applicazione in fondo sterile di questo o quel metodo semiotico.[2]

Non è assurdo che nell'interpretare l'opera di un maestro di combinatorie si possano applicare molti modelli diversi; uno tra i vari proposti segmenta l'opera in tre fasi cronologiche, il Calvino degli inizi narrativi, quello delle allegorie degli antenati e quello delle storie che riflettono sulla loro stessa invenzione. Anche il titolo di questa comunicazione allude a una tripartizione, ma in un senso diverso; così com'è formulato, nella prospettiva consueta dei generi letterari, esso potrebbe sembrare alludere a un crescendo da prove di minore impegno a prove più muscolose. E invece si vuol qui illustrare la sostanziale unità del percorso calviniano, vista però proprio nel suo manifestarsi attraverso questi tre diversi *avatar* formali. Nella funzione del raccontare Calvino ha riassorbito ogni altra funzione della sua scrittura, dall'esatta prospezione analitica, che pure non gli fu certo estranea, all'intuizione lirica, che è ben presente ma compressa in luminose coloriture ai margini della pagina narrativa. I tre generi — fiaba, racconto, romanzo — vengono attraversati nella piena consapevolezza, spesso esplicita, di tutte le regole del gioco letterario e anzi con arricchimenti inediti, senza che mai si perda l'impronta dell'autore. Ma fra i tre la fiaba è il primo e resterà sempre il dominante.

1. Dal *Sentiero dei nidi di ragno* alle *Fiabe italiane*

Nella sua presentazione editoriale del *Sentiero dei nidi di ragno*, Pavese scriveva nel 1946: «Stimolato da una materia spessa e opaca, caotica e tragica, passionale e totale, — la guerra civile, la

188

vita partigiana, da lui vissuta sulla soglia dell'adolescenza, — Italo Calvino ha risolto il problema di trasfigurarla e farne racconto colandola in una forma fiabesca e avventurosa, di quell'avventuroso che si dà come esperienza fantastica di tutti i ragazzi»; e nella tante volte citata recensione del 1947: «L'astuzia di Calvino, scoiattolo della penna, è stata questa, di arrampicarsi sulle piante, più per gioco che per paura, e osservare la vita partigiana come una favola di bosco, clamorosa, variopinta, "diversa"» («l'Unità» di Roma, 26 ottobre 1947, poi in *La letteratura americana e altri saggi*, Einaudi, Torino, 1951, e quindi in *Saggi letterari*, ivi 1968, pp. 245-247). Fiaba, favola sono le parole chiave della nascente critica su Calvino; non diversamente, a proposito di *Ultimo viene il corvo* scriveva Pampaloni: «dove tuttavia anche la guerra diviene motivo di lucida fiaba, viva e distante come tutte le fiabe. Ed è appunto questo il dono (e il pericolo) del giovane Calvino».

Gli accordi su cui si muoverà l'opera di Calvino sono accennati con sicurezza, e la molta letteratura critica che seguirà non se ne distaccherà molto: osservazione precisa, fotografica di una realtà, sua trasfigurazione nella dimensione del favoloso,[3] e, sul piano morale, rapporto tra l'io osservante e il mondo delle cose e delle passioni.

Con un'agnizione di lettura che nel 1947 è al tempo stesso anche una profezia, Pavese sentiva nel *Sentiero* "un sapore ariostesco"; ma così numerose sono le intersezioni ariostesche nell'opera di Calvino che è forse più economico parlare di una "funzione Ariosto" che le percorre interamente, dal *Cavaliere inesistente* al *Castello dei destini incrociati*, passando per la riscrittura del *Furioso*, del 1968-70, per le esplicite adesioni (cfr. per esempio in *Una pietra sopra*, ivi, 1980, pp. 57, 86, 279) e perfino per le minime spie sparse in altre opere, come i nomi ariosteschi nel *Marcovaldo* (Astolfo, Fiordiligi). E ariostesca in Calvino è proprio la trattazione dei generi.

Dopo Boiardo e con Ariosto le regole del genere cavalleresco — osserva Maria Corti — cambiano. «L'Ariosto produce un coassiale spostamento di piani, tematico-simbolico, ritmico, retorico, linguistico (modello bembesco), per cui l'*Orlando furioso*, senza fuoruscire dal genere cavalleresco, sale nella gerarchia letteraria alla stessa nobiltà del genere lirico. L'Ariosto non ha rotto coi modelli, ma ha instaurato una relazione di forza con essi, una "scommessa" per usare il termine continiano: trasformare l'ottava narrativa cavalleresca in lirica senza rinunciare al carattere narrativo e all'ordine segreto, sotteso alla varietà narrativa, che gradatamente si svela nell'equilibrio delle aggiunte fantastiche e delle sottrazioni ironiche» (*Principi della comunicazione letteraria*, Bompiani, Milano, 1976, p. 175).

Solo che si sostituisca "prosa" ad "ottava", la formulazione sembra attagliarsi perfettamente anche all'operazione calviniana. Ecco dunque tracciata la dimensione privilegiata del raccontare fiabesco, modulata dalla nostalgia ariostesca.

Molti passi del *Sentiero* mostrano, al di là di certa ricerca veristica nella rappresentazione di cose e persone e di certa concitazione nei tempi di regia delle battute del dialogo, poi diventate di maniera nella letteratura dell'immediato dopoguerra, la sempre presente porta della quarta dimensione, stilistica come narratologica: attraverso questa porta si lasciano intravvedere scenari fiabeschi, figure dell'immaginario, oggetti magici, uscite dal tempo reale della narrazione. Quanto alle valenze magiche, Calvino stesso le sottolinea esplicitamente: «Questi sono posti magici, dove ogni volta si compie un incantesimo. E anche la pistola è magica, è come una bacchetta fatata. E anche il Cugino è un grande mago, col mitra e il berrettino di lana, che ora gli mette una mano sui capelli e chiede: — Che fai da queste parti, Pin?» (*Sentiero*, p. 194).

Ma altre operazioni sono compiute attraverso l'uso di commutatori narrativi. Si veda come è narrato il sogno di Pin: «Pin ora è solo che aspetta. Ora che non c'è più Lupo Rosso tutte le ombre prendono forme strane, tutti i rumori sembrano passi che s'avvicinano. È il marinaio che sbraita [...] c'è un uomo vivo seppellito nella spazzatura, la sentinella con la sua triste faccia tagliuzzata dal rasoio!

Pin si scuote di soprassalto: quanto avrà dormito?» (*Sentiero*, pp. 69-70).

Le forme del sogno sono introdotte senza alcun preavviso, in modo da ottenere un continuo tra realtà e immaginazione che viene rotto solo con il segnale posticipato («quanto avrà dormito?»).

Un analogo uso dei commutatori per ottenere l'effetto di continuo possiamo trovare nei primi racconti: «Forse avrebbe preferito traversare i terreni minati di notte strisciando nel buio, non per sfuggire le pattuglie confinarie, ché quelli erano posti sicuri, ma per sfuggire alla paura delle mine, come se le mine fossero state delle grandi bestie sonnacchiose, che potessero svegliarsi al suo passaggio. Marmotte: delle enormi marmotte accoccolate in tane sotterranee, con una che faceva la guardia dall'alto di un sasso, come usano le marmotte, e dava l'allarme al vederlo, con un sibilo» (*Campo di mine*, del 1946, in *Racconti*, Torino, Einaudi, 1958) dove, all'inverso, l'immagine fantastica prende corpo senza segnali espliciti e gli strumenti di morte di colpo acquistano corpo e usanze dei veri animali.

Proprio richiamando due dei suoi primi racconti, *Ultimo viene il corvo* (1946) e *Il bosco degli animali* (1948), Calvino, alla terza persona, così si riassume: «Il primo racconto col suo crescendo drammatico e il secondo col suo crescendo tragicomico indicano già una delle principali caratteristiche dello stile di Calvino: il rappresentare esperienze della vita reale trasfigurandole con la fantasia. È la stessa mescolanza di fantasia e di realtà che troveremo nei racconti di Marcovaldo» (*Presentazione* all'edizione per le scuole di *Marcovaldo*, ivi, 1966, p. 12).

Se riconosceva limpidamente il suo *proprium* narrativo, Calvino non si sentiva però isolato. Dato significativo, nell'*Introduzione* all'edizione del *Sentiero* del 1964, tanto importante per la ricostruzione della sua genesi narrativa, egli ricorda l'esistenza di una tradizione orale di narrazioni relative ai fatti della resistenza, nata evidentemente nel breve spazio di tempo tra '43 e '45: «Più che come un'opera mia lo leggo come un libro nato anonimamente dal clima generale di un'epoca [...] ci muovevamo in un multicolore universo di storie [...]. Durante la guerra partigiana le storie appena vissute si trasformavano e trasfiguravano in storie raccontate la notte accanto al fuoco, acquistavano già uno stile, un linguaggio, un umore come di bravata, una ricerca di effetti angosciosi o truculenti. Alcuni miei racconti, alcune pagine di questo romanzo hanno all'origine questa tradizione orale appena nata, nei fatti, nel linguaggio...» (pp. 7-8).

Questa testimonianza non va letta in senso riduttivo, come uno dei tanti sottotono dell'autore; al contrario, essa può acquistare un rilievo del tutto particolare. Se nuovi erano evidentemente i fatti che si andavano producendo, non era certo nuova la modalità narrativa descritta, che è appunto quella tipica della tradizione orale, cui l'occasione drammatica portava semmai un sovrappiù di pathos e di significatività, e che non poteva che essere amplificata dalla situazione di clandestinità e dall'interruzione della normale circolazione delle notizie. Non diversamente, in altre tradizioni popolari, nel tessuto delle *byline* russe o dell'epos serbo sono entrati, nel dopoguerra, i temi e gli eventi della guerra partigiana.

Strutturalmente, geneticamente dunque, le prime prove di Calvino narratore non sono distanti dall'operazione, più volte tentata nella nostra letteratura, di dare forma scritta a un testo orale che dell'oralità ha tutte le fluidità, le contraddizioni ma anche la guizzante vivezza linguistica e narrativa. E all'universo tematico delle fiabe ci riporta fin il titolo stesso del *Sentiero*: i titoli delle opere di Calvino appartengono a tipi diversi, alcuni sospensivi, nella tradizione pavesiana (*Ultimo viene il corvo*), altri semplicemente descrittivi; ma c'è un tipo di tematizzazione che gli è caro e che torna a più riprese, ed è appunto il modulo, tipicamente fiabesco, del titolo del *Sentiero*, cui faranno eco

Il palazzo della Regina dannata (*Fiabe italiane*, Torino, Einaudi, 1956, n. 93)

La potenza della felce maschio (ivi, n. 196)

Il giardino dei gatti ostinati (*Marcovaldo*, n. 19)

Il castello dei destini incrociati

La taverna dei destini incrociati

Il museo dei mostri di cera (in *Collezione di sabbia*, Milano, Garzanti, 1984)

L'arcipelago dei luoghi immaginari (ivi)

I francobolli degli stati d'animo (ivi)

Sappiamo che l'interesse di Calvino per le fiabe non ha un inizio databile: esso nasce fin dalle primissime letture (tra cui *Pinocchio*) e cresce con lui. Ma a ridosso del *Visconte dimezzato*, del 1952, l'adesione al mondo fiabesco si fa per Calvino interesse anche professionale: le *Fiabe italiane*, che escono nel 1956, dichiarano due anni di lavoro preparatorio; un anno prima esce la raccolta delle *Fiabe africane*, seguirà poi una serie relativamente fitta di interventi: nell'ordine, l'introduzione a Guastella (1969), la cura di una scelta dei Grimm (1970), l'intervento sulle fiabe per la *Storia d'Italia* (1973), presentazioni al Basile (1974) e a Perrault (1974), la fiaba *La foresta - radice - labirinto*, e naturalmente varie ristampe in edizioni singole delle più belle fra le *Fiabe italiane*.

La data delle *Fiabe* è significativa; essa coincide con il periodo più originale forse delle discussioni sul folklore in Italia; nel 1948 Ernesto De Martino aveva pubblicato il *Mondo magico*; nel 1950 erano apparse a stampa le *Osservazioni sul folklore* gramsciane, scritte venti anni prima durante la prigionia; sono, gli anni tra il 1948 e il 1955, «anni fervorosi e ricchi; spedizioni o rilevazioni sul campo (De Martino, Carpitella, Cagnetta, Scotellaro, Dolci, ecc.); nascita di riviste con preciso impegno di dibattito generale e tecnico (*La Lapa* di Eugenio Cirese), discussioni di risonanza nazionale, dentro e fuori dei limiti specialistici, e non solo tra indirizzi marxisti e indirizzi crociani ma anche tra diverse osservanze crociane o marxiste, ecc.» (A.M. Cirese, *Cultura egemonica e culture subalterne*, Palermo, Palumbo, 1971, p. 80). A questo clima intenso, in cui studi specialistici e impegno ideologico sembrano finalmente combinarsi con felice dialettica, reagiscono anche i più attenti tra i letterati: nel 1955 Pasolini aveva pubblicato il suo *Canzoniere Italiano*, e le *Fiabe italiane* sono invece il contributo di Calvino;[4] come già per il *Sentiero*, ancora una volta la dimensione fantastica viene felicemente messa al servizio di un impegno civile, senza che per questa ricerca di un fine ne abbia a risentire la qualità estetica.

Molti sono stati in Italia i demologi di professione, e molto hanno fatto per raccogliere e conservare il patrimonio folklorico nazionale; ma a nessun demologo di professione è riuscito ciò che è riuscito a Calvino: senza sottrarre le fiabe al loro pubblico naturale di piccoli ascoltatori, egli ha saputo riproporle intatte anche a un pubblico colto e adulto. Ultimo di una tradizione di letterati che si chinano sul mondo popolare della fiaba (Straparola, Basile, Imbriani, Capuana) Calvino ha saputo unire sensibilità diverse e raramente compagne nei raccoglitori di materiale folklorico, quella per lo stile e quella per l'intreccio.

«Visto che Calvino si divertiva a inventare queste specie di fiabe, fu incaricato di raccogliere in un libro le fiabe della tradizione popolare. E il suo libro *Fiabe italiane*, che raccoglie duecento storie del folklore di tutte le regioni italiane, può essere avvicinato alla raccolta dei fratelli Grimm»: così egli stesso, con il consueto "understatement", ricorda dieci anni dopo quel suo lavoro (*Presentazione* a *Marcovaldo*, cit., p. 12), e di fatto — anche se si è detto quanta maggior tensione confluisse nel progetto — nell'*Introduzione* alle *Fiabe*, scritta anche perché suocera (leggi i folkloristi) intenda, se si delineano con modestia ma anche con grande chiarezza e nettezza le scelte stilistiche, non c'è però alcuna presa di posizione o rivendicazione di meriti sul piano del dibattito ideologico. Quello svolto nelle *Fiabe* è un lavoro di scelta e di riscrittura; assomiglia, vien fatto di dire, a quello del restauratore d'opere d'arte antiche che deve sapere quando lasciar parlare il materiale originale e quando accennare una curva, una voluta ormai sgretolata o scomparsa.

Questo è ciò che Calvino vuol mostrarci. Ma la frequentazione delle fiabe italiane è l'occasione non soltanto per un esercizio di stile, ma anche per un viaggio attraverso i meccanismi della narrazione fiabesca, di cui Calvino scopriva «la proprietà più segreta: la sua infinita varietà ed infinita ripetizione» (*Introduzione*, p. XVII); è l'occasione per familiarizzarsi con le classificazioni

193

tipologiche per motivi e varianti, come quelle ancora meccaniche dell'indice di Aarne e Thomson, che ignorano gli schemi funzionali di Propp, allora ancora sconosciuti all'Occidente, ma che però ne sono il necessario presupposto. E certo da questa consuetudine prende forma nello scrittore quella coscienza specifica dei procedimenti combinatori (certo poi aumentata dalla lettura della *Morfologia della fiaba* di Propp, tradotta solo nel 1966,[5] e poi dalla frequentazione anche personale di Barthes, Greimas, Todorov, Genette, degli sperimentalisti dell'Ou.li.po), che riaffiorerà sempre più forte negli sviluppi di certi racconti delle *Cosmicomiche*, nelle *Città invisibili*, nel *Castello*, nel *Se una notte d'inverno*, fino a imporre una cadenza quasi ossessiva alle sue costruzioni.

Anche se saranno le esperienze successive a fornirgli gli strumenti per una ricognizione più esatta, per Calvino già negli anni '50 la fiaba è il luogo della combinatoria; ma è anche un esercizio di costruzione di uno spazio vivente, in cui si possono aprire a volontà finestre e fondali.

Si può dimostrare che l'andamento fiabesco, o perlomeno alcuni dei procedimenti semiotici propri del genere fiaba non vengono mai meno in tutta la produzione calviniana. Scoperti come per intuito, diventano poi elementi utilizzati più o meno regolarmente.

Si sono già indicati alcuni esempi di uso dei commutatori dei valori di verità, o delle chiavi di interpretazione, a proposito del *Sentiero* e dei primi racconti. Un altro esempio può essere dato dal rapporto tipicamente fiabesco tra umano e non umano: il mondo della natura è così vicino all'uomo in Calvino che in realtà umano e non umano formano una sola continuità al cui interno sono possibili continui slittamenti e trasformazioni. Uno di questi elementi o procedimenti è quello che solo semplificando possiamo chiamare l'anacronismo, e che è in realtà la possibilità di spostare a piacimento il cursore del tempo in avanti o indietro rispetto al tempo presunto della narrazione:

«Altra è la descrizione del mondo cui tu presti benigno orecchio, altra quella che farà il giro dei capannelli di scaricatori e gondolieri sulle fondamenta di casa mia il giorno del mio ritorno, altra quella che potrei dettare in tarda età, se venissi fatto prigioniero da pirati genovesi e messo in ceppi nella stessa cella con uno scrivano di romanzi d'avventura» (*Città invisibili*, Torino, Einaudi, 1972, p. 143); o, sempre nello stesso contesto medievale delle *Città invisibili*, il richiamo a «la linea di tiro della nave cannoniera apparsa all'improvviso dietro il capo e la bomba che distrugge la grondaia». Così come sono tipici procedimenti della narrazione fiabesca gli a parte estemporanei e le entrate e le uscite del narratore in prima persona.

Ma soprattutto dobbiamo riportare a un tipico modello della narrazione fiabesca l'incastonatura di singoli testi narrativi dentro un macrotesto, la costruzione della totalità delle opere di Calvino. A Calvino non fu dato di costruire quel romanzo di grande impianto a cui pure tendeva negli anni dell'apprendistato; gli fu sempre congeniale la misura della novella, del racconto breve, o perfino quella del tondo pittorico delle *Città invisibili*. È evidente che si delimitava così una scansione non solo stilistica ma anche ideativa e strutturale; ma a considerare la composizione esterna di tutte le opere pubblicate, e perfino dell'incompiuto *Sotto il sole giaguaro*, Calvino non accettò mai fino in fondo questa sua misura naturale; sia che raccogliesse in volume testi già apparsi (*Marcovaldo*; *Cosmicomiche vecchie e nuove*; *Palomar*; *Sotto il sole giaguaro*), sia che ne pubblicasse di nuovi (*Le città invisibili*; *Se una notte d'inverno*), in tutti è evidente il desiderio di costruire o ricostruire una cornice coerente e portante; questa costruzione può essere essa stessa un testo nel testo (come nelle *Città invisibili* o in *Se una notte d'inverno*), o il meccanismo generatore del racconto (come il gioco dei tarocchi nel *Castello*), o anche semplicemente un ordine annotato (come in *Palomar*), o un tema (le stagioni in *Marcovaldo*, i cinque sensi in *Sotto il sole giaguaro*).

2. *La lingua*

Tutte le operazioni di Calvino si svolgono all'interno di una varietà linguistica media, tersa e prosciugata, che conta più sulla precisione lessicale che non sui collegamenti transfrastici per identificare i registri di volta in volta più appropriati. È, la sua, la ricerca di un tono, di un movimento musicale più che di una determinata melodia.

Dell'universo scrittura di Calvino è parte integrante il concetto di riscrittura; riscrittura dei registri parlati e in genere dell'oralità del racconto, "trascrizione" delle fiabe italiane dai dialetti, riscrittura del *Furioso*. Proprio l'operazione di traduzione delle *Fiabe italiane* segna un momento di riflessione particolarmente esplicita e approfondita sul problema della lingua (problema sul quale Calvino ebbe modo di intervenire esplicitamente più volte). L'esigenza di stendere in una varietà linguistica unitaria e coerente testi di provenienze e livelli stilistici diversi porta a dover arricchire testi troppo asciutti e schematici così come a spegnere testi troppo ricchi e idiomatici.

«Per molti testi, poi dovevo (al contrario di quel che ho fatto di solito per gli altri dialetti) cercare d'abbassare d'un grado il tono del linguaggio, di scolorire e rinsecchire un po' il vocabolario troppo ricco e carico e compiaciuto; lavoro che ho fatto a malincuore, pensando all'efficacia, alla finezza, all'armonia interna di quelle pagine, ma anche con la spietata sicurezza che ogni operazione di "rinuncia" stilistica, di riduzione all'essenziale, è un atto di moralità letteraria» (*Fiabe italiane*, p. XXII). Questo registro medio, in cui l'efficacia è ottenuta con altri mezzi che non l'enfasi, la ridondanza, lo scarto stilistico, è del resto la cifra scelta fin dagli inizi. A proposito del *Sentiero* Calvino stesso ricorda: «Scrivendo, il mio bisogno stilistico era tenermi più in basso dei fatti, l'italiano che mi piaceva era quello di "chi non parla l'italiano in casa", cercavo di scrivere come avrebbe scritto un ipotetico me stesso autodidatta» (*Prefazione* al *Sentiero*).

E nella stesura del *Castello*, impostasi la necessità di far corrispondere registri diversi al *Castello* e alla *Taverna*, per «riprodurre la differenza degli stili figurativi tra le miniature del Rinascimento e le rozze incisioni dei tarocchi di Marsiglia», ecco che la scelta non è innalzare lo stile del *Castello*, ma piuttosto «abbassare il materiale verbale [della *Taverna*] giù giù fino al livello d'un borbottio da sonnambulo» (*Castello*, *Nota*, p. 127).

Di fatto le scelte linguistiche finiscono per collocarsi sempre all'interno di quella lingua auspicata da Calvino, precisa senza enfasi, «un italiano che sia il più possibile concreto e il più possibile preciso» (*Una pietra sopra*, ivi, 1980, p. 121), che non tende alla mimesi o perlomeno non nel modo più ovvio, e in cui l'unica differenza sensibile è semmai quella tra il registro del referto scientifico e quelli del parlato, differenza sfruttata stilisticamente nelle colloquiali entrate di Qwfwq, la voce recitante delle *Cosmicomiche*, dopo i testi scientifici d'apertura.

3. *Incontri e consonanze*

Alla progressiva complicazione strutturale della narrativa di Calvino risponde un progressivo aumento della densità tematica, in termini di suggestioni, reminiscenze, risposte implicite a implicite domande, quasi come per andare incontro a quel "lettore più colto di quanto non sia lo scrittore" che è prefigurato in un'intervista del 1967 (*Una pietra sopra*, p. 162). È difficile tracciare una mappa generale delle letture di Calvino; oltre alle sue devozioni personali, confluivano infatti nel suo canone anche le innumerevoli letture più o meno professionali relative al lavoro editoriale;[6] ma nulla era mai casuale e anche tutto quello di cui Calvino si occupava professionalmente lasciava dietro di sé echi, suggerimenti, sfumature. E in realtà anche uno studio delle fonti di Calvino, sia pur limitato agli aspetti narrativi che qui interessano, non avrebbe forse molto senso, perché il suo contatto con un autore non si traduce in un frammento, un intarsio, ma piuttosto in una nota, o meglio ancora nella scelta di una chiave del fraseggio, oppure in un sentore, fuso nel tutto come l'ingrediente in un profumo.[7] Non si deve oltretutto dimenticare che, da intellettuale moderno, Calvino non intratteneva rapporti soltanto con la parola scritta, ma anche con gli altri media espressivi; egli è forse il primo nostro autore per il quale abbia senso parlare di suggestioni grafico-pittoriche quasi a pari titolo con quelle letterarie. I suoi rapporti con le arti figurative del secolo sono molteplici e di diverso peso: da una consonanza emotiva ma forse superficiale, che si traduce semmai nella scelta di un'immagine per una copertina (così Escher, utilizzato per la prima edizione delle *Cosmicomiche*, Grandville,[8] e naturalmente Folon), a rapporti più profondi, come quello con Domenico Gnoli, che comincia con il progetto di illustrazione del *Barone rampante* nel 1957 e si conclude con i testi scritti da Calvino per alcuni "oggetti" gnoliani dell'ultima maniera;[9] e si può pensare ancora a un certo Savinio (per esempio quello delle illustrazioni per il Luciano di Samosata), e a Fabrizio Clerici. E se si dovesse fare un solo nome tra i classici, questo sarebbe Bruegel il vecchio, nel quale è tanto "calviniano" il grottesco sorridente e non iroso delle figure (certi mendicanti dimezzati appoggiati alle loro grucce) quanto il nitore dei particolari del paesaggio, visti attraverso un'atmosfera tersa e trasparente.

Le sue consonanze letterarie privilegiano naturalmente certe zone del racconto, quelle più ricche di occasioni fantastiche. Lo stesso Milione, che ci si aspetterebbe presente in filigrana nelle *Città invisibili*, che così esplicitamente vi si richiamano, è appena un pretesto di partenza:[10] «Partendosi di là e andando tre giornate verso levante, l'uomo si trova a Diomira...» (p. 15); «Di capo a tre giornate, andando verso mezzodì, l'uomo s'incontra ad Anastasia...» (p. 20).

Un parallelo che si impone e che è suggerito dallo stesso Calvino è con Borges, ma questo parallelo non implica alcuna dipendenza stretta. Mettendo da parte certe affinità dovute al comune amore per lo Stevenson dei racconti, di Borges Calvino ebbe certamente presenti alcuni testi in particolare; per esempio, viene molto probabilmente dalla lettura del saggio sul *Kubla Khan* di Coleridge (*El sueño de Coleridge*, in *Otras inquisiciones*, del 1952) l'idea di mettere in scena Kublai accanto a Marco, e di farne un malinconico sognatore. Certo, qualcuna delle città invisibili è costruita su temi borgesiani: la circolarità, la specularità, il sogno. Qualche parallelo si può ravvisare per esempio nell'accumulo dei particolari visivi, ognuno nuovo e pregnante, ma collocato al suo posto con un gesto rapido. Sono le caratteristiche che Borges stesso elenca come suoi procedimenti: «le enumerazioni contrastanti, la repentina soluzione di continuità, la riduzione dell'intera vita di un uomo a due o tre scene» (*Prefazione* alla prima edizione della *Historia universal de la infamia*, 1935).

Si confronti il procedere di queste evocazioni visive — «Non di questo è fatta la città, ma di relazioni tra le misure del suo spazio e gli avvenimenti del suo passato: la distanza dal suolo d'un lampione e i piedi penzolanti di un usurpatore impiccato; il filo teso dal lampione alla ringhiera di fronte e i festoni che impavesano il percorso del corteo nuziale della regina; l'altezza di quella ringhiera e il salto dell'adultero che la scavalca all'alba; l'inclinazione d'una grondaia e l'incedervi d'un gatto che s'infila nella stessa finestra...» (*Città invisibili*, p. 18) — con quello di qualche tipico passo borgesiano: «Noi con un'occhiata percepiamo tre bicchieri sopra un tavolo. Funes tutti i virgulti e i grappoli e i frutti di tutta una pergola. Sapeva le forme delle nubi australi dell'alba del 30 aprile del 1882 e poteva paragonarle nel ricordo con le venature di un libro rilegato alla spagnola che aveva guardato una volta sola e con le linee della spuma sollevata da un remo nel Río Negro alla vigilia dell'impresa di Quebracho» (*Funes el memorioso*, 1944); «Le impressioni scivolavano sopra di lui, vivide e momentanee; il cinabro di un vasaio, la volta celeste carica di stelle che erano anche dèi, la luna dalla quale era caduto un leone, la levigatezza del marmo sotto le lente dita sensibili, il sapore della carne di cinghiale che gli piaceva strappare a brusche dentate bianche, una parola fenicia, l'ombra nera che una lancia proietta sulla sabbia gialla, la vicinanza del mare o delle donne, il vino grosso la cui asprezza era temperata dal miele, potevano abbracciare per intero il suo animo» (*El hacedor*, 1960).

E sono ancora borgesiane certe preziose ricostruzioni d'ambiente, fatte più di colore che di filologia, perfino un certo senso dei titoli; sia pure per pura consonanza, *El jardín de senderos que se bifurcan*, del 1941, corrisponde perfettamente al tipo *Il sentiero dei nidi di ragno*, di cui si è detto all'inizio.

Ma sono forti anche le differenze; a cominciare dal senso del tempo, che Calvino assume, negli scritti più recenti e più tormentati, piuttosto dalla letteratura scientifica che non dalla tradizione filosofica, come invece fa Borges; dall'uso del materiale erudito che in Borges è sempre un punto di partenza obbligato, magari apocrifo, e che in Calvino è al contrario dissimulato, mai messo in primo piano; proprio perché Calvino mira al fiabesco e dunque allo straniamento, fin dalle prime note, con procedimenti esattamente opposti alle evocazioni iniziali dei testi di Borges. Esemplare è il caso dei nomi delle oltre cinquanta città invisibili; con una ricerca voluta, nessuno di essi è attinto dalla tradizione storica e tanto meno dal *Milione* stesso; sono al contrario tutti nomi di invenzione, e tutti nomi femminili; e perché il lettore sia subito avvertito che sarà inutile cercare alcun collegamento tra il nome e il carattere della città, essi danno indicazioni contraddittorie, e spesso si richiamano proprio alla tradizione delle fiabe o del teatro delle maschere e d'opera (Smeraldina, Aglaura, Leandra, Isaura).

C'è invece un'altra consonanza abbastanza ovvia, quella con il Cortázar, non del *Bestiario* ma delle *Historias de cronopios y de famas* (di cui del resto Calvino presentò la traduzione italiana). La percepiamo in certe descrizioni distese e familiari, fuori del tempo, come questa: «Ma la proprietà di questa è che chi vi arriva una sera di settembre, quando le giornate s'accorciano e le lampade multicolori s'accendono tutte insieme sulle porte delle friggitorie, e da una terrazza una voce di donna grida: uh!, gli viene da invidiare quelli che ora pensano d'aver già vissuto una sera uguale a questa e d'esser stati quella volta felici» (*Città invisibili*, Diomira, p. 15).

Ma le *Città invisibili*, aldilà di ogni pretesto narrativo e di ogni consonanza, sono soprattutto calviniane nella libertà di evocazione visiva, nell'agilità dei passaggi, concatenati a volte con vero virtuosismo come in questo esempio:

Eppure, a Raissa, a ogni momento c'è un bambino che da una finestra ride a un cane che è saltato su una tettoia per mordere un pezzo di polenta caduto a un muratore che dall'alto dell'impalcatura ha esclamato: — Gioia mia, lasciami intingere! — a una giovane ostessa che solleva un piatto di ragù sotto la pergola, contenta di servirlo all'ombrellaio che festeggia un buon affare, un parasole di pizzo bianco comprato da una gran dama per pavoneggiarsi alle corse, innamorata d'un ufficiale che le ha sorriso nel saltare l'ultima siepe, felice lui ma più felice ancora il suo cavallo che volava sugli ostacoli vedendo volare in cielo un francolino, felice uccello liberato dalla gabbia da un pittore felice d'averlo dipinto piuma per piuma picchiettato di rosso e di giallo nella miniatura di quella pagina del libro in cui il filosofo dice... (p. 154)

Quest'ultima citazione, libera com'è di lasciar parlare immagini e colori, potrebbe essere anche un emblema dello stile narrativo di Calvino; non si farà torto all'autore se, dimenticata per un momento la tensione tematica esistenziale che sappiamo correre perpetuamente sotto la superficie del testo, ripetiamo per lui le parole con cui egli stesso riassunse l'arte del Basile: «un arabesco di metamorfosi multicolori che scaturiscono l'una dall'altra come nel disegno d'un "tappeto soriano"».[11]

NOTE

1 Tra Calvino e i suoi critici esisteva un rapporto per così dire interattivo; qualche testimonianza, per esempio, nella lettera stralciata in M. Corti, *Il viaggio testuale*, Einaudi, Torino 1978, p. 200, in cui Calvino accetta e applica l'interpretazione delle *Stagioni in città*. Per altre comunicazioni personali Corti, ivi, p. 214, n. 9; C. Segre, *Se una notte d'inverno uno scrittore sognasse un aleph di dieci colori*, «Strumenti critici», 13 (1979), pp. 177-214, a p. 212, n. 23. Cfr. anche *Una pietra sopra*, p. 161: «In letteratura, lo scrittore ora tiene conto d'uno scaffale in cui hanno il primo posto le discipline in grado di smontare il fatto letterario nei suoi elementi primi e nelle sue motivazioni, le discipline dell'analisi e della dissezione (linguistica, teoria dell'informazione, filosofia analitica, sociologia, antropologia, un rinnovato uso della psicoanalisi, un rinnovato uso del marxismo)» (risposta a un'intervista del 1967).

2 «L'idea di adoperare i tarocchi come una macchina narrativa combinatoria mi è venuta da Paolo Fabbri [...]. L'analisi delle funzioni narrative delle carte da divinazione aveva avuto una prima impostazione negli scritti di [...]. Ma non posso dire che il mio lavoro si valga dell'apporto metodologico di queste ricerche. Di esse ho ritenuto soprattutto l'idea che il significato d'ogni singola carta dipende dal posto che essa ha nella successione di carte che la precedono e la seguono; partendo da questa idea, mi sono mosso in maniera autonoma, secondo le esigenze interne al mio testo» (*Nota*, in *Castello*, p. 124).

3 A proposito di *Ultimo viene il corvo* Anna Banti parlò di «fiabe nordiche», mentre Pietro Citati, anche lui con notevole penetrazione, vi vide la «dote infallibile e crudele della precisione». Con la sua caratteristica ironia Calvino così registra la canonizzazione della sua «favolosità» nella *Prefazione* alla riedizione della trilogia: «Anche un breve romanzo avevo scritto, nel '46, *Il sentiero dei nidi di ragno*, in cui ci davo dentro a tutto spiano con la brutalità neorealista, e invece i critici cominciarono a dire che ero "favoloso". Io stavo al gioco: capivo benissimo che il pregio è d'essere favolosi quando si parla di proletariato e di fattacci di cronaca, mentre ad esserlo parlando di castelli e di cigni non c'è nessuna bravura» (*I nostri antenati*, 1960, p. x; ma a questa stessa *Prefazione*, forse per un ripensamento, viene dato un rilievo molto minore nelle ristampe successive; stampata in corpo minore, diventa la *Nota 1960*, pp. 351-361).

4 Questa collocazione ideologica prima che letteraria delle *Fiabe* era immediatamente evidente alla luce del dibattito di quegli anni e la rileva, per esempio, la recensione di M. Socrate in «Società», n. 6, dicembre 1956, pp. 1196-1201.

5 Calvino conosce e cita naturalmente *Le radici storiche dei racconti di fate*, pubblicato da Einaudi nel 1949, ma nell'ambito più ampio delle ricerche comparative sul folklore («le più suggestive interpretazioni etnologiche dei motivi delle fiabe», *Introduzione*, p. XV, n. 5). I meccanismi narrativi fiabeschi del *Sentiero* e della trilogia sono posti in evidenza in C. Irmann-Ehrenzeller, *La struttura fiabesca nelle prime opere di I. Calvino*. «Cenobio» 36, n. 4 (1987), pp. 339-356.

6 Ne sono testimonianza più diretta, tra l'altro, le molte decine di titoli (un'ottantina) della collana "Centopagine" che egli diresse per Einaudi dal 1971, e in cui sono raccolti, spesso con una sua introduzione, testi brevi e poco conosciuti degli autori più diversi, da Balzac a Stevenson, a Sterne, a James.

7 Particolarmente attento a fonti ed echi, per quanto riguarda *Se una notte d'inverno*, è Segre (*Se una notte d'inverno*, cit.).

8 Il rapporto con Grandville meriterebbe di essere approfondito, a partire dal titolo stesso di *Un altro mondo* (*Un autre monde*. *Transformations, visions, incarnations, ascensions, locomotions, explorations, pérégrinations, excursions, stations, cosmogonies, fantasmagories, rêveries, folâtreries, facéties, lubies, métamorphoses, zoomorphoses, lithomorphoses, metempsychoses, apothéoses, et autres choses*, Parigi, Fournier 1844) ai nomi dei suoi personaggi, il capitan Krackq e Hahblle, che nella loro inarticolatezza, ricordano immediatamente quello di Qwfwq. E Calvino stesso citava le incisioni di Grandville tra gli antecedenti ideali delle *Cosmicomiche*, e ne sceglie una per la sovraccoperta della riedizione in un volume (*Cosmicomiche vecchie e nuove*, Milano, Garzanti 1984).

9 Gnoli, che aveva da poco disegnato i costumi della *Belle au bois dormant* per J.-L. Barrault (1954) e che era quindi in perfetta sintonia con la tematica fiabesca calviniana, disegnò per la prima edizione del *Barone rampante* una serie di acquerelli che non fu però pubblicata da Einaudi (uno figura come copertina dell'edizione americana del 1959); il barone sull'albero dell'illustrazione del frontespizio ha appunto caratteristiche di autoritratto; a sua volta Calvino "illustrò" gli oggetti di Gnoli per la monografia di V. Sgarbi del 1983: *Quattro studi dal vero alla maniera di Domenico Gnoli*, in V. Sgarbi, *D.G.*, Parma, Ricci, 1983, anticipati col titolo *Still-life alla maniera di Domenico Gnoli*, «FMR», maggio 1983.

10 «È come se [I.C.] affidasse le prime battute, il tema musicale all'antico volgarizzatore», V. Bertolucci Pizzorusso, *Prefazione* a Marco Polo, *Milione*, Milano, Adelphi, 1975, p.XIX.

11 *La mappa delle metafore*, prefazione a Giambattista Basile, *Il Pentamerone*, Bari, Laterza, 1974, p. XIX.

Pier Vincenzo Mengaldo
LA LINGUA DELLO SCRITTORE

Anticiperò subito in forma di tesi da dimostrare ciò che meglio suonerebbe forse come conclusione del mio discorso. Calvino ha operato come tutti in una situazione linguistica dominata e anzi sconvolta dalla nostra specifica "questione della lingua"; ma nel suo sforzo — anche teorico — di attingere un italiano il più possibile trasparente e moderno, al passo con le lingue di cultura più compatte e veicolari, ha vittoriosamente tentato di procedere *come se* l'italiano non fosse affetto da quella malattia. E s'intende bene che questo "come se" linguistico non è senza rapporti col generale "come se" nei confronti della realtà proprio dell'intellettuale neo-illuminista che Calvino è stato, coi caratteri, da lui stesso fissati come tali, "utopici" e "affermativi" della sua opera.

Va da sé che con questa formula indico solo una linea di tendenza, seppure a mio parere dominante. Qualunque generalizzazione farebbe torto alla ricchezza e duttilità in ogni momento della lingua di questo scrittore, alla varietà di sperimentazioni, maniere e auto-superamenti che ne costellano la carriera, mettendoci continuamente di fronte sia a sensibili variazioni di "genere" che a tratti evolutivi "assoluti". E occorrerà sempre tener presente che, come quelle di ogni vero scrittore, anche le scelte linguistiche di Calvino sono plurimotivate e polivalenti. Ma neppure occorre dimenticare che quel "programma" linguistico, essendo il prodotto di una posizione culturale e una igiene mentale parimenti radicate in lui, è anche *relativamente* (calco sull'avverbio) indipendente dai singoli progetti letterari e dai contenuti ivi investiti. Detto in termini subito comprensibili di storia della lingua letteraria, attuare quel programma ha significato per Calvino non lucrare minimamente l'eredità gaddiana, e porsi come l'anti-Fenoglio e l'anti-Pasolini. D'altra parte l'italiano dello scrittore gioca su una tastiera potenzialmente illimitata e non è meno modulato e pieno di colori di quello dei maggiori "espressionisti" cui si oppone; dunque la sua bonifica ed europeizzazione non va confusa neppure per un attimo con quella realizzata da altri (Moravia, certi toscani...) attraverso una scrittura "media", povera, grigia. Il che non toglie che anche in lui decisivo sia sempre stato il momento della sottrazione ed esclusione: quante volte egli stesso ha definito il suo sistema creativo e combinatorio proprio in questi termini di esclusione e sottrazione, sia sul piano dell'*inventio* che della *dispositio* e dell'*elocutio* (per esempio, nelle *Cosmicomiche*: «Per progettare un libro — o un'evasione — la prima cosa è sapere cosa escludere»).

Mi si conceda che per la prosa italiana l'essere implicata nell'eterna questione della lingua (nella sua duplice natura, diglossica e letterario-umanistica) comporta se non altro queste conseguenze tendenziali. Prima: grande apertura all'interferenza dialettale. Seconda: tendenza a sollecitare e manipolare liberamente in senso espressionistico-prezioso i paradigmi della lingua. Terza: alto tasso di figuralità. Quarta: predominanza dello stile periodico. Percorrerò l'esperienza linguistica di Calvino seguendo questi binari, e soprattutto il primo e il quarto. Risulterà, credo, che a tutte queste tendenze egli oppone una resistenza o un'azione di contenimento decise: sia praticandole, in assoluto, limitatamente, sia coltivando contro-tendenze opposte, sia riservandole a zone, luoghi, funzioni speciali.

Vedremo strada facendo esempi di questa specializzazione. Ma subito si può osservare, in generale, che le vere e proprie e più appariscenti escursioni verso libertà linguistica e polistilismo Calvino le ha concentrate in sedi, particolari e quasi satelliti, di uso più programmaticamente al quadrato del linguaggio: come la versione delle *Fleurs bleues* o testi quali buona parte di *Se una notte d'inverno* e il primo racconto di *Sotto il sole giaguaro*, che praticano vistosamente parodia e *pastiche*. Con questo non dimentico che gusto del *pastiche* e della parodia linguistica, esplosi negli ultimi anni, percorrono tutta l'opera di Calvino: ognuno ricorda fra l'altro, particolarmente istruttiva ai nostri fini, la sapida riscrittura del burocratese dei carabinieri nella discussione con le tesi linguistiche di Pasolini. E non dimentico cosa significa quel gusto, e la relativa nozione di mimesi in quanto mimesi dei comportamenti linguistici differenziali degli uomini in una società: significa fra l'altro che, come lo scrittore ha insistito a indicarci negli ultimi anni, la sua nozione di lingua è una nozione fortemente *relativistica*, e anche in ciò opposta a quella di tanti scrittori "espressivi", confitti in un'idea di assolutezza ed onnipotenza della lingua sia in rapporto al soggetto che all'oggetto. «Bisogna che mi abitui a pensare il mio discorso contemporaneamente in tutte le lingue possibili» suona ad esempio un passo delle *Cosmicomiche*.

Ma veniamo finalmente ai singoli punti.

1. Resistenza al dialetto. Facile obiettarmi che la prima fase, "neorealistica", dello scrittore smentisce l'asserto. Ma appunto di una fase s'è trattato, cui presto l'autore ha volto decisamente le spalle, anche nella riflessione critica: superfluo ricordare la Prefazione del '64 al *Sentiero* e le molte pagine di *Una pietra sopra*. Vale la formula, elaborata allora e mantenuta ancora in un passo di *Palomar*, sul dialetto come «plasma nascosto ma vitale», che non indica pendolarità, ma al contrario assorbimento e integrazione.

Ma per la stessa stagione neorealistica, e dintorni, non mancano i segni chiari di un'utilizzazione controllata e tutt'altro che spinta del dialetto, a volte di una diffidenza. L'uno sta nelle continue attenuazioni o estraniazioni delle voci dialettali mediante virgolette, corsivo e soprattutto chiosa italiana: per esempio, nel *Sentiero, beudi* spiegato «i piccoli canali sopra il fossato con una stretta linea di pietre per camminarci», in un racconto *lingera* subito chiosato: «"Lingera" è una parola di qui per dire vagabondo e scampaforche», in un altro «quelle barche dette *gozzi*» (ligurismo già montaliano, *Arsenio*), nel *Barone rampante* «quei pali detti *scarasse*» eccetera. E ai molto sporadici inserti di dialetto nel discorso diretto (che toccano, ricordo, anche un testo come il *Barone rampante*) fanno più che equipollente contrasto i casi di dialettalità virtuale o meglio repressa-censurata, quando cioè il narratore dichiara che tale personaggio si è espresso in dialetto, ma traduce la relativa battuta in italiano o la tace. Il che accade spesso, e significativamente non solo con dialetti altri dal ligure, ma col ligure stesso; basti ricordare quanto si dice nel *Barone* del Cavaliere Avvocato che di solito — cito — «parlava in dialetto, per modestia ma più ancora per ignoranza della lingua»: motivo qui enunciato come contenuto, ma mai formalizzato concretamente nel racconto. Fa testo al postutto il racconto, del '48, *Desiderio in novembre*, dove il *clochard* protagonista parla quasi come un libro stampato.

Nonostante ciò, l'infusione di dialetto nel *Sentiero* e nei racconti più neorealistici è senz'altro innegabile, e anche capillare. È vero che per il romanzo giovanile essa riguarda assai più il discorso diretto, indiretto e riferito che la lingua del narratore (qui narratore esterno), i cui dialettalismi o popolarismi più spiccanti si limitano a poche cose come *smicciare* "sogguardare", *fulminanti* "fiammiferi", *camalo* "facchino" e il quasi inevitabile *carrugio*. Ma già qui si trovano indizi di un'osmosi linguistica fra narratore e personaggi: ecco ad esempio che il dialettale-popolare *averne basta* "abbastanza" compare prima nel dialogo per insinuarsi subito dopo in bocca al narratore. E infatti quest'ultimo nei racconti contemporanei o di poco successivi assume volentieri su di sé tratti dialettal-colloquiali tipici del parlato familiare e informale: che so io, «dallo *sbieco* delle palpebre», *essere buono* o *capace a, ci* nel senso di "a loro", *schiappino* "buono a nulla", *meschino* "poveretto", alla ligure, *angosciare* "infastidire", sempre alla ligure e via dicendo. Da notare che questo coinvolgimento del narratore (anche esterno) nel colloquiale si dà pure al di fuori dei racconti realistici; specialmente vistoso è nel *Barone*, che più e meglio degli altri due romanzi di antenati sa equilibrare la stilizzazione e distanza temporale con colore dei luoghi e vivace varietà colloquiale (fino alla glossolalìa, com'è noto): sicché a carico del nobile narratore stanno qui espressioni come *all'incontrario* o «alti press'a poco *uguale*» o «*venir vecchio*». Qualcosa del genere afferreremo ancora, ad esempio, nel *Castello dei destini incrociati* e nelle *Città invisibili*.

Ho usato di preferenza definizioni caute e miste come "dialettal-colloquiale", "popolare", "dialettal-popolare" e simili. L'ho fatto di proposito. Perché, globalmente, ciò che esibiscono i "registri bassi" della scrittura calviniana non è tanto un'assunzione della diglossia secca lingua-dialetti, quanto la capacità di diagnosticare e rappresentare adeguatamente le formazioni intermedie che nascono da quella diglossia e che sempre maggiore importanza socio-linguistica hanno acquisito sotto gli occhi stessi di Calvino. Lo scrittore, fin dall'inizio prudente nell'inoculare il dialetto vero e proprio entro la sua lingua, è invece aperto, subito e acutamente, verso le forme dell'italiano regionale, colloquiale, "popolare": cogliendo benissimo le possibilità che queste gli davano sia di articolare i piani della propria scrittura sia di rappresentare con vivezza e precisione di sfumature le gradazioni sociali. Ancora nella Prefazione del *Sentiero* Calvino ha detto: «Scrivendo, il mio bisogno stilistico era di tenermi più in basso dei fatti, l'italiano che mi piaceva era quello di chi "non parla l'italiano in casa", cercavo di scrivere come avrebbe scritto un ipotetico me stesso autodidatta». E il problema era insieme linguistico e d'impostazione narrativa, cioè evidentemente connesso al fatto che, sempre più nel corso della sua carriera, egli si serve o di un narratore "anonimo" (se non "collettivo") o ancor meglio di narratori intermediari e interni variamente compartecipi dell'esperienza, dell'ethos e quindi anche del linguaggio dei personaggi; e ciò facendo ne può anche approfondire — fino all'estremo del narratore principale delle *Cosmicomiche* — le caratteristiche di "oralità". Ma venendo ai fatti, mi si lasci segnalare solo la puntualità con cui nel *Sentiero* è registrato un tratto tipico, ma non proprio proverbiale, dell'italiano popolare, l'uso scorretto e analogico di *con*: «tiene coi tedeschi», «amico coi grandi», «amico con lui»; oppure rimandarvi alle acute trascrizioni, che rinunciano quasi del tutto alla via facile dei dialettalismi, dell'italiano informale di Caisotti, l'impresario edile *parvenu* della *Speculazione edilizia*, uno dei caratteri più felici di Calvino (una sola battuta: «parta pure, che io ormai eventualmente quel che ancora resta da dire, con sua signora mamma ci mettiamo d'accordo», piccolo concentrato di popolarismi, dal *che* "libero" all'anacoluto alla formula «sua signora mamma» anche con articolo zero, all'anticipo a mina vagante, psicologicamente motivato, dell'avverbio "colto" *eventualmente*).

È però significativo che questa dialettalità e colloquialità calino bruscamente, ai limiti della stagione neorealistica, nella *Giornata di uno scrutatore*: opera che si struttura apertamente come romanzo-*réportage* e visita per la prima volta in modi non più neorealistici un tema neorealistico, imperniando il tutto su un protagonista centripeto che ora è un intellettuale d'alto bordo. Nel narrato, se vedo bene, la *Giornata*, ambientata a Torino come i racconti di Marcovaldo che ne erano parcamente ma sensibilmente screziati, presenta un solo dialettalismo; e quest'uno, *cutu* "Cottolengo", proprio e metonimico, appare avvolto in un fitto commento saggistico, per poi ricomparire una sola volta rapidamente nel discorso diretto. E quando nei primi anni '70 Calvino spiegherà a un intervistatore come avrebbe affrontato adesso la tematica partigiana, dirà che avrebbe cercato di mettere meglio a fuoco certi dettagli minimi ma importantissimi della vita alla macchia, esemplificando coi «cespugli, *custi* si chiamano nel mio dialetto» e i «foruncoli, *ciavèli* in dialetto»: dunque suggerendo quello che a suo tempo, non solo tematicamente ma anche linguisticamente, in genere *non* aveva fatto.

Qualche battuta conclusiva su questo punto. Dunque: quantitativamente, e non solo, l'italiano popolare, regionale ecc. ha nella lingua di Calvino un peso ben maggiore del dialetto. Secondo rilievo: in sostanza il maggiore narratore ligure non è, linguisticamente, molto ligure. Terzo: con vistosa differenza dalla costellazione, diciamo, Gadda-Fenoglio-Meneghello, e in genere da tanto espressionismo, il dialetto in Calvino non è affatto nell'assieme una componente del linguaggio autoriale, ma solo dei linguaggi che l'autore, in prima o seconda istanza, "cita" e perciò anche distanza. Quarta considerazione: certo "dialetto" significava soprattutto, anche per Calvino: infanzia, sia nell'esperienza e memoria esistenziale che nella metafora psichica. Ora questa infanzia linguistica è da lui aggirata, allontanata, un po' come egli dichiarò una volta d'aver potuto e voluto estraniare favolosamente, complice la guerra partigiana, i paesaggi familiari del bambino e ragazzo. Il fatto colpisce in uno scrittore che ha tematizzato così fortemente l'infanzia; ma non è contraddizione, è compresenza paradossalmente necessaria: l'infanzia è tanto più allontanata linguisticamente quanto più è richiamata vicino ed esplorata tematicamente, e viceversa.

E ora un paio di complementi. Nella coloritura dialettal-popolare va naturalmente compresa l'onomastica, che in molte pagine ha la responsabilità maggiore, a volte unica, nel creare l'atmosfera locale. Ecco per esempio la serie del racconto giovanile *Dollari e vecchie mondane*: *Bacì*, *la Balilla*, *la Belbambìn*, *la Beciuana* (connesso a termini liguri occidentali della sfera sessuale), *Giovannassa la zoppa* ecc. Anche nella vasta galassia pantopica dei nomi di Gurdulù nel *Cavaliere inesistente*, due sono liguremente connotati: «Pier *Paciasso*» e «Pier *Paciugo*». Ma presto Calvino mette in opera, anche dove l'ambientazione non lo richiede, l'inversa tendenza a un'onomastica irrealistica, ironicamente libresco-emblematica: che nei racconti di Marcovaldo s'opporrà giocosamente e favolisticamente al realismo umile di ambienti e personaggi, regalandoci, oltre al protagonista, *Amadigi* spazzino, *Astolfo* vigile, il figlio *Fiordiligi*, gli operai *Viligelmo* e *Sigismondo* e così via. Più o meno alla stessa altezza nomi d'origine dialettale perdono il loro sapore realistico per scivolare nell'araldico, come è il caso del cognome parlante *Carrega* dello zio del barone arboricolo. Dall'incontro di questa doppia o tripla corrente onomastica nascono, come ognun sa, gustosi effetti di *mélange*, di realismo e controrealismo. Pensate solo al *Visconte dimezzato*; oppure già, e certo con minore smaliziatura, al racconto del '48 *Chi ha messo la mina nel mare?*: la sfera del potere, astrattamente rappresentata, si fregia di nomi come quello del generale *Amalasunta* e simili; quella degli umili e malavitosi, che ha come *habitat* fra l'altro una «Osteria dell'Orecchia Mozzata» (sembra già quasi il *Castello dei destini incrociati*), ospita il nome ligure del monello *Zefferino*, quello parlante-araldico del contrabbandiere *Grimpante*, e infine il vecchio pescatore *Bacì Degli Scogli* (tutto maiuscolo!), dove è più che evidente l'epicizzazione favolesca che il soprannome proietta sull'umile nome locale.

La tendenza a infiltrare dialettalità e colloquialità nel narrato non è affatto applicata sistematicamente da Calvino, anzi conosce di continuo attenuazioni e controspinte di segno letterario. E si possono avere, anche nel parlato o nelle sue trasposizioni, soluzioni nettamente anti-mimetiche. È il caso del discorso che il soldato Tomagra immagina di fare alla vedova nella relativa *Avventura*, tutto condotto secondo modi linguistici medio-alti, e si capisce: qui come spesso allo scrittore non interessa fotografare il livello socio-culturale del suo personaggio ma un diagramma paradigmatico di comportamento di cui costui si trova ad essere l'attore convenzionale (di personaggi come *operatori* ha parlato più tardi Calvino stesso). Ma anche al di fuori di casi-limite come questo è da tener per fermo che la componente letteraria (in senso forte) non si limita affatto in Calvino ai luoghi in cui è voluta dal color temporale e da altro a questo solidale, o dalla parodia. Sinonimi culti di parole comuni come *donde, involgere, ancorché, soggiungere* e altri simili sono diffusi in tutto Calvino, testi realistici compresi, e il *Castello* può ospitare ad esempio *guiderdone, calamo, scherano, sovvenire,* le *Città invisibili* arcaismi sintattici del tipo di «prevedeva l'assedio con cui per molti anni la *stringerebbe* Maometto». Una conferma viene dalla relativa abbondanza, anche questa generalizzata, di presenze lessicali che più che letterarie si devono definire toscaneggianti (e che, naturalmente, saranno dovute a lettura e memoria di scrittori toscanamente accusati, anche contemporanei come Cecchi o Landolfi): sono vocaboli quali «*rigovernare* i piatti» nei *Racconti, renaioli* e *pizzicorino* in *Marcovaldo, sbertucciata* e *ingrullita* nel *Visconte* ecc. Mi pare istruttivo anche retrospettivamente quanto lo scrittore ha chiarito delle difficoltà di orchestrazione stilistica del *Castello*: «M'ero reso conto che, accanto al *Castello, La taverna* poteva avere un senso solo se il linguaggio dei due testi riproduceva le differenze degli stili figurativi... mi proponevo allora d'abbassare il materiale verbale, giù giù fino al livello d'un borbottio da sonnambulo. Ma quando cercavo di riscrivere secondo questo codice pagine su cui s'era agglutinato un involucro di riferimenti letterari, questi facevano resistenza e mi bloccavano».

2. Secondo punto generale. La misura di Calvino nel manipolare le risorse della lingua si coglie bene nel settore della formazione delle parole, tipico pascolo degli espressionisti e preziosi. Anche in questo egli è della razza di Stravinskij, quando dichiarava: «Se tutto fosse permesso, io mi sentirei perduto in un abisso di libertà».

Sia nel campo della derivazione che della composizione raramente lo scrittore, fino agli anni sessanta, si concede innovazioni e rarità: l'unica serie ricca è quella dei frequentativi-intensivi in -*ìo* (del resto molto cari, ad esempio, al castissimo Manzoni), in Calvino funzionali in ispecie alla fine sensibilità per i fatti acustici che lo caratterizza e non di rado diviene in lui tematica (come soprattutto nel tardo racconto *Un re in ascolto*): qui possiamo avere termini come *mastichìo, scatenìo, zoccolìo, sfascìo, spiaccichìo*, o un accumulo come «uno sbuffìo, uno scatarrìo, un imprechìo» nel *Barone*. Altri paradigmi, compresi i parasintetici, sono attivati molto parcamente: credetemi sulla parola, e così se vi dico che in questa attivazione sembra molto limitata l'influenza dei moduli formativi settentrionali, e che la mappa dei non molti tipi spiccanti ricalca con grande esattezza o quella del giocoso calviniano o quella delle zone, *Sentiero* e vari racconti giovanili, che lo scrittore stesso ha definito espressionistiche. Altrimenti si tratta di casi particolarissimi: penso soprattutto al racconto, del resto già del '55, *L'avventura di un fotografo*, anche psicologicamente assai capzioso, che esibisce coppie con lineetta come *diapositiva-fotocolor, non-fotografo* e *non-procreatore*, e addirittura *iconoteca-famiglia-follia*. È un parco anticipo di quel che avverrà nelle *Cosmicomiche*, anche in ciò tornante dello stile calviniano. Qui tutto il settore è in forte e quasi patologica espansione: un «vertice filiforme» genera contestualmente un «filiformemente raggiate»; un «fiume nereggiante», «savana bianconereggiante di zebra», «baobab rossonereggianti di buceri» (mentre fino allora il lessico coloristico dello scrittore s'improntava a sobrietà e nettezza). Soprattutto è qui che spesseggiano quasi ossessivamente formule dotte come «*ipercristallo* che comprendeva in sé cristalli e *non-cristalli*», «isola *subspaziale*», *ipersfera*, e più ancora i binomi aggregativi con lineetta quali *uovo-conchiglia, topazio-mondo, prismi-grattacieli, maresangue, cellule-semi* e via dicendo, talora stipati nella pagina. Ma è fin troppo chiaro che tale lussureggiare è connesso alla tecnicizzazione cui Calvino ora sottopone il suo linguaggio, così tra l'altro rendendolo veicolo di un continuo scambio ibridante fra percezione "naturale" e classificazione "scientifica" della realtà. Nelle opere successive che — cominciamo a dirlo — riciclano tutte, quale più quale meno, il linguaggio cosmicomico, ritroviamo non di rado gli stessi fenomeni; e può avvenire che lo scrittore li cumuli e varii con virtuosismo auto-parodico, come in questo passo del *Castello* dove li sottopone al trattamento del *contrepet* o spoonerismo: «La città... traforata dalla grattugia di finestre dei grattacieli [notare qui la figura etimologica], *autoincoronata* dalle *altostrade*, non parca di parcheggi [altro gioco di parole], scavata dal formicaio luminoso delle *sottoterrovie*».

3. Terzo punto: figuralità. Fermandoci al linguaggio analogico, dell'uso che ne fa Calvino penso si possa dire in grosso quanto segue: a) che nelle zone più tipiche e "classiche" della sua scrittura emerge parcamente; b) che la tendenza analogica è vivamente contrastata da quella opposta alla tecnicizzazione e all'uso "scientifico" della lingua, anzi che la stessa analogicità spesso e volentieri diviene il tramite stesso di questa precisione denotativa. Infine, c) che quando le due prime condizioni non si verificano e si ha un più intenso impiego di metafore, similitudini ecc., ciò connota momenti e intenzioni particolari.

Abbozzerò rapide osservazioni, cominciando dall'ultimo punto. Colpisce la ricchezza di metafore e similitudini nel racconto del '58 *L'avventura di un poeta*: ma esse fanno corpo con tutta una serie di indicatori stilistici di lirismo (e quasi introversione) e di preziosità, connessi al fatto che fra tutti i racconti calviniani questo presenta forse il grado più basso di narratività ed appare il massimo accostamento di Calvino alla temperie del *poème en prose*. Altrimenti la metaforicità più accesa contraddistingue l'arco giovanile di prosa "espressionistica", spesso dominata da una creaturalità iperbolica e grottesca. Ecco due passi del *Sentiero*: «il gracidare delle rane nasce da tutta l'ampia gola del cielo, il mare è una grande spada luccicante nel fondo della notte»; «Ma il pianto già lo raggiunge, e annuvola le pupille e inzuppa le vele delle palpebre; prima pioviggina silenzioso, poi scroscia dirotto con un martellare di singhiozzi su per la gola»; e qui stesso il ricorrente «lampione guercio» o il «grande urlo azzurro» del mare, quasi come in Penna. Quanto al tenore che possono prendere in questi testi le similitudini, bastino queste due dai racconti: «E gli occhi, grandi come lumache nere, gli uscivano dal guscio delle orbite»; «La guerra si rigirava allo stretto in quelle valli, come un cane che vuol mordersi la coda» (puntuale il riscontro col poeta italiano per eccellenza espressionista, Rebora: «e rigirìo sul luogo come cane»).

In séguito la temperatura si abbasserà, salvo il riaffiorare di questa torsione giovanile del linguaggio figurato in luoghi particolari dell'ultimo Calvino, alcuni racconti di *Se una notte d'inverno* o l'ultimo di *Sotto il sole giaguaro*, ai quali non sconviene l'etichetta di nuovo espressionismo. Nel tragitto, una singolare abbondanza di modi analogici si ha solo nei racconti di Marcovaldo; ma qui il loro carattere dominante è altro, sintonizzato all'affettuoso antropomorfismo e alla fanciullesca fantasia trasfigurante che l'autore ha regalato al suo protagonista. Ecco perciò: «Anche il freddo era attutito, quasi che la città si fosse rincalzata addosso una nuvola come una coperta», o «Le cassette delle lettere ogni mattina fiorivano come alberi di pesco a primavera», e simili. Più volte del resto il saggista e il narratore hanno messo a verbale la diffidenza per il metaforeggiare; ultimo caso in ordine di tempo: del riflessivo Palomar che pensa una similitudine si dice, prima di enunciarla, «Qual era la prima similitudine che gli era venuta in mente e che aveva scacciato perché incongrua?», così accontentando ma subito anche raffrenando il gusto per l'immagine.

E non c'è dubbio che buona parte delle analogie calviniane non appartengono all'ornamentazione e al gusto per l'evasione nelle "corrispondenze", ma invece all'esattezza descrittiva e definitoria. Così ci sfilano davanti, nuovi Chisciotte e Sancho, due «figure a cavallo» nel *Cavaliere*: «lo scudiero come un sacco là in bilico, il cavaliere dritto e svettante come la sottile ombra d'un pioppo» (notare: non come un pioppo, ma poiché si tratta di un *flatus imaginis*, come l'*ombra* d'un pioppo); oppure leggiamo questa similitudine analitica quasi manzoniana della *Giornata d'uno scrutatore*: «E come chi, tuffandosi nell'acqua fredda, s'è sforzato di convincersi che il piacere di tuffarsi sta tutto in quell'impressione di gelo, e poi nuotando ritrova dentro di sé il calore e insieme il senso di quanto fredda e ostile è l'acqua, così Amerigo ecc.». E quando Calvino avrà digerito l'intensa esperienza di tecnificazione delle *Cosmicomiche*, ecco come si presenterà una comparazione in *Palomar*: «il cielo buio è come il rovescio delle palpebre solcato da fosfèni», esattamente bilicata fra lirismo e scientificità. Anche per questo nesso fra analogicità e precisione, non manca un'indicazione autentica, *e contrario*, in *Se una notte d'inverno*: «una metafora, per esempio il bruciore lacerante d'una freccia» non varrebbe — si spiega — più della descrizione del relativo stato d'animo, fra l'altro perché «l'inesorabilità perentoria, senza modulazioni della freccia» esclude le necessarie sfumature e idee accessorie (un po' ho citato, un po' parafrasato).

La subordinazione tendenziale dell'analogia al gusto della denotazione esatta si precisa nelle *Cosmicomiche*. Intanto perché spetta volentieri alla analogia far cozzare l'uno con l'altro, non senza evidenti risvolti parodici, la rappresentazione fanta-primordiale e fantascientifica, col suo corredo di tecnicismi, e i dati dell'esperienza comune: per esempio dello spazio si scrive che «diventava folto e pieno come una vigna dopo la vendemmia», e altrettali accostamenti, non sempre indiscutibili. In secondo luogo: poiché, dato l'assunto, fra i motivi conduttori dell'opera figura quello dell'intreccio e confusione degli àmbiti sensoriali, si assiste a un'impennata quantitativa e qualitativa della precedentemente rara sinestesia: che per così dire *si tematizza*. Il finale de *Il cielo di pietra*, mettiamo, accumula «corazza del rumore», «colla acustica», «muro sonoro», «valanga del rumore», «fitta pasta di suoni», e altro. Infine l'analogia può essere decisamente avocata a sé dal rigore ''scientifico'': di un cumulo di notizie vaganti che s'accavallano confusamente si dice che «restavano addizionate l'una all'altra, con segno positivo o negativo, come un lunghissimo polinomio che non è possibile ridurre a un'espressione più semplice».

4. Quarto punto. Se si escludono alcuni ''primitivisti'' toscani, e la studiata rastremazione di certa prosa d'arte, non conosco narratori contemporanei, tanto meno della complessità intellettuale di Calvino, che come lui abbiano torto il collo allo stile periodico e all'ipotatticità tradizionali nella nostra prosa. Senza dubbio all'inizio tale scelta è fomentata dal partito preso neorealistico dell'elementarità (basta vedere un racconto come *L'uomo nei gerbidi*, del '46). Ma già allora non si trattava solo di questo. Calvino è il narratore che ama organizzare sequenze di questo tipo: «Era sempre nuvolo; il mare era grigio. Verso una stazione passava una fila di soldati. Qualcuna dalla balaustra della passeggiata li applaudì»; «Scostò la gente senza guardarla, entrò nel quartiere, si rese conto con un'occhiata, sollevò una scala a pioli, la puntò all'altezza del primo piano, salì»; «Il bassotto gli riportò la volpe. Cosimo sparì e la prese. Il bassotto fu il suo cane; gli mise nome Ottimo Massimo»; «Isidora è dunque la città dei suoi sogni: con una differenza. La città sognata conteneva lui giovane; lui è seduto in fila con loro. I desideri sono già ricordi» (primi due esempi dai *Racconti*, terzo dal *Barone*, quarto dalle *Città invisibili*).

Ho attinto campioni solo dal narrato, assai più dimostrativi dei moltissimi casi presenti nel parlato, anche indiretto e riferito, dove agisce pure la spinta mimetica (e si può arrivare a esiti come «No, senti, qui, sai, sveglio i coinquilini, è tardi...»). E mi sono tenuto quasi nella media, senza sottoporvi i casi di maggior oltranza nell'allineare brevi periodi unifrasali (a volte sette e più), magari scanditi dallo stesso segno interpuntivo. Scelte del genere comportano fra l'altro la rinuncia a segnare esplicitamente i piani del racconto, suggerendone appena la virtualità al lettore. E la coordinazione, asindetica, o anche sindetica, supplisce spesso e volentieri a ciò che nella lingua scritta comune è normalmente un legamento subordinativo; due esempi oltre a quanto avrete già colto nei precedenti: «Erano in marcia d'avvicinamento; non c'era fretta; non s'andava tanto svelti» (anziché «e siccome/e poiché non c'era fretta,...»); «un altro invece troppo vecchio e non valeva la pena di toccarlo», anche senza virgola (anziché «così vecchio che...»). D'altra parte moltissimi sono i casi in cui una coppia o serie di frasi o sintagmi è alleggerita vistosamente del normale *e* coordinante conclusivo; un esempio per tutti: «Per questo, con un silenzioso cenno di saluto m'accomiatai da Fior di Felce, lasciai il campo, me ne andai per sempre». Questa *brevitas* lineare e *saccadée* promuove non di rado lo zeugma: in poche righe delle *Cosmicomiche* troviamo prima «fuori s'apriva il golfo abbagliante di riflessi e la città e le vie», poi «uno strimpellio di chitarre si levava da ogni parte e l'ondeggiante mugghio di cento autoparlanti», con in mezzo un altro zeugma complicato dalla ripresa anaforica: «La luce del mezzogiorno invase la stanza, la luce e i suoni». E ci sarebbero altri nessi da esplorare, primo fra tutti quello tra paratatticità e stile nominale, spesso accusato. Sentite solo questo brano dell'ultimo racconto di *Sotto il sole giaguaro*, nella cui filigrana par di intravvedere ancora l'archetipo del *Notturno* dannunziano: «Dei colpi. Nella pietra. Sordi. Ritmati. Come un segnale! ecc.».

Naturalmente lo stile di Calvino, fermo restando l'orientamento di fondo, conosce anche da questo lato una sensibile evoluzione. Dopo, in sostanza, il giro di boa decisivo degli anni sessanta il periodare complesso e ampio, ricco di articolazione e di subordinate, diviene da eccezionale frequente. Ma prendiamo qui un singolo aspetto, per così dire di confine, l'impiego consistente di incidentali, parentetiche e no: che beninteso, come ci ha già spiegato Pasquali per tutta la prosa moderna, non negano il fondamentale assetto paratattico, ma lo arricchiscono di una dimensione. Prima degli anni sessanta i soli testi, credo, che si segnalano per presenze non sporadiche di questi moduli sono i tre racconti che chiudono l'omonima raccolta, specie *La speculazione edilizia* e *La nuvola di smog*, di data bassa e anticipatori del Calvino futuro, nonché il pure tardo *L'avventura di un lettore*, di taglio molto intellettualistico e riflesso. E arriviamo alla *Giornata d'uno scrutatore*. Accanto ad altre tendenze, dal complicarsi del periodare (c'è ad esempio un periodo di una pagina e mezza) al rarefarsi della sintassi nominale, prende rilievo appunto un'abbondanza quasi patologica di incidentali: che servono soprattutto ad inquadrare i distinguo, le contraddizioni, le raffinate e tortuose riflessioni del complesso protagonista, col risultato di intrecciare strettamente il piano fattuale e quello della reazione intellettuale ai fatti del protagonista. Qui infatti non regna più la leggerezza del racconto, ma la vischiosità della vita, che nel rispecchiamento riflessivo ancor più si attorce e appesantisce. Nelle opere successive le incidentali saranno spesso altrettanto abbondanti (ne conto ad esempio quattro in una sola breve didascalia delle *Cosmicomiche*), e la loro funzione principale resterà quella ora intravista.

4.1. Ma vediamo come Calvino orchestra la dominante linearità paratattica. Anzitutto, direi, lavorando intensamente di inversione e segmentazione i componenti delle sequenze, le frasi singole. Può accadere di trovare, in poco più che una paginetta di *Marcovaldo*, otto battute segmentate, e in quasi tutte le realizzazioni possibili (con o senza inversione, con o senza virgola, con pronome ridondante clitico, prolettico o epanalettico, o senza ecc.). Certo che qui e di regola Calvino mima come sempre il tracciato mobile e accidentato, gli "improvvisi" del parlato. Ma anche in questo caso il suo parlato estremizza procedimenti non meno caratteristici e continui nel suo narrato. Permettetemi di esemplificare un po' più diffusamente del solito: «E ai piedi del mare vedo le case..., la città fulva e calcinosa, vedo, il baluginare...»; «una leggera schiuma, appariva»; «Egoista e insensibile, è, mio fratello»; «Ora, Quinto, quel che aveva in animo, a sua madre non aveva ancora osato dirlo»; «Prese a parlare lui, Caisotti, lentamente, sospirando, come fosse...»; «Restò lì a guardare zia e nipote a occhi tondi, Cosimo»; «Appena viene sera, silenziosi, dagli opposti campi, camminando carponi, arrivano gli spogliatori di cadaveri»; «una col golfino arancione, un viso rosso di lentiggini, sui trent'anni, pareva, operaia, o impiegata», e via dicendo via dicendo. E possono anche aver luogo inversioni di forte letterarietà, tipo la seguente del *Barone*: «il silenzio del parco attraversavano cento fruscii e rumori lontani, e trascorreva il vento». D'altra parte quel che vale per la frase ampia vale pure per le unità più semplici e i sintagmi minimali stessi, che Calvino ama parimenti segmentare con alacrità: offro solo due esiti estremi, dalle *Cosmicomiche* e da *Se una notte d'inverno*: «E mia nonna: giù a ridere...»; «Invece: niente: intorno...». Anche qui andrebbe approfondita la connessione tra questo gusto del segmentare e l'adozione insistita di determinate possibilità sintattiche. Mi limito solo ad accennare quella con l'anacoluto, offrendo un unico esempio, sempre del Calvino più recente: «Allora, secondo lei, quella lettrice, i libri che divora con tanta passione, sarebbero romanzi di Vandervelde?». Siamo qui all'incrocio fra due diverse esigenze: quella di una colloquialità vivace, perseguìta anche nel narrato attraverso narratori intermedii fortemente "orali", e l'esigenza invece di un'incessante variazione e complicazione del linearismo sintattico.

Possiamo forse muovere di qui per un'interpretazione complessiva dei fenomeni di segmentazione: che in linea generale si possono e debbono spiegare più o meno nel modo ora proposto. Ma in quanto appunto da un lato domina la linearità, e dall'altro agisce continua la spinta a sommuoverla e variarla, quasi inceppandola per successivi incapsulamenti; in quanto ora il periodo calviniano scorre via trasvolando rapido, ora è scisso molecolarmente e ridistribuito nei suoi elementi, e come sottoposto a una serie di sincopi e campi di marcia ritmici — possiamo dire che in questa compresenza si rispecchia, combinando artificio ed economia, una più generale compresenza calviniana: quella tra una irresistibile vocazione alla rapidità, levità, scorrevolezza della scrittura (e del narrare) e una non meno impellente vocazione analitica. Quest'ultima non ha davvero bisogno di essere illustrata. L'urgenza dell'altra è stata più volte dichiarata da Calvino stesso, e meglio che mai nelle belle pagine sul correre della penna e del racconto che concludono *Il cavaliere inesistente*. E mi sembra che la polarità stilistica, costitutiva della prosa calviniana, di momento analitico e rapidità trascorrente, possa collegarsi ad altre polarità. Questa ad esempio, che i personaggi-tipo dello scrittore tendono a due estremi contrapposti: coloro che attraversano e quasi corrono la vita a volo col passo leggero che piaceva a Nietzsche (ne è subito emblema la giovane sciatrice dell'*Avventura di uno sciatore*, come nitidamente chiarisce il finale del racconto); e coloro invece che arrestano continuamente la vita e se stessi, programmandosi e guardandosi vivere, e spaccano il capello in quattro, malati d'eccesso di riflessione: dal viaggiatore e dal fotografo delle rispettive *Avventure* in giù, passando per il quasi simbolico Agilulfo, *summa* e quasi parodia di questo tipo umano. Tale polarizzazione qualcosa ha a che fare con quella, tipica di Calvino, fra personaggi — diciamo — realistici ed emblematici; molto di più con quella fra personaggi che agiscono e corrono al loro destino sotto la soglia della consapevolezza, e personaggi dominati, ossessionati dall'iper-consapevolezza (siamo all'opposto, ancora, di Fenoglio, che nel vitalismo tragico dei suoi personaggi maggiori annulla la distinzione stessa tra consapevolezza e inconsapevolezza). Valga già all'inizio l'antitesi tra il ragazzo Pin e il Commissario nel *Sentiero* — non per nulla le epifanie del primo sono frammenti di scomposta e rabbiosa e quasi casuale oralità, l'epifania del secondo è soprattutto un lungo monologo interiore. E l'iperconsapevole per eccellenza è proprio Agilulfo; che non esiste.

4.2. Utilizziamo ancora una chiave offerta dall'evanescente cavaliere: che nell'ora del trapasso fra notte e giorno della battaglia «in cui — dice Calvino — meno si è sicuri dell'esistenza del mondo», enumera e ordina gli oggetti per vincere malessere, inquietudine, scontento. Troviamo qui una possibile motivazione della figura dell'elencazione o enumerazione protratta che, fondendo esattezza analitica e velocità di scansione, è veramente una delle costanti segnaletiche dello stile di Calvino («la mia vita funziona a base di elenchi» ha scritto di recente). Ecco fra gli infiniti uno specimine dello stesso *Cavaliere inesistente*: «fuor che funzioni religiose, tridui, novene, lavori di campi, trebbiature, vendemmie, fustigazioni di servi, incesti, incendi, impiccagioni, invasioni d'eserciti, saccheggi, stupri, pestilenze, noi non s'è visto niente»; e uno delle *Città invisibili*: «Secondo altri gli dei abitano nei secchi che risalgono appesi alla fune quando appaiono fuori della vera dei pozzi, nelle carrucole che girano, negli argani delle norie, nelle leve delle pompe, nelle pale dei mulini a vento che tirano su l'acqua delle trivellazioni, nei castelli di traliccio che reggono l'avvitarsi delle sonde, nei serbatoi pensili sopra i tetti in cima a trampoli, negli archi sottili degli acquedotti, in tutte le colonne d'acqua, i tubi verticali, i saliscendi, i troppopieni, su fino alle girandole che sormontano le aeree impalcature d'Isaura, città che si muove tutta verso l'alto» (qui l'enumerazione protratta funziona anche da pertinentissima icona di un movimento ascensionale). E tutt'altro che eccezionale è il caso di più elenchi che si susseguono nella stessa pagina o addirittura si addentellano l'uno all'altro. Ho accennato a un possibile significato; ma si tratta certo di un fenomeno di significazione complessa e anzi ambigua. Strutturalmente, come già indicano i due passi appena letti, questi elenchi allestiti dall'inesausta volontà di nominazione precisa, e di seriazione, dello scrittore, oscillano fra due tipi fondamentali: il catalogo e l'enumerazione caotica. Vi immane un'opposizione che si può così suggerire: fra una pluralità classificabile e ordinabile e una pluralità disordinata, dispersa, inorganizzabile; fra una varietà che è ricchezza capace di sottrarsi all'omologazione (anche mentale) e una varietà ridondante senza centro, scialo e tritume; dal punto di vista della mente che vede ed elenca, fra ripetizione appagante e ripetizione frustrante, fra le riuscite rassicuranti di un'arte combinatoria che riesce ad aggregare e distinguere con precisione gli aspetti del mondo, e le sorprese ora positive ora negative dell'aleatorio, del magmatico, del fuori squadra. Ad esempio in un racconto questo accumulo disordinato di oggetti eterogenei («Mio padre aveva attorcigliato petto e schiena di sciarpe, mantelline, cacciatore, gilecchi [ligurismo per ''farsetti''], borracce, cartuccere...») indica una vitalità che si realizza nella libera ricchezza dell'esistenza. Ma a poche pagine di distanza un'elencazione ordinata di elementi omogenei segnala invece — un po' come già in Dickens — la ripetitività insensata della moderna vita amministrata: «sul nastro dove avanzano i tubetti confezionati nell'astuccio, i tubetti da confezionare, i tubetti da chiudere, i tubetti da ovattare, i tubetti da riempire di dodici compresse, i tubetti da incollarci sopra l'etichetta ''Paulatim''». O sia infine un passo di *Sotto il sole giaguaro*: «localizzando scricchiolii, stridori, imprecazioni, inseguendo respiri, fruscii, borbottii, gorgogli»: qui è all'opera, acuminata dall'iperbole inventiva del re ridotto a puro ascolto, la straordinaria capacità calviniana di nominare con proprietà per differenziare, sottoponendo il continuo dell'esistenza alla legge mentale del discreto (strategia, si sa, centrale nella poetica e gnoseologia dello scrittore).

4.3. In realtà Calvino ha sempre onorato in egual misura l'imperativo dell'economia ed essenzialità e quello della precisione analitica. Forse si può girare al suo stile quanto egli ha detto in una pagina recente della *tortilla*, e della sua «asciuttezza angolosa», che «può avere... tanti sapori facendo finta di non averne nessuno». E quanto in esso abbonda o ridonda rispetto a un ideale di perfetta economicità, è da porre in sostanza sul conto di un'implacabile ricerca di precisione quasi micrometrica. Si pensi a pagine come quella, di esattezza pari alla fantasia, sulla fenomenologia del taglio delle pagine dei libri in *Se una notte d'inverno*. In luoghi come questo e tanti altri risplende un'attitudine a *vedere* analiticamente la realtà, pedinandone tutti i tracciati, non meno che eccezionale (non è stato Calvino a dire una volta che «il cervello comincia nell'occhio»?). Strumento decisivo ne è la modulazione sinonimica. Prelevo rapidamente qualche esempio dalle sole *Cosmicomiche*: «gli schiocchi, i clangori, i cupi rimbombi», «delle specie di sacche o strozzature o nicchie», «delle tacche..., dei buchi, delle macchie», «questo gnocco o porro o escrescenza che è l'universo». S'intende che la gradazione può

essere ottenuta con mezzi più analitici (esempio: «una discontinuità, uno scarto, quasi un guizzo»), o viceversa dar luogo a
figure retoricamente più marcate come, nel caso di doppia serie
correlata, la *rapportatio*. Devo tralasciare l'esemplificazione. Ma
costante è lo studio di contrapporre attivamente l'argine delle
simmetrie formali alla dispersione formicolante dei dati e alla
vertigine centrifuga dell'inesausto distinguere. In particolare
Calvino ama strutturare sistematicamente sintagmi, frasi, periodi, sequenze attraverso coppie e terne, sinonimiche o meno, accontentando insieme, per il senso, l'esigenza di graduare, sfuma-
re, differenziare, per la costruzione e l'ornato quella di eleganza,
ricorrenza, ordine. Ecco due esempi, un passo dove allo schema
binario si sovrappone il ternario, nel *Cavaliere*: «C'era un bosco
verde e frondoso, tutto frulli e squittii, dove gli sarebbe piaciuto
correre, districarsi, scovare selvaggina, opporre a quell'ombra, a
quel mistero, a quella natura estranea, se stesso, la sua forza, la
sua fatica, il suo coraggio»; e uno delle *Cosmicomiche*, con cinque
coppie in un solo periodo: «guasto o invecchiamento... ammac-
catura o macchiolina... buttato via e sostituito... nuovo e impeccabile... solo una stonatura, solo un'ombra».

L'espansione in coppie e terne riguarda soprattutto l'aggettivo. L'elegante floridezza che ne risulta poggia anche sulla collocazione, spessissimo anomala rispetto alla normale. Intanto si
noti che nei sintagmi con un solo aggettivo in Calvino è del tutto
consuetudinario l'ordine aggettivo-sostantivo, tipo «ciliegi dalle
brune fronde», anche in serie: «panciuti buoi e scampananti
mucche... dirupati pendii». Ma con le stesse dittologie lo scrittore
alterna volentieri a quello solito l'ordine AAS: «peloso e ambiguo
carnaio del genere umano», «un po' d'ansiosa incosciente giovinezza», «un'impaziente golosa aspettativa», e anche quello più
prezioso a cornice: «con abbrivivente aria ferita», «lento gesto
solenne», «con fermi occhi chiari»; neppure le terne si sottraggo-
no ad anticipazioni complete degli aggettivi, come in questo
caso: «in un verde viscido cieco pulsare di branchie», e pagine
sature d'aggettivazione possono vedere la prevalenza assoluta
dell'ordinamento con aggettivo preposto.

Ci si vorrebbe fermare sull'aggettivazione calviniana, forse il
miracolo supremo della sua scrittura e, a me sembra, uno dei
tratti meno vistosamente ma più sostanziosamente ariosteschi
dell'ariostesco prosatore («la chioma rabuffata, orrida e mesta»).
Qualche spunto. Anche l'uso dell'aggettivo sembra indicare che
dunque la letterarietà di Calvino è assai più d'ordine sintattico
che lessicale, cioè non si rapprende in grumi rilevati ma si di-

stende e svolge lungo una linea, quasi mimando un disegno («Talvolta io penso e immagino — ha scritto negli ultimi anni — che tra gli uomini esiste una sola arte e scienza, e che questa sia il disegnare o il dipingere, e che tutte le altre siano derivazioni»). L'abbondanza dell'aggettivazione, tuttavia, non obbedisce solo ai dettami dell'elegante stilizzazione ma, ancora una volta, anche al dèmone della precisione: lo sdoppiarsi e triplicarsi degli aggettivi sta per una *correctio* implicita ("'non solo *a* ma anche *b, c*"): le cose non si lasciano accalappiare da definizioni univoche. Insomma l'aggettivare preciso e ricco consente allo scrittore di attingere il massimo di perspicuità analitica col minimo di dispersione dell'energia linguistica. D'altronde è vero che la piena e sfumata dispiegazione del senso richiede così spesso la terna o la coppia o la serie (sentite ancora questa triade mirabile: «una desolazione ispida, stagnante, minerale»). Ma quante volte Calvino sa dir tutto con un solo aggettivo, quello giusto. Ricordate il passo memorabile su Rambaldo che spia estatico Bradamante mentre fa pipì nel laghetto: «Era una donna di armoniose lune, di piuma tenera e di fiotto gentile», con l'*explicit* trionfale: «Rambaldo ne fu tosto innamorato»: dove tutto è sì questione di ritmo — gli endecasillabi d'apertura e chiusura e il settenario, il chiasmo, l'agile scorrevolezza —, ma ancor più di accoppiamenti sostantivo-aggettivo altrettanto imprevedibili che definitivi.

4.4. Alla radice di molti fatti dello stile di Calvino ho posto l'esigenza, quasi la coazione a distinguere e graduare. Ma l'espressione più paradigmatica per frequenza, articolazione, significato, ne è il complesso di fenomeni che possiamo comprendere, dilatandola, sotto la classica categoria della *correctio*. Distinguendo velocemente le modalità, ecco le *correctiones* vere e proprie, in funzione di una migliore messa a fuoco (formule come *anzi, o meglio, o almeno, non* x *ma* y, e simili); le indicazioni di compresenza, che costeggiano o invadono quel gusto dell'ossimoro che risponde in profondo alla logica e visione della realtà sempre a due facce propria di Calvino (*e insieme, e nello stesso tempo, ma anche, d'altra parte* ecc.); indicazioni di alternative (*ossia, oppure, sia...sia* ecc.); *correctiones* attenuanti o precisanti formulate in termini metalinguistici (*dico, oserei dire, il che equivale a dire* e così via), non di rado assai elaborate. E alle *correctiones* vanno accostati, sia perché rimontano alla stessa logica sia perché di fatto gli uni sfumano facilmente nelle altre, i non meno frequenti enunciati di tipo congetturale o probabilistico, introdotti dall'onnipresente *forse* (che mi pare la parola di frequenza relativa più impressionante nello scrittore), e da *chissà, credo, semmai, è probbile, non è chiaro* e via dicendo. E rientrano spesso di diritto nella sfera della *correctio* fenomeni su cui già abbiamo gettato l'occhio, come l'uso delle incidentali e la stessa gradazione sinonimica. Così pure vi si collegano, posso solo accennarlo, altri fenomeni che appartengono più direttamente alla tecnica narrativa dell'autore, come l'abitudine del narratore calviniano di porsi e porre al lettore domande, magari rispondendo a una sua sollecitazione implicita, che ciò dia luogo al problematizzarsi del racconto o invece alla indeterminazione e all'attesa favolistiche.

Ognuno può controllare che le pagine di Calvino possono essere letteralmente intasate dal susseguirsi e agganciarsi di formulazioni correttive e probabilistiche; ma anche qui una vera e propria sovrassaturazione, e insieme una tematizzazione, del fenomeno esplodono nelle *Cosmicomiche*, per ricadere ampiamente nelle opere successive (e piuttosto in *Se una notte* e in *Palomar* che nelle altre). Qui veramente sembrano realizzati quegli eccessi di stile cautelativo e possibilistico che l'ammirato Queneau ha satireggiato da par suo in vari capitoli degli *Exercises de style*. Ma come interpretare nell'assieme questa costellazione di enunciati? Ciò che in prima analisi appare culto della precisione analitica e della sfumatura, rimonta certamente a un rapporto fra il soggetto, e il suo linguaggio, e la realtà concepito sotto il segno, insieme deludente e salutare, dell'indeterminazione. Atteggiamento a sua volta polivalente se non ambiguo, perché muove in pari tempo dalla percezione dell'irriducibile complessità del mondo (e anche del suo caos), da cautela nell'interpretarlo e da una sorta di eudemonismo intellettuale che esalta il gioco in se stesso delle congetture, alternative, sfumature, contraddizioni. In ogni caso ne è sollecitato quello che abbiamo chiamato relativismo linguistico: la lingua non può dire tutto e subito, ma *forse* riesce a dire *qualcosa*, a patto di circuirla e quasi corteggiarla con assidua pazienza, disposti allo scacco.

5. Ho appena dato rilievo, ancora una volta, alle *Cosmicomiche*. E qui vorrei sostare un poco, in chiusa, anche per tentar di correggere *in extremis* un'esposizione che può aver sincronizzato troppo Calvino, sottovalutandone l'evoluzione. Non c'è dubbio che quest'opera (comprendendovi come sempre, è ovvio, *Ti con zero*) è stata la svolta capitale dello stile di Calvino — e non solo di quello: anche perché le opere successive conserveranno tutte, quale più quale meno, tracce precise del linguaggio cosmicomico, continuino quell'esperienza o tentino vie nuove (compreso il

riaggancio a maniere precedenti). Svolta capitale, ma pure sacca. Forse l'unico limite del meraviglioso stile calviniano è stato, fin da presto, quello di contenere in sé anche in dosi notevoli la sua propria maniera. D'accordo che questo è un contrassegno generalissimo del fare moderno, cui non sfuggono neppure i grandissimi, quando non siano genii intensamente creaturali e perciò *simplices munditiis*, come Puškin, Turgenev, Tolstoj e, sì, Kafka. Ma nelle *Cosmicomiche* il manierismo finisce per essere troppo spesso la sostanza stessa.

Non alludo tanto all'invasione di lessico tecnico-scientifico: che comunque non oltrepassa in genere una soglia media di specialismo, e dunque di intelligibilità, ed è continuamente sottoposto al corto circuito — che dà effetti di elisione ironica reciproca — con frammenti di colloquialità e oralità: sia nel contesto medio (ad esempio una pagina dove gli «isotopi del berillo» convivono con «brande, materassi, ceste») sia in quello brevissimo (si può citare una espressione come «fase natante e ciondolona»). Sarebbe qui impossibile illustrare le innovazioni delle *Cosmicomiche* nel periodare complessivo, dove diversamente che in passato Calvino approda spesso, complice il partito preso di un'ostentata e faticosa oralità, a soluzioni di tipo informale. Ripieghiamo su fenomeni circoscritti. Ricordo anzitutto quante volte ho notato o accennato, poniamo per i composti, la sinestesia e la *correctio*, che nelle *Cosmicomiche* molti elementi dell'armamentario stilistico di Calvino s'impennano di frequenza e soprattutto tendono a cambiar segno, concettualizzandosi e quasi divenendo, da formali, tematici. Ciò si potrebbe ripetere per buon numero degli stilemi caratterizzanti, e non solo per questi in senso stretto. È evidente ad esempio come nelle *Cosmicomiche*, collegate o meno ai temi, siano onnipresenti quelle riduzioni geometrizzanti della realtà che da sempre appartenevano, ma con maggior rarità, all'ottica dello scrittore — Agilulfo è il solo a conoscere la "geometria segreta" della vita — e che sempre sono in lui a doppio taglio, tra limpidità razionale da una parte e spettrografia inquietante dall'altra (è buon teste Musil: «Ovunque la natura compaia in semplici forme geometriche, è subdola»).

Concentriamoci sulle figure d'iterazione. Non ho potuto documentare a suo luogo che in tutta la sua prosa Calvino fa un uso sobrio ma insistente di dittologie legate da ripetizione fonica (allitterazione, omeoteleuto ecc.), come, poniamo, «la nebbia e la sabbia», «ricoperto di muffe e di muschi», «insieme amante e amazzone», «un seno morbido e tiepido» e simili. Però è solo nelle *Cosmicomiche* che queste figure allitterative prendono così spesso la forma ludico-concettosa della paronomasia e figura etimologica: «terreno terrestre», «segno e regno e nome», «questo goloso geloso dolore», «plasma strozzato e strizzato» ecc. Ma in tutta la gamma delle ripetizioni quest'opera produce un terremoto. Nel Calvino precedente l'iterazione ravvicinata era presente con una parsimonia tanto più notevole in quanto praticata all'interno di quello stile paratattico che per solito la sollecita. Semmai era utilizzata abilmente l'iterazione a distanza. O per suggerire un *leitmotiv* (i denti aguzzi del lupo in *Marcovaldo*); o con effetto ritmante, come nel «Buongiorno, signora Paulatim», e «Buongiorno» di risposta, che scandisce tutto un racconto con la precisione d'un meccanismo d'orologeria; o infine come procedimento che cospira a quella stilizzazione tipizzante dei personaggi attraverso *clichés* e quasi etichette da sempre tipica di Calvino: ed erano il continuo *Mondoboia* di Pin nel *Sentiero*, l'aggettivo *matronale* che connota regolarmente la vedova nell'*Avventura di un soldato*, le note ripetute di colore che caratterizzano i due protagonisti dell'*Avventura di uno sciatore*, l'intercalare pregrammaticale del dottor Trelawney nel *Visconte*; o ancor più sottilmente la figura materna della *Speculazione*, indicata in pratica sempre con la formula astratta e si direbbe teatrale (pirandelliana?) *la madre*.

Nelle *Cosmicomiche* alcuni procedimenti iterativi continuano (in particolare i nomi-etichetta ripetuti); altri si infittiscono, come è il caso dell'anafora, prima rara e qui adibita anche a contenere le colate magmatiche del periodo; altri ancora letteralmente esplodono. Si tratta soprattutto di iterazioni insistite di parole-tema, come sarebbero in vari racconti *incolore* e *grigio* e *voce*, oppure *buio*, o *puntiforme*; fino a quella di *segno* in uno di essi, da dirsi "parodistica" nel senso che lo è stata quella di *spirito* in un celebre sonetto cavalcantiano; o alla vertigine di ripetizioni di *inseguitore* e famiglia in un altro racconto, suggeritrice di quel tema ossessivo dell'intercambiarsi di inseguitore ed inseguito che, nelle forme secche a lui proprie, è anche un tema dominante nell'ultimo Caproni. Oppure sprizzano girandole di *adnominationes*, poliptoti ed equivocazioni, tra giocose e intellettualistiche, quali: «Ero abituato da millenni a suscitare terrore intorno a me, e a provare terrore delle reazioni altrui al terrore che suscitavo»; «al nucleo che fa da nucleo d'ogni nucleo»; «e alla gravitazione universale, e all'universo gravitante», e così via. A realizzazioni siffatte, che le opere successive continuano ad esibire a volte anche con notevole densità, mi sembra che la definizione di manierismo si convenga in senso stretto. Adattando una celebre battuta: forse qui

Calvino, giusta il suo temperamento e anche l'inevitabile destino di tanta modernità recente (Borges per esempio), rielabora intellettualisticamente con troppa sobrietà ciò che altri avevano elaborato da ebbri.

Ma non è davvero il caso di insistere a cogliere in fallo la prosa di Calvino. Rileggendolo, può accadermi qua e là di aver dubbi sul suo rango assoluto di narratore, nell'insieme evidente e indiscutibile; ma mai, ad onta dei manierismi, sul suo rango di prosatore. Equilibrando con sapienza le forze varie e anche contrapposte che la agivano, la prosa calviniana, trasparente e densa senza bolle, nutriente con leggerezza, elegante con sostanza e misura, è riuscita nel complesso, non ho alcun dubbio, la più ricca e perfetta che penna di narratore italiano abbia modulato nell'ultimo quarantennio. A Calvino non si addiceva, credo, il ruolo di padre o di direttore di coscienze in qualsiasi forma; e non è pensabile né desiderabile che un risultato così individuale nella sua perfezione produca figliolanze vere e proprie. Ma resta altamente desiderabile che il suo modello fondamentale di prosa, e di rapporto fra questa e la lingua di tutti, agisca più attivamente di quanto pure avviene, per diramazione o poligenesi che sia (faccio solo il nome di Primo Levi, che a me sembra quello primario). Tra prose viscerali o invece speciose, prose con troppo stile o troppo poco, parimenti irresponsabili verso la lingua, l'atmosfera è stata ed è, almeno per le mie nari, poco respirabile. L'Italia, ricordiamolo commemorando un grande prosatore, continua a *non* essere un paese di prosatori.

LE FORME DELLA CONOSCENZA

Geno Pampaloni (presidente)

Se le prime prove di Calvino mostravano inequivocabilmente una sua notevole competenza in botanica e zoologia, da ricondurre sicuramente alle sollecitazioni dei genitori, quelle datate a partire dagli anni Sessanta ci mostrano uno scrittore attento alle scienze della natura nonché alle cosiddette scienze umane. Il «lettore coltissimo» dalle *Cosmicomiche* in poi sembra immerso in un mare di testi scientifici: semiologia, astronomia, fisica, logica etc. Non potendo ovviamente analizzare i rapporti di Calvino con le singole scienze, ci è parso doveroso orientarci verso lo studio del rapporto in generale fra letteratura e scienza (del quale parlerà Bernardini), e in particolare verso lo studio della semiologia (riservato a Rossi). Le relazioni di Asor Rosa e Pierantoni esamineranno il «punto di vista» di Calvino da due diverse angolature: una filosofico-letteraria e una fisica.

Carlo Bernardini
LETTERATURA, SCIENZA E FILOSOFIA DELLA SCIENZA

1. Tanti anni fa, più di cento, James Clerk Maxwell scrisse che «il rispetto per la scienza è tanto grande [...] che le opinioni più assurde possono diventare correnti purché siano espresse in un linguaggio il cui suono ricordi qualche espressione scientifica ben nota». Se Maxwell aveva ragione, allora la qualità principale della scienza — dobbiamo concludere — è disgraziatamente un bene deperibile: la credibilità. Se la credibilità del pensiero scientifico venisse a cadere, cioè, non resterebbe nulla di ciò che è stato prodotto in questo settore della cultura che, di punto in bianco, perderebbe ogni rispettabilità.

In effetti, negli ultimi anni, credibilità e rispettabilità della scienza sono state più volte in pericolo, dal punto di vista dell'opinione pubblica. Ma si è trattato di indebite insinuazioni dei mass media che, alquanto rozzamente, hanno esteso ai fondamenti i giudizi espressi sui sottoprodotti. Si è detto che la scienza stessa aveva connotati assai dubbi per il solo fatto che un operatore irresponsabile, manomettendo una centrale, aveva prodotto un disastro internazionale. Per quanto mi riguarda, ho pensato dentro di me — e mi sono guardato bene dal dirlo, sinora — che questa aggressione non era poi diversa da quella di chi dice che non è più possibile una letteratura dacché esistono i best-sellers e le telenovelas. Insomma, un vizio comune degli uomini è quello di fare d'ogni erba un fascio, tanto più oggi, che tutti hanno fretta e non hanno tempo per gustare veramente un libro perché li aspetta già il successivo.

Per discutere di rapporti tra letteratura e scienza, dunque, bisogna sottrarsi alle smanie di questi anni e azzardare congetture che, al momento, sembrano suscitare interesse assai scarso. Né mi parrebbe ragionevole resuscitare il vecchio schema delle due culture, che registra solo un'ovvia differenza di contenuti senza toccare il problema delle forme, che mi sembra ben più sottile.

2. Tempo fa, su sollecitazione di alcuni carissimi e fiduciosi amici — letterati — accettai di scrivere un saggio sul problema

229

della letteratura scientifica. Quel breve saggio è uscito, con il titolo *Il diverso nelle lettere: lo scritto scientifico*, e ho qui un'occasione per dire se, nel frattempo, ho cambiato opinione. Non l'ho cambiata, e mi scuso se ora riassumerò quello che allora, con molto sforzo, m'era sembrato di capire. Del resto, non temo di ripetermi perché sono sicuro che nessuno ha letto quello che scrissi: non era polemico, non era concepito per un centenario, non aveva alcuna rilevanza politica, non si inseriva perciò nelle smanie del circuito dei media.

Quello che cercai di sostenere e sostengo tuttora è il carattere intrinsecamente trasgressivo della letteratura d'ogni genere, scientifica e non. Lo spunto per l'ineluttabilità di questa considerazione me lo fornì una citazione di Borges da un libro di Suarez Miranda pubblicato nel 1658. Borges la intitolò *Del rigore nella scienza* e la inserì nella raccolta *Racconti brevi e straordinari* da lui curata con Bioy Casares. La leggo: «In quell'Impero, l'Arte della Cartografia aveva raggiunto una tal perfezione che la Mappa di una sola Provincia occupava tutta una Città, e la Mappa dell'Impero tutta una Provincia. Col tempo, queste Mappe smisurate non soddisfecero più, e i Collegi di Cartografi tracciarono una Mappa dell'Impero che aveva la scala dell'Impero e coincideva puntualmente con esso. Meno dedite allo studio della Cartografia, le generazioni posteriori ritennero che quella vasta Mappa fosse inutile, e non senza empietà l'abbandonarono alle inclemenze del Sole e degli inverni. Nei deserti dell'Ovest restano sparse rovine della Mappa, abitate da animali e mendicanti: in tutto il paese non v'è altra reliquia delle discipline geografiche».

Chiamerò *verbale ideale* una registrazione infinitamente fedele della realtà osservata, ivi compresi i pensieri di chi annota: il verbale ideale, che è ovviamente impossibile, è l'equivalente letterario della Mappa dell'Impero in scala uno a uno di Suarez Miranda. È, mi pare, sia inutile che illeggibile. Posso perciò azzardare che la forma-verbale *non* può essere letteratura. Ancora, la forma-letteratura, rispetto alla forma-verbale, sembra essere in rapporto di complementarità. La definizione di questa complementarità potrebbe suonare così: «Letteratura è tutto ciò che trasgredisce le regole di costruzione del verbale ideale». È questo che intendevo per «carattere intrinsecamente trasgressivo della letteratura».

Mi sembra che non richieda particolari commenti l'affermazione che, quanto a trasgressioni delle regole del verbale ideale, la poesia e la fisica contemporanea sono addirittura casi estremi, ovvero forme esasperate di letteratura. Tuttavia, sono incomprensibili ai più, perché la capacità più diffusa tra gli uomini è quella, minima e rassicurante, di verbalizzare e non quella di fare letteratura. Perciò, per venire incontro al pubblico — come si suol dire — sono molto più sviluppate forme intermedie, dal romanzo d'appendice al testo di divulgazione. Moltissime persone provano interesse alla mera verifica che le cose del mondo sono più o meno tutte uguali e che il verbale di ciò che accade in altri contesti è simile a quello che ciascuno ha in mente per le proprie vicende.

3. Nel parlare di trasgressioni (delle regole del verbale ideale) mi sono guardato bene dall'indicarne la natura, proprio perché non intendo creare contrapposizioni tra forme letterarie apparentemente lontanissime. Ho anche azzardato l'impopolare riconciliazione tra una teoria fisica e la composizione poetica sotto la comune etichetta di "forma letteraria estrema", che a molti potrebbe apparire inappropriata. Il fatto è che, se ciascuno di noi conosce certamente gente colta disposta a dare credito al valore letterario della poesia, altrettanto certamente non si troverà chi sia disposto a dare credito al valore letterario di una teoria fisica, specie se è offerta nella sua veste più formalizzata ed essenziale. Si liquiderà la faccenda con l'osservazione che il linguaggio tecnico non offre alcun appiglio di godibilità e che, soprattutto, se ne può fare a meno. Ma pochi ammetteranno che si può fare a meno della poesia, nel senso che pochi si tratterranno dal pensare che chi ne fa a meno è un declassato, benché magari sia un ottimo amministratore o ufficiale di carriera o dirigente d'azienda. La conoscenza (comprensione?) del testo poetico conferisce uno status nel sistema di riferimento dei rapporti sociali correnti; la comprensione di una teoria fisica, invece, conferisce lo status di specialista, che equivale alla collocazione in un corpo separato.

Questa separazione, poi, è fonte di non pochi equivoci. Taluni sembrano aspettare, con fiducia e sufficienza, il giorno in cui si dirà a parole ciò che è detto in formule, soprattutto allo scopo di accertarne la verità e la credibilità, che le strutture formali non fanno che nascondere. Le proteste cadono nel vuoto: ne citerò una del fisico inglese Polkinghorne, oggi vicecurato anglicano a Bristol. «Ogni sorta di scrittori», dice Polkinghorne, «in particolare quelli di formazione filosofica, continuano ad affermare il mistero irrisolto della dualità onda/corpuscolo. — Non si capisce — dicono, e con ciò sembrano intendere: — Non si può spiegare nel linguaggio ordinario — (benché in effetti qualche progresso in questo senso sia possibile). Questo è il punto in cui un fisico comincia a dare segni di irritazione e di disagio. In questo tipo di discorsi è infatti implicita una considerazione della matematica (che può essere usata per dare una perfetta articolazione all'idea onda/corpuscolo) come intrinsecamente inferiore, in quanto modalità di discorso razionale, al linguaggio ordinario (che invece non è all'altezza del compito). È un po'»», continua Polkinghorne, «come pensare che la conoscenza del compagno oscuro di Sirio sia meno certa perché esso non può essere visto realmente e la sua presenza è soltanto inferita dal suo effetto gravitazionale su Sirio: come se la gravità fosse meno reale della luce. No! La matematica è il linguaggio perfetto per questo tipo di attività e mostra la sua potenza penetrando oltre la dialettica ordinaria tra onde e particelle...».

4. A mio parere, i linguaggi speciali dovrebbero essere più attentamente riconsiderati come strumento rispettabile della costruzione letteraria. Che alcuni, rari, letterati fossero disponibili per formazione o per intuizione a questa integrazione, lo sappiamo: i nomi di Gadda e di Calvino non richiedono commenti. Che invece il mondo delle lettere sia, in maggioranza, per una sorta di esclusione ideologica, è, purtroppo, lo stato di fatto. E a me appare grave. Perché con un minimo di elasticità si potrebbero scoprire singolari e affascinanti ideazioni parallele, che forse hanno una più profonda motivazione. Mi è capitato, per caso, di avere per le mani e per la testa, negli stessi giorni, tre libri assai diversi a prima e frettolosa vista: *La vita, istruzioni per l'uso*, di Georges Perec, *Se una notte d'inverno un viaggiatore* di Italo Calvino e *Gli oggetti frattali* di Benoit Mandelbrot (cito quest'ultimo nella recente traduzione italiana). Scrive, giustamente, Mandelbrot: «Siccome la matematica è un linguaggio, può servire non solo ad informare, ma anche a sedurre...». Di lì a poco, continua occupandosi di un bizzarro problema: «Quanto è lunga la costa della Bretagna?». La risposta, del resto ovvia, è che la lunghezza della costa della Bretagna dipende dalla precisione con cui la si misura. Il grado di precisione è diventato apparentemente intrinseco: «Ma questo *intrinseco*», scrive Mandelbrot, «è del tutto antropocentrico... in una maniera o nell'altra il concetto, in apparenza inoffensivo, di lunghezza geografica non è del tutto *oggettivo*, né lo è mai stato. Nella sua definizione, l'osservatore interviene in modo inevitabile».

I libri citati di Perec e di Calvino, ciascuno a suo modo, mi sono immediatamente apparsi come *frattali letterari*, cioè come testi in cui veniva abbandonata la *precisione* caratteristica del testo letterario standard (l'uomo) per introdurre un diverso criterio d'analisi, assai più ricco di riferimenti al contesto spazio-temporale, in particolare a quello descritto dagli oggetti e dall'incastro dei narratori nella cosa narrata. Per gli oggetti frattali, sappiamo che hanno l'inquietante proprietà di non rivelare, su larghi intervalli, la scala alla quale essi vengono osservati. E così può essere per un testo letterario in senso stretto, in cui un narratore appartiene alla narrazione di un altro narratore o un oggetto che compare nella quotidianità di un personaggio come cosa morta appartiene alla storia d'un altro personaggio; così che la continuità del reale, in entrambi i casi, si manifesterà attraverso la legittimazione della struttura microscopica del tessuto narrativo.

Qui, la trasgressione delle regole del verbale ideale è di natura assai diversa che non per la poesia o la fisica. Le vicende o l'aspetto a grandi linee della costa della Bretagna non sono che ciò che l'uomo riesce a percepire della struttura del reale, ma l'intento degli autori è quello di mettere l'osservatore, il lettore, di fronte all'imbarazzante verità di avere chiamato reale ciò che più gli faceva comodo, solo perché esso corrispondeva a un tratto nitido sulla carta, dimenticando che quel tratto era solo "al posto di...". Se vogliamo, libri come questi sono una sorta di ammonimento letterario. Sembra che dicano: «Ricorda che, per fare della letteratura, ci sono più modi di trasgredire alle regole di costruzione di un verbale ideale, e tu ne hai in mente una sola, perché vuoi solo che il lettore riconosca nel tuo scritto la *misura d'uomo*». A questo proposito, vorrei ricordare l'osservazione sincera di una mia cara amica che, del libro di Perec, disse: «Che spreco! Con tutti quei fatti si sarebbero potuti scrivere libri a centinaia».

5. C'è un punto su cui la letteratura scientifica potrebbe essere d'aiuto alla letteratura in genere, ed è nel mostrare che cosa può essere — e non è — la "produzione di significati". Questo problema era molto caro a Viktor Sklovskij. Al contrario, sembra che la misura del successo di un qualsiasi testo stia, oggi, nella sua capacità di produrre *luoghi comuni*. Questo è un effetto dei grandi mezzi di comunicazione, e soddisfa molti autori, senza distinzione di parte (disciplinare). Basti pensare che frasi come «Nulla si crea e nulla si distrugge» o persino «E uguale emme ci quadro» sono familiari a persone di livello culturale anche molto basso. Ma su questa faccenda dei luoghi comuni conviene essere un po' più precisi, addirittura azzardando una definizione.

Dunque, definizione: «*Luogo comune*, in senso stretto, è una frase di cui è diffuso l'impiego anche da parte di persone che non sono in grado di afferrarne il significato». Ho escluso da questa definizione il più corrente significato di "frase fatta e banale" che i dizionari danno al luogo comune. Vorrei infatti prendere in considerazione solo quello che ha origine in un contesto colto, e che in quel contesto mantiene un significato non scontato. A mio parere, proprio i risultati più raffinati di ogni letteratura rischiano la trasformazione in luoghi comuni: il lettore volgare che non li comprenda non si asterrà tuttavia dal ripeterli, trovando la sua soddisfazione nei soli cenni di assenso di un interlocutore che, molto probabilmente, li userà allo stesso modo. È interessante osservare che questa produzione di luoghi comuni è molto frequente in ambito scolastico, per esempio in quelle antologie in cui si vuole esplicitamente suggerire che cosa "l'autore adombri" piuttosto che fornire le coordinate culturali del testo in un sistema di riferimento esterno al testo. Nei testi scientifici destinati ai giovani — manuali o scritti di volgarizzazione — è addirittura ritenuto indispensabile l'ammiccamento mediante luoghi comuni, la cui ripetizione vale per l'accertamento del possesso di nozioni.

Stando così le cose, il lettore volgare farà della presenza di luoghi comuni un indicatore di godibilità del testo. Se i luoghi comuni a cui appigliarsi mancano, il lettore abbandonerà il testo o, se costretto a leggerlo, esigerà il ripristino della forma-verbale, in nome della "chiarezza". Moltissima letteratura viene sgualcita e distrutta dalle sovrimpressioni motivate da una esigenza — ritenuta non discutibile — di renderla accessibile a un più vasto pubblico. Ma questa è una trappola, e bisognerebbe avere il coraggio di parlarne senza troppe paure ideologiche: per questa via, buona parte delle scoperte significative della letteratura contemporanea annega nel rumore di fondo e non determina alcuna crescita culturale collettiva. I luoghi comuni hanno sconquassato la scala di valori delle scoperte, alterandone il senso profondo. È andata a finire che, nell'opinione corrente, la letteratura d'ogni genere ha raggiunto il confine delle attività destinate allo spettacolo, e il letterato si è trovato, per mestiere, una "Occupazione degli oziosi", intramontabile luogo comune già previsto nel dizionario di Flaubert e Laporte.

Come dicevo all'inizio di questa digressione sui luoghi comuni, la letteratura scientifica potrebbe essere d'aiuto in questo: nel suggerire di coltivare una "letteratura delle idee" più intenzionalmente dedita alla "produzione di significati". Mi sembra che questa attività letteraria sia generalmente ben scarsa. Non si tratta di scrivere di filosofia, bensì di prestare più attenzione alla varietà delle trasgressioni possibili, uscendo dallo schema fisso dei luoghi comuni accreditati e correndo il rischio di non essere accattivanti a prima lettura. L'esempio di Mandelbrot con i suoi frattali è esattamente di questo genere, nella letteratura scientifica: non fa altro che insistere sulla necessità di osservare più attentamente l'aspetto reale delle cose piuttosto che l'aspetto astratto della loro rappresentazione corrente sui pezzi di carta. Analogamente, Perec riesce a fare partecipare la realtà degli oggetti a quella degli uomini, sia nel libro che ho citato che nel precedente *Le cose*, in cui una coppia di umani contemporanei molto ben riconoscibili si perde nella palude dei luoghi comuni generati, appunto, dalle cose.

6. Una letteratura delle idee altro non offre che una "concezione del mondo" esplicitata mediante un punto di vista che non è quello accreditato. Di nuovo, la letteratura scientifica offre uno strumento significativo, che possiamo chiamare squisitamente letterario senza restrizioni tecniche: è l'*esperimento ideale*, o, secondo la diffusa denominazione tedesca, *Gedankenexperiment*. L'esempio più celebre è dovuto certamente a Galilei e riguarda il principio di relatività. Lo si trova nel *Dialogo sopra i massimi sistemi del mondo* e, che io sappia, aspetta lì di essere scoperto dalla maggior parte degli uomini, anche colti. È forse il miglior brano di letteratura delle idee che si possa citare.

La tecnica di costruzione dell'esperimento ideale consiste in una semplice e molto chiara trasgressione delle regole del verbale: la soppressione della ridondanza. E infatti, la proposta di un esperimento ideale ha, tra i suoi fini palesi, quello di rovesciare l'iniziale incredulità dell'ascoltatore o del lettore, fino a portarlo al rammarico di non averci pensato da sé. Quando Salviati ha finito di argomentare sull'evidenza della relatività dei moti, nel dialogo galileiano, Sagredo dice: «Queste osservazioni, ancorché navigando non mi sia caduto in mente di farle a posta, tuttavia sono più che sicuro che succederanno nella maniera raccontata: in confermazione di che mi ricordo essermi cento volte trovato, essendo nella mia camera, a domandar se la nave camminava o stava ferma, e tal volta, essendo sopra fantasia, ho creduto che ella andasse per un verso, mentre il moto era al contrario».

La vita, istruzioni per l'uso, è un esperimento ideale letterario tentato da Perec utilizzando un punto di vista molto simile a quello di Mandelbrot per i frattali. L'obiettivo è finemente dichiarato nel testo, lì dove Perec descrive l'arte del *puzzle*: «Isolato, il pezzo di un puzzle non significa niente [...]; ma se appena riesci, dopo molti minuti di errori e tentativi, o in un mezzo secondo prodigiosamente ispirato, a connetterlo con uno dei pezzi vicini, ecco che quello sparisce, cessa di esistere in quanto pezzo: l'intensa difficoltà che ha preceduto l'accostamento [...] non solo non ha più motivo di esistere, ma sembra non averne avuti mai, tanto si è fatta evidenza: i due pezzi miracolosamente riuniti sono diventati ormai uno, a sua volta fonte di errori, esitazioni, smarrimenti e attesa». E qui Perec aggiunge sommessamente: «La parte dell'artefice del puzzle è difficile da definire...».

L'analogia tra l'esperimento ideale di Galilei e il puzzle di Perec a me sembra molto forte: in entrambi i casi, ciò di cui ci preoccupiamo è che, quando le idee vanno al loro posto, l'incapacità di comprendere svanisce, è dimenticata come si dimenticano i sogni al risveglio. La letteratura delle idee, perciò, si contrappone al prolungamento della narrazione del sogno, e si propone come strumento di sovvertimento mentale. Probabilmente, è rifiutata proprio per questo motivo. Ma ha un avvenire tutto aperto, che faremmo bene a prendere in seria considerazione.

7. Un'ultima, breve, considerazione. Vorrei che non si confondesse la letteratura delle idee — tutta, o quasi, da fare — con una qualche variante della filosofia e, in particolare, della filosofia della scienza. Ho insistito sugli esperimenti ideali proprio per sottolineare il loro carattere di ''produzione fresca'', in contrapposizione al riassetto metodico di idee concepite secondo le procedure di discipline particolari. Nel *Faust*, Goethe scrive: «Veramente succede con la fabbrica dei pensieri proprio come col telaio del tessitore: dove una pressione del piede basta a mettere in moto migliaia di fili, e la spola passa e ripassa in su e in giù, e i fili scorrono invisibili, e un colpo solo genera mille collegamenti. A questo punto entra il filosofo. E vi dimostra subito che così doveva essere. Da poi che così erano il primo e il secondo, così dovevano essere anche il terzo e il quarto; e se non fossero stati il primo e il secondo, neppure il terzo e il quarto sarebbero stati mai. Questo celebrano gli scolari di tutti i paesi; per quanto tessitore nessuno ancora sia diventato».

Di questo, veramente, non abbiamo bisogno, e in alcune recenti polemiche epistemologiche si è finalmente trovato il coraggio di dirlo, dopo anni di imposizioni arroganti. Fortunatamente, i letterati in senso stretto non hanno sofferto molto di tutele analoghe a quelle subite da chi produce conoscenza scientifica. E non hanno visto, perciò, la riformulazione di loro idee in luoghi comuni concepiti secondo i canoni di altre scuole (rivoluzioni, paradigmi e via discorrendo). Ciò non toglie che la letteratura in senso lato abbia la comune possibilità di "produrre significati", indipendentemente dalla "filosofia dei significati". Probabilmente, i letterati di stretta osservanza ne hanno minore coscienza che non i letterati scientifici. A me premeva sottolineare che la costruzione di una letteratura delle idee non può essere delegata ai filosofi dell'istituto accanto e, dopo tutto, è un'impresa che merita più attenzione di quanta oggi non ne abbia. Se è vero, ma non sembra affatto vero per motivi ancora non chiari, che l'uomo contemporaneo è quasi libero — nei paesi sviluppati — dalle schiavitù che un tempo lo opprimevano, mi sembra che non abbia però raggiunto quella consapevolezza della libertà che lo porterebbe ad occuparsi del proprio pensiero in tutte le forme possibili. È come se ci fossimo tutti fermati al livello della compartecipazione agli utili, senza porci il problema di come arrivare a felicità di ordine superiore. Se ce lo ponessimo, la letteratura sarebbe uno strumento indispensabile per identificarle.

Aldo Rossi
LA SEMIOLOGIA

Nel presentare questo convegno, un giornalista attento ha detto che i risultati potrebbero farci certi che Calvino è uno scrittore più *umano* dei suoi ultimi libri. Siccome il Calvino semiologizzante appartiene tutto alla fase un po' disumana (dopo il 1965, cosmicomica), a me si presenta un compito non facile, perché sarebbe troppo comodo rovesciare la frittata ed affermare che non solo da lì nasce il Calvino più umano, ma la letteratura — non solo italiana — subisce una svolta, cambia marcia, anzi acquista una marcia in più. Me ne guarderò bene: Calvino stesso non sarebbe certo contento di questo semplicissimo "escamotage"; come mi terrò alla larga da una conferma della diagnosi, e in fondo sarà bene anche non impiantare una disputa nominalistica sull'umano, troppo umano, disumano, perché stando fermi su questi termini qualcosa si dovrebbe cominciare a capire.

Nel diario, Pavese, al termine della fatica per un libro, annotò di sentirsi «sparato come un fucile»; nella *Introduzione* del 1964 al *Sentiero dei nidi di ragno* Calvino, dopo aver affermato che il primo libro sarebbe meglio non averlo mai scritto, aggiunge: «Finché il primo libro non è scritto, si possiede quella libertà di cominciare che si può usare una sola volta nella vita, il primo libro già ti definisce mentre tu in realtà sei ancora lontano dall'esser definito; e questa definizione poi dovrai portartela dietro per la vita, cercando di darne conferma o approfondimento o correzione o smentita, ma mai più riuscendo a prescinderne». Viene dunque a parlare del valore distruttivo che la scrittura esercita sulla esperienza, dopo aver nella prima parte fatto vedere come i libri si scrivono sia in dipendenza da altri libri, sia in dipendenza dalla esperienza, dalla pratica della vita: «l'esperienza primo nutrimento anche dell'opera letteraria (ma non solo di quella), ricchezza vera dello scrittore (ma non solo di lui), ecco che appena ha dato forma ad un'opera letteraria insecchisce, si distrugge. Lo scrittore si ritrova ad essere il più povero degli uomini».

Penso che Calvino sia stato convinto ad accostarsi alla riflessione sui segni perché il segno è una irradiazione dell'oggetto, sta per l'oggetto, ma non lo consuma né esaurisce, anzi la semiosi aggancia una combinatoria ampia dove tutto il sistema si tiene e può chiudersi. C'è un piccolo particolare: la semiologia lavora bene sul fisso, sul movimento rischia il *flatus vocis*. Sul tavolo anatomico è forse più produttivo un cadavere che un essere vivente. Anche Pasolini, su cui poi ritornerò per una vita parallela con Calvino, lo sapeva. Un'opera si capisce veramente quando è definitivamente chiusa e l'autore non può più introdurre varianti che ne alterino il significato, quindi quando l'autore è morto. Non sarà un caso, dunque, che negli anni '60 Pasolini e Calvino frequentassero anche i convegni di semiologia con due attitudini diverse: Pasolini per insegnare, Calvino per imparare: la notazione resta caratteriologica, non moralistica. Se non altro i punti di riferimento erano sfalsati esattamente di un decennio; per Pasolini la nostalgia creativa si rivolgeva sempre agli anni '50, per Calvino agli anni '60.

Brevemente, riferisco della partecipazione ad un seminario urbinate del 1968, una settimana colonizzata quasi da Greimas e dalla sua scuola, con Calvino che riuscì a malapena ad abbozzare un intervento sulla combinatoria della danza, con le figure e gli scambi di Dame e Cavalieri, che poi invece smistò sulla combinatoria dei Tarocchi. Fu un po' frustrante per la nostra "nazionale" (si fa per dire) che quasi non riusciva a toccare palla. Ci si consolava nelle chiacchiere di corridoio e in quelle conviviali. Due punti erano quelli che Calvino toccava di preferenza nella sua conversazione: il primo, la partecipazione intensa che nell'anno precedente aveva avuto al seminario di Roland Barthes, agli Alti Studi della Sorbona, sul racconto *Sarrazine* di Balzac, dove prendeva appunti ordinatamente su un quadernone, che dovrebbe ancora esistere nel suo archivio. Barthes, come è noto, rovescia il racconto come un guanto, mettendo il sotteso sistema di codici ventre all'aria. Quando nel '70 Calvino discusse con Cassola sul romanzo come spettacolo, a proposito di quel corso che era stato pubblicato con il noto titolo *S/Z* veniva a dire: «Se possiamo finalmente compiere una lettura esaustiva d'un romanzo "classico" (che qui vuol dire romantico, romanzesco) è perché si tratta d'una forma morta». Ma poi continuava: «Il ragionamento si può capovolgere: se ora conosciamo le regole del gioco "romanzesco" potremo costruire romanzi "artificiali", nati in laboratorio, potremo giocare al romanzo come si gioca a scacchi, con assoluta lealtà, ristabilendo una comunicazione tra lo scrittore, pienamente cosciente dei meccanismi che sta usando, e il lettore che sta al gioco perché ne conosce le regole e sa che non può esser preso più a zimbello».

Il romanzo sarebbe come un rito di iniziazione, un addestramento alle emozioni, alle paure, ai processi conoscitivi ecc.: «anche se praticato ironicamente il romanzo finirà per coinvolgerci *nostro malgrado*, autore e lettori, finirà per rimettere in gioco tutto quel che abbiamo dentro e tutto quel che abbiamo fuori. E per "fuori" intendo naturalmente il contesto storico-sociale, tutto l'"impuro" che ha nutrito il romanzo nelle sue epoche d'oro».

L'opera che ne risulta da dritto è quella "incompiuta": *Il castello dei destini incrociati*, seguito da *La taverna dei destini incrociati*, poi ci doveva essere una seconda parte di cui si parlerà, calcata su alcuni saggi dei narratologi russi come *La cartomanzia come sistema semiotico* e *I sistemi semiotici più semplici e la tipologia degli intrecci* che sono citati in nota, insieme a quel seminario del '68 di Urbino. Alla rovescia, la più recente: *Se una notte d'inverno un viaggiatore* non manca di richiamare quella gidiana: *Si le grain ne meurt*, appunto se il romanzo non muore non può fruttificare. Su questo punto forse sarà bene sentire anche l'altra campana. Mi capitò un paio di anni dopo di stare una settimana ad un convegno con Barthes; pensavo di fargli cosa grata ricordandogli che ad un suo corso aveva avuto un alunno di eccezione come Italo Calvino. Contrariamente alle mie attese, lo vidi piuttosto infastidito: tutto sommato non gli sembrava che Calvino fosse un narratore molto originale, e mi ricordo che in qualche intervista di quegli anni — magari di minore impegno — qualche puntata sulla scarsa originalità dei narratori italiani, di Calvino in particolare, non mancava. Poi le cose sono cambiate, e mi risulta che Barthes ha ricambiato in pieno la stima di Calvino.

Guidato da un ricordo di un comune amico di Barthes, J.M. Gardair, ritrovo nella collezione di «Le Monde» del febbraio 1981 una partecipata e postuma ricognizione barthesiana dedicata agli *charmes* di Calvino: si tratta di una sbobinatura dalla trasmissione radiofonica "France-Culture" del 20 ottobre 1978, riesumata in occasione del lancio del Roman/Seuil *Si par une nuit d'hiver un voyageur* per il quale si apre venerdì 13 Février 1981 una finestra in prima pagina (*Diabolique et éblouissant*), per altro in quei giorni con risposte, dello stesso calibro promozionale, verdiglionesche. La settimana dopo, nel supplemento culturale del 20, una recensione di Mario Fusco a p. 13 *Calvino, prestidigitateur diabolique*, con sottotitolo *Un fascinant voyage dans le labyrinthe du romanesque* (ma accreditare diabolicità ad un tipo come Calvino forse è un po' esagerato, pertiene a quei malintesi che, per esempio, Pirandello cercava di coltivare con se stesso e con il suo pubblico, con giusta rettifica di tiro, diciamo pure demistificatoria, da parte di Brancati), con il tema del fascino che viene ripreso nel riquadro di p. 20 *Vu par Barthes*: «On peut essayer de passer en revue quelques-uns des charmes de l'écriture de Calvino»:

Pour moi, je vois d'abord le fait qu'il élabore une imagination très particulière: ce serait, au fond, celle qui a été bien mise en scène par Edgar Poe, ce que l'on pourrait appeler l'imagination d'une certaine mécanique ou la mise en rapport entre l'imagination et la mécanique. C'est une proposition qui a une allure un peu paradoxale parce que, d'un point de vue romantique, on pourrait penser que l'imagination est au contraire une force pas du tout mécanique, mais extrêmement "spontanée". Or, pas du tout. L'imagination, peut-être la grande imagination, c'est toujours le développement d'une certaine mécanique. Et, en cela, d'ailleurs, avec des différences de style: il y a un côté Edgar Poe dans Calvino, parce qu'il pose une sorte de situation qui, en général, est, disons, irréaliste du point de vue de la vraisemblance du monde, mais seulement dans la donné de départ, parce que, ensuite, cette situation irréaliste est implacablement réaliste et implacablement logique.

Il y a donc, chez lui, ce premier charme qui est un charme du développement: on peut le dire au sens mathématique, au sens logique du mot — comme une équation qui se développe bien et infiniment avec beaucoup d'élégance —, mais, aussi, d'une façon plus inattendue et plus triviale, dans un sens cycliste comme on parle du développement d'une bicyclette —il y a un régime de la roue, un régime de la marche, qui est extrêmement apaisant, au bon sens du terme.

Le second charme que je trouve à Calvino, c'est que, en réalité, c'est un penseur ou un praticien de récit — ce qui, finalement, n'est pas tellement fréquent aujourd'hui. Il apporte, là, une sorte de subtilité extraordinaire. Ses récits, la façon dont il les construit, dont il les développe, seraient assez proches de la structure de la joute, du combat-jeu, de la stratégie.

D'ailleurs, cela présenterait une certaine affinité avec son goût pour le Moyen Age. Au fond, ce qu'il présente, ce sont des tournois extrêmement compliqués et, certainement, beaucoup moins simples que ceux qui avaient lieu réellement au Moyen Age. Il y a chez lui une espèce de développement et d'éblouissement de la stratégie, une sorte de combinatoire illimitée des possibilités, des opérations, des manipulations. Et, bien que le contenu de ses livres ne soit pas directement politique, ça me fait penser à une espèce de récit politique, de politique-forme. Je ne sais pas très bien comment l'expliquer. Le récit est conduit comme une sorte d'étoilement: il y a des assauts multiples, des entrées multiples. Le récit n'est pas ordonné, mais — pour jouer sur les mots — coordonné, substituant la notion de coordination à la notion d'ordre.

C'est cela qu'il y a de très beau et qui fait, d'ailleurs, rapprocher son oeuvre d'une certaine vertu picaresque, c'est précisément l'histoire qui raconte une histoire qui raconte une autre histoire, des histoires en tiroirs, en quelque sorte.

Il y a une chose encore, mais elle est plus difficile à dire parce que l'on n'a que des mots un peu anciens et qu'on hésite toujours — mais pourquoi pas? —c'est que, dans l'art de Calvino et, dans ce qui transparaît de l'homme, en ce qu'il écrit, il y a — employons le mot ancien — une sensibilité.

On pourrait dire aussi une humanité, je dirais presque une bonté, si le mot n'était pas trop lourd à porter, c'est-à-dire qu'il y a, à tout instant, dans les notations, une ironie qui n'est jamais blessante, qui n'est jamais agressive, une distance, un sourire, une sympathie. La sensibilité réunie, précisément, avec une sorte de vide. Je pense, par exemple, au débout du *Chevalier inexistant* où une sensibilité marveilleuse s'exprime, encore plus, si on pense qui c'est un homme vide, un vide qui parle. Un petit drame de la modernité qui se joue là au détour d'un conte fantastique.

Ho cercato di confrontare i miei ricordi con quelli di una partecipante a quel seminario, Lidia Lonzi, che in data 4/5/'87 mi scrive: «Di Calvino ricordo molto la persona: il silenzio in contrasto con la verbosità o la scioltezza di altri. Ricordo che si era quasi spaventato perché una giovane donna elegante lo aveva mondanamente avvicinato e salutato e mi aveva chiesto con complicità: "Chi è costei?" La cosa mi aveva in qualche modo rassicurato su un'intesa — Avevamo in fondo parlato pochissimo. O meglio, io niente credo, lui mi aveva raccontato che aveva seguito le lezioni di Barthes su Balzac (*S/Z*): (è stato un seminario di due anni, '68 e '69) credo che fossero proprio di quell'inverno. Era colpito dal fatto che ogni frase di *Sarrazine* venisse vista come una funzione nel processo significativo — direi che era conquistato».

Un secondo punto su cui Calvino tornava spesso, era l'antologia di Contini *Letteratura dell'Italia Unita*, che, essendo uscita da poco, faceva allora grande rumore. Calvino in un certo senso era abbastanza lusingato dal posto che gli aveva fatto Contini, mettendolo nel realismo esistenziale non troppo lontano da quello dei buoni toscani, Bilenchi e Benedetti, ma era un po' seccato da certe proposizioni riduttive, soprattutto sull'ultimo periodo, sui temi fantascientifici in chiave grottesca e burlesca: *Le cosmicomiche*. Un punto che Contini sottolineava era l'attitudine di Calvino ad essere uno scrittore in ascolto, a stare un po' troppo a sentire quello che dicevano i critici finendo per conformarvisi. Del resto lui stesso in quella introduzione che ho citato, confessava appunto: «Fu Pavese il primo a parlare di tono fiabesco a mio proposito e io, che fino ad allora non me ne ero reso conto, da quel momento in poi lo seppi fin troppo e cercai di confermare la definizione».

Contini aveva scelto proprio un pezzo di questa introduzione al *Sentiero dei nidi di ragno* e Calvino con quell'aria un po' furbetta di cui parlava Pasolini diceva: «Eh sì, ha scelto bene, è un bel pezzo», perché Calvino aveva un forte senso autocritico, ma al tempo stesso era festoso per le proprie riuscite. Ma la cosa che lo lusingava era una guizzante citazione che Contini aveva smistato (secondo il modello di questa antologia che è fatta a "destini incrociati"), sotto il profilo di Landolfi, dove dice a pag. 931: «ma non sarebbe possibile sottovalutare l'importanza del primo Landolfi, che era tematicamente a metà strada fra l'anziano Palazzeschi e il più giovane Calvino, eppure stilizzato a livello della prosa d'arte, nella narrativa "magica" del secondo anteguerra». (*Italie magique* è un raro della bibliografia continiana, troppo precoce per comprendere Calvino). Calvino, che forse ancora non lo sapeva che era un "magico", cominciò a farci un pensiero, e se fino ad allora non aveva frequentato con molto entusiasmo l'opera di Landolfi, da allora il Landolfi è stato uno dei suoi autori preferiti; e lo abbiamo visto nel 1982, nella postfazione a *Le più belle pagine di Tommaso Landolfi* intitolata: *L'esattezza e il caso* dove Calvino si assa sulla problematica profetica di Landolfi, sulla arbitrarietà del segno, la lingua come sistema, stratificazione culturale, addirittura sulle cartesiane strutture mentali innate che compaiono nei *Racconti impossibili* di Landolfi: roba — dice Calvino — da seminario universitario aggiornato; addirittura per il «racconto impossibile» *S.P.Q.R.* parla di «tratto distintivo» che è proprio della fonologia di Trubeskoj, allorché viene a parlare del tratto che taglia in basso la rotondità della lettera "Q".

Il *clou* del discorso calviniano sulle conoscenze e applicazioni landolfiane di problematiche strutturalistiche sta alle pagine 421-423, che debbono essere riportate nella loro totalità, perché sono molto rivelatrici degli interessi di Calvino stesso.

Il racconto che dà il titolo al suo primo libro (*Dialogo dei massimi sistemi*, 1937) consiste in una discussione sul valore estetico di poesie scritte in una lingua inventata, che solo l'autore (ma forse neanche lui) può capire. Non è solo per iperbole ironica, credo, che racconto e volume furono ornati da quel titolo illustre: è come se Landolfi volesse annunciarci che, al di là dello humour paradossale del suo testo (e al di là della satira, che pure affiora chiaramente, al crocianesimo accademico allora dominante) il problema che gli sta a cuore è proprio quello della *lingua* come convenzione collettiva ed eredità storica e della *parola* individuale e mutevole. È questo il primo documento d'una riflessione che attraverserà tutta l'opera di Landolfi, sempre sullo stesso tono funambolico, ma non per questo meno seria e rigorosa, fino a *Parole in agitazione*, nitida favoletta sul "significante" e il "significato", contenuta nel suo libro ultimo (*Un paniere di chiocciole*, 1968).

Quali siano state le fonti della sua competenza, lo ignoro; certo all'epoca della sua formazione, non si può dire che la linguistica fosse all'ordine del giorno (e tanto meno quella strutturale del De Saussure) nella cultura letteraria europea (e tanto meno in quella italiana); e anche in seguito, da quando la linguistica ha assunto il ruolo di "disciplina pilota", tenderei a escludere che egli se ne sia dato pensiero. Eppure, tutto quel che lui dice in materia mi pare d'una esattezza "scientifica" (come terminologia e come concetti) tale da poter far testo nel seminario universitario più aggiornato.

244

Dai racconti e dai diari di Landolfi mi pare che si possa estrapolare una teorizzazione linguistica i cui presupposti sono le strutture mentali innate (vedi in *Des mois* le riflessioni sul suo bambino che comincia a parlare), l'arbitrarietà del segno linguistico (ibidem, pp. 135 e sgg.), e soprattutto la non arbitrarietà della lingua come sistema, come creazione storica, stratificazione culturale (ibidem, pp. 9-10, da cui traggo la citazione che segue).

"Ameni tentativi di chi cerca nuovi linguaggi! e necessariamente rientra in qualche antichissimo sistema di rapporti, donde non si evade. Antichissimo, connaturale direi. Sfido chicchessia a inventare davvero un gioco nuovo (di fondo e non di modo), o altrimenti un nuovo rapporto con la realtà (o irrealtà): i risultati ottenibili si dispongono inevitabilmente, sembra, nell'una o nell'altra delle categorie ordinate, in numero finito, *ab aeterno*".

La creazione individuale e imprevedibile del poeta è possibile solo perché alle sue spalle c'è una lingua con le sue regole e i suoi usi stabiliti, che funziona indipendentemente da lui: il ragionamento di Landolfi gira sempre intorno a questo perno. (Anche nella conversazione: ricordo che la prima volta che parlai con lui, venticinque anni fa, si finì non so più come a discutere di lingua e dialetti, e lui confutò gli argomenti con cui sostenevo la possibilità d'un italiano letterario che avesse le sue radici fuori dal toscano).

Forse non c'è da meravigliarsi troppo: il russologo Landolfi, con l'aria svagata del giocatore incallito, aveva annusato i suoi calepini, sulla scia dannunziana padroneggiava la lingua e i suoi meccanismi; e anche se non si dava troppo pensiero della linguistica come "scienza pilota", all'erta com'era, qualche virus della grande infezione che era nell'aria lo aveva contagiato.

È a questo punto che si inserisce, per la svolta del 1965, la genealogia italiana del fantastico, dove Landolfi occupa un posto di rilievo. Per non impoverirsi, per non ridursi a zero, da un certo punto in poi Calvino non attinge più alla memoria individuale, resistenza, impegno civile ecc., ma si proietta nella dimensione cosmica; denuncia le sue fonti: Leopardi e subito accanto Braccio di Ferro, ma anche Pirandello, un certo Pirandello: l'attenzione di Calvino saggista è più che altro rivolta al teatrante. Ma obiettivamente Pirandello, come sapevano i suoi intimi, ha covato per tutta la vita un romanzo fantastico *Adamo ed Eva*, la storia di un ricominciamento del mondo dopo un disastro. E questo ricominciamento è un po' adombrato in quella terza parte de *Il castello dei destini incrociati* che Calvino non ha potuto o non ha voluto portare a termine. Infatti nella nota dell'ottobre 1973 che accompagna questo libro, la cui combinatoria dovrebbe essere formalizzata ad una lavagna per capire come stanno le cose, piuttosto incrociate, diceva: «Voglio ancora informare che per un certo tempo nelle mie intenzioni questo volume avrebbe dovuto contenere non due ma tre testi. Dovevo cercare un terzo mazzo di tarocchi abbastanza diverso dagli altri due? A un certo momento sopravvenne in me un senso di fastidio per la prolungata frequentazione di questo repertorio iconografico medieval-rinascimentale che obbligava il mio discorso a svolgersi entro certi binari. Sentii il bisogno di creare un brusco contrasto ripetendo un'operazione analoga con materiale visuale moderno. Ma qual è l'equivalente contemporaneo dei tarocchi come rappresentazione dell'inconscio collettivo? Pensai ai fumetti: non a quelli comici ma a quelli drammatici, avventurosi, paurosi: gangsters, donne terrorizzate, astronavi, vamps, guerra aerea, scienziati pazzi. Pensai di affiancare alla *Taverna* e al *Castello*, entro una cornice analoga, *Il motel dei destini incrociati*. Alcune persone scampate a una catastrofe misteriosa...» (e questo della catastrofe misteriosa è proprio uno dei punti centrali della fantascienza a cominciare da certi scrittori di fantascienza inglesi, di cui parlerò fra breve, ma anche del Verne, per esempio, di un volumetto abbastanza poco noto, quello postumo di *L'éternel Adam*, dove si parla di una catastrofe che lascia vive solo quindici persone, che si riducono subito a nove). Naturalmente questa del disastro che lascia qualche sopravvissuto sulla terra è una fantasia che Calvino ha accarezzato spesso, ma l'ha accarezzata dalla parte dei fumetti e bisogna tener presente che in un articolo su Rodari (su cui ritornerò) Calvino richiama come negli anni '50 ci fosse stata sulla stampa comunista una discussione furibonda perché Nilde Jotti aveva mandato una diffida e una condanna della cultura fumettistica, e un lettore aveva protestato facendo presente che perlomeno si poteva distinguere fra fumetti buoni e fumetti cattivi. Era intervenuto subito Togliatti a sanzionare la condanna dei fumetti, e Calvino ricorda questo episodio come uno dei fatti che più lo avevano addolorato nell'epoca del gelo.

I sopravvissuti scampati ad una catastrofe misteriosa trovano rifugio in un motel semidistrutto, dove è rimasto solo un foglio di giornale bruciacchiato: la pagina dei fumetti. I sopravvissuti, che hanno perso la parola per lo spavento, raccontano le loro storie indicando le vignette, ma non seguendo l'ordine di ogni *strip*: passando da una *strip* all'altra in colonne verticali o in diagonale: «Non sono andato più in là della formulazione dell'idea così come l'ho esposta ora. Il mio interesse teorico ed espressivo per questo tipo di esperimenti si è esaurito. È tempo (da ogni punto di vista) di passare ad altro».

Un altro testo, appunto, che si svolge un po' in questa direzione è *Cancroregina* di Landolfi del 1950. Ci sono delle vedute da telescopio che, dopo il lancio di questa astronave Cancroregina, rivelano come appare la terra man mano che ci si allontana nello spazio: «I giorni passavano. Ogni giorno ci si scopriva un più vasto orizzonte, pure la superficie terrestre non rivelava ancora al nostro sguardo la sua curvatura, ché anzi presentava alquanto concava, né era aumentata la grandezza apparente della luna. Ma già andavano imbrunendo le masse d'acqua, e schiarendo per converso le terre, che apparvero più tardi, del tutto opache e sorde quelle, straordinariamente brillanti queste. (Della rotondità della terra avemmo la prima volta il senso sui cento chilometri di altezza)». Qui poi siamo a mezza strada fra una cosmicomica e un'apertura ligure, sanremese, di tipo Prealpi Liguri, che fu pubblicata in *Adelphiana 1971*, *Dall'opaco*, dove, raro per una prosa di Calvino, si insinuano le voci dialettali "ubagu", "abrigu", e la visione delle terrazze digradanti.

Ma intanto bisogna intercalare anche letture un po' nascoste, prefantascienza inglese 1901, tipo *La nube purpurea* di Matthew Sheel che propone varie cose interessanti. Primo, la fine del mondo e relativa morte dell'umanità; singolare eccezione, la moglie del sultano di Turchia. Secondo, la scoperta del Polo Nord che è un lago pieno di occhi che ha al centro una iscrizione illeggibile. Terzo, incendio e distruzione di città visibili come Londra, Parigi, Pechino, Costantinopoli ecc.. Quarto, la scomparsa per affondamento dell'intera Italia meridionale. Quinto, la seconda consumazione del peccato originale nella cabina di una nave in Australia.

Nel 1970 su «Le Monde», trovandosi a discutere sul fantastico in occasione dell'uscita di un libro di Todorov, dedicato a questo argomento, al quarto punto diceva Calvino: «Cercherò fra le mie letture recenti qualche nome poco conosciuto che rappresenti diverse possibilità del fantastico». Per primo cita *Flatlandia*, «racconto fantastico a più dimensioni» di Edwin A. Habbot, pubblicato anonimo nel 1882, dove si esplorano le tre dimensioni canoniche: lunghezza, larghezza, altezza, per prepararci ad una ancora sconosciuta quarta dimensione. Questi sono i luoghi comuni della scienza del 1880, però Calvino cercava di anacronizzarli e di attirarli nella sua contemporaneità. Divertenti certi capitoli dedicati alle donne come aghi — perché qui tutto il gioco è fra figure geometriche — con un codice di comportamento piuttosto derisivo. Ogni Femmina in luogo pubblico deve emettere ininterrottamente il suo Grido di pace, deve muovere continuamente in qualsiasi luogo pubblico il posteriore da sinistra a destra, in modo da segnalare la propria presenza a chi sta dietro. Poi, Calvino cita un romanzo polacco che parte dalle

247

memorie familiari fra le due guerre, per una transfigurazione visionaria di una ricchezza infinita, Bruno Schulz.

Bruno Schulz è stato un modello che mi sembra non sia stato ancora studiato per la narrativa fantastica di Calvino. E ancora Felisberto Hernández, uruguaiano, dove un narratore, di solito un pianista, è invitato in ville solitarie in cui ricchi e maniaci organizzano complicate messe in scena fra donne e bambole. Ci sarebbe poi Macedonio Fernández, di cui Calvino ha offerto la traduzione di alcuni capitoli, perché cercava di farlo tradurre da Einaudi, ma poi fu tradotto da F.M. Ricci. E naturalmente i consueti Borges e Cortázar, che probabilmente Calvino ha recuperato mediante il tramite parigino.

Quello che credo sia importante nella attitudine calviniana è l'incrocio, la creolizzazione dei codici, soprattutto quando nel territorio fantastico cerca di riflettere sulla dimensione della letteratura di consumo, portandola dalla pura consumazione alla combinatoria fantastica. C'è questo articolo su *Cibernetica e fantasmi* che risulta da un montaggio di vari interventi che durano quasi un anno, dal '67 al '68, e dove Calvino è sollecitato da un saggio sul labirinto di H. M. Enzensberger: *Strutture topologiche nella letteratura moderna*. Sostiene Enzensberger che «"ogni orientamento [...] presuppone disorientamento. Solo chi ha sperimentato lo smarrimento può liberarsene. Però questi giochi di orientamento sono a loro volta giochi di disorientamento. In ciò sta il loro fascino e il loro rischio. Il labirinto è fatto perché chi vi entra si perda ed erri. Ma il labirinto costituisce pure una sfida al visitatore perché ne ricostruisca il piano e ne dissolva il potere. Se egli ci riesce, avrà distrutto il labirinto; non esiste labirinto per chi lo ha attraversato"». Su questo tema Calvino, dopo aver responsabilizzato il lettore circa l'attribuzione di forza critica alla letteratura, nota una lunghezza d'onda simile all'ultimo racconto di *Ti con zero*, dove «si vede Alexandre Dumas che ricava il suo romanzo *Il Conte di Montecristo* da un *iper-romanzo* che contiene tutte le varianti possibili della storia di Edmond Dantès. Prigionieri d'un capitolo del *Conte di Montecristo*, Edmond Dantès e l'Abate Faria studiano il piano della loro evasione e si domandano quale delle varianti possibili sarà la buona. L'Abate Faria scava cunicoli per evadere dalla fortezza ma sbaglia continuamente la strada, e finisce per trovarsi in celle sempre più profonde; sulla base degli errori di Faria, Dantès cerca di disegnare una mappa della fortezza. Mentre Faria a forza di tentativi tende a realizzare la fuga perfetta, Dantès tende a immaginare la prigione perfetta, quella dalla quale non si può fuggire. Le sue ragioni

248

sono spiegate nel passo che ora vi leggo:

"Se riuscirò col pensiero a costruire una fortezza da cui è impossibile fuggire, questa fortezza pensata o sarà uguale alla vera — e in questo caso è certo che di qui non fuggiremo mai ma almeno avremo raggiunto la tranquillità di chi sta qui perché non potrebbe trovarsi altrove, — o sarà una fortezza dalla quale la fuga è ancora più impossibile che di qui — e allora è segno che qui una possibilità di fuga esiste: basterà individuare il punto in cui la fortezza pensata non coincide con la vera per trovarla".

Questo è il finale più ottimistico che sono riuscito a dare al mio racconto, al mio libro, e a questa mia conferenza».

Lo scarto fra la fortezza immaginata e la fortezza reale è uno dei punti fondanti sia de *Le Cosmicomiche* sia di tutta la prosa di Calvino che vi ruota intorno e si ricongiunge anche alla attitudine enciclopedica alla Fourier, che finisce nell'ultimo libro incompiuto che porta postumo il titolo *Sotto il sole giaguaro* e che ha un racconto molto bello, *Un re in ascolto*, che mi sembra si ricongiunga a quella prosa su *Il Conte di Montecristo* di *Ti con zero*. C'è la fantasia angosciosa e angosciata di questo re, di questo potente, che sta ad ascoltare tutti i rumori che provengono anche dalle segrete del suo palazzo, dove dovrebbero stare carcerati i prigionieri politici, ed è continuamente in allarme perché pensa che, se questi prigionieri riescono a trovare la via d'uscita, il suo potere crollerà.

Qui c'è un punto di raccordo con un testo, che credo non molto noto di Calvino, che pubblicò nel 1969: si tratta di quattro pezzi sotto il titolo *La decapitazione dei capi*. Fu pubblicato sul "Caffè" di G.B. Vicari, preceduto da questa avvertenza: «Le pagine che seguono sono abbozzi di capitoli d'un libro che da tempo vado progettando, e che vorrebbe proporre un nuovo modello di società, cioè un sistema politico basato sulla uccisione rituale della intera classe dirigente a intervalli di tempo regolari. Non ho ancora deciso che forma avrà il libro. Ognuno dei capitoli che ora presento potrebbe essere l'inizio d'un libro diverso; i numeri d'ordine che essi portano non implicano perciò una successione».

È un testo né di grande densità stilistica né di forte impegno ideologico; insomma mi sembra che Calvino scherzasse e che non avesse intenzione di fare questo romanzo. Tuttavia è molto interessante siffatta satirica forma di scambio, cioè: ti dò il potere, però con questo acquisto il diritto in un certo momento di decapitarti sulla pubblica piazza. E ci sono, soprattutto nel secondo pezzo, delle riflessioni piuttosto corrosive sulla faccia dei potenti, visti attraverso i mass media. Dice: «La televisione ha cambiato molte cose. Il potere, una volta, restava distante, figure lontane, impettite su di un palco, o ritratti atteggiati a espressioni di una fierezza convenzionale, simboli d'un'autorità che male si riusciva a riferire a individui in carne e ossa». Qui Calvino era intanto pervenuto ad una certa meditazione sui testi dedicati al carnevalesco da Michail Bachtin, il quale sostiene che la vicinanza è comica, la distanza è tragica, cioè a dire il potere può essere soltanto esercitato alla distanza, se uno entra nella intimità di una persona perde qualsiasi potere ed entra nella sfera del quotidiano, nella sfera comica. E questo è un fatto che si è visto spesso, in quanto i potenti mettono distanza, indisponibilità e irraggiungibilità con i sottoposti, perché il potere per essere tale non deve scadere nella sfera comica: «Adesso, con la televisione, la presenza fisica degli uomini politici è qualcosa di vicino e familiare; le loro facce, ingrandite dal video, visitano quotidianamente le case dei privati cittadini; ognuno può, tranquillamente affondato nella sua poltrona, rilassato, scrutare il minimo moto di lineamenti, lo scatto infastidito delle palpebre alla luce dei riflettori, il nervoso umettare delle labbra tra parola e parola... Specialmente nelle convulsioni dell'agonia il viso, già ben noto per essere stato inquadrato tante volte in occasioni solenni o festose, in pose oratorie o di parata, esprime tutto se stesso: è in quel momento, più che in ogni altro, che il semplice cittadino sente il governante come suo, come qualcosa che gli appartiene per sempre». E il patto è che il governante accetti di essere decapitato dopo un certo periodo; dopo che ha esercitato il potere in cambio deve accettare la propria decapitazione.

Il terzo pezzo è abbastanza preoccupante, nel senso che mi sembra ci sia uno scadimento di tono, soprattutto con qualche allusione alla contemporaneità letteraria, che sembra alludere al fatto che questo pezzo non aveva intenzioni molto serie. Per esempio i nomi di questi potenti che dovranno essere decapitati sulla pubblica piazza sono russificati; interviene un compagno che dice: «Nessuno di noi dimentica mai, compagni, — intervenne a calmare gli animi Ignatij Apollonovic, il più anziano del comitato, che passava per lo spirito più conciliante, — ciò che non va dimenticato... comunque, è giusto che voi ce lo ricordiate, di tanto in tanto... sebbene, — soggiunse, ridacchiando nella barba, — a ricordarcelo già ci pensano abbastanza il Conte Galitzin, e gli zoccoli dei suoi cavalli... — Alludeva al comandante della Guardia imperiale che con una carica di cavalleria aveva di recente fatto a pezzi un loro corteo di protesta, al ponte del Maneggio». Ecco, Ignatij Apollonovic, uno potrebbe pensare su un livello serio negli anni '69 a qualcuno come Ignazio Ambrogio, ma non corrisponde per niente. Allora la identificazione controcorrente che si può fare è quella con un personaggio che non è mai riuscito ad entrare nel giro della grande letteratura, ed è un avvocato siciliano brioso ed ironico, fondatore dell'Antigruppo, che si chiama Ignazio Apolloni. L'Antigruppo ebbe allora una funzione di disturbo all'interno dello stabilimento letterario del tempo; non vorrei che Calvino sul "Caffè" avesse scherzato un po', tendendo a mescolare le carte.

L'impostazione impressa agli studi sulla favolistica si segue molto bene nel tragitto fra le due edizioni che Calvino ha fatto delle *Fiabe italiane*, quella che pubblicò nel 1956, dove i testi di riferimento sono tutti di un orizzonte sociologico latamente marxista e il punto più formale è nella citazione del volume di Propp che allora si conosceva, e quella del 1971. A pag. 15 della prima edizione scriveva Calvino: «Chi voglia vedere esemplificate le più suggestive interpretazioni etimologiche dei motivi delle fiabe, legga il volume di V.J. Propp, *Le radici storiche del racconto di fate*, Einaudi, Torino 1949. (Il Propp, studioso sovietico, cerca di integrare il metodo e i risultati della scuola antropologica in una storicizzazione marxista)».

Invece nella *Nota* del 1971 le cose erano cambiate e Calvino fa presente: «Non ho voluto modificare in nulla l'introduzione scritta nel 1956 e che rispecchia l'orizzonte culturale di quegli anni. Voglio solo ricordare che nel quindicennio intercorso fra quella data e oggi la problematica sulla fiaba si è completamente rinnovata, specialmente per opera della riscoperta (in America e in Europa) di un lavoro del Propp precedente a quello da me citato (traduzione italiana: V. Ja. Propp, *Morfologia della fiaba*, 1967) e del moltiplicarsi di studi morfologici e semiologici soprattutto in Francia, da parte di A.J. Greimas e della sua scuola».

Ultimamente Calvino aveva rivendicato una sua attenzione alle strutture formali già per la prima edizione delle *Fiabe italiane*; ma bisogna riconoscere che questo campo di ricerca lo aveva impegnato a tenere d'occhio gli studi che uscivano, ma la prima impostazione del libro è certamente non formalistica, non semiologica, non strutturale; è magari un libro che ha molto influito sulla strutturazione della sua scrittura. C'è quella dichiarazione di pag. 17 che probabilmente è già stata usufruita, che è molto illuminante sul cammino che Calvino stava intraprendendo nel campo della fiaba, dove dice: «Ora, il viaggio fra le fiabe è finito, il libro è fatto, scrivo questa prefazione e ne son fuori: riuscirò a rimettere i piedi sulla terra? Per due anni ho vissuto in mezzo a boschi e palazzi incantati, col problema di come meglio vedere in viso la bella sconosciuta che si corica ogni notte a fianco del cavaliere, o con l'incertezza se usare il mantello che rende invisibile o la zampina di formica, la penna d'aquila e l'unghia di leone che servono a trasformarsi in animali. E per questi due anni a poco a poco il mondo intorno a me veniva atteggiandosi a quel clima, a quella logica, ogni fatto si prestava a essere interpretato e risolto in termini di metamorfosi e incantesimo: e le vite individuali, sottratte al solito discreto chiaroscuro degli stati d'animo, si vedevano rapite in amori fatati, o sconvolte da misteriose magie, sparizioni istantanee, trasformazioni mostruose, poste di fronte a scelte elementari di giusto o ingiusto, messe alla prova da percorsi irti d'ostacoli, verso felicità prigioniere d'un assedio di draghi ecc.». Calvino su questi testi, a cominciare da quella novella che raccoglie nel Veneto, *Il dimezzato*, succhia svariate suggestioni per una fetta notevole della sua produzione fantastica e fabulistica.

I risultati del suo volenteroso aggiornamento Calvino li espose in uno scritto per i "documenti" di una *Storia d'Italia*, Torino 1973, dal titolo *La tradizione popolare delle fiabe*, dove riesaminava tutta la problematica alla luce degli ultimi arrivi, anche l'André Jolles delle *Einfache Formen* (1930), che allora si stava recuperando anche negli studi boccacceschi. Comunque il testo preso in esame deriva dal vol. I delle *Fiabe e Novelle* in dialetto siciliano, raccolte dal Pitré, precisamente la n. XXVII, *Peppi, spersu pri lu munnu* (già da lui tradotta letteralmente nelle *Fiabe italiane* n. 172) perché «unisce caratteri di fiaba, di racconto realistico-picaresco, di mito cosmico»:

La funzione d'aiutante magico viene assunta da un bue, ma da un bue vecchio, apparentemente inutile per il lavoro agricolo. Da questo bue, in vita e in morte, si sprigiona tutta la forza magica, si ricostituisce l'universo della fiaba. Il bue vecchio combatte e vince un toro furioso; aggiogati allo stesso aratro, bue vecchio e toro superano tutte le prove dell'aratura. Quando Peppi ha ottenuto la mano della figlia del re, il bue chiede a Peppi d'essere ammazzato: la carne dovrà essere cucinata e si trasformerà in «carne di coniglio, di lepre, di pollame, di tacchino, di castrato e anche di pesce» per il banchetto di nozze; le ossa dovranno essere sotterrate e faranno crescere una vegetazione di frutta e di fiori.
È chiaro che siamo al centro d'una rete di relazioni semantiche attorno al bue e all'aratura. Come unità semantica il bue significa castrazione, sterilità, in opposizione al toro, ma significa anche forza motrice per l'aratura, aumento della fecondità del terreno, in opposizione alla pastorizia e alle forme d'agricoltura precedenti all'aratro. Attorno all'asse sterilità-fecondità si distribuiscono tutti i significati: la rivoluzione tecnologica dell'aratro e del giogo è apportatri-

ce di fecondità dei campi ma anche di sterilità; e qui lo storico potrà definire questo attributo nei termini che gli competono: cerealicoltura estensiva che distrugge altre forme di coltura e d'allevamento, alimentazione a base di farinacei, latifondo, lavoro servile. Il bue vecchio e il toro sono le due inutilità naturali (vecchiaia, selvaticità) chiamate in soccorso all'utilità culturale della castrazione dei bovini. Può darsi che la fiaba di Peppi derivi dal mito d'un eroe culturale inventore dell'aratro (il patto col sole entrerebbe in un tale contesto); ma così come figura nel testo registrato da Pitré, Peppi è l'eroe della fiaba *ottativa*, chiamato a riparare all'ingiustizia della vita del bracciante. L'uccisione sacrificale del bue — bue magico, non bue agricolo — segna il ritorno dell'abbondanza e varietà di carni commestibili e di frutta. È un mito regressivo, di restaurazione d'una cultura preistorica (di cacciatori e raccoglitori boschivi) o semplicemente d'un'agricoltura non latifondista (di allevatori e ortocoltori)? Oppure è il mito profetico d'un nuovo patto con gli elementi (il sole e i suoi mediatori) per un diverso corso del tempo, un diverso destino umano in una diversa astronomia?

Possiamo definire questo come un *ultimo* tentativo della fiaba di ricostruire un universo totale. Con la scomparsa d'una totalità naturale-culturale arcaica la fiaba muore, cioè perde la facoltà di moltiplicare le sue varianti. Altre rappresentazioni d'una totalità del mondo in una sequenza di eventi prendono forma, moltiplicano le loro varianti, muoiono, parzialmente risuscitano e parzialmente rimuoiono. E questo sempre ripetendo qualcosa delle prime forme di racconto, per cui in ogni storia che abbia un senso si può riconoscere la prima storia mai raccontata e l'ultima, dopo la quale il mondo non si lascerà più raccontare in una storia.

Al qual proposito bisogna anche aggiungere che uno degli ispiratori dell'impresa di Calvino, della grammatica della fantasia e della sintassi, accanto a Propp, è un personaggio più domestico, come Gianni Rodari, su cui Calvino è intervenuto con molta simpatia quando fu fatto il 2° convegno a Reggio Emilia nel novembre 1982. Di Rodari e della *Grammatica della fantasia* Calvino scrive: «In esso egli racconta come da un frammento di Novalis letto a diciott'anni (se avessimo anche una Fantastica, come una Logica, sarebbe scoperta l'arte di inventare), gli venne l'idea di trovare i fondamenti di questa disciplina, la Fantastica, e di come inseguì questa idea lungo tutta la sua coerentissima vita, da maestro elementare a giornalista, a autore di filastrocche e favole per l'infanzia di successo universale, a diffonditore teorico e pratico di una pedagogia dell'agilità mentale. (Va ricordato che le scuole elementari in cui egli insegnò erano quelle del 1940 o giù di lì; e che i giornali in cui lavorò erano la stampa comunista di questi trentacinque anni di guerre fredde e inverni caldi; questo per dire che lo humour e la leggerezza ha sempre dovuto metterceli lui di suo, doni del suo temperamento e del suo garbo e della sua testa sempre limpida)».

E qui Calvino fa vedere come Rodari costruisce le sue favole minime, giocando anche su quegli anagrammi, quei giochi linguistici che a lui piacevano tanto e che Rodari aveva assorbito attraverso altre strade:

«A me un sasso, a me un sasso! — gridava un tale.

Che cosa ne vuole fare? — fu chiesto.

— Darmelo in testa!

Col cappello o senza?

L'uomo apparve titubante. Quindi decise: "Datemi un aperitivo".

Con il selz o liscio?

Quando si prende una decisione bisogna essere pronti a prendere anche la seconda».

Delle sentenze lapidarie che Calvino presenta in questo suo articolo, vorrei mettere in risalto la sua esigenza delle decisioni biforcate con tutte le successive implicazioni evidenti in *Palomar* e poi nella raccolta della nuova edizione de *Le cosmicomiche vecchie e nuove* del Garzanti del 1984, dove viene dato un nuovo ordinamento ai tre libri cosmicomici, *Le cosmicomiche, Ti con zero, Memoria del mondo*, con l'aggiunta di due nuove cosmicomiche, di cui una porta un riferimento ad una notizia apparsa sullo «Washington Post» del 1984, sulla nascita improvvisa del mondo in una frazione infinitesima di tempo (s'intitola *Il niente e il poco*, l'altra è *L'implosione*). Ecco, in questa costruzione combinatoria, biforcata — dove Calvino tiene presente molti luoghi comuni (fra virgolette) della scienza o della divulgazione scientifica, non ultimo il libro sulle catastrofi di René Thom, che allora conosceva una grande diffusione anche a livello di convegni (non c'era convegno anche estivo in cui una relazione di Thom non fosse prevista) —, in questo senso della costruzione di scatole cinesi che si incastrano l'una nell'altra, ben evidente nell'articolo sopra citato, Calvino commette quella che gli scolastici chiamano *ignoratio elenchi*. Infatti comincia (gli *incipit* degli articoli di Calvino sono stati anche recentemente magnificati): «Gianni Rodari, dopo due anni che ci ha lasciato all'improvviso, venne commemorato dal Comune di Reggio Emilia con un seminario sui rapporti fra fantasia e razionalità». Si domanda Calvino: perché Reggio Emilia, come ci si potrebbe domandare: perché a Firenze un convegno su Calvino? E si risponde: «Perché dieci anni fa, anche allora per iniziativa del Comune, Rodari vi fu al centro di una serie di incontri con insegnanti delle scuole materne, elementari e medie, sui metodi di inventare storie e di farle inventare ai ragazzi. Da quegli incontri nacque il volume *Grammatica della fantasia* che è una felice "summa" della sua gaia scienza, un amabile "trattato" del suo modo d'invenzione individuale e collettiva». Dunque Calvino si chiede: perché si fa un convegno a Reggio Emilia? Perché se n'era fatto uno precedente. Ma perché quello precedente si era fatto a Reggio Emilia? Questo Calvino non ce lo dice perché forse non lo sa. Si era fatto a Reggio Emilia perché la moglie di Rodari, che come sapete era del novarese, è di Rubiera, come ci disse ad un congresso su Pinocchio. È per questo che Reggio Emilia ha celebrato un suo figlio adottivo.

Volevo concludere sull'umanità (o disumanità) di questo Calvino combinatorio e semiologizzante. Tutto sommato, il Calvino analitico si presenta come un algido, freddo costruttore di storie che dovrebbero essere consumate dopo essere state raffreddate. È un po' il problema del ginecologo, cioè a dire di uno che conosce i meccanismi degli organi sessuali: come farà l'amore, come farà ad abbandonarsi? In Calvino questo abbandono sembra che non ci sia, però lui stesso ha fatto presente che nonostante tale attitudine demistificatoria, cioè l'attitudine a vedere cosa c'è nella "pancia della bambola", tutto sommato non impedisce che ad un altro livello il lettore sia intrigato: intrigato, ma non messo in mezzo. Resta un punto aperto: obiettivamente non si sa bene se facendo finta di capire, di divertirsi, un certo Calvino ha trovato i suoi destinatari, ma il profilo di questi destinatari non è facile ad essere individuato, soprattutto i destinatari che non fanno finta di capire cose che non si possono capire.

Se il vecchio linguista B.A. Terracini si sentì spinto nel '66 ad intervenire su una rivista specialistica, cioè sull'ascoliano «Archivio Glottologico Italiano», su *Un segno nello spazio* voleva dire che Calvino era riuscito subito a coinvolgere i tecnici. Ma il suo personaggio, di visualità letturistica antisimmetrica Qfwfq, tendeva ad una derisiva impronunciabilità dell'osservazione cosmica. Ma attraverso quali meccanismi? Probabilmente quelli della pura sottrazione: se non altro si prenda una vecchia "memoria del mondo", *Il cielo di pietra*, introdotta dalla rubrica in corsivo: *La velocità di propagazione delle onde sismiche all'interno del globo terrestre varia a seconda delle profondità e discontinuità tra i materiali che costituiscono la crosta, il mantello e il nucleo.* Dal fondo del cratere Qfwfq sgrida i "terrestri" per l'inganno perpetrato ai danni di Rdix, che attratta dal canto di Orpheos sbaglia direzione, invece di andare verso il centro si fa convincere ad uscire fuori dell'orlo del cratere («Rdix era prigioniera, esiliata nelle lande scoperchiate del fuori»). In quell'orrendo scenario di polifonie, di rumori della città moderna Rdix e il canto si perdono. Ma già Euridice aveva perso la sua radice di bene, l'*eu* di *Euridix*, costituendo una specie di risposta al pavesiano "dialogo con Leucò"

255

L'inconsolabile, dove parlano Orfeo e Bacca, dalla parte di lui. Nella minuta della prima notizia (che successivamente subirà varianti) Pavese aveva scritto, 30 marzo-3 aprile 1946: «Che le feste di Dioniso alludessero a morte e rinascita, e come tutto ciò che è sesso ebrezza e sangue richiami al mondo sotterraneo, salta agli occhi. Il tracio Orfeo, viandante dell'Ade, cantore sovrano e vittima lacerata come Dioniso stesso, è figura ricchissima passibile ancora di molte interpretazioni». Ecco, Calvino ne ha esperita una dalla parte di lei, nelle profondità spazio-temporali dell'universo.

Per finire, farò qualche cenno ai rapporti fra Calvino e Pasolini, che può servire come epifonema, come paralipomeno a quanto ho già detto; perché questa loro vita parallela ha avuto una verifica in una recensione del 1973 a *Le città invisibili*, che offre uno spaccato molto preciso della diarchia Pasolini-Calvino all'interno di quella che allora era la generazione di mezzo.

Pasolini, che stava attraversando un periodo piuttosto duro, rifà la storia della sua amicizia con Calvino: si erano conosciuti quasi da ragazzi: «lui», scrive, «era un po' più adulto, e più dentro le cose della società e della letteratura, che ancora per un pezzo mi sarebbero state precluse, quasi che io non le meritassi per qualche indegnità — o per troppa ingenuità». E qui si riaggancia alla sua storia friulana, al fatto che era dovuto andare in esilio. Ci sono tre o quattro punti centrali che mi sembra diano una idea complessiva sia della posizione di Pasolini, che parla di una sua difficoltà all'interno della società letteraria in Italia negli anni '60, negli anni della neoavanguardia, sia di quella di Calvino. Ne fa un ritratto pungente, affettuoso, ma non molto amichevole.

«Il suo viso militare, fiero e furbetto, sotto le grosse sopracciglia nere, che benché così settentrionale, lo rendono molto mediterraneo, la bocca carnosa che si agita sempre come sul punto di dire qualcosa che passa ilarmente da lontano nel suo cervello attento — questa sua immagine ha cominciato un po' a ingiallire e a scolorirsi: a sorridere 'de lonh', come quello di una cara persona la cui perdita viene conosciuta dopo qualche anno, quando è ormai tardi per soffrirne».

Di sé, scrive Pasolini che era stato squalificato due volte, mentre Calvino, trovandosi sempre dalla parte giusta, prima non sconfessando la neoavanguardia, poi mettendosi sul carro della adesione aprioristica al Movimento Studentesco, non aveva mai subito nessuna caduta nel gradimento del pubblico, quindi si sentiva emarginato rispetto alla centralità continua di Calvino.

256

Tuttavia il referto su *Le città invisibili* è molto entusiasta e penetrante: «...è il libro di un ragazzo. Solo un ragazzo può avere da una parte un umore così radioso, così cristallino, così disposto a far cose belle, resistenti, rallegranti; e solo un ragazzo, d'altra parte, può avere tanta pazienza — da artigiano, che vuol a tutti i costi finire e rifinire il suo lavoro. Non i vecchi, i ragazzi, sono pazienti».

E poi parla de *Le città invisibili* come dell'opera di un vecchio, o almeno di un uomo anziano che *ha visto passare la vita*: «... l'esperienza dell'aver visto passare la vita equivale all'esperienza dell'aver visto passare *tutta* la possibile vita, la vita del cosmo». E anche questa frase è molto penetrante: Calvino fa un libro postumo. In questa analisi Pasolini affonda sulla dimensione della memoria; nel libro di questo vecchio Calvino «i desideri sono ricordi», ma non solo però i desideri, lo sono anche le nozioni, le informazioni, le notizie, le esperienze, le ideologie, le logiche: tutto è ricordo, ogni strumento intellettuale per vivere è un ricordo. E poi c'è un punto fondamentale che era stato citato anche nella relazione di Asor Rosa, il platonismo di Calvino. Scrive Pasolini: «Sì, nella letteratura archeologica di Calvino, è saltato fuori il platonismo, sotto il cui segno quella letteratura è nata». La dimensione platonizzante, cioè a dire astratta, della combinatoria calviniana, mi sembra che sia identificata in maniera precisa. Non sarei molto d'accordo con l'endiadi di Asor Rosa sulla letteratura strutturale-semiologica, perché sono due cose abbastanza distinte; per l'esplorazione degli intrecci, delle strutture che Calvino ha fatto nella direzione della fiaba, *Le città invisibili* può essere un libro strutturale, ma *Le cosmicomiche, Palomar* ecc., sono semiologici, e credo non si possano riferire ad un modello unico queste due esperienze. Calvino è stato poco toccato dallo strutturalismo che non si prestava, date le remore della formalizzazione linguistica, ad essere metaforizzato oltre una certa misura. Le connessioni più precise restano quelle che abbiamo citato a proposito di Landolfi. Del resto le sue guide (specie francesi) passarono subito alla gestione semiologica. Pasolini lo aveva capito bene, anche se poi non resisteva alla tentazione di sdottoreggiare a quei tempi sul cinema come semiologia della realtà.

C'è una frase molto importante, il momento in cui Pasolini identifica il rapporto fra l'anomalia e la norma nel modello calviniano: «Per me, che sto lavorando a *Le mille e una notte*, leggere questo libro è stato quasi inebriante: e non è un caso o un fatto personale. Proprio *Le mille e una notte* sono il modello figurativo che il surrealismo di Calvino parsimoniosamente saccheggia [*quello del surrealismo, così espresso, non mi pare un riferimento molto azzeccato*]: e come ogni racconto de *Le mille e una notte* è il racconto di una anomalia del destino, così ogni descrizione di Calvino è la descrizione di una anomalia del rapporto tra mondo delle Idee e Realtà». Ecco come è il platonismo anomalo e eccezionale di Calvino, che poi si identifica in quello che lui chiama il destino nella civiltà occidentale; l'invenzione poetica consiste nella individuazione di tale momento anomalo.

Poi parla della descrizione della città di Maurilia ecc., ed è molto interessante vedere come Calvino ha manovrato la sua combinatoria sui numeri (1, 3, 5, 10), con varie situazioni, varie caselle, con la prima casella vuota (una sorta di anacrusi).

I	Le città		e la memoria 1
			memoria 2
			desiderio 1
			memoria 3
			desiderio 2
			i segni 1
			memoria 4
			desiderio 3
			segni 2
			sottili 1
II-VIII			(1 e chiusura)
			gli scambi
			gli occhi
			il nome
			i morti
			il cielo
			continue
			nascoste
IX		5	i morti
			continue
			nascoste
X		II	la memoria
		III	5 i desideri
		IV	i segni
		V	sottili
		VI	gli scambi
		VII	gli occhi
		VIII	il nome

Si tratta di una circolarità seriale che, nella ripetizione, geometricamente si chiude.

Calvino, dunque, tende a comunicare più attraverso gli intervalli, la dislocazione e corrispondenza delle posizioni che la struttura dei singoli poemetti in prosa, per altro costruiti con singolare eleganza. Anche se poi l'arbitrarietà delle scelte è assoluta, confermando l'oscillazione notata da Barthes tra meccanica e immaginazione. Quindi, alla ricerca della *clavis universalis*, Calvino non comunica solo se stesso: ubbidisce anche alle regole che si è dato. Che esista uno scacco della scrittura e uno scacco della sua posizione esistenziale, questo è un altro discorso: in linea per altro con quello delle scontentezze varie del periodo dopo gli anni '60 che Calvino ha attraversato come tanti altri scrittori. Non per nulla Palomar suggella la sua scrittura con animo morto; l'ultimo capitolo di chiusura del *Palomar* è una specie di scrittura postuma. Forse Calvino ha visto la sua morte. O forse ha voluto lasciare qualche menda, qualche battuta d'arresto, come fuga da una perfezione che sarebbe risultata prigione eterna. Nei pressi della sua fine, prefazionando quel libro bello, ma scucito, di Emilio Cecchi, *Messico* del 1932, ha posto l'accento su una lezione di poetica che sembrava condividere in pieno:

«... una lezione di poetica che è certo la gemma del libro, nelle riflessioni sui tessuti degli indiani Navajos: "Quando una donna Navajo sta per finire uno di questi tessuti, essa lascia nella trama e nel disegno una piccola frattura, una menda: "affinché l'anima non le resti prigioniera dentro al lavoro". Questa mi sembra una profonda lezione d'arte: vietarsi, deliberatamente, una perfezione troppo aritmetica e bloccata. Perché le linee dell'opera, saldandosi invisibilmente sopra sé stesse, costituirebbero un labirinto senza via d'uscita; una cifra, un enigma di cui s'è persa la chiave. Per primo, s'irretirebbe nell'inganno lo spirito che ha creato l'inganno». (1985)

Alberto Asor Rosa
IL «PUNTO DI VISTA» DI CALVINO*

A Maria Corti, che, nel 1985, gli chiedeva se, nella ricostruzione del suo cammino creativo, egli avrebbe dato la preferenza
a un processo di sviluppo coerente e ininterrotto, oppure a una
serie di cambi di rotta, oppure al fatto d'aver scritto un libro solo
per tutta la vita, Calvino rispondeva: «Propenderei per la seconda ipotesi: cambio di rotta per dire qualcosa che con l'impostazione precedente non sarei riuscito a dire».[1]

È una risposta ineccepibile dal punto di vista della storia concreta dello scrittore, della ricostruzione delle diverse fasi della sua
attività e produzione e, anche, della varietà delle soluzioni stilistiche adottate (che è stata, senza dubbio, grandissima). A me,
tuttavia, non pare privo di senso e di utilità tentare anche la
strada opposta: quella che consisterebbe nel cercare di provare
come i molti libri scritti da Calvino possano essere considerati
tante varianti possibili di uno stesso libro, oppure come i molti
problemi da lui affrontati non siano che le molteplici formulazioni possibili di uno stesso problema, o, più esattamente, di uno
stesso gruppo di problemi. Questa mia, più che un'ipotesi valutativa, è la proposta di un metodo di lettura, la costruzione di un
''modello interpretativo''. Ciò che propongo di indagare sono, in
sostanza, le strutture psichiche e concettuali profonde dello scrittore, già di per sé così peculiari ed originali da metterlo non a
metà strada, ma fin dall'inizio — *Il sentiero dei nidi di ragno* — su
di un diverso binario di ricerca rispetto a tutti i suoi contemporanei, nessuno escluso. Si sa che in tutte le indagini strutturali gli
elementi comuni e permanenti prevalgono su quelli differenziati
e mutevoli. Questo è senza dubbio un limite del mio discorso,
che non va perciò utilizzato come *giudizio* tout court sullo scrittore, bensì come *grimaldello ermeneutico* della sua opera, come *parte* di
un ingranaggio interpretativo, che potrebbe conoscere ed accettare non incoerentemente apporti anche di altra e persino opposta natura.

Un altro limite potrebbe apparire il fatto che, privilegiando
l'analisi delle strutture psichiche e concettuali profonde, si finisce

261

per distinguere più nettamente tra *contenuto* e *forma*, tra *pensiero* e *stile*, in favore, in ambedue i casi, del primo fra i due termini. Qui, però, più che ad un limite della procedura, siamo già di fronte ad un aspetto caratteristico della personalità di Calvino, che anzi la procedura consente di rivelare: tra pensiero e stile non c'è in Calvino un rapporto necessitante, per lo meno non c'è nello stesso senso in cui tradizionalmente è sempre stato posto l'annoso problema del rapporto tra "contenuto" e "forma". *La stessa cosa si può dire in modi diversi*: o, per essere esatti, usando le parole di Calvino, «Una cosa si può dirla almeno in due modi: un modo per cui chi la dice vuol dire quella cosa e solo quella; e un modo per cui si vuol dire sì quella cosa, ma nello stesso tempo ricordare che il mondo è molto più complicato e vasto e contraddittorio».[2] Calvino non ha dubbi nello scegliere la seconda modalità: che, a mio giudizio, è anche la modalità, in generale, del *comico*; ossia, per usare alcuni dei suoi stessi esempi, dell'ironia ariostesca, del grottesco shakespeariano, del picaresco cervantino, dell'humour sterniano, della fumisteria di Jarry e Queneau. Calvino, non dimentichiamolo almeno una volta in apertura, è *per un verso* uno scrittore comico, anche o forse soprattutto perché ha questo «distacco» (è parola sua) dal particolare concreto, dall'immediatezza dei contenuti.

Quando, perciò, Calvino parla di un «cambio di rotta per dire qualcosa che con l'impostazione precedente non sarei riuscito a dire», possiamo forse intendere quest'affermazione nel senso che, per Calvino, il cambio di rotta coincide fondamentalmente con l'adozione di un nuovo codice linguistico e stilistico, che serve a dire qualcosa — forse in precedenza già pensata — che l'«impostazione precedente» non sarebbe mai riuscita a dire. Questa, io sostengo, è l'espressione di una *mentalità* più che di una *scelta* (o, se si vuole continuare ad usare quest'ultimo termine, di una scelta già inscritta nell'*eredità biologica* dello scrittore).

Mettere davanti a tutto l'adozione di un codice, relegando all'ultimo posto o cancellando del tutto quel complesso di fattori che, in linguaggio tradizionale, si definisce (o si definiva) "ideologia dello scrittore", significa leggere in un certo particolarissimo modo la realtà: significa, anzi, più esattamente leggere in un certo particolarissimo modo la possibilità di leggere la realtà.

Questo privilegiamento del codice, — che è già ben presente, a mio giudizio, nei racconti di *Ultimo viene il corvo* ma, certo, viene progressivamente sempre più imponendosi nei decenni successivi, — deriva dalla convergenza di due diversi *fattori mentali*, ciascuno dei quali, preso in sé, si presenta come raro nella letteratura italiana contemporanea, ma la cui associazione è unica al livello europeo, anzi mondiale.

Da una parte, c'è *una certa forma di ragione*. Dico così, in una maniera intenzionalmente provvisoria e approssimativa, "una certa forma di ragione", perché non è affatto semplice definire in termini esatti la "ratio calviniana", senza ricorrere a facili stereotipi come "illuminismo" o "razionalismo settecentesco", ecc... Poiché questa "ratio" ingloba in sé, non come un elemento altro, estraneo, recepito dall'esterno, ma come una propria parte integrante, una forte connotazione fantastica, anzi, più esattamente, trasgressiva, io preferirei parlare di *un'inesauribile, ricca, pulsione definitoria*, e di un imponente apparato di strumenti e mezzi linguistici e stilistici, creato a poco a poco e messo al servizio di tale spinta o bisogno: il bisogno, io credo, d'individuare, isolare, chiarire, dare concretezza, visibilità, nettezza di contorni, a ciascun fenomeno osservato (e poi rappresentato). La scrittura, in questo senso, può esser considerata in lui il prodotto di una strategia intesa a circoscrivere la zona d'ombra, a limitare la portata e quindi anche i danni e i pericoli dell'oscurità. Infatti, quest'incessante *pulsione definitoria* può anche essere considerata, — lo dico, spero, senz'ombra di equivoco, — come il frutto di un livello molto elevato di *auto-repressione*, come l'effetto di una vera e propria *re-clusione* dal mondo, che trabocca in un vero e proprio eccesso di attività scrittoria, segnica — un *eccesso*, intendo dire, rispetto al piano vitale, esistenziale, — con cui lo scrittore farà i conti, non sempre pacificamente, durante tutto il corso della sua vita. Cominciamo dunque con lo stabilire che la famosa "razionalità calviniana" è prodotta ed incrementata da una *rinuncia* (affermazione, sulla quale ci soffermeremo meglio più avanti). Essa, dunque, non presenta affatto un'*immagine rassicurante*: non solo, infatti, essa confina direttamente con una percezione assai inquietante e tormentata della condizione umana; ma per giunta è costata un prezzo assai elevato in termini di *controllo del vissuto*. Lasciamo parlare lo stesso Calvino.

Nel *Castello dei destini incrociati*: «Da anni ormai sto qui rinchiuso, rimuginando mille ragioni per non mettere il naso fuori, e non trovandone una che mi metta l'anima in pace. Forse mi viene da rimpiangere modi più estroversi d'esprimere me stesso?».[3] E in *Palomar*, dove la confessione si fa ancor più diretta ed esplicita: «Palomar, non amandosi, ha sempre fatto in modo di non incontrarsi con se stesso faccia a faccia; è per questo che ha preferito rifugiarsi tra le galassie; ora capisce che è col trovare una pace interiore che doveva cominciare. L'universo forse può andar tranquillo per i fatti suoi; lui certamente no».[4]

Quale che sia la genesi di questa "ratio", non c'è dubbio che di "ratio" si tratti, se per "ratio" s'intende un insieme di strumenti concettuali e logici, che servano a "metter ordine" in un universo che *da sé* si presenterebbe disgregato e disperso. Ma, se così soltanto fosse, Calvino sarebbe, concettualmente, una sorta di scrittore platonico. Ora, per un verso, egli certamente lo è (nel senso che spesso egli ha scritto tenendo conto di un "progetto ideale", di un "modello epistemologico", e, al tempo stesso, andando alla ricerca di una "clavis universalis" capace di aprire tutte le cose); ma per un altro verso egli è uno scrittore fortemente empirico, dunque aristotelico, nel quale *l'osservazione* è una categoria che conta almeno tanto quanto la *definizione*. Se si contasse quante volte Calvino nei suoi scritti, creativi e teorici, fa riferimento al modo, ai *modi*, di "guardare" le cose, si metterebbe insieme un elenco molto fitto. Accanto al *cervello*, bisogna mettere *l'occhio*, se si vogliono aver presenti almeno i fondamentali *organi* della lettura del mondo e della rappresentazione narrativa in Calvino. Se si combinano insieme *occhio* e *cervello*, osservazione empirica estremamente circostanziata, da una parte, e, dall'altra, gusto e pratica dei "modelli"; curiosità, prensilità, attenzione dello sguardo e logicità, precisione, distinzione e progettazione razionale, avremo, in sintesi, quello che io chiamo il "punto di vista" di Calvino. Perché questo "punto di vista" porti verso il privilegiamento del codice, dovrebbe essere a questo punto abbastanza evidente. Calvino, — per dirla in maniera schematica, — è uno scrittore *naturalmente* strutturalistico-semiologico: se per atteggiamento strutturalistico-semiologico s'intende una strumentazione conoscitiva, che, appunto, combina l'osservazione empirica e la rigorosa raccolta dei materiali, da una parte, con, dall'altra, l'attività ordinatrice di alcuni grandi quadri concettuali, anche molto astratti. Insomma: vedere *bene* le cose una ad una; per poi ri-ordinarle in una maniera, che è sempre, in una certa misura, arbitraria, cioè *fantastica*. Così interpreto la domanda, che Calvino rivolge sostanzialmente a se stesso nel *Castello dei destini incrociati*: «Era la Ragione del racconto che cova sotto il Caso combinatorio dei tarocchi sparpagliati?».[5]

Questo "punto di vista" è dunque, per un verso, una procedura conoscitiva. Ma, per un altro verso, è parecchio di più. Osservando, e di conseguenza rappresentando il mondo in questo modo, ne viene di conseguenza che il mondo risulta pluralizzato, e pluralizzato, potenzialmente, all'infinito. Naturalmente, si potrebbe anche immaginare che la rappresentazione del mondo sia pluralizzata, perché, effettivamente, il mondo *in sé* è pluralizzato, e rappresentarlo in un solo modo sarebbe impoverirne l'essenza. Oppure sarà vero il contrario: tanti modelli interpretativi, tanti codici, tanti modi linguistici, tanti mondi diversi. Oppure, ancora: uno sguardo può vedere molte cose diverse; molti sguardi diversi possono vedere la stessa cosa. La combinazione ''ratio''-''sguardo'', occhio-cervello, produce dunque questa conseguenza: che l'essere in sé non esiste (oppure: non si può rappresentare l'essere-in quanto-in sé). L'essere è, — *almeno*, direbbe Calvino, — duplice; *al massimo*, molteplice. La formula più esatta, e forse più concretamente corrispondente alle procedure logico-fantastiche della scrittura calviniana, è che l'essere è infinitamente duplice (perché, generalmente parlando, i fenomeni non si presentano mai in folla, ma quasi sempre *in coppia*). Di conseguenza, anche i piani narrativi con cui si ha a che fare nel racconto di Calvino sono sempre, — *almeno*, ripeto, — due, ma possono essere molti molti *di più*.[6] La messa in opera *narrativa* di questa duplicità-molteplicità *ontologica* si presenta al limite come una *perpetua circolarità* (o come un *costante rovesciamento*). È il senso riposto, ma trasparente (anche sotto il profilo autobiografico, ed è importante che la massima sia espressa in termini di *lettura*, cioè esplicitamente visivi, ottici) della figura dell'Appeso nel *Castello dei destini incrociati*: «Lasciatemi così. Ho fatto tutto il giro e ho capito. Il mondo si legge all'incontrario. Tutto è chiaro».[7] Una cosa può essere vera, ma anche il suo contrario. Ogni cosa ha il suo contrario. Ogni cosa ne genera un'altra, che nega la precedente. In ogni cosa c'è tutto. Ogni cosa può essere niente. Alternativamente una cosa può essere se stessa, oppure un'altra cosa... Il progetto *modulare* di un libro straordinario come *Le città invisibili* è fondato esattamente su questa *dialettica* tra opposti, di cui Marco Polo e Kublai Kan sono lì i poli divenuti visibili (altrove, invece, celati nel meccanismo del racconto).

Dialettica... o meccanica? All'inizio della carriera dello scrittore, la *duplicità*, sia pure solo apparentemente, si presenta come *dialettica*. C'è una fase di scoperta, che va dal *Sentiero* a *La giornata d'uno scrutatore*, in cui, marxianamente, la duplicità è quella che vede contrapposte, da una parte, Natura e Biologia, dall'altra Ideologia, Storia e Progresso (ricorderò le riflessioni del Commissario Kim nel primo libro,[8] quelle di Amerigo Ormea a casa sua, a metà, all'incirca, del secondo).[9] È importante osservare, — intanto, — che in Calvino, fin quasi dall'inizio della sua storia, si manifesta una sorta di *fascinazione biologica*. Per dire donde venga questa fascinazione, bisognerebbe andare molto più indietro di quanto noi non siamo ora in grado di andare. Limitiamoci a rilevare che il punto oppositivo del razionalismo calviniano non è, in pieno clima resistenziale e progressista, l'irrazionalismo filosofico descritto da Lukàcs nella *Distruzione della ragione*, ma è la Natura, è la Biologia, ovverosia quanto nell'universo non si è ancora sedimentato in esperienza culturale umana, e forse non lo sarà mai. Questo è di per sé un tratto singolarissimo nel panorama letterario italiano del '900. Per usare le parole di Amerigo Ormea, il protagonista della *Giornata*, la duplicità dell'essere è come «le due facce della stessa foglia di carciofo».[10] *Biologia* e *storia* non sono collocate su due osservatori contrapposti e ben distinti: sono attaccate l'una all'altra, e i confini tra le due restano sempre aperti: «il confine tra gli uomini del "Cottolengo" e i sani era incerto: cos'abbiamo noi più di loro?».[11] Questa permeabilità è possibile, perché in quella fase Calvino intende ambedue le entità come dotate di una effettiva identità ontologica. Natura e Storia ci sono *veramente* tutt'e due: e dunque si può *veramente* passare dall'una all'altra...

Tuttavia, la dialettica, anche se assume, come si vede, una forma classicamente marxiana, resta anche in questo caso più apparente che reale. Non è un caso, probabilmente, che, invece di citare l'engelsiana *Dialettica della Natura*, Calvino citi, come fonte e *auctoritas* delle sue riflessioni, un passo dei *Manoscritti* giovanili di Marx, e per giunta ne faccia una lettura parzialmente ironica.[12] Se volessimo sviluppare fino in fondo la suggestione del riferimento marxiano, potremmo dire che, se Natura e Storia costituiscono la tesi e l'antitesi della condizione umana, fra loro non c'è sintesi in Calvino se non di carattere *etico*: o, per meglio dire, non c'è sintesi razionale, perché l'Etica, allorquando svolge una funzione così dirimente, sposta ovviamente il discorso su di un altro piano. L'Etica compare dunque in Calvino come un fattore, che non unifica, certo, né concilia, perché questo non lo potrebbe, ma almeno «tiene insieme» due entità senza dubbio comunicanti, e tuttavia incommensurabili: Natura e Storia, appunto. Se si guarda meglio, infatti, ci si accorge che il vero, grande elemento di congiunzione tra Natura e Storia è un fattore che anch'esso difficilmente potrebbe esser fatto rientrare nel novero delle categorie razionali, visto che della razionalità esso rappresenta per definizione la negazione. Tale fattore è il *Caso*: «E che cos'era se non il *caso* ad aver fatto di lui Amerigo Ormea un cittadino responsabile [...] e non — di là del tavolo — per

266

esempio, quell'idiota che veniva avanti ridendo come se giocasse?».[13] Se accantoniamo per ora la funzione di salvazione e di risarcimento esercitata dalla morale, che merita una riflessione a parte, possiamo forse apprezzare meglio l'importanza di una scoperta come quella del Caso: l'abbozzo di dialettica messo in piedi con fatica da Amerigo Ormea ne risulta infatti immediatamente dissolto, e invece ne vengono aperte, — innovazione nella continuità, — le porte a fasi successive di registrazione degli eventi. Infatti, qualsiasi attività combinatoria, — sia pure ferreamente organizzata e ordinata da regole logiche e matematiche, — è costretta a prevedere il caso come inevitabile punto di partenza per la successiva organizzazione del discorso (il geometrico ordinamento dei tarocchi nasce tuttavia dal colpo di mano che sparpaglia il mazzo sul tavolo...). Ma la presenza e la funzione del caso non nascono, nella storia dell'immaginazione calviniana, dall'applicazione di qualche gioco *oulipien*: nascono, assai più sostanziosamente, dall'impossibilità di far funzionare in assoluto la dialettica marxiana come strumento d'interpretazione e spiegazione del reale e, conseguentemente, dalla crisi di un intero *apparato conoscitivo*. In Calvino, cioè, il caso è, *ab origine*, un fatto più *drammatico* che *ludico*, più *esistenziale* che *tecnico-letterario*.

L'apparente dialettica delle origini, — apparente, ripeto, perché in realtà si tratta già allora di una dialettica che "non chiude", una dialettica che non riesce a produrre *sintesi*, se non di natura impropria, come, appunto sarebbe l'etica, — tende sempre più con gli anni a trasformarsi in una *meccanica delle forze*: Biologia e Ragione continueranno da quel momento in poi ad osservarsi reciprocamente in modo sempre più curioso, sempre più attento, ma senza saper più in linea di principio come e cosa comunicarsi: fino a quelle ultime meditazioni di Palomar, — *Il mondo guarda il mondo* e *L'universo come specchio*,[14] — in cui verrà compiuto il supremo sforzo di immaginare come potrebbe il mondo guardare se stesso senza più l'intermediazione dello sguardo dell'osservatore umano, oppure come l'osservatore potrebbe guardare se stesso con lo stesso occhio con cui ha guardato fino a quel momento le costellazioni e le galassie. Un oggetto che diventa soggetto, un soggetto che diventa oggetto: una dichiarata esasperazione dei principi stessi dell'osservazione calviniana, che arriva fino al punto di "ridurre" l'osservatore al suo "punto di vista".

In questa meccanica delle forze, che prende il posto, coerentemente, di una dialettica incompiuta, non chiusa, l'*intercambiabilità* assoluta dei mondi è matura per manifestarsi quando sia

Natura sia Storia, sia Biologia sia Ragione, perdono la loro presunta identità ontologica, e risultano tutte equanimemente riducibili alla dimensione sovrasensibile del *Segno*. Lo sguardo resta sempre *doppio*: ma lo scrittore gioca con la duplicità dei segni, perché la natura degli oggetti che contempla è *comunque* convenzionale. Perciò *la permutabilità è o può diventare completa.* Dice ad un certo punto Kublai Kan: «D'ora in avanti sarò io a descrivere le città e tu verificherai se esistono e se sono come io le ho pensate»;[15] oppure: «Mettiti in viaggio, esplora tutte le coste e cerca questa città [...] Poi torna a dirmi se il mio sogno risponde al vero».[16] Replica Polo: «Nessuno sa meglio di te, saggio Kublai, che non si deve mai confondere la città col discorso che la descrive. Eppure tra l'una e l'altro c'è un rapporto».[17] «La menzogna, — continua Polo, — non è nel discorso, è nelle cose».[18] Un atlante conserva meglio della realtà le differenze (è sempre Polo che parla): le differenze, ossia «quell'assortimento di qualità che sono come le lettere del nome».[19]

In quel vero e proprio poema dell'*universale permutazione*, che sono *Le città invisibili*, il «confine», di cui ancora si parla nella *Giornata d'uno scrutatore*, perde senso, perché è diventato impossibile dire cosa sta al di là e cosa al di qua di esso. La *metafora ottica* s'impone sovrana, lo sguardo necessariamente diviene dominante. È ancora Polo che parla: «Forse del mondo è rimasto un terreno vago ricoperto da immondezzai, e il giardino pensile della reggia del Gran Kan. *Sono le nostre palpebre che li separano, ma non si sa quale è dentro e quale è fuori*».[20]

Il mondo della *permutazione universale* porta con sé due fondamentali conseguenze, ognuna delle quali si presenta in sé come contraddittoria. Innanzi tutto, questa tra i primi anni '60 e la fine degli anni '70, è la lunga fase in cui Calvino pensa che l'autore vada soppresso, mentre importanza sempre maggiore è destinato ad assumere il lettore (in *Cibernetica e fantasmi*, 1967: «l'opera continuerà a nascere, a essere giudicata, a essere distrutta o continuamente rinnovata al contatto dell'occhio che legge; ciò che sparirà sarà la figura dell'autore, questo personaggio a cui si continuano ad attribuire funzioni che non gli competono»).[21] Si tratta però d'intendersi sulle formulazioni: non c'è dubbio che le teoriche del *Lector in fabula* abbiano influenzato Calvino e siano penetrate nella sua pagina scritta (*Se una notte d'inverno un viaggiatore* non sarebbe certo concepibile senza questo apporto). Ma, al contrario, se si guarda alla sostanza dei processi creativi ed immaginativi, si dovrà ammettere che nessuna nozione di letteratura, come quella di "arte combinatoria", comporta una pratica dello scrittore come vero e proprio Demiurgo. La natura puramente convenzionale della sopra descritta meccanica delle forze comporta, infatti, un livello di creazione assoluto, svincolato da qualsiasi regola.

D'altra parte, quest'universo totalmente sregolato, perché totalmente convenzionale, proprio in quanto non ha regole imposte dall'esterno, sarà regolato, all'interno, da procedure e da leggi rigidissime.[22] I procedimenti combinatori, infatti, non possono, per definizione, possedere l'anarchica spontaneità dei procedimenti che si sforzano di riprodurre il reale-reale. Poiché non riproducono il reale-reale, devono con le loro interne combinazioni sforzarsi di farci conoscere qualcosa d'altro. Che cosa?

La risposta a questa domanda è importante, perché da essa dipende la differenza tra un Calvino e l'elegante fumisteria di un Queneau (differenza, che esiste, e che andrebbe fortemente sottolineata). È lo stesso Calvino a fornircela, oltre che con tutta la sua opera, anche più esplicitamente col saggio già citato *Cibernetica e fantasmi*,[23] che troppo spesso è stato letto come una semplice conferma delle inclinazioni informatiche e combinatorie dello scrittore: mentre fin dal titolo si doveva partire dalla constatazione che «fantasmi» vale per lui almeno tanto quanto «cibernetica» (probabilmente, nonostante tutto, ancora di più). Abbiamo visto che Calvino, per bocca del suo *alter ego* Marco Polo, formula una *poetica del diaframma*, che comporta l'esistenza di un *dentro* e di un *fuori*, separati dalla fragilissima barriera delle palpebre umane, la quale però non ci consente di sapere *che cos'è dentro* e *cos'è fuori* (di questo problema si occupano, estremizzandolo, anche le ultime meditazioni del signor Palomar). Ma anche questo rapporto tra il *dentro* e il *fuori* può essere visto in molti modi diversi: ipotizzando, ad esempio, che il fuori non sia fuori, ma sia dentro, e che questo, più o meno, avvenga sempre: la Natura, infatti, sta fuori dell'Uomo; ma sta anche dentro (se a Natura sostituiamo i termini, più o meno equivalenti in questo contesto, di Biologia e Psicologia, il discorso diventerà ancora più chiaro); ed anche la Natura ''che sta fuori'', a pensarci bene, per esser vista dall'Uomo, dev'essere dentro di lui. Allora, per riuscire a dire questo, è necessario che la letteratura faccia «uno sforzo per uscire fuori dai confini del linguaggio; è dall'orlo estremo del dicibile che essa si protende; è il richiamo di ciò che è fuori dal vocabolario che muove la letteratura».[24]

Chi ha presenti le procedure logiche di Calvino, — chi ricorda, ad esempio, il modo con cui egli inizia dieci volte a ri-scrivere la bellissima prefazione del '64 a *Il sentiero dei nidi di ragno*, — non dovrà prendersela con me, se do l'impressione di ricominciare ancora una volta il discorso. Qui, se mai, c'imbattiamo in una delle più profonde e tenaci linee rette che attraversino tutta l'opera di Calvino, dal *Sentiero dei nidi di ragno* fino a *Palomar*. Si tratta, ovviamente, del problema decisivo che consiste nel dar parola all'inconscio; ma si tratta anche, più in generale, del problema che consiste nel fatto che lo sguardo dell'osservatore umano, anche quando contempla il mondo con l'attitudine dell'archeologo (con «lo sguardo dell'archeologo», dice esattamente Calvino)[25] non può fare a meno di sedimentare su di esso le tracce del proprio essere più profondo, si chiamino queste tracce, a seconda dei casi, simboli o miti o favole. Già nel *Sentiero* Kim, parlando a Ferriera, così s'era espresso: «Non capisci che questa è tutta una lotta di *simboli*, che uno per uccidere un tedesco deve pensare non a quel tedesco ma a un altro, con un gioco di trasposizioni da slogare il cervello, in cui ogni cosa o persona diventa un'ombra cinese, un *mito?*».[26] E in *Cibernetica e fantasmi*, vent'anni dopo: «*Il mito è la parte nascosta d'ogni storia*, la parte sotterranea, la zona non ancora esplorata perché ancora mancano le parole per arrivare fin là».[27] E cosa sono *Le città invisibili* e *Il castello dei destini incrociati*, se non dei tentativi di cogliere nella combinazione degli eventi un *senso* riposto, quello, e soltanto quello, che può renderli significativi? Solo passando e ripassando attraverso, persino, l'accostamento *casuale* delle carte, l'osservatore-narratore scopre *sedimenti di significati, combinazioni di sensi*, che trascendono la mera oggettività dei fenomeni, e persino il loro costituirsi, più o meno *automatico*, in sistemi di segni. Ora, se lo sguardo dell'osservatore non raccoglie nella propria narrazione questi sedimenti di significati, queste combinazioni di sensi, la sua opera sarà stata invano. Avrà, nel migliore dei casi, raccontato «storielle» (espressione di Calvino) o inventato «giochi» divertenti: ma non avrà fatto della *letteratura*. La natura duplice dell'essere, — che è ovviamente anche la *natura duplice del cervello-sguardo calviniano*, — arriva qui ad *un punto di sintesi* di straordinaria importanza (e non importa se taluni passaggi del discorso, ove fossero esaminati alla luce di una logica crudele, rivelerebbero qualche debolezza puramente teorica: ciò che a noi importa è che il discorso abbia *praticamente* funzionato nell'opera di Calvino):

Ecco dunque che i due diversi percorsi che il mio ragionamento ha seguito successivamente arrivano a saldarsi: la letteratura è *sì gioco combinatorio* che segue le possibilità implicite nel proprio materiale, indipendentemente dalla personalità del poeta, *ma è gioco che a un certo punto si trova investito d'un significato inatteso*, un significato non oggettivo di quel livello linguistico sul quale ci stavamo muovendo, *ma slittato da un altro piano*, tale da mettere in gioco qualcosa che su un altro piano sta a cuore all'autore o alla società a cui egli appartiene. La macchina letteraria può effettuare tutte le permutazioni possibili in un dato materiale; ma *il risultato poetico sarà l'effetto particolare d'una di queste permutazioni sull'uomo dotato di una coscienza e d'un inconscio*, cioè sull'uomo empirico e storico, sarà lo shock che si verifica solo in quanto attorno alla macchina scrivente esistono i *fantasmi nascosti* dell'individuo e della società.[28]

In un altro punto di *Cibernetica e fantasmi* Calvino scrive: «La linea di forza della letteratura moderna è nella sua coscienza di dare la parola a tutto ciò che nell'inconscio sociale o individuale è rimasto non detto: questa è la sfida che continuamente essa rilancia».[29]

Compaiono qui alcune parole molto care a Calvino: *coscienza*, *sfida*. Siamo in presenza, — per usare un'altra delle sue espressioni preferite, — di un'altra «linea di forza» dell'opera calviniana: quella *morale*. Nell'intervista resa alla Corti nell'85, Calvino dichiara: «All'epoca in cui ho cominciato a pormi il problema di come scrivere, cioè nei primi anni Quaranta, c'era un'idea di morale che doveva dar forma allo stile, e questo è forse ciò che più mi è rimasto, di quel clima della letteratura italiana d'allora, attraverso tutta la distanza che ci separa».[30] «Un'idea di morale che doveva dar forma allo stile»: son quasi le stesse parole con cui, nel saggio *La sfida al labirinto*, più di vent'anni prima, aveva creduto d'indicare i compiti della letteratura contemporanea, scrivendo: «Continuo a credere che non ci siano soluzioni valide esteticamente e moralmente e storicamente se non si attuano nella *fondazione di uno stile*».[31] Abbiamo a che fare con un'altra delle feconde duplicità o antinomie dello scrittore Calvino. La vocazione morale dello scrittore ha, infatti, un riscontro nelle fisionomie di tanti dei suoi personaggi: Kim, Cosimo, Marcovaldo, Marco Polo, Palomar, sono figure morali. Ma la morale, soprattutto, ha a che fare con le persuasioni estetiche profonde, con l'attitudine narrativa complessiva dello scrittore. Non è una cosa separata, anzi fa corpo con la *pulsione definitoria*, con la *vocazione scrittoria*, che così prepotentemente contraddistinguono questo narratore, il quale non ha *mai* dimenticato, — questa è la nostra tesi, — quanto già nel 1955 aveva così chiaramente affermato: «In ogni poesia vera esiste un midollo di leone, un nutrimento per una morale rigorosa, per una padronanza della storia».[32] Solo che, anche qui, la morale non si presenta come il frutto di una vocazione univoca, di *una sola possibilità di essere nel*

271

mondo. Come esistono due modi dell'essere, così esistono per Calvino due modi d'essere nell'essere.

Rimandiamo — per brevità — a quella parte — bellissima — del *Castello dei destini incrociati*, in cui si contrappongono due coppie di personaggi simbolici antinomici, Faust e Parsifal, San Girolamo e San Giorgio. Sono quattro personaggi rappresentativi dell'eticità calviniana, e tutti e quattro, significativamente, hanno a che fare con una realtà altamente simbolizzata, che può essere penetrata soltanto attraverso emblemi e «figure». Soprattutto decisivo è il ragionamento calviniano sui due santi, come egli li osserva e in qualche modo "li estrae" dagli affreschi di Carpaccio agli Schiavoni. Le figure simboliche sono, per chi non l'avesse compreso, l'Eremita e il Guerriero: i due modi, forse, più lontani fra loro di stare nel mondo e di avere a che fare con la "bestia" (il leone, il drago). Calvino, — si noti l'insistente ricorrere delle stesse espressioni, — cerca dapprima di rovesciare il San Girolamo "verso il fuori" e il San Giorgio "verso il dentro" (cioè, di portare ognuno dei due personaggi verso il suo opposto). Ma poi s'accorge che forse si può fare di più. Infatti, — commenta Calvino, — «Lungo le pareti degli Schiavoni, a Venezia, le storie di San Giorgio e di San Girolamo continuano l'una di seguito all'altra *come fossero una storia sola. E forse sono davvero una sola storia*, la vita d'uno stesso uomo, giovinezza maturità vecchiaia e morte. Non ho che da trovare la traccia che unisca l'impresa cavalleresca alla conquista della saggezza...».[33] In conclusione: «Il personaggio in questione o riesce a essere il guerriero e il savio in ogni cosa che fa e pensa, o non sarà nessuno, e la stessa belva è nello stesso tempo drago nemico nella carneficina quotidiana della città e leone custode nello spazio dei pensieri: e *non si lascia fronteggiare se non nelle due forme insieme*».[34] Siamo di nuovo di fronte ad un ricorso storico: anche Amerigo Ormea, «Pronto sempre a comporre gli estremi [...] avrebbe voluto continuare a scontrarsi con le cose, a battersi, eppure intanto raggiungere dentro di sé la calma al di là di tutto...».[35] Commenta Calvino, alla fine del citato brano del *Castello* (e le sue parole potrebbero andar bene tanto per San Girolamo e San Giorgio, quanto per Amerigo): «Così ho messo tutto a posto. Sulla pagina, almeno. Dentro di me tutto resta come prima».[36]

Quest'ultima frase, anzi "frasetta", ci consente di riflettere sul fatto che quella tra San Girolamo e San Giorgio non è l'ultima delle duplicità, a cui il discorso di Calvino si è esposto. Come è facile avvertire, lo strutturalistico-semiologico Calvino distingue

tra la «pagina scritta» e il «dentro di me»: l'esistenza sopravvive
accanto, o sotto, e comunque distintamente dall'esperienza scrittoria. Si potrebbe dire che, in prospettiva, questo è lo spiraglio
attraverso cui s'affaccia un certo signor Palomar proprio nel
momento in cui nel suo cervello, — nel cervello di Palomar,
intendo dire, — germoglia la fantasia di quel vero e proprio
trionfo dell'immaginazione segnica, che sarà solo qualche anno
più tardi *Se una notte d'inverno un viaggiatore*. Retrospettivamente,
però, si potrebbe anche dire che lo strutturalistico-semiologico
Calvino, dovendo conciliare entità inconciliabili come la Natura
e la Ragione, ha potuto risolvere il problema parlando *solo* di se
stesso, pensando e dichiarando al tempo stesso che di sé non
aveva e non avrebbe mai parlato. La sua storia, infatti, s'è perduta, confondendosi con quella degli altri: «Certamente anche la
mia storia è contenuta in questo intreccio di carte, passato presente futuro, ma io non so più distinguerla dalle altre».[37] Ma
poiché la sua storia non si può distinguere dalle altre, sarà anche
vero che le altre non si potranno distinguere dalla sua. Ed in
effetti basta pensarci un momento per accorgersi che lo scrittore
italiano più sorvegliato e riservato degli ultimi quarant'anni non
ha neanche provato, se non nelle esperienze minori, ad inventare
un personaggio, che non fosse un travestimento di se stesso: Pin,
Kim, Cosimo Piovasco di Rondò, Marcovaldo, Amerigo Ormea,
Marco Polo, il LETTORE, Ludmilla, e, ovviamente, Palomar, oltre ad essere, per un verso, "figure morali", sono altrettante
incarnazioni del "punto di vista" di Calvino o, ancor più, del
suo specifico, individuale, empirico modo di stare al mondo (infatti, ognuno di loro è un po' San Girolamo e un po' San Giorgio, un po' combatte e un po' s'apparta, un po' riflette e un po'
osserva...).

Ma anche questo è vero fino ad un certo punto. È vero anche,
infatti, che, alla fine, Pin, Kim, Cosimo, Marcovaldo, Amerigo,
Polo, il LETTORE, Ludmilla, e lo stesso Palomar, sono *creature di
segni*, sono il frutto dell'ultima forma possibile di utopia («un'u-
topia polverizzata, corpuscolare, sospesa»),[38] che è quella che
consiste nella persuasione che sia possibile ridurre il Mondo in
Segni, che, cioè, alla fin fine, sia possibile interpretarlo e conoscerlo (solo) mediante la scrittura. L'antinomia rappresentata dal
San Girolamo e dal San Giorgio si riduce dunque tutta, — *e in
qualche misura si ricompone*, — all'interno del gioco segnico. Lo dice
con estrema chiarezza lo stesso Calvino nella *Taverna dei destini
incrociati*:

Scarta un tarocco, scarta l'altro, mi ritrovo con poche carte in mano. Il *Cavaliere di Spade*, *L'Eremita*, *Il Bagatto* sono sempre io come di volta in volta mi sono immaginato d'essere mentre continuo a star seduto menando la penna su e giù per il foglio. Per sentieri d'inchiostro s'allontana al galoppo lo slancio guerriero della giovinezza, l'ansia esistenziale, l'energia dell'avventura spesi in una carneficina di cancellature e fogli appallottolati. È nella carta che segue mi ritrovo nei panni d'un vecchio monaco, segregato da anni nella sua cella, topo di biblioteca che perlustra a lume di lanterna una sapienza dimenticata tra le note a pié di pagina e i rimandi degli indici analitici. Forse è arrivato il momento d'ammettere che il tarocco numero uno è il solo che rappresenta onestamente quello che sono riuscito a essere: un giocoliere o illusionista che dispone sul suo banco da fiera un certo numero di figure e spostandole, connettendole e scambiandole ottiene un certo numero d'effetti.[39]

Pin, Kim, Cosimo, Marcovaldo, Amerigo, Polo, Ludmilla, dunque *ci sono*, perché sono stati inscritti nel cerchio magico di una meta-operazione fantastica, che sta tutta nel cervello del Bagatto (il quale, a sua volta, neanche lui esisterebbe, se non stesse nel cervello di se stesso). Anche qui, però, il discorso funziona fino ad un certo punto o, meglio, solo se lo si prende in un certo senso.

Il Bagatto, infatti, è, come in un altro punto del *Castello* lo definisce Calvino, «l'enigmatico arcano numero uno [...] in cui c'è chi riconosce un ciarlatano o mago intento ai suoi esercizi».[40] Esagero, se in questa identificazione dello Scrittore nel *Bagatto*, — ciarlatano, mago, illusionista, giocoliere, — sento manifestarsi quell'estrema sazietà della scrittura, quella fatica del segno, — quel vero e proprio *scacco della letteratura*, che può rappresentar *tutto*, ma non *la vita*, — che aprono anch'esse la porta a Palomar e a quel suo voler rimettere, come Proteo, i piedi sull'umile, dolorosa terra dell'esistenza umana? «La strada che gli resta aperta è questa [pensa Palomar]: si dedicherà d'ora in poi alla conoscenza di se stesso, esplorerà la propria geografia interiore, traccerà il diagramma dei moti del suo animo, ne ricaverà le formule e i teoremi, punterà il suo telescopio sulle orbite tracciate dal corso della sua vita anziché su quelle delle costellazioni. "Non possiamo conoscere nulla d'esterno a noi scavalcando noi stessi, — egli pensa ora, — l'universo è lo specchio in cui possiamo contemplare solo ciò che abbiamo imparato a conoscere in noi"».[41] Possiamo concludere che Calvino, *per un altro verso*, è uno scrittore drammatico, quasi tragico? Ma da qui il discorso ricomincia.

* Il concetto di "punto di vista", qui utilizzato, è lo stesso che ho usato diversi anni or sono per scrivere *Il punto di vista dell'ottica verghiana* (in *Letteratura e critica. Studi in onore di Natalino Sapegno*, II, Roma, Bulzoni, 1974, pp. 721-76); e ciò è tutt'altro che casuale. Per Calvino, come per Verga, si potrebbe dire che l'ottica, — cioè i principi della comunicazione visiva, — sono più importanti dell'ideologia, — cioè delle formule pregiudiziali della poetica. Nonostante la radicale diversità degli esiti, Calvino e Verga hanno infatti questo elemento comune, che, al dunque, essi sono ambedue scrittori connotati da una forte sollecitazione antropologica. Non stupirà, dunque, che l'uso d'un metodo analitico a base antropologica sia stato considerato, in ambedue i casi, il più adatto a capire la verità profonda e nascosta dei due scrittori.

1 *Intervista a Italo Calvino*, a cura di M. Corti, in "Autografo", II, 6 (ottobre 1985), p. 48.

2 I. Calvino, *Definizioni di territori: il comico*, in *Una pietra sopra. Discorsi di letteratura e società*, Torino, Einaudi, 1980, p. 157. Il saggio, che è del 1967, portava originariamente il titolo, molto più pertinente al caso nostro, di: *Una cosa si può dirla in almeno due modi*. Naturalmente, come cerco di spiegare nelle righe successive, la duplicazione (o moltiplicazione) del "punto di vista" è strettamente legata, in Calvino, alla genesi del comico e allo specifico armamentario stilistico di questo livello espressivo.

3 I. Calvino, *Il castello dei destini incrociati*, ivi, 1973, p. 107.

4 I. Calvino, *Palomar*, ivi, 1983, p. 121.

5 I. Calvino, *Il castello*, cit., pag. 34.

6 P. De Meijer, *La prosa narrativa moderna*, in A. Asor Rosa (a cura di), *Letteratura italiana*, III, 2, *La prosa*, Torino, Einaudi, 1984, p. 820: «Il narratore calviniano non abbandona la fiducia in un ordine narrativo razionale, limpido. Ma dall'altra parte questo narratore giustifica anche la posizione bassa, in quanto rifiuta un unico ordine narrativo e insiste invece sulla molteplicità degli ordini narrativi possibili nella consapevolezza che ogni narrazione, anche quella che si presenta condotta da un punto di vista superiore, non è che una delle narrazioni possibili dell'intreccio continuo delle "vite degli individui della specie umana"».

7 I. Calvino, *Il castello*, cit., pag. 34.

8 È il brano che comincia con la "difesa" degli uomini del Dritto, sottoproletari divenuti non si sa come partigiani: «Quel peso di male che grava sugli uomini del Dritto...», e continua con l'esaltazione dell'elemento "progressista" in seno alla storia: «Ma allora c'è la storia. C'è che noi, nella storia, siamo dalla parte del riscatto, loro dall'altra...». (I. Calvino, *Il sentiero dei nidi di ragno*, Torino, Einaudi, 1954, p. 145).

9 Lì il riferimento marxiano è addirittura esplicito. Per confortarsi nelle sue persuasioni, infatti, Ormea si mette a rileggere un passo dei *Manoscritti* giovanili di Marx (Cfr. I. Calvino, *La giornata d'uno scrutatore*, Torino, Einaudi, 1963, p. 61). Queste riflessioni sulla presenza della dialettica in Calvino erano già accennate in un mio vecchio intervento sullo scrittore (1963), ora raccolto in A. Asor Rosa, *Intellettuali e classe operaia*, Firenze, La Nuova Italia, 1973, pp. 139-147, col titolo: *Il carciofo della dialettica*, con evidente allusione alla frase di Amerigo Ormea, citata nella nota successiva.

10 I. Calvino, *La giornata*, cit., p. 15.

11 Ibid., p. 51.

12 Cfr. nota 9.

13 I. Calvino, *La giornata*, cit., p. 26. Naturalmente, tra *questo* "caso" e *quello* "combinatorio" dei tarocchi sparpagliati, che sta alla base del *Castello dei destini incrociati* (cfr. nota 5), c'è una certa differenza, ma anche, bisognerà ammetterlo, una certa analogia. Il primo è dialettico-marxiano, il secondo semiologico-strutturalistico: narrativamente, gli effetti appaiono assai distanti; la percezione del mondo però scaturisce in ambedue i casi da radici profonde, antropologiche.

14 I. Calvino, *Palomar*, cit., pp. 115-17; pp. 118-22.

15 I. Calvino, *Le città invisibili*, Torino, Einaudi, 1972, p. 49.

16 Ibid., p. 61.

17 Ibid., p. 67.

18 Ibid., p. 68.

19 Ibid., p. 145.

20 Ibid., p. 110. Il corsivo, in questo passo calviniano e negli altri che seguono, è mio.

21 I. Calvino, *Una pietra sopra*, cit., pp. 172-73.

22 I. Calvino, nella *Nota* al *Castello*: «Sentivo che il gioco aveva senso solo se impostato secondo certe ferree regole...» (loc. cit., p. 126).

23 *Cibernetica e fantasmi (Appunti sulla narrativa come processo combinatorio)*, risale anch'esso al 1967, ora in *Una pietra sopra*, cit., pp. 164-81.

24 Ibid., p. 174. V. Spinazzola, nel corso di questo Convegno, ha già attirato l'attenzione su questo punto.

25 Cfr. il bellissimo saggio breve *Lo sguardo dell'archeologo*, del 1972, in *Una pietra sopra*, cit., pp. 263-66.

26 I. Calvino, *Il sentiero*, cit., p. 144.

27 *Una pietra sopra*, cit., p. 174.

28 Ibid., p. 177.

29 Ibid., p. 175.

30 *Intervista a Italo Calvino*, in «Autografo», cit., p. 49.

31 I. Calvino, *La sfida al labirinto* (1962), in *Una pietra sopra*, cit., p. 89.

32 I. Calvino, *Il midollo del leone* (1965), in *Una pietra sopra*, cit., p. 17. Questo scritto resta un esempio forse insuperato di saggistica politico-civile-letteraria in Italia, nel corso dell'ultimo quarantennio.

33 I. Calvino, *Il castello*, cit., p. 110.

34 Ibid., p. 111.

35 I. Calvino, *La giornata*, cit., p. 43.

36 I. Calvino, *Il castello*, cit., p. 111.

37 Ibid., p. 46.

38 Significativamente, in un saggio su Fourier (cfr. *Una pietra sopra*, cit., p. 254).

39 I. Calvino, *Il castello*, cit., pp. 104-05.

40 Ibid., p. 17.

41 Appunto, in *L'universo come specchio* (*Palomar*, cit., p. 121). Il passo successivo, e ultimo, è in *Come imparare a essere morto* (ibid., p. 123-28), che infatti è lo sviluppo, e la conclusione, del pensiero qui in precedenza citato: «Decide che si metterà a descrivere ogni istante della sua vita, e finché non li avrà descritti tutti non penserà più d'essere morto. In quel momento muore».

Ruggero Pierantoni
CALVINO E L'OTTICA

Questo abbinamento mi è stato amichevolmente, ma credo irresistibilmente, imposto da chi ha organizzato questo Convegno. Non ho creduto discuterlo, nella sua essenza, e ho cercato di adattarvi quello che ricordo di uno e dell'altra. È ovvio che non esiste nessun rapporto diretto, funzionale professionale e ancor meno tecnico tra i due. Il titolo di *Palomar*, qualche incursione un po' libresca nel mondo della Storia dell'Ottica come appare in un capitolo di *Se una notte d'inverno un viaggiatore*, una generica curiosità per i telescopi non sono certo gli elementi che fanno scattare un rapporto. Che rivelano un'affinità elettiva o distruttiva che sia. Inoltre l'abbinamento insiste in un filone o come si dice ''chiave di lettura'' di Calvino che ha mostrato la sua inattendibilità consistente. Quella cioè che pretende di vedere nella sua opera un segno di interesse di ammirazione e di comprensione per lo studio scientifico, per l'approccio quantitativo all'analisi del mondo.

In nessun caso personaggi, situazioni, paesaggi culturali o ''interni'' di Calvino riflettono la menoma curiosità comprensione e riflessione sul procedere del pensiero scientifico. In ogni caso e sempre, Calvino è stato uno scrittore innamorato totalmente della letteratura, dello scrivere, dei suoi problemi e delle sue meraviglie. Le ''incursioni'' nel campo diciamo scientifico sono sempre state meravigliose e bellissime opere di letteratura, dove le condizioni del narrare, del rappresentare e del descrivere sono strettamente dettate dalla struttura del linguaggio e della sua personale poetica. È scontato, ma forse va sottolineato, che questa caratteristica non è e non può essere assolutamente sentita come limite, come difetto e come debolezza.

Eppure quando a qualcuno viene in mente l'abbinamento si sente e si intuisce che deve esistere un rapporto tra la mente di Calvino e non certo l'Ottica né geometrica né fisica, ma tra la sua mente e la luce. In un certo senso questa relazione è stata già svolta e molto brillantemente dal grafico di Einaudi che ha scelto, per la copertina del *Palomar*, una famosissima illustrazione

277

tratta dall'*Underweisung der Messung* di A. Dürer. Il pittore, qui ancora disegnatore, sta seduto al suo prospettografo e, tenendo l'occhio fisso alla punta del piccolissimo obelisco che gli fa da mira, osserva la donna reclina e come accartocciata sul piano prospettico. La "finestra albertiana" già riquadrata, secondo la tradizione quantitativa del Cinquecento, gli serve come piano ideale di proiezione dell'immagine. Il piano del prospettografo sta secando la piramide visiva e recherà i contorni della proiezione della figura umana resa solo occasione per un'operazione geometrica di proiezione e di sezione. In un certo senso questa illustrazione, così pertinente nella sua essenza intima e nella sua forma visibile e immediatamente comprensibile, sta proprio per il rapporto tra Calvino e la luce.[1]

In breve il problema che credo sia centrale, in questo rapporto annunciato, è quello tra osservatore e osservato. Esiste una problematica generale in Ottica ma anche in Fisica, in generale, sul problema che ogni atto di osservazione eseguito su di un fenomeno altera il fenomeno stesso. Non è possibile ricavare informazione da un fenomeno, né descrivere una situazione fisica, né definire una legge senza alterare proprio quel fenomeno, modificare quella situazione, contraddire quella legge. In breve il rapporto tra osservatore e osservato è ineluttabilmente distruttivo o alterativo. Ma, se vogliamo rimanere sul pratico, io posso immaginare un pittore che dipinga un paesaggio oppure un fotografo che scatti una fotografia di un treno in corsa, poniamo. In che modo esso avrebbe alterato il paesaggio, interferito con la corsa del treno? Ci rendiamo conto che l'applicazione alla vita comune del principio di interferenza ci porta a delle conclusioni assurde o soltanto ridicole. In che modo l'osservatore avrebbe alterato modificato illuso una legge? Non sarà che questa importante e apparentemente ineluttabile "legge fisica" nulla in definitiva significhi nell'ambito della vita comune? Di quella cioè che interessa tutti noi in prima approssimazione?

Il sistemare i rapporti tra l'osservatore e l'osservato in questo modo, il guardare Palomar e la sua onda o qualunque altro brandello di realtà che potesse aver catturato la sua curiosità secondo questo modello non porta molto lontano. Ma dobbiamo considerare il fatto che noi stiamo vedendo Palomar che vede l'onda. E il mezzo attraverso cui noi vediamo Palomar è solo e soltanto la scrittura di Calvino. In breve Calvino "illumina" Palomar con la sua prosa e ci permette di vederlo. Proprio qui, a Firenze, nel settembre 1978 Calvino presentò una relazione dal titolo *I livelli della realtà in letteratura* al Congresso *Livelli della realtà,* organizzato dal Centro Fiorentino di Storia e Filosofia della Scienza. In quella relazione, che aveva un suo sviluppo a scatola cinese con affermazioni contenute in affermazioni sino ad una vertigine combinatoria che Calvino applicava anche all'altra sua produzione letteraria di quegli anni, Calvino scrive a lungo sull'affermazione: «Io scrivo...». In realtà egli si rende conto perfettamente che egli scrive in sostanza: "Io illumino".

In sintesi il rapporto intuito o compreso da chi mi ha posto in questo pasticciaccio è proprio questo: quello tra l'osservatore e l'osservato in cui il primo deve necessariamente influenzare il secondo per ritrarlo. Per renderlo visibile ad altri, per "mostrarlo". Non può non venire alla mente la donna che tenendo la candela fuori della finestra illumina la scena devastata di Guernica, permettendo a noi di vedere quello che anche Picasso non ha visto. Ma ha pensato e nel pensarlo ha modificato. Non sembra difficile, anche se appare tedioso e didattico, istituire dei periodi nella produzione di Calvino. In definitiva questo si fa per Dante per Ariosto e per altri, e non sembra sia illegittimo applicare una periodizzazione anche al suo lavoro. Le opere che si possono simbolizzare ne *La giornata d'uno scrutatore*, *La nuvola di smog*, *La speculazione edilizia*, sembrano appartenere ad un periodo in cui a Calvino sta più a cuore il denunciare la presenza di una ferita, di una difficoltà del vivere. Assieme ad un sospetto di progetto per alleviare questo stato di cose, ridurre in sé e negli altri la quantità non sostenibile di infelicità. Non meritata.

Un altro periodo segue: quello degli Antenati. L'atteggiamento si fa mitico e favolistico, anche i lumi del Settecento vengono presentati come un mito a loro volta. L'interesse si sposta alle favole, alle "regressioni" strutturalizzate o no che siano. L'esplosione combinatoriale sembra seguire questo periodo diciamo tranquillo e forse a tratti veramente felice e festoso. La narrazione si infila in dedali, in castelli delle streghe, in labirinti, in castelli d'If. Forse, ancora una volta, *Palomar* rappresenta un passo estremo (e lo fu anche biograficamente, purtroppo) oltre la combinatorialità del penultimo periodo, oltre la frammentazione fisica delle immagini, delle idee, delle emozioni.

Se mi permetto di riassumere brevissimamente questa periodizzazione certo non frutto della mia attenzione, ma comunemente accettata e proposta, è solo nell'intento di comprendere il fondamento l'ampiezza e la solidità di quell'abbinamento iniziale tra Calvino e l'Ottica che mi era stato proposto. I veri protagonisti di questa storia sono proprio strumenti ottici o macchine delle meraviglie basate sulla natura della luce. E sono: lo spec-

chio ustorio, la camera oscura, il caleidoscopio e infine lo specchio.

Lo specchio ustorio che Archimede avrebbe secondo una leggenda usato contro le navi romane all'assedio di Siracusa è il
simbolo centrale di un sistema di osservazione che distrugge l'oggetto "osservato". Nel contemplare la nave lo specchio la distrugge. Più ancora esiste un passo delle *Nuvole* di Aristofane in
cui si descrive qualcuno che, facendo uso di un vetro o specchio
ustorio, cancella le parole incise sulla tavoletta di cera. In questo
caso la luce cancella lo scritto. Questo periodo o fase diciamo
"impegnata" di Calvino ricorda proprio un'attitudine di questo
tipo: la volontà di descrivere, di insistere sul significato e sul peso
morale di ciò che viene evocato, attacca e consuma l'immagine
medesima. La prosa corrode la struttura intima della scrittura
impedendole in ultima analisi di essere perfetta. La volontà di
illuminare, di rivelare, di condannare, anche, interferisce con
l'immagine. Come avviene per i paesaggi desertici cui il tremola-
re degli strati surriscaldati di aria conferisce l'incertezza del riflesso, così accade per la prosa e per la chiarezza delle immagini
di questo periodo. La mente di Calvino lascia sul foglio la stria
del bruciato di una lente che abbia concentrato sulla carta tutta
la luce del sole.

Gli "antenati" ci fanno entrare in una nuova fase. Cui fa da
introduzione il saggio di Svetlana Alpers sull'arte del descrivere.
Ossia sui rapporti tra l'Ottica del Seicento e la pittura di quel
periodo in Olanda. La camera oscura è, nella mente della Alpers, un metodo di descrizione, un sistema di conoscenza. Il
descrivere mediante immagini oltre l'ovvio ma non rilevante
significato simbolico (o iconologico alla Gombrich) avrebbe soprattutto la dimensione laica del conoscere. La camera oscura,
tratta da un passato intessuto di meraviglie, di "Peep-shows" di
incanti illegittimi e frastornanti, diviene una macchina della conoscenza del mondo. Che riflette fedelmente le occorrenze della
realtà, il suo modificarsi configurarsi alterarsi. Dalle mani un po'
ambigue del Della Porta sino a quelle caute e precisissime di
Vermeer la "camera" diviene un'affermazione della possibilità
di dire cose sul mondo usando le forme visive più di quelle
verbali e strettamente linguistiche. Allo stesso modo in cui la
"camera" permette di rappresentare fedelmente la realtà, essa
introduce o accompagna la nascita della cartografia: del map-
paggio del mondo visibile cui farà immediatamente seguito quello del mondo invisibile. Nella lista degli oggetti lasciati in eredità
da Diego Velazquez è anche «un vidrio grueso redondo metido

en una caja», descrizione semplice ma completa di una camera oscura con lente biconvessa. Oggetto semplice ma potente: probabilmente lo stesso oggetto che ha reso possibile il miracolo de *Las Meninas*.

Nel caso del periodo di Calvino di cui ci stiamo occupando adesso, le sue immagini divengono accurate centratissime colorate precise e mobili. Non si può resistere alla tentazione di vedere un Calvino muoversi nella campagna settecentesca, metter il capo sotto un gran panno nero e disegnare accuratamente paesaggi, alberi foglia per foglia, miti parola per parola. Con esattezza da chirurgo ottico. E un'altra immagine viene alla mente: il disegnatore settecentesco del *The Draughtsman contract* che, vittima e complice di un intrigo incomprensibile che lo avrà alla fine come vittima anche esso, disegna dodici volte la villa inglese, rivelando la storia degli omicidi in essa commessi: piccoli elementi visivi, dettagli incongrui, una scala poggiata al muro, panni stesi. I disegni faranno alla fine una collana rivelatrice. Ma la visione di Calvino che si aggira mentalmente per i boschi della Liguria settecentesca mi si sovrappone nella mente a quella dell'elegante disegnatore vestito di nero che caricandosi sulle spalle il prospettografo sceglie un ''punto elevato e nobile'' per condurre il suo lavoro.

L'uso della camera oscura mobile permette di non interferire con la realtà: non occorre illuminarla. Ci pensa già il sole. Al disegnatore Calvino basta solo sedersi all'ombra e delineare, seguendo i contorni delle cose. Nel fare questo le immagini divengono dettagliatissime perfette colorate e mobili. La lingua e la scrittura aumentano di ''risoluzione'', ossia separano linguisticamente dettagli non separabili dalla prosa del periodo precedente. Ma non può sfuggire che la pagina non reca più il segno della mano, e cioè quello della condanna della denuncia e della forza. La pagina emerge dal buio della camera oscura coperta di segni e di immagini seducenti e meravigliose ma la stria di bruciato, la volontà di illuminare e forse di distruggere allo stesso tempo sono scomparse.

In uno dei brani più deludenti e più frustranti di *Se una notte d'inverno un viaggiatore* Calvino accumula un po' malamente tutta una serie di citazioni di fatti dell'ottica magica e meravigliosa. Ma questo giunge opportuno e come dire annunciato. La struttura delle sue opere in questo nuovo periodo (ancora chiedo scusa per l'artificio narrativo sistematico del concetto di periodo o intervallo) ricorda appunto il funzionamento, soprattutto quello concettuale, del caleidoscopio. Questa macchina ottica dovuta alla "riinvenzione" di Brewster si basa sul principio della riflessione multipla. Quando due superfici speculari sono sistemate tra loro ad un angolo inferiore ad un certo valore un sistema di riflessioni multiple si instaura e genera nell'osservatore una molteplicità di immagini. Una serie di miglioramenti vennero introdotti da Brewster all'antico oggetto meraviglioso, una lente, una camera degli oggetti e un numero di specchi piuttosto alto con in più la possibilità di ruotare la "camera degli oggetti". Il caleidoscopio è un ulteriore passo verso la follia a partire dalla camera oscura. Se nel caso della camera, attraverso la pupilla di osservazione penetrava un fascio di raggi a loro volta riflessi e rifratti dalla configurazione della realtà, nel caso del caleidoscopio una porzione segregata di essa, eseguita solo su frantumi irriconoscibili, divengono l'oggetto unico di osservazione. Con la complicazione che una parte larga e imponente del "paesaggio" è composta da riflessioni multiple, è composta cioè solo di immagini e non di immagini di oggetti. A sua volta, questa popolazione di forme si distribuisce su strutture visive arbitrarie, su simmetrie, su ripetitività combinatoriali cui si può, con un lieve moto della mano, imprimere una nuova geometria, una nuova forma. Una nuova bellezza. La parte dell'opera di Calvino che può essere chiamata combinatoriale si rifà sistematicamente alla ideologia del caleidoscopio. Non esiste più, come al tempo della camera oscura, un'immagine "fedele" e trasposta della realtà, ma solo barbagli simmetrici, opzioni di completezza, distribuzioni di enigmi. Le varie narrazioni in cui entra in gioco il frantumarsi della realtà seguono questo schema costruttivo o distruttivo. L'inseguimento sia delle galassie che dell'assassino assassinato nella città geometrica sono "ottenute" frantumando la realtà in frammenti minuscoli, anche di tempo naturalmente, e scagliandole nella "camera degli oggetti" di un caleidoscopio che è anche linguistico e stilistico: *Se una notte d'inverno* è un esempio completo anche se spiacevole, e forse spiacevole perché completo, di un caleidoscopio cui arbitrarii piccoli movimenti della mano di chi scrive descrivono incomprensibili geometrie e frammenti di conoscenza. Illusoriamente questo periodo può ricordare le ultime fasi dell'immensa produzione bachiana. Esistono molte suggestioni di fughe per moto contrario, di cambiamenti combinatoriali tematici e trapassi di chiave, serie armoniche insidiate dalla concezione mistica del numero come conoscenza ultima e non superabile. Ma in Bach il gorgo combinatoriale finisce per avvitarsi attorno al centro di Dio e in Calvino invece si avvita attorno al nulla.

282

La fase estrema e drammatica di Palomar ricorda semplicemente lo specchio unico: sia quello che si osserva direttamente cercando di riconoscere nell'immagine noi stessi, sia quella che secondo la famosa frase citata da Stendhal vede nello specchio un'immagine mobile che "si porta per la strada". Palomar è alle prese, come è stato più volte fatto rilevare molto acutamente da molti, con la difficoltà centrale del conoscere, sapere l'unità attraverso il frammento, ricostruire la totalità attraverso il residuo; riattivare il fuoco mediante le ceneri. Ma quello che impressiona in Palomar è soprattutto il "viso" stesso di Palomar che gli viene rimandato dalle cose, dalla loro irriducibilità ad essere descritte per sé e se non attraverso i suoi stessi occhi. La frustrazione del riflesso sul mare, la natura inarrestabile dell'onda, il moltiplicarsi dei nomi e delle forme, tutto rimanda alla difficoltà della ricostruzione dopo la frantumazione. È difficile ritornare allo specchio provenendo dal caleidoscopio. Per concludere questa avventura attraverso le forme dell'ottica come mezzo di conoscenza e di comunicazione, non si può non pensare che alla fine lo specchio ustorio Calvino lo ha puntato su se medesimo o sulla sua immagine scritta, sul suo pensiero, in definitiva sul centro della sua mente. Con la sua stessa individualità imprigionata nel fuoco della sua macchina pensante medesima Calvino cessa di pensare. Goethe, che sul letto di morte chiede o vede "più luce", gli sia compagno anche in quel momento.

NOTE

1 Desidero esprimere il mio ringraziamento alla signora Calvino che, a questo proposito, mi ha fornito una interessante informazione. L'illustrazione di copertina del *Palomar* è stata suggerita all'Editore da Calvino medesimo. In effetti la squisita aderenza al testo dell'immagine di Dürer è da considerarsi, alla luce di questa notizia, una significativa parte del testo stesso.

UNA FORMA DELLA COSCIENZA: LA FRANCIA

Sergio Romagnoli (Presidente)

Questa nuova giornata comincerà con gli interventi di illustri studiosi stranieri; di Jean-Michel Gardair, che, come conoscitore profondo del Settecento italiano — di lui si ricordi almeno l'esaustiva ricerca sul «Giornale dei letterati d'Italia» —, ci parlerà di Italo Calvino e del suo incontro con il mondo culturale europeo del secolo XVIII, in particolare con quello francese, e dell'influsso che il *conte philosophique* ebbe sull'autore del *Barone rampante*.

Seguirà Mario Fusco, della Sorbonne Nouvelle, un benemerito degli studi italiani in Francia, autore di non dimenticati volumi su Svevo, Montale, Pirandello nonché traduttore di grande prestigio: egli, insieme con Philippe Daros, della Scuola Normale Superiore di Dakar, tratterà di *Calvino tra* OULIPO *e Nouveau Roman*, ovvero di Calvino e dei suoi rapporti con quell'associazione o eletta compagnia di scrittori, tra i quali Raymond Queneau, che, nata in Francia come laboratorio letterario e come strumento di elaborazione di una "letteratura potenziale", ha visto la collaborazione entusiastica e fattiva tra il Queneau, appunto, e il nostro Calvino. François Wahl,[1] direttore delle Editions du Seuil, attento curatore e supervisore delle traduzioni francesi dell'opera calviniana, si soffermerà su un tema oggi di nuovo frequentato, sulla maniera, cioè, in Calvino particolarmente complessa, di descrivere l'ambiente, di segnalare la presenza di un paesaggio, di giocare la rappresentazione della natura sia sul versante fenomenologico sia su quello filosofico.

Concluderà la mattinata Lene Waage-Petersen, che noi ben conosciamo come docente danese di letteratura moderna italiana, come traduttrice di Calvino, come autrice di un fondamentale volume su *L'ironia di Svevo*. Da lei sapremo quale presenza abbia avuto e ancora abbia l'opera di Italo Calvino nella piccola ma altissima civiltà culturale di Danimarca.

Auguriamo a tutti buon lavoro e buon ascolto.

1 Wahl non ha consegnato la relazione per la stampa.

Jean-Michel Gardair
LUMI E OMBRE DEL SETTECENTO

> "J'aurais aimé être un homme du dix-huitiè-
> me siècle, mais avec en plus le sentiment que
> ces grands esprits n'avaient pas, de l'éphémè-
> re, de l'inaccessible".
>
> G. DUMÉZIL

Fonte inesauribile di modelli conoscitivi e di vita associativa, fonte soprattutto di una cultura in cui teoria e prassi si condizionano e si verificano a vicenda, il Settecento francese riassume senz'altro *in nuce* le varie forme dell'opera e dell'operare calviniano finora indagate. Bisogna aggiungervi una dimensione autobiografica, quella dell'autoritratto de *Il barone rampante*, cui farà da "pendant" il medaglione conclusivo di *Palomar*.

Che possa esser letto come un autoritratto, è stato lo stesso Calvino a suggerirlo nella postilla, del 1960, alla trilogia de *I nostri antenati*: «Stava succedendo con questo personaggio qualcosa per me d'insolito: lo prendevo sul serio, ci credevo, m'identificavo con lui». Anche se, come spesso avviene con Calvino, perfino l'autobiografia coincide con la storia e l'organizzazione della cultura in seno all'"officina" Einaudi: «Ecco che il protagonista, il barone Cosimo di Rondò, uscendo dalla cornice burlesca della vicenda, mi si veniva configurando in un ritratto morale, con connotati culturali ben precisi; le ricerche dei miei amici storici, sugli illuministi e giacobini italiani, diventavano un prezioso stimolo per la fantasia».[1]

Altro prezioso stimolo, evocato all'interno stesso del racconto, la lettura dell'*Encyclopédie* di D'Alembert e Diderot: «certe bellissime voci come *Abeille*, *Arbre*, *Bois*, *Jardin* gli facevano riscoprire tutte le cose intorno come nuove».[2]

Poeticamente e narrativamente suggestiva, oltreché probabile traccia d'un'effettiva indagine da parte di Calvino, l'indicazione risulta in realtà parzialmente fuorviante. Intanto, non tutte le voci citate sono di pari fascino. Pur ricca di osservazioni ed ampiamente articolata intorno a una metafora del vivere civile, *Abeille*, distesa da Daubenton, è di seconda mano, riassunta dal

289

quarto volume dei *Mémoires pour servir à l'histoire des insectes* di Réaumur. Mentre *Jardin*, imputabile a Jaucourt, è tanto breve quanto sconcertante, per non dire altro: vi si sproposita di un'arte dei giardini non introdotta in Francia prima del Re Sole ed insieme a lui scomparsa...

Bellissime invece, sì, sono le voci *Arbre* e *Bois*, nella duplice accezione di bosco e di legno/legna — ossia «l'arbre employé dans la vie civile» —, entrambe scritte da Diderot. Bellissime per la loro espansione, e vera e propria ramificazione, insieme sistematica e denotativa, dalle grandi leggi ed operazioni della Natura fino alle più minute «finesses de sa main-d'oeuvre»; dalla rete onnipresente della razionalità enciclopedica fino alle più sottili articolazioni di una scrittura di mirabile scioltezza e precisione. Ma forse sto già parlando della prosa di Calvino...

Si rimane colpiti, inoltre, dalla straordinaria pertinenza dell'ambientazione settecentesca della favola calviniana, venuta in mente all'autore, si sa, in un primo tempo, fuori di ogni contesto storico. Due temi infatti accendono di singolare passione l'eloquenza di Diderot: da una parte, la fondamentale importanza dei boschi e del legno nell'economia del tempo: «Si l'on jette un coup d'oeil sur la consommation prodigieuse de *bois* qui se fait par la charpente, la menuiserie, d'autres arts, et par les feux des forges, des fonderies, des verreries, et des cheminées, on concevra facilement de quelle importance doivent avoir été en tout temps, et chez toutes les nations, pour le public et pour les particuliers, la plantation, la culture et la conservation des forêts ou des *bois*, en prenant ce terme selon sa seconde acception»; dall'altra, l'ossessione — analoga a quella ispirata a Montesquieu dalla crisi demografica — del prossimo esaurirsi delle risorse boschive della Francia: «le bois qui était autrefois très commun en France, maintenant suffit à peine aux usages indispensables, et l'on est menacé pour l'avenir d'en manquer absolument» («je ne finirai point cet article du bois de chauffage, qui forme un objet presque aussi important que celui de construction et de charpente, sans observer que nous sommes menacés d'une disette prochaine de l'un et de l'autre», ecc.). Torneremo dopo sul significato assunto da quell'ossessione nel metaforismo simbolico della favola calviniana.

Come se non bastasse, intendo in una prospettiva autobiografica, Calvino prende ulteriormente le distanze da se stesso attraverso lo straniamento narrativo di un ''io'' paradossale: «Per *Il barone rampante* avevo il problema di correggere la mia spinta troppo forte a identificarmi col protagonista, e qui misi in opera il ben noto dispositivo Serenus Zeitblom; cioè fin dalle prime battute mandai avanti come "io" un personaggio di carattere antitetico a Cosimo, un fratello posato e pieno di buon senso». (Mentre nelle altre due storie della trilogia lo stesso procedimento veniva usato in senso opposto, appunto «per correggere la freddezza oggettiva propria del raccontare favoloso con quest'elemento ravvicinatore e lirico, del quale la narrativa moderna pare non possa fare a meno»).[3] Ma non a caso questa dialettica narrativa tra Calvino e il suo doppio (e il doppio del suo doppio, per interposti fratelli), non a caso questa dialettica rimanda all'ambiguità fondamentale, non solo del «raccontare favoloso», ma di ogni narrare: «Insomma [si tratta di Cosimo, da personaggio diventato a sua volta narratore], gli era presa quella smania di chi racconta storie e non sa mai se sono più belle quelle che gli sono veramente accadute e che a rievocarle riportano con sé tutto un mare d'ore passate, di sentimenti minuti, tedii, felicità, incertezze, vanaglorie, nausee di sé, oppure quelle che ci s'inventa, in cui si taglia giù di grosso, e tutto appare facile, ma poi più si svaria più ci s'accorge che si torna a parlare delle cose che s'è avuto o capito in realtà vivendo».[4]

Calvino comunque non ha mai rinnegato quell'autoritratto, neanche di fronte alla moda recente, sia pure a scoppio ritardato, del revisionismo storico nei confronti dell'ideologia settecentesca, sulla scia del vecchio libro di Horkheimer e Adorno *Dialettica dell'illuminismo*, le cui tesi non solo non gli sono ignote, ma non gl'impediscono, con garbato ed ironico dissenso, di ribadire in un'intervista del 1968: «Continuo a sentire vivo lo spirito con cui undici anni fa ho scritto *Il barone rampante* come una specie di Don Chisciotte della "filosofia dei lumi"».

Sempre nella stessa intervista, se, da una parte, rifiuta di «accettare tout court l'etichetta di "neoilluminista" che vari critici *gli* hanno dato, alcuni in senso positivo, altri in senso negativo», dall'altra, si dichiara sempre più affascinato dal secolo XVIII, ma proprio perché lo scopre «sempre più ricco, sfaccettato, pieno di fermenti contraddittori che continuano fino ad oggi».[5]

Non sarebbe dunque, l'illuminismo, se non una forma riduttiva, sia pure illustre, del Settecento? Calvino e il barone Cosimo o, se si vuole, il Calvino critico e il Calvino narratore suggeriscono più risposte, che non sempre coincidono.

Torniamo intanto alla formula precedente sul «*barone rampante* come una specie di Don Chisciotte della "filosofia dei lumi"». Essa rimanda alla funzione ironica, propria della letteratura nei confronti della filosofia, sulla quale si dilunga altrove Calvino: «mentre il rapporto della letteratura con la religione, da Éschilo a Dostoevskij, si stabilisce sotto il segno della tragedia, il rapporto con la filosofia si fa esplicito per la prima volta nella commedia di Aristofane, e continuerà a muoversi dietro lo schermo della comicità, dell'ironia, dell'humour. Non per niente quelli che nel secolo XVIII si chiamarono *contes philosophiques* erano in realtà allegre vendette contro la filosofia compiute attraverso l'immaginazione letteraria».[6]

Senonché, come ebbe a notare Barthes, il limite di ogni letteratura ironica è insito nell'ironia stessa, nella sua presunzione di verità, tanto prepotente quanto ingenua nel sostituirsi all'infinito al proprio bersaglio; per non dire dell'ironia a zig zag della storia, dal corso talvolta «felicemente retrogrado»,[7] secondo la "scandalosa" formula di Manzoni. Niente di più datato del Calvino che fa dell'ironia voltairiana sull'ironia di Voltaire, mentre la morale della sua favola, non a caso ambientata in un "gran secolo di eccentrici", intorno al modo giusto di esserlo — quell'associarsi fra solitari ed emarginati, si direbbe oggi fra diversi — questa morale mantiene intatto attraverso gli anni il fascino discreto della sua didattica eversiva.

Eversione o rivoluzione? Il fascino maggiore della favola calviniana sta forse nel suo continuo ricondurre l'utopia rivoluzionaria alla sua prima spinta ideale, quella appunto delle idee, mentre viene eluso il momento storico della Rivoluzione.

Viene elusa la sua violenza, ma non la sua negatività le cui responsabilità vanno equamente condivise tra chi si è sporcato le mani a fare la rivoluzione e chi, magari, avrebbe saputo farla meglio, con più inventiva e genialità, qualità tipiche, si sa, di tanta provincia italiana, vedi Cosimo con la bellissima trovata del suo «Quaderno della doglianza e della contentezza»,[8] ma poi non se n'è fatto nulla: «non c'era nessuna assemblea a cui mandarlo», il meraviglioso quaderno. «Insomma, c'erano anche da noi tutte le cause della Rivoluzione francese. Solo che non eravamo in Francia, e la Rivoluzione non ci fu. Viviamo in un paese dove si verificano sempre le cause e non gli effetti».[9] Dispetto e amarezza di essere italiani. La storia, specie quella coloniale, è scritta dai vincitori, siano pure quelle macchiette di ufficiali francesi alla Agrippa Papillon, presuntuosi poetastri e burocrati. Altro che i sublimi straccioni decantati da Stendhal!

Quella negatività ossia, per dirla con lo stesso Calvino,[10] quel «pessimismo delle cose» che da Voltaire in poi «corrode sempre di più i margini» dell'ottimismo della ragione illuministica; ottimismo del tutto soggettivo, si badi bene, vera e propria scommessa — o sfida al disastro: nella fattispecie, Lisbona 1755 — «partendo da un totale pessimismo oggettivo, da una nozione di natura e di storia non illuminate dal raggio di alcuna provvidenza», eppure «fiducioso nelle sorti della battaglia ingaggiata dalla ragione umana». «La sconfitta, continua Calvino, la vanità della storia, l'impossibilità di comprendere la vita in uno schema razionale, saranno il motivo di fondo che serpeggia nella grande narrativa dalla metà dell'Ottocento in poi, fino alla nostra epoca nella quale l'assurda atrocità del mondo diventerà un dato di partenza comune a quasi tutta la letteratura».

La responsabilità della sconfitta, ne *Il barone rampante*, investe un po' tutti, e Cosimo per primo, un po' per il suo carattere di eterno insoddisfatto, un po' per il suo lento invecchiare, di pari passo con la storia, un po' perché i tempi non sono maturi, un po' perché non sono più quelli, con «l'avvento di generazioni più scriteriate, d'improvvidente avidità, gente non amica di nulla, neppure di se stessa». La sconfitta intanto si configura, non a caso — e qui rifanno capolino le ossessioni di Diderot —, in una metafora "boschiva": a furia di piantare alberi della libertà, si rischia il diboscamento della sterminata foresta di Ombrosa e «nessun Cosimo potrà più incedere per gli alberi».[11]

Guai a voler livellare gli alberi che svettano. Guai a svettarli, direbbe Montale. Non recidere, ghigliottina, il volto arboreo della libertà.

Nonostante la canonica invettiva di Diderot, nella sottovoce *Bois sacré* dell'*Encyclopédie*, contro le tenebre complici delle superstizioni, guai a confondere l'ombra con l'oscurantismo.

Ombra magica della selva dell'infanzia — sia pure *d'Ancien Régime* — dove annida la poesia. Ombra riflessa, rimossa da ogni luce, ombra in piena luce di ogni rimosso: «Più le nostre case sono illuminate e prospere più le loro mura grondano fantasmi; i sogni del progresso e della razionalità sono visitati da incubi [...] al culmine dell'Illuminismo, sorgono Sade e il romanzo nero».[12]

Sono parole di Calvino ma, ancora una volta, toccherà a Voltaire la battuta finale, nella caricatura di salotto parigino (cap. XX) dove il filosofo incontra il fratello di Cosimo; in uno dei rarissimi *excursus* del racconto, sia detto per inciso, in un Settecento di maniera, dai cui luoghi deputati, salotti od alcove, rifugge Calvino, scrittore da "plein air": «Mi piacevano le storie che si svolgono all'aria aperta, e in posti pubblici, per esempio una stazione [magari una notte d'inverno...], con quel tanto di rapporti umani tra gente che si trova per caso; non m'interessavano — e forse non sono molto cambiato da allora — la psicologia, l'interiorità, gli interni, la famiglia, il costume, la società (specie se buona società)».[13] In quanto ad alcove, non suoni irrispettoso suggerire che, nonostante, anzi, l'incompiuto progetto d'un *Casanova* ideato sul modello delle *Città invisibili*, Calvino condivideva sia con Cosimo sia con lo stesso Rousseau non pochi pudori "repubblicani":

L'ostinazione amorosa di Viola s'incontrava con quella di Cosimo, e talora si scontrava. Cosimo rifuggiva dagli indugi, dalle mollezze, dalle perversità raffinate: nulla che non fosse l'amore naturale gli piaceva. Le virtù repubblicane erano nell'aria: si preparavano epoche severe e licenziose a un tempo. Cosimo, amante insaziabile, era uno stoico, un asceta, un puritano. Sempre in cerca della felicità amorosa, restava pur sempre nemico della voluttà. Giungeva a diffidare del bacio, della carezza, della lusinga verbale, di ogni cosa che offuscasse o pretendesse di sostituirsi alla salute della natura. Era Viola, ad avergliene scoperto la pienezza; e con lei mai conobbe la tristezza dopo l'amore, predicata dai teologi; anzi, su questo argomento scrisse una lettera filosofica al Rousseau che, forse turbato, non rispose.

Ma torniamo a Voltaire. Non è forse lui a definire Cosimo un mostro partorito dalla Ragione? Non più dalla Natura, e neanche dal sonno della ragione, bensì dalla sua veglia. Una ragione vigile, che sogna, sì, ma ad occhi aperti:

Voltaire fu molto sorpreso, fors'anche perché il fratello di quel fenomeno appariva persona così normale, e si mise a farmi domande, come: — *Mais c'est pour approcher du ciel, que votre frère reste là-haut?*
— Mio fratello sostiene, — risposi, — che chi vuole guardare bene la terra deve tenersi alla distanza necessaria, — e il Voltaire apprezzò molto la risposta.
— *Jadis, c'était seulement la Nature qui créait des phénomènes vivants,* — concluse; — *maintenant c'est la Raison* —. E il vecchio sapiente si rituffò nel chiacchericcio delle sue pinzochere teiste.

Ebbene sì, Voltaire *malgré tout*, e non solo per la sua favolosa "vitesse" narrativa, forse attinta in parte dall'Ariosto. Nonostante quella sua grottesca comparsa in un parterre di Madame da rivista legnanese e nonostante l'infelice fama, appiccicatagli da Barthes, di «dernier des écrivains heureux», Voltaire rimane l'"antenato" per antonomasia, sia del crescente catastrofismo — ed è forse dire poco — dell'ultimo Calvino, per il quale «la società si manifesta come collasso, come frana, come cancrena (o, nelle sue apparenze meno catastrofiche, come vita alla giornata); e la letteratura sopravvive dispersa nelle crepe e nelle sconnessure, come coscienza che nessun crollo sarà tanto definitivo da escludere altri crolli»;[14] sia dell'ultimo residuo di fede laica, stoica, da opporre a tanto sfacelo, ed è il famoso «il faut cultiver notre jardin» riletto da Calvino in chiave, neanche d'impegno, d'"accuratezza formale": «Continuo a credere che non ci siano soluzioni valide esteticamente e moralmente e storicamente se non si attuano nella *fondazione di uno stile*».[15]

Lo stile, è la conclusione de *Il barone rampante* e sarà la mia, lo stile ossia quel «ricamo fatto sul nulla».

NOTE

1 *Nota 1960* a *I nostri antenati*, Torino, Einaudi, 1960, p. 357.

2 Ibid. p. 160.

3 Ibid. p. 360.

4 Ibid., *Il barone rampante*, p. 178.

5 E ancora: «gli autori cominciano addirittura dall'Odissea, come primo manifesto dell'ideologia borghese illuminista e tecnocratica. Io non sono molto convinto da queste tesi. Ulisse mi è sempre stato simpatico» (*Una pietra sopra*, ibid. 1980, p. 189).

6 Ibid., p. 155.

7 *Lettera sul Romanticismo*, in A. Manzoni, *Prose minori*, a cura di A. Bertoli, Firenze, Sansoni, 1978, p. 615; cfr. J.-M. Gardair, *Manzoni, critique de la "grandeur"*, in Atti del Convegno di Ginevra — 13 novembre 1985: *Manzoni 1785-1985*, in «Cenobio», n. 4, 1986, pp. 364-72.

8 *Il barone rampante*, cit., p. 239.

9 Ibid.

10 *Una pietra sopra*, cit., p. 25.

11 *Il barone rampante*, cit., p. 161.

12 *Una pietra sopra*, cit., p. 175.

13 *Nota 1960* a *I nostri antenati*, cit., p. 353.

14 *Una pietra sopra*, cit., p. VII.

15 Ibid., p. 89.

Mario Fusco
ITALO CALVINO ENTRE QUENEAU ET L'OU.LI.PO.

Pour d'évidentes et impératives raisons de temps comme d'espace, il ne sera pas ici question d'un examen approfondi de ce problème qu'on pourrait en effet — qu'il faudrait, sans nul doute — mener simultanément sur divers terrains, par exemple celui de la recherche de sources possibles des textes calviniens dans les livres de Raymond Queneau et, plus généralement, celui d'une confrontation générale entre ces deux oeuvres. Le travail est possible, et il est souhaitable qu'on le fasse, mais il y faudrait d'autres moyens.

Partons d'une première observation. Parmi les nombreux écrivains que Calvino a lus, cités, dont il s'est peu ou prou inspiré, et qu'il faudra bien qu'on se mette à étudier de façon systématique, Queneau occupe une place particulière, privilégiée. A Paris, les deux écrivains se sont connus, et ils ont participé ensemble aux travaux de l'Ou.Li.Po. Mais évidemment les choses n'en sont pas restées au stade d'une rencontre, somme toute anecdotique, ou d'une lecture dont on peut déceler les traces. Calvino en effet a aussi traduit en italien un roman de R. Queneau, *Les fleurs bleues*, et, chose singulière, c'est même l'une des seules traductions qu'il ait publiées. D'autre part, Calvino a fait paraître, précédé d'une importante préface, un recueil d'articles et de textes théoriques de Queneau, *Segni, cifre e lettere*, qui réunit, pour l'essentiel, des textes parus d'abord dans *Bâtons, chiffres et lettres* et dans *Bords*. Enfin, il a écrit, pour la traduction italienne de la *Petite cosmogonie portative* par Sergio Solmi, un commentaire remarquable qui, à l'exception d'un bref extrait paru dans la revue «Europe», n'a pas encore été traduit en France, ce qui est fort regrettable. Ajoutons aussi que le recueil d'articles de Calvino, *Una pietra sopra*, renvoie fréquemment à des textes de Queneau, illustrant par là, si besoin était, une connaissance approfondie de l'ensemble de son oeuvre.

Il convient sans doute de partir de la préface écrite en 1981 par Calvino pour *Segni, cifre e lettere*, qui se présente comme une sorte d'introduction à l'oeuvre et à la pensée de Queneau, et qui se justifiait effectivement par la nécessité d'établir une distinction entre l'image insolite et plus ou moins humoristique d'un auteur connu en Italie à la fois par les traductions du *Chiendent* et de *Zazie dans le métro*, mais également identifié comme un personnage quasi-mythique de Saint Germain des Prés, indissociable des chansons de Juliette Greco.

Calvino s'appuie donc sur cette image, la plus répandue et la plus facile, c'est à dire celle d'un écrivain drôle et peu conventionnel, amuseur goguenard, jongleur de mots en transcription phonétique, et d'un amoureux attendri du petit monde de la banlieue parisienne; elle est d'ailleurs celle qui se dégage du *Chiendent*, le premier de ses livres à avoir été traduit en Italie. Mais précisément Calvino ne se laisse pas leurrer par une telle définition, trompeuse en ce qu'elle ne rend pas compte de l'ambition réelle de Queneau. Rappelons simplement que *Le chiendent* est un roman dont la construction très stricte et très concertée se veut, en quelque sorte, le commentaire en français contemporain du *Discours de la Méthode*, sur un mode narratif.

D'où la nécessité d'une mise au point: derrière cette affabulation familière et populaire se dissimulaient des intentions autrement ambitieuses, dont Italo Calvino donne trois exemples qui, chaque fois, sont uniques en leur genre: la virtuosité stylistique et rhétorique des *Exercices de style*, l'encyclopédisme vertigineux de *La petite cosmogonie portative*, et enfin la combinatoire systématisée des *Cent mille milliards de poèmes*. Et si, comme l'ajoutait Calvino, on voulait bien tenir compte du fait que R. Queneau était très officiellement chargé de la direction de l'Encyclopédie de la Pléiade chez Gallimard, on pouvait commencer à se douter que cet écrivain multiforme n'était pas exactement un amuseur pour lecteurs cultivés, «un elegante fumista», pour reprendre une expression d'Alberto Asor Rosa.

L'intérêt de cette préface pour *Segni, cifre e lettere* est donc bien de situer Queneau en fonction de ses objectifs véritables, dont les plus aisément perceptibles sont de nature linguistique. Mais on sait que ses tentatives pour restituer un français oral, familier, un "néo-français" qu'il avait rêvé de faire coexister avec le français littéraire, à l'image du grec démotique auprès de la katarheousa, ont tourné court. Chacun connaît par coeur des exemples de ce jargon populaire et phonétique, à commencer par l'immortel Doukipudonktan? sur quoi s'ouvre *Zazie dans le métro*. Comme on sait, Queneau a finalement renoncé à généraliser ce genre de restitutions pour n'en conserver que certains effets, à la fois dérangeants et humoristiques, où se sont arrêtés la plupart des lecteurs superficiels et hâtifs.

C'est sans doute sur ce terrain que Calvino l'a, en ce qui le concerne, le moins directement suivi, même si, par ailleurs, il a su se montrer un traducteur exceptionnellement inventif des calembours dont le texte des *Fleurs bleues* est littéralement truffé.

En fait, comme l'a très bien vu Calvino, l'ambition de Queneau était autre et, surtout, elle allait beaucoup plus loin, même si elle a su se dissimuler derrière une activité ludique dont Rabelais demeure l'un des modèles canoniques et qui, comme chez lui, n'est pas dissociable d'une exigence de connaissance spécifiquement philosophique.

Et, quand il s'attache à reconstituer cette dimension de la personnalité de Raymond Queneau, Calvino remonte, historiquement, aux rapports vite conflictuels que celui-ci a entretenus avec le surréalisme, notamment sur le plan d'une liberté d'invention et d'écriture érigée en système, et il montre que Queneau refusait, autant que les suggestions du hasard, les dictées de l'inconscient. Dans un article de 1938, Queneau, comme le rappelle Italo Calvino, revendiquait un retour paradoxal aux règles classiques de composition qui, à ses yeux, laissent plus libre l'écrivain qui s'y soumet que «ceux qui écrivent, dit-il, ce qui leur passe par la tête et sont les esclaves d'autres règles qu'ils ignorent».

Ce n'est donc pas un hasard si, remarque Calvino, Raymond Queneau prenait au sérieux l'oeuvre et l'enseignement d'un Boileau, par exemple, et s'il investissait la norme, la Loi, d'une autorité qui surprend par rapport à l'idée qu'on se fait communément de lui.

Autre domaine qui a frappé Calvino: l'apparent paradoxe de l'oeuvre de Queneau dans l'utilisation qu'il fait du genre romanesque. Cette forme est apparemment la plus ductile, la plus libre qui soit, et Queneau le savait bien: rappelons-nous une de ses remarques sur la technique romanesque: «N'importe qui fait pousser devant lui comme une troupe d'oies un nombre indéterminé de personnages apparemment réels à travers une lande longue d'un nombre indéterminé de pages ou de chapitres. Le résultat, quel qu'il soit, sera toujours un roman». Or, en ce qui le concerne, Queneau appliquait au roman des séries de schémas, extrêmement rigoureux, notamment numériques: bornons-nous à citer les variations sur le chiffre 7, qui avait à ses yeux une valeur de référence autobiographique, et que l'on trouve aussi bien dans *Le chiendent* que dans *Les fleurs bleues*. Il reste que cette utilisation apparemment ludique d'éléments numériques est moins gratuite qu'il ne pourrait sembler à première vue, et qu'elle devrait conduire à une interrogation sur la parenté réelle existant entre ces jeux de nombres chez Queneau et les jeux de structures qu'on peut découvrir chez Calvino.

Comme on pouvait s'y attendre, Calvino était extrêmement sensible à la dimension encyclopédique de la culture de Queneau, avec laquelle sa propre curiosité intellectuelle présentait d'indéniables parentés. Mais il avait également été frappé par l'attitude, là encore paradoxale de Queneau, faite à la fois d'une exigence de connaissance totalisante et d'un scepticisme radical sur la possibilité même d'une connaissance, qui le conduisait à situer sur un plan analogique les démarches de la science et celle de l'art. On pourrait citer sur ce point certaines pages très éclairantes de *Bords*: «... la science est-elle une connaissance, sert-elle à connaître? Et puisqu'il s'agit [...] des mathématiques, que connait-on en mathématiques? Précisément: rien. Et il n'y a rien à connaître [...]. On ne connaît pas plus le monde des fonctions et des équations différentielles qu'on ne ''connaît'' la Réalité Concrète Terrestre et Quotidienne [...]. Ainsi la science entière, sous sa forme achevée, se présentera et comme Technique et comme Jeu, c'est à dire tout simplement comme se présente *l'autre* activité humaine: l'Art» (pp. 126-7). C'est bien la raison pour laquelle Queneau passe avec désinvolture de l'un à l'autre de ces deux domaines, et cela permet peut-être aussi de comprendre que ce n'est pas exclusivement par goût de la dérision et de la provocation que Raymond Queneau s'est consacré à des recherches fort poussées sur les ''fous littéraires'' (qui aboutiront, entre autres choses, aux *Enfants du limon*) ou sur l'utopiste Charles Fourier (dont Calvino, à son tour, a analysé les oeuvres avec beaucoup d'acuité, et dont il a préfacé *Le nouveau monde amoureux*). C'est ainsi que, par la suite, il s'est consacré au Collège de Pataphysique, qui entretient l'héritage d'Alfred Jarry dans une satire de la démarche scientifique.

Le fait est que la réflexion philosophique la plus poussée est pour Queneau un registre de prédilection et, si *Le chiendent*, comme on l'a rappelé, est un commentaire de Descartes, il ne faut pas oublier que ce fut aussi Queneau qui publia le textes des cours de Kojève sur Hegel à l'École des Hautes Etudes: cet enseignement exerça sur lui une influence déterminante, que l'on retrouve en filigrane aussi bien dans *Les fleurs bleues* que dans *Histoire modèle*. Ici encore, Calvino se retrouve sur des positions extrêmement proches des siennes, ce dont on trouverait par exemple une confirmation, parmi d'autres, dans l'article superbe qu'il écrivit en 1984 pour le quotidien «Repubblica» à l'occasion de la réédition en Italie des *Fleurs bleues*. Cette réflexion sur l'histoire qui peut se lire également comme une psychanalyse, Calvino en a dégagé l'armature conceptuelle avec une rigueur et une pénétration que l'on retrouve encore dans son commentaire à la *Petite cosmogonie portative*, ultime occasion pour une rencontre privilégiée.

Mais revenons un instant sur les mathématiques, l'une des passions avouées de Queneau, qui sout-tend aussi *Histoire modèle*, et qui l'a conduit, en 1960 à prendre part, avec sont ami le mathématicien François Le Lionnais, à la création de l'Ouvroir de Littérature Potentielle. Calvino lui aussi fut un membre actif de l'Ou.Li.Po. (dont les travaux, publiés chez Gallimard, on été assez récemment traduits en italien). Sans pouvoir entrer dans le détail de ces savantes élucubrations de mathématiques appliquées à la composition de textes littéraires, on peut en retenir au moins qu'une place tout à fait privilégiée y a été réservée à l'application d'une stricte combinatoire aux processus de l'invention littéraire et poétique, dont l'un des premiers résultats fut précisément le recueil des *Cent mille milliards de poèmes*, justement défini par Calvino comme une rudimentaire machine pour la production de textes. Mais qu'il s'agisse d'une combinatoire appliquée à l'agencement des mots ou à celui des structures de l'oeuvre, on sait que pour sa part, Calvino a payé de sa personne et qu'il a lui-même publié, dans la Petite Bibliothèque Oulipienne, deux textes d'application: un *Piccolo sillabario illustrato* (n° 6), petits textes de prose combinant des jeux élémentaires de syllabes qu'une phrase finale résume et condense, et, plus récemment, à propos de *Se una notte d'inverno...*, *Comment j'ai écrit un de mes livres* (n° 20), qui est un recueil de schémas formels d'une grande complexité, à partir d'un modèle carré emprunté à Greimas.

Cela dit, si l'on voulait établir une sorte de filiation entre ces diverses démarches et les oeuvres mêmes de Calvino, il faudrait d'abord remonter loin dans le temps, c'est à dire bien avant 1960, pour y déceler des analogie de démarche. Sur le plan de la structure, *I nostri antenati* reposent déjà sur un schéma structural simple, précisément choisi pour son caractère d'impossibilité, et que Calvino a développé avec la rigueur imperturbable des grands humoristes. D'un autre point de vue, et toujours avant 1960, son travail de collectage pour les livres des *Fiabe italiane* l'a également conduit à s'interroger sur les travaux de Propp. Enfin, tant les *Cosmicomiche* que *Ti con zero*, sur le même terrain de la combinatoire appliquée à la composition d'un texte narratif, offrent quelques résultats vertigineux, comme par exemple *Il guidatore notturno*, *L'inseguimento* ou *Il Conte di Montecristo*, en attendant l'exploitation systématique d'une combinatoire restreinte qu'on trouvera, une dizaine d'années plus tard, dans *Il castello dei destini incrociati*, où ce sont les lames d'un jeu de tarots qui fonctionnent plus ou moins comme une machine, pour reprendre la définition qu'il avait lui-même donnée des *Cent mille milliards de poèmes*. Quant à la combinatoire généralisée, elle apparaîtra avec *Le città invisibili*, dont le schéma structural a été analysé avec une rigueur convaincante par Aurore Frasson-Marin dans un article de la «Revues des Etudes italiennes». Ceci pour ne rien dire de *Se una notte d'inverno un viaggiatore...*, dont, comme je le rappelais, Italo Calvino lui-même a publié les schémas structuraux de détail et d'ensemble.

Cela dit, et malgré cette série de convergences, il suffit de rapprocher l'oeuvre de Calvino de celle d'un écrivain tel que G. Perec, étroitement lié, lui aussi, à l'Ou.Li.Po., pour mesurer la part notable d'autonomie qu'il a su garder à l'égard de ce qu'il n'a jamais considéré que comme une modalité parmi d'autres de son écriture, alors que Perec, pour sa part, s'était totalement plié à ces jeux de contraintes, dont il a su tirer de saisissantes réussites.

Bien entendu, il n'est pas question d'isoler ces quelques exemples qui, dans l'oeuvre de Calvino, présentent des analogies avec des textes de Queneau, par rapport aux écrits théoriques élaborés parallèlement par lui et qui sont, pour la plupart, réunis dans *Una pietra sopra*. C'est notamment le cas d'un article précédemment paru dans le numéro 10 de la revue «Menabò», *Progettazione e letteratura*, (qui cite expressément R. Queneau) et la conférence de 1967, *Cibernetica e fantasmi*, qui demeure une pierre miliaire de cette réflexion. Là encore, la référence à l'Ou.Li.Po. et à Queneau figure en toutes lettres, et elle souligne bien la parenté profonde de Calvino avec les travaux théoriques que son séjour prolongé à Paris lui a permis de suivre au jour le jour (et qui, bien entendu, se situe également sur le terrain du Nouveau Roman, comme l'exposera Philippe Daros). La référence à la critique de la littérature en tant qu'inspiration renvoie en effet à Queneau, mais également et d'autre part, des Formalistes russes à Roland Barthes, à une démarche structuraliste qui, avec le recul des années, illustre à l'évidence la parfaite assimilation par Calvino des lignes de force essentielles du débat intellectuel et esthétique des années Soixante. En tout état de cause, de tels recoupements montrent bien la force des liens organiques existant entre l'oeuvre d'Italo Calvino et les recherches sur la littérature potentielle auxquelles Ou.Li.Po. doit son existence et son nom.

Il reste un dernier point à envisager dans ce rapide parcours: l'encyclopédisme de Queneau, également illustré par Calvino dans sa fameuse préface à *Segni, cifre e lettere,* qui faisait de lui un lecteur d'une insatiable curiosité dans les domaines des sciences du langage et des sciences humaines en général comme dans celui des sciences exactes, notamment des mathématiques. Le choix des articles de Queneau réunis par Calvino dans ce volume est à cet égard révélateur, car il condense l'essentiel de plusieurs livres, dont certains assez peu connus mais qui n'avaient pas échappé à sa clairvoyance critique.

L'un des plus intéressants est celui qui s'intitule *Science et littérature* et qui avait d'abord paru en 1967 dans le «Times Literary Supplement»: Queneau y revendique la tentative d'un langage où la science est effectivement transmuée en poésie, comme il déclare avoir essayé de le faire dans *La petite cosmogonie portative.* Et Queneau ajoutait qu'à ses yeux, les sciences humaines étaient de plus en plus directement enracinées dans le terrain des sciences exactes, en précisant que le Nouveau Roman se trouvait directement impliqué dans cette convergence qui justifiait, par ailleurs, la création de l'Ou.Li.Po., défini ici comme une tentative pour fonder une nouvelle rhétorique, indissociable des mathématiques.

Ainsi se voit-on à nouveau renvoyé à ce qu'affirmait un texte de Queneau, traduit dans *Segni, cifre e lettere* et que nous avons déjà cité: celui où la science est définie comme technique et comme jeu, à l'égal de l'art. Ici encore, reflexion théorique et création se relaient chez Queneau comme elles le font chez Calvino, et la référence, par Queneau lui-même, à la *Petite cosmogonie portative,* est pour nous doublement précieuse: il s'agit précisément là d'un livre qui a profondément retenu l'attention d'Italo Calvino, à la fois dans la lecture qu'il a faite de ce texte parfois très hermétique, compte tenu du véritable fourmillement de références qu'il comporte et qu'il a aidé Solmi à décrypter en les explicitant, mais qu'il a d'autre part éclairé de façon très remarquable dans un commentaire où se lit, à l'évidence, la jubilation d'un initié dont la curiosité omnidirectionnelle rejoint effectivement celle de Queneau, *de omni scibili.* Inversement, l'article de Queneau *Comment on devient encyclopédiste,* dans le même recueil, pourrait constituer une clef de lecture tout à fait utile pour approcher de la démarche intellectuelle de Calvino. Ce qui, soit dit en passant, permet d'écarter sans arrière-pensées les accusations de légèreté qu'on a parfois inconsidérément portées contre Queneau, jongleur de mots virtuose qui a réussi à faire oublier qu'il était en même temps un philosophe.

Toutefois, pour ma part, je vois aussi dans ce travail exceptionnel de Calvino sur la *Cosmogonie* une double rencontre, qui se joue autour de la virtuosité conceptuelle et verbale de Queneau, engendrant chez lui des effets humoristiques insolites dont il serait intéressant de rendre compte, cependant qu'elle permet d'observer la convergence entre la fantaisie de Calvino, présente chez lui dès l'origine, et qui est une affaire de vision, et son humour qui est, en revanche, une affaire d'expression. Mais il est clair, à lire la *Petite cosmogonie portative* et le commentaire de Calvino, que les vertigineux dérapages auxquels l'un et l'autre s'abandonnent avec délices sont, comme on pouvait bien le penser, des dérapages savamment contrôlés.

Que dire de plus, sinon que si, chez Queneau, on constate une continuelle sollicitation à la participation du lecteur, comme l'ont bien montré J. Bens et Cl. Simonnet, qui sont deux de ses meilleurs exégètes, ceci nous conduit à cette ouverture au lecteur dont *Se una notte d'inverno* est la plus forte et la plus évidente illustration. Mais, là encore, nous ne sommes pas très éloignés de ce que Calvino a trouvé et exploité, dans un autre secteur de la littérature française d'après 1950, sur le terrain qui est celui du Nouveau Roman et dont vous parlera maintenant Philippe Daros.

Philippe Daros
ITALO CALVINO ET LE NOUVEAU ROMAN

«Ho letto di recente un articolo di Roland Barthes intitolato *Letteratura contro scienza*. Barthes tende a considerare la letteratura come la coscienza che il linguaggio ha di essere linguaggio, d'avere un proprio spessore, una propria realtà autonoma; il linguaggio per la letteratura non è mai *trasparente*, non è mai puro strumento per significare un "contenuto" o una "realtà" o un "pensiero" o una "verità", cioè non può significare qualcos'altro da se stesso [...] un altro scrittore francese, più anziano e appartenente a tutt'altro quadro culturale, Raymond Queneau, parla di scienza in modo completamente diverso. Queneau è uno scrittore che ha l'hobby della matematica e i suoi amici sono più tra i matematici che tra gli uomini di lettere: nel suo articolo egli sottolinea il posto che il pensiero matematico — attraverso la crescente matematizzazione delle scienze umane — sta prendendo nella cultura anche umanistica e quindi nella letteratura [...] Qui siamo in tutt'altro clima da quello austero e rarefatto delle analisi di Barthes e dei testi degli scrittori di "Tel Quel"; qui domina il divertimento, l'acrobazia dell'intelligenza e dell'immaginazione [...] Mi pare che le due posizioni che ho descritto definiscono abbastanza bene la situazione: due poli tra cui ci troviamo a oscillare, o almeno io mi trovo a oscillare, sentendo attrazione e avvertendo i limiti dell'uno e dell'altro. Da una parte Barthes e i suoi, "avversari" della scienza, che pensano e parlano con fredda esattezza scientifica; dall'altra parte Queneau e i suoi, amici della scienza, che pensano e parlano attraverso ghiribizzi e capriole del linguaggio e del pensiero».[1]

«Mais l'humanité, qui découvre sans cesse du sens, ne peut toujours inventer de nouvelles formes, et il lui faut bien parfois investir de sens nouveaux des formes anciennes. "La quantité de fables et de métaphores dont est capable l'imagination des hommes est limitée, mais ce petit nombre d'inventions peut être tout à tous, comme l'Apôtre". Encore faut-il s'en occuper, et l'hypertextualité a pour elle ce mérite spécifique de relancer constamment les oeuvres anciennes dans un nouveau circuit de sens. La mémoire, dit-on, est "révolutionnaire" — à condition sans doute qu'on la féconde, et qu'elle ne se contente pas de commémorer. "La littérature est inépuisable pour la raison suffisante qu'un seul livre l'est". Ce livre, il ne faut pas seulement le relire, mais le récrire, fût-ce, comme Ménard, littéralement. Ainsi s'accomplit l'utopie borgésienne d'une littérature en transfusion perpétuelle (ou perfusion transtextuelle), constamment présente à elle-même dans sa totalité et comme Totalité, dont tous les auteurs ne font qu'un, et dont tous les livres sont un vaste Livre, un seul Livre infini. L'hypertextualité n'est qu'un des noms de cette incessante circulation des textes sans quoi la littérature ne vaudrait pas une heure de peine. Et quand je dis une heure...»[2]

Il ne s'agira guère d'une "Histoire du Nouveau Roman", ni

d'une illusoire enquête sur les influences directes que l'oeuvre de Calvino aurait pu subir à la lecture des écrivains qui publièrent — à partir des années 50 — aux éditions de Minuit.

Parce que toute histoire de l'art n'est qu'une suite culturelle et que toute suite participe d'une Histoire imaginaire, d'une rêverie classificatoire où trop souvent l'antécédence chronologique s'assimile à l'Origine; or toute l'oeuvre de Calvino, mais aussi de ceux classés sous l'étiquette de "nouveaux romanciers" se réclame d'une intertextualité qui fait du texte un palimpseste où à l'image du Don Quichotte de P. Ménard, le travail d'écriture brouille l'idée même d'origine et de duplication. Parce que, d'autre part, le rapport entre les mots et les choses, entre "monde écrit" et "monde non-écrit" possède, lui, son Histoire. Le socle épistémique à partir duquel Calvino et les Nouveaux Romanciers ont posé — avec bien d'autres écrivains — le problème de la fonction du romanesque et plus généralement de la littérature, ce socle sur lequel se bâtit le savoir d'une époque leur est commun. Interrogé en décembre 84[3] sur ce que représentait le Nouveau Roman, Claude Ollier constatait:

> Si quelqu'un écrivait une histoire de la narration en France depuis une quarantaine d'années, je pense qu'il devrait le faire selon cette ligne générale: la contestation du romanesque à partir de la révélation progressive de l'opposition de l'écriture et de la narration. Il est étonnant qu'il n'existe encore aucun travail d'ensemble sur la question. Il faudrait ensuite relier cette analyse à ce qui à été perçu par plusieurs d'entre nous, dans les années 40, comme une rupture radicale entre le récit traditionnel et la société française. J'ai toujours été frappé par la concomittance de cette rupture, que j'ai ressentie très fortement à cette époque, avec l'effondrement politique et militaire de la France entre 40 et 42. On peut dire que la débâcle sur le terrain des armes et des institutions politiques s'est doublée d'une débâcle dans le domaine du récit, chose qui a été perçue nettement par Nathalie Sarraute dans *L'Ere du soupçon*, mais qu'elle n'a pas formulée en ces termes. Le récit traditionnel français, fondé sur une grande connivence entre un mode narratif et un large public de lecteurs, Sartre et Camus, d'autres encore, ont essayé de le revivifier avec des apports américains, mais ce ne fut qu'une tentative de recollement, de récupération, et non pas une réelle innovation narrative. C'est en rompant délibérément avec le récit dit "existentiel" ou "existentialiste" que quelques écrivains dans les années suivantes, ont entrepris de renouveler radicalement la matière de l'écriture. Ces écrivains: Michel Butor, Robert Pinget, Alain Robbe-Grillet, Claude Simon, à la suite de Samuel Beckett et de Nathalie Sarraute, ont tenté une pratique neuve de la prose narrative. Leur question était: quel récit possible, à présent? Cette question fut aussi la mienne, et mon long travail n'a cessé de la raviver...

On cherchera à montrer que l'oeuvre de Calvino tourne autour de cette interrogation: "Quel récit possible, à présent?"

Cette recherche traduisant des convergences, des tangences, des divergences avec les oeuvres — elles-même très dissemblables dans leur visée — des "nouveaux romanciers". Et constater que ce cheminement ait, croisé celui d'Alain Robbe-Grillet, de Michel Butor, de Claude Simon ou de Nathalie Sarraute; réemprunté les sentiers qui bifurquent du "Père des Récits" que fut J.L. Borges; exploré les techniques de contraintes et donc de liberté de Raymond Queneau ou de Georges Perec ne justifiera guère qu'une banale conclusion: l'écriture est toujours réécriture, «qu'on le sache ou qu'on l'ignore, on ne chemine jamais seul sur les sentiers de la création» (Claude Lévi-Strauss).

*«Quel récit possible, à présent?».*1
— Le temps du modèle —

Le problème de l'immédiat après-guerre et des années 50: comment concilier les éléments de l'engrenage sujet-société-langage? Comment concilier l'autonomie du processus esthétique et la volonté de dire, le didactisme idéologique. Comment faire de la littérature un modèle de ce qui pourrait être, sans réduire celle-ci à une "narration" mimétique qui pourrait donner à croire que les mots ne sont là que comme simulacre du monde?

D'entrée de jeu donc Calvino se pose le problème d'une opposition, née de cette conscience de la spécificité du langage, de son pouvoir et de ses limites, qui conduira Barthes, dans les années 60, à opposer le lisible au scriptible. Double situation contradictoire dont les textes théoriques de Calvino rendent compte: «Il vero tema d'un romanzo dovrà essere una definizione del nostro tempo, non di Napoli o di Firenze; dovrà essere un'immagine che ci spieghi il nostro inserimento nel mondo [...] Noi pure siamo tra quelli che credono in una letteratura che sia presenza attiva nella storia, in una letteratura come educazione, di grado e di qualità insostituibile».4

Cinq ans après, dans *Dialogo di due scrittori in crisi*, c'est le refus d'une littérature "transitive" qui se trouve souligné: «Al bisogno di raccontare storie che esemplifichino i casi della nostra società, che segnino i mutamenti di costume, e mettano in linee i problemi sociali, bastano e avanzano il cinema, il giornalismo, la saggistica sociologica».5 Une tentative de synthèse, elliptiquement, est proposée: «io per esprimere il ritmo della vita moderna non trovo di meglio che raccontare battaglie e duelli dei paladini di Carlomagno».6 Il s'agit en fait de trouver une solution valable esthétiquement, moralement, historiquement et cette solution «si attua nella fondazione di uno stile».[7]

L'évident irréalisme apparent des fictions calviniennes a pour but de déclencher la mise en marche d'un mécanisme interprétatif, dédoublant les ''niveaux de réalité'', introduisant, à tous les sens du mot, un jeu dans le texte, ouvrant ainsi le récit à la polysémie, sans exclure le retour à la réalité ''hic et nunc'', retour médiatisé, formalisé par un ''style''. Ce mécanisme relève d'une stratégie symbolique de signifier: celle-là même qu'utilise la FABLE. Si «le fiabe sono vere» c'est dans le sens où, à la même époque, Michel Butor souligne leur fonctionnement dialectique face à la réalité: «Monde à l'envers, monde exemplaire, la féerie est une critique de la réalité durcie. Elle ne demeure pas à côté de celle-ci; elle réagit sur elle; elle invite à la transformer, à remettre à l'endroit ce qui, en elle, est mal placé».
(Répertoire I).

Un monde recouvert de smog; envahi par les fourmis, un ''vicomte pourfendu'', un ''baron perché'', ou un ''chevalier inexistant'' constituent autant de situations fictives initiales qui traduisent un «symbolisme lexical» (T. Todorov), sans pourtant que se trouve dévalorisé le sens littéral. Comme un équilibre entre littérarité et volonté de dire, équilibre qualifié par R. Barthes de «mécanique du charme» spécifique de l'oeuvre calvinienne: «Calvino (...) pose une situation qui, en général, est, disons irréaliste du point de vue de la vraisemblance du monde, mais seulement dans la donnée de départ, et ensuite, cette situation irréaliste est développée d'une façon implacablement réaliste et implacablement logique».[9]

Les incipit proposent, d'entrée de jeu, une disjonction de lecture dans laquelle se creuse la ''littérarité, puis la trame fictive progresse, linéaire et mécanique, à partir de cet imaginaire fondateur''. C'est là très exactement une volonté symbolique et modélisante. Dualité intentionnelle qui amène R. Barthes à conclure: «bien que le contenu de ses livres ne soit pas directement politique, cela me fait penser à une espèce de récit politique, de politique-forme».[10]

Cette volonté de conciliation relève sans nul doute d'une exigence morale qui aura été celle de toute une génération d'écrivains d'abord animés par une «rouge ferveur». La synthèse trouvée dans et par la ''création d'un style'' n'est pas sans origine: elle tente de retrouver ce lien, qui définit l'enjeu d'une partie de la littérature du XVIIIème siècle, entre l'idée d'histoire-progrès et le discours utopique. Le symbolisme imaginaire métaphorise l'état du monde (l'incomplétude, l'inexistence...) ou en modélise le devenir (le "regard éloigné" du baron perché...). Et si ce discours est utopique c'est qu'il est parcouru de l'espoir que l'Histoire se renouvellera en réalisant le "roman". Le défi au labyrinthe du monde dont parle Calvino au début des années 60 peut se lire, aussi par rapport à la pratique de l'écriture, réflexivement et métadiscursivement. Défi lancé à soi-même pour produire une littérature animée par un double réseau de forces antagonistes: projetée hors d'elle-même pour pouvoir parler le monde, autotéliquement tournée vers son dedans pour pouvoir être; géométriquement située dans un lieu impossible, un lieu virtuel, "entre les deux" u-topique exactement. Dès lors les propos tenus par Calvino, en ce temps, sur le Nouveau Roman ne pouvaient qu'être — en terme éthique (ou "stoïcien") — de refus, et — en terme d'écriture — d'interrogations. Sa critique, on s'en doute, est fondée sur le constat de «resa al labirinto», sur la dénonciation d'une culture où le sujet historique est «sommerso dal mare dell'oggettività, dal flusso ininterrotto di ciò che esiste».[11]

L'analyse de *La modification*, en 1958, traduit cette attitude: «un processo di coscienza viene raccontato tutto attraverso gli oggetti, tutto attraverso le sensazioni esterne, le cose più insignificanti che cadono sotto l'occhio del protagonista, e nel succedersi di questi dati oggettivi consiste il processo mentale del personaggio, il racconto. È l'annullamento della coscienza o una via per la sua riaffermazione?».[12] Calvino semble alors ne pas voir tout ce que l'aventure de Léon Delmont peut révéler du destin de l'Occident: loin d'être personnelle la fissure que le personnage de Butor ressent: «est en communication avec une immense fissure historique. (...) Une des grandes vagues de l'histoire s'achève ainsi dans vos consciences, celle où le monde avait un centre...».[13]

Calvino refuse encore de souscrire à cette métaphysique du Livre, à cette conception d'une littérature comme seul défi possible au non-sens du monde. Et c'est à travers la même exigence morale que seront critiqués les "vertiges fixés" des itinéraires labyrinthiques d'Alain Robbe-Grillet, perçus comme renoncemment à la dialectique, fondatrice, du sujet et de l'Histoire. Et pourtant... affleure la conscience d'une écriture, comme expérience des limites, comme démiurgie imaginaire.

Forse ci s'aspettava che, tornato intero il visconte, s'aprisse un'epoca di felicità meravigliosa; ma è chiaro che non basta un visconte completo perché diventi completo tutto il mondo.[14]

Ombrosa non c'è più. Guardando il cielo sgombro, mi domando se davvero è esistita. Quel frastaglio di rami e foglie, biforcazioni, lobi, spiumii, minuto e senza fine, e il cielo solo a sprazzi irregolari e ritagli, forse c'era solo perché ci passasse mio fratello col suo leggero passo di codibugnolo, era un ricamo fatto sul nulla che assomiglia a questo filo d'inchiostro, come l'ho lasciato correre per pagine e pagine, zeppo di cancellature, di rimandi, di sgorbi nervosi, di macchie, di lacune, che a momenti si sgrana in grossi acini chiari, a momenti si infittisce in segni minuscoli come semi puntiformi, ora si ritorce su se stesso, ora si biforca, ora collega grumi di frasi con contorni di foglie o di nuvole, e poi s'intoppa, e poi ripiglia a attorcigliarsi, e corre e corre e si sdipana e avvolge un ultimo grappolo insensato di parole idee sogni ed è finito.[15]
La penna corre spinta dallo stesso piacere che ti fa correre le strade. Il capitolo che attacchi e non sai ancora quale storia racconterà...[16]

Trois clausules révélatrices: la première relève encore d'un commentaire métafictif, la seconde — métanarrative — résorbe le tissu fictif dans l'imperceptible arabesque d'une «penna in prima persona», celle enfin sur laquelle se clôt la trilogie de *Nos Ancêtres* souligne l'incoercible autonomie de cette main qui écrit, qui donc se sait autre.

Dans cette altérité va sombrer — trop aisément? — cette figure de l'écrivain maître de son dire, et désormais même "si l'auteur pouvait ne pas comprendre très bien ce qu'il était en train de dire, le conte, lui, le sau<rait>".[17]

«*Quel récit possible, à présent?*».II
— Le temps des modèles —

La regola del signor Palomar a poco a poco era andata cambiando: adesso gli ci voleva una gran varietà di modelli, magari trasformabili l'uno nell'altro secondo un procedimento combinatorio, per trovare quello che calzasse meglio su una realtà che a sua volta era sempre fatta di tante realtà diverse, nel tempo e nello spazio [...] si limitava a immaginare un giusto uso di giusti modelli per colmare l'abisso che vedeva spalancarsi sempre di più tra la realtà e i principi.[18]

Parler d'ère de ruptures à propos des années 60 relève naturellement de cette simplification qui guette tout structuralisme. Il n'en demeure pas moins qu'avec les *Cosmicomiche* (1965-1984)[19] l'évident dysfonctionnement de la dialectique dont l'écriture antérieure cherchait à rendre compte, traduit assez exactement une nécessité: «cambio di rotta per dire qualcosa che con l'impostazione precedente non sarei riuscito a dire».[20] Cette inflexion du parcours métaphorise certes les désenchantements provoqués par la dissolution des utopies nées de l'après-guerre, mais est sans doute liée à d'autres déterminismes plus endogènes:

dialectiquement issus de la pratique même d'une écriture.

Calvino avait, pendant une "décennie de passions", postulé une stratégie stylistique qui devait, à son tour, impliquer une stratégie de la réception chez son lecteur. Celui-ci avait à effectuer un travail d'interprétation et de confrontation entre sa situation historique personnelle et celle, que par le détour médiatisant (symbolique) d'une forme spécifique, la fiction et ses "personnages" lui proposaient. L'écart, qui n'aurait pu être réduit que par l'improbable pouvoir du "roman" sur le "réel", dans sa persistance implique une déception, de la part des lecteurs historiques peut-être, d'Italo Calvino certainement. Au contre-monde verbal n'a répondu aucune adaptation du monde non-écrit. Cette déliaison entre les mots et les choses sera rétrospectivement affirmée avec force par Calvino lui-même: «nella mia gioventù [...] m'illudevo che mondo scritto e mondo non scritto si illuminassero a vicenda, che le esperienze di vita e le esperienze di lettura fossero in qualche modo complementari e che a ogni passo avanti compiuto in un campo corrispondesse un passo avanti nell'altro».[21] Sans doute, dans ce constat, la responsabilité de l'écrit reste-t-elle à établir. Car il serait illusoire de croire que la production d'un discours soit dissociable de sa lecture. L'écrivain est son propre, son premier lecteur; pour lui comme pour un autre, la trace écrite, le monde-écrit se stratifient, se crédibilisent dans le temps même où ils sont LUS. En l'écrivant plus encore qu'en la lisant (et pour d'autres raisons) la littérature provoque la déception.

Progressivement, à l'imaginaire projectif du modèle écrit dont on attend de vérifier le pouvoir de modification du monde, va se substituer une tentative de multiplication de modèles imaginaires. Au parcours linéaire vont répondre des itinéraires arborescents, réticulés. Les chemins de la fiction seront des sentiers qui bifurquent. Et, dès lors, l'exigence éthique de «presenza attiva nella storia» va inscrire la synchronie du rapport entre le "je" et le monde dans d'infinies lignes de fuite, dans autant de perspectives diachroniques. L'intérêt porté à Queneau va prendre une valeur d'auto commentaire.

Evoquant l'oeuvre de celui-ci dans l'importante préface rédigée à l'occasion de la traduction italienne de *Bâtons, chiffres et lettres*[22] Calvino explique que: «l'atteggiamento di Queneau è quello dell'esploratore d'universi immaginari, attento a cogliere i dettagli più paradossali con occhio divertito e "patafisico", ma che non si preclude per questo la disponibilità a scorgervi uno spiraglio di vera poesia o di vero sapere».[23] Puis retraçant l'itinéraire philosophique de Queneau, Calvino discerne un parcours analogue au sien: «Non è un caso che il punto di partenza degli interessi hegeliani di Queneau [...] sia stato la "Filosofia della natura" (con particolare attenzione, alle possibili formalizzazioni matematiche): insomma il prima della storia [...] Queneau punterà deciso su un punto d'arrivo dichiarato: il superamento della storia, il dopo».[24]

Enfin lorsque Calvino parle de *Les fleurs bleues* (1965) c'est très exactement aux *Cosmicomiche* que pourrait renvoyer sa conclusion: «l'intento principale di Queneau: quello d'introdurre un po' d'ordine, un po' di logica, in un universo che è tutto il contrario. Come riuscirci se non con l'"uscita dalla storia"?».[25]

Cette tentative d'organisation traduit la permanence d'un projet, mais dont le déploiement imaginaire enferme la visée dialectique dans la virtualité du livre. A une modélisation, en dernière instance, transitive vers le monde se substitue une volonté d'évasion: «dalla prigione delle rappresentazioni del mondo che ribadiscono a ogni frase la tua schiavitù, evadere vuol dire proporre un altro codice, un'altra sintassi, un altro lessico attraverso cui dare forma al mondo dei tuoi desideri».[26]

Le rêve géométral de l'utopie fouriériste, qui souhaite métamorphoser la réalité en un ordre où la symétrie devient métaphore d'une invariance au delà du temps, est écarté au profit d'une utopie "pulvérisée" où l'ordre relève d'une combinatoire: celle des possibles narratifs.

Combinatoire comme fondation du discours et ce seront les *Cosmicomiche*: véritable archéologie imaginaire qui cherche à fonder "une mythologie à l'usage de notre temps". La parole de ce pur signifiant qu'est QFWFQ va connecter, organiser des réalités discontinues, appartenant à tous les temps et à tous les espaces pour les organiser dans une suite narrative: "bricolage" mythopoétique, évidemment. Et l'"anthropomorphisme" délirant des *Cosmicomiche*: antropomorfismo «accettato e rivendicato in pieno come procedimento letterario fondamentale, e — prima che letterario — mitico, collegato a una delle prime spiegazioni del mondo...»;[27] dans son excès même, va retourner ses effets et remettre en cause l'image traditionnelle de l'homme; non sans rapports avec les critiques formulées par Alain Robbe-Grillet contre une littérature conçue comme projection d'un humanisme anthropomorphe.[28]

Combinatoire systématisée dans l'énumération encyclopédique et ce seront *Le città invisibili*. Ces villes relèvent d'une cartographie imaginaire, superposant les temps et les espaces en un

312

labyrinthe rhizomatique où se quête, donc, non un point d'arrivée mais un parcours — ici encore il s'agit d'abord d'une activité de connexions: «Quello che m'interessa è il mosaico in cui l'uomo si trova incastrato, il gioco dei rapporti, la figura da scoprire tra gli arabeschi del tappeto».[29] C'est là un thème privilégié de Robbe-Grillet et des nouveaux romanciers en général, thème que Calvino fait sien: «Lo spazio non antropocentrico che Robbe-Grillet configura, ci appare come un labirinto spaziale di oggetti al quale si sovrappone il labirinto temporale dei dati d'una storia umana. Questa forma del labirinto è oggi quasi l'archetipo delle immagini letterarie del mondo».[30]

Et, s'il reste dans *Le città invisibili* l'idée d'un défi, qui traduit encore une volonté herméneutique, c'est — réflexivement — dans le livre, dans son ordre qu'elle se dévoile, en termes de métadiscours. Les villes que décrit Marco Polo passent à l'existence par/dans l'ordre du langage: «dal numero delle città immaginabili occorre escludere quelle i cui elementi si sommano senza un filo che li connetta, senza una regola interna, una prospettiva, un discorso».[31] S'il en est ainsi c'est que: «anche il mondo è diventato qualcosa che io consulto di tanto in tanto, ecco che tra questo scaffale e il mondo di fuori non c'è quel salto che sembra».[32]

Le grand rêve, romantique et borgésien du bibliomorphisme comme seul moyen de lire le monde trouve ici sa plus forte expression. Le rêve du texte — à travers la combinaison rigoureuse et sérielle des éléments qui le fondent — trahira ce désir qui fait s'exclamer Kublai Khan: «Eppure io so (...) che il mio impero è fatto dalla materia dei cristalli e aggrega le sue molecole secondo un disegno perfetto».[33]

Si les parcours suivis par Marco Polo pour arriver aux villes invisibles que la description donnera à voir définissent un espace-temps discontinu, lacunaire, c'est que ce cheminement dans un espace sans coordonnées est, symboliquement, le seul cheminement possible. Symbolisme des parcours romanesques très exactement conforme à celui dont Michel Butor cherche à rendre compte dans *Degrès* (1961): "J'appelle "symbolisme" d'un roman, l'ensemble des relations de ce qu'il décrit avec la réalité où nous vivons".

La ville d'Eudoxie atteste de ce symbolisme: «Perdersi a Eudossia è facile: ma quando ti concentri a fissare il tappeto riconosci la strada che cercavi in un filo cremisi o indaco o amaranto [...]. Ogni abitante di Eudossia confronta all'ordine immobile del tappeto una sua immagine della città, una sua angoscia, e ognuno può trovare nascosta tra gli arabeschi una risposta, il racconto della sua vita, le svolte del destino».[34]

La littérature est anabase, cheminement vers l'intérieur. Il est dès lors peu surprenant de voir proliférer dans l'oeuvre une intertextualité renvoyant aux "modèles du passé". *Le Million* fascine Calvino sans doute d'abord parce que ce texte découvre, invente (pour ses premiers lecteurs) un autre monde, historicise le fond apocalyptique que l'Occident chrétien a entretenu tout au long du Moyen-Age. Le roman comme modélisation projective d'un "futur à venir", s'est transformé en réécriture de modèles rétrospectifs: les fictions de Calvino s'inscrivent alors dans une perspective intertextuelle qui les légitime et qui fait de leur lecture un voyage DANS la littérature. Il s'agit bien d'un(e) retrait(e), d'une désillusion par rapport au monde; et nous partageons — même si les affirmations en sont par trop accusées — les conclusions de Marco Barenghi: «in Calvino il labirinto non è una figurazione primaria; è solo la degenerazione, la proliferazione patologica dell'intrico, che antecede sul piano logico e storico. Il dato di partenza per Calvino è il movimento verso un obiettivo, il tragitto elementare da un luogo a un altro».[35]

A l'évidence tout texte est voyage; mais alors que l'imaginaire initial faisait du voyage un détour, autorisait donc un regard éloigné et en tant que tel révélateur, susceptible de modifier notre vision du monde et, en conséquence, le monde lui-même; désormais ce qui importe c'est la combinatoire que l'oeuvre forme, la série des détours qu'elle diffracte à l'infini. Le glissement est d'importance: à la fonction initiatique et herméneutique du détour initial qui jouait — dans une dialectique simple — "contre" la réalité, se substitue un déploiement de parcours au regard desquels la réalité n'est plus, quantitativement, qu'un parcours supplémentaire et qualitativement que complémentaire. Ainsi fragmentée l'oeuvre est constamment référée à elle-même, par le mécanisme de multiplication de ses propres variantes et n'existe plus que par distribution dans un système de miroirs auto-réflexifs. Les parcours sont renfermés dans le livre: cette idée — butorienne s'il en fût — va dominer la production calvinienne des années 70.

Il castello dei destini incrociati équivaut à une machine littéraire fondée sur la lecture — contextuelle — de cartes-signes. Chaque narrateur aphasique va coder — de façon discrète — "l'histoire de sa vie" et chaque convive, décodant ses signes tente le rétablissement d'un continuum fictif analogique. La carte apparaît donc comme une source d'information, potentiellement infinie où le

prélèvement de l'unité signifiante sera déterminé iconologique-
ment et en fonction de la subjectivité de chaque lecteur. La carte
est un système dynamique à partir de quoi ''se fait'' plutôt que
''s'exprime'' le sens; un paragramme très précisément. D'où,
bien sûr, les possibilités de lectures réversibles de cet espace tabu-
lé qui produisent des fictions différentes les unes des autres. Le
décodage qui est proposé dans le texte n'étant dès lors qu'un des
décodages parmi une infinité d'autres: c'est chaque lecture indi-
viduelle qui va élaborer du sens, effectuant donc un voyage dans
la forêt des cartes-signes. Dans une pratique qui recoupe toute
celle du ''Nouveau roman'', le texte à lire se donne comme texte
à écrire. Le lecteur se trouve intégré à une poétique qui le traîte
comme un personnage, qui le transforme en personnage. Lire ici
n'est plus décoder mais surcoder:

Cette imagination d'un lecteur total — c'est-à-dire totalement multiple,
paragrammatique — a peut-être ceci d'utile, qu'elle permet d'entrevoir ce
qu'on pourrait appeler le Paradoxe du lecteur: il est communément admis que
lire, c'est décoder: des lettres, des mots, des sens, des structures; et cela est
incontestable; mais en accumulant les décodages, puisque la lecture est de droit
infinie, en ôtant le cran d'arrêt du sens, en mettant la lecture en roue libre (ce
qui est sa vocation structurelle), le lecteur est pris dans un renversement dialectique: finalement, il ne décode pas, il sur-code; il ne déchiffre pas, il produit, il
entasse des langages, il se laisse infiniment et inlassablemen traverser par eux:
il est cette traversée.[36]

Il castello dei destini incrociati va multiplier, pour le lecteur, les
incitations à la production d'un discours: grâce à un foisonne-
ment intertextuel, général, (l'Arioste, Dante, Shakespeare,
Stendhal...), restreint (l'histoire du ''guerrier survivant'' renvoyant directement à la fiction de *Il cavaliere inesistente*); cette inter-
textualité-pivot convoquant le patrimoine culturel du lecteur et
consentant la prise en charge de l'élaboration de la fiction par ce
dernier. Grâce encore à la présence systématisée des personnages
cybernétiques proposant un modèle de dédocage-surcodage des
signes afin que le destinataire ultime (le lecteur) puisse comprendre — pour se l'approprier — le mécanisme génératif du texte.
La présence même de ces éléments métadiscursifs transforme le
texte en machine autoexplicitant son propre mode de fonctionnement. (Ce ''type'' de personnages se retrouve dans les *Cosmicomiche* avec ce pur ''flatus vocis'': QFWFQ qui s'autoproduit dans
une parole qui explique — imaginairement — le monde; on
rappellera encore la figure de Marco Polo qui tente, par signes,
de rendre compte de l'inconnu...).

«A poco a poco sono scomparsi dai suoi libri, paesaggi verdi e frondosi, le nevi scintillanti, l'alta luce del giorno. Si è alzata nel suo scrivere una luce diversa, una luce non più radiosa ma bianca, non fredda ma totalmente deserta. L'ironia è rimasta, ma impercettibile e non più felice di esistere, bianca e disabitata come la luna».[37] L'anonyme personnage de *L'inseguimento*[38] l'avait déjà constaté: «e siccome l'unico campo che mi sia aperto è quello della teoria, non mi resta che approfondire la conoscenza teorica della situazione. La realtà, bella o brutta che sia, non mi è dato di cambiarla».

Et c'est précisément grâce à cette disjonction opératoire que va pouvoir se mettre, mentalement, en place une combinatoire des possibles... qui autorisera — dans un temps et un espace autres: celui du livre — le renversement de la ''situation'' poursuivant/poursuivi. Alors et irréversiblement l'écriture de Calvino s'infléchira sur elle-même, entérinant la déliaison entre ''monde écrit'' et ''monde non-écrit''. Le sens de la quête qui orientait depuis *Il sentiero dei nidi di ragno* le regard vers ces ''deux mondes'' n'a pas changé: la visée herméneutique espérant découvrir un ordre caché dans la forêt des signes (''la sfida al labirinto'' toujours) a — seulement! — dû reconnaître que la structuration de l'un par l'écriture ne diminuait guère le degré d'entropie dont l'autre faisait preuve.

''Prima di tutto, se sentiamo così intensamente l'incompatibilità tra lo scritto e il non scritto, è perché siamo molto più consapevoli di cos'è il mondo scritto: non possiamo dimenticarci neanche per un attimo che è un mondo fatto di parole, usate secondo le tecniche e le strategie proprie del linguaggio, secondo gli speciali sistemi in cui s'organizzano i significati e le relazioni tra significati. Siamo consapevoli che quando ci viene raccontata una storia (e quasi tutti i testi scritti raccontano una storia, anche un saggio filosofico, anche un bilancio di società anonima, anche una ricetta di cucina) questo racconto è messo in moto da un meccanismo, simile ai meccanismi d'ogni altro racconto.

Questo è un grande passo avanti: oggi siamo in grado d'evitare molte confusioni tra ciò che è linguistico e ciò che non lo è, e così possiamo vedere chiaramente i rapporti che intercorrono tra i due mondi.

Non mi resta che fare la controprova, e verificare che il mondo esterno è sempre là e non dipende dalle parole, anzi è in qualche modo irriducibile alle parole, e non c'è linguaggio, non c'è scrittura che possano esaurirlo. Mi basta voltare le spalle alle parole depositate nei libri, tuffarmi nel mondo di fuori, sperando di raggiungere il cuore del silenzio, il vero silenzio pieno di significato... Ma qual è la via per raggiungerlo?[39]

Fascination pour une "littérature-machine" expliquant la métaphore d'origine thermo-dynamique qui définit le rôle résiduel du monde extérieur: «È per rimettere in moto la mia fabbrica di parole che devo estrarre nuovo combustibile dai pozzi del non scritto».[40]

Se una notte d'inverno un viaggiatore[41] apparaît, de fait, comme une machine littéraire, complexe sans doute, mais "démontable" et en tant que telle avoue sa fonction: roman de la toute puissance de "l'auteur" jouant avec les éléments de sa création, les rendant lisibles et visibles dans la systématisation du recours à un métadiscours. Se dévoile alors dans la linéarité clôturante du "dit" toute la problématique théorique autour de laquelle les Nouveaux Romanciers avaient cherché à fonder leur rapport à l'écriture. Et c'est bien une volonté d'épuisement, de totalisation qui dicte la forme[42] du roman; il s'agit — dira Calvino,[43] — de rendre compte: «Delle dieci direzioni della narrativa contemporanea». On a parlé d'un "roman du Lecteur" à propos de *Se una notte...*, mais si le lecteur fait effectivement l'objet d'une attention particulière de la part de l'auteur, ce dernier le prend au piège de cette machine dont il conserve jalousement toute la maîtrise. Comme une volonté de synthèse, en termes de démiurgie résiduelle des pouvoirs du "scripteur". A l'image de cette ligne dessinée qui, chez Steinberg, crée des mondes, le roman va tenter de littérariser le monde, d'enfermer le dehors (métonymiquement, le lecteur) dans son dedans.

"Il mondo è trasformato in linea, un'unica linea spezzata, contorta, discontinua. L'uomo anche. E quest'uomo trasformato in linea è finalmente il padrone del mondo, pur non sfuggendo alla sua condizione di prigioniero, perché la linea tende dopo molte volute e ghirigori a richiudersi su se stessa prendendolo in trappola. Ma certamente l'uomo-linea è padrone di se stesso perché può costruirsi o decostruirsi segmento per segmento, e come ultima scappatoia gli resta quella di suicidarsi con due tratti di penna incrociati, per scoprire che la morte-cancellatura è fatta della stessa sostanza della vita-disegno, un movimento della penna sul foglio".[44]

En 1979 c'est toute la pratique du Nouveau Roman — un moment comme un autre sans doute de la littérature — qui se trouve ainsi dévoilée par Calvino dans un roman qui tente d'enfermer tous les romans "réels" et "apocryphes": «A questo punto a Palomar non restava che cancellare dalla sua mente i modelli e i modelli di modelli. Compiuto anche questo passo, ecco si trova faccia a faccia con la realtà mal padroneggiabile e non omogeneizzabile [...] è meglio che la mente resti sgombra, ammobiliata solo dalla memoria di frammenti d'esperienza e di

317

principi sottintesi e non dimostrabili».[45] Le seul modèle encore possible sera "pulviscolare". Il faudra se souvenir, à ce propos, de la fascination exercée, sur Calvino, par la peinture. L'hyper-réalisme fragmenté, l'esthétique de la suggestion visuelle (la "trace") de Domenico Gnoli; la peinture se prenant comme sujet d'elle-même dans les oeuvres réflexives de Giulio Paolini:[46] autant de pratiques qui évoquent (ne serait-ce que dans la succession fragmentée des oeuvres elles-mêmes) une volonté de classification mais désormais discontinue, lacunaire, fuyante: une collection de sable.

Et *Palomar* sera collection de fragments: vague, reflet de soleil, sifflements de merles, carré d'herbe, ventre d'un gecko, pantoufle dépareillée... Si ces fragments éveillent encore l'attention c'est par leur pouvoir d'évocation; ils sont parce qu'ils sont COMME... Supports d'associations métaphoriques ils permettent — le temps et l'espace d'une image — une fugace activité de connexions entre l'homme et le monde. Nouveau et ultime rapport du langage et du monde: les mots s'emparent de micro-fragments du réel pour, accomplissant un "recadrage" qui équivaut à une métamorphose, les investir d'un imaginaire qui autorise leur intériorisation métaphorique. A la métaphore continuée — "la fable" — qui rendait compte d'une volonté de modélisation globale répond, dans *Palomar*, une micromodélisation, discontinue, fragmentée. Le lieu d'expansion de l'utopie s'est contracté: de l'espace temps fictif et unitaire du "roman" au "punctum" de l'image mentale.

Dernier texte de Calvino par rapport auquel l'idée de pratique-théorique s'est recentrée sur une poétique de l'objet. La description — toujours organisée par une conscience — saisit le fragment, l'investit et le fait (fugitivement) passer au sens dans l'ordre du discours. Apparaît ainsi une auto-interrogation sur la seule possibilité de dire, de décrire l'inépuisable surface des choses.

Comme pour Nathalie Sarraute (*Enfance*, 1982), comme pour Alain Robbe-Grillet (*Le miroir qui revient*, 1985), comme pour Marguerite Duras (*L'amant*, 1984) et comme pour bien d'autres, les années 80 auront été pour Calvino ces "années d'hiver" où le repliement sur soi — de la part de ces romanciers de la remise en cause de la figure de l'Auteur — constitue un ultime (et inévitable?) paradoxe historique de la "modernité".

Pour, enfin, retourner à l'oeuvre; il convient d'écouter une nouvelle fois cette parole de QFWFQ venue — à travers les espaces et les temps — se fixer dans les pages du livre. Au moment de la Création, QFWFQ devant choisir entre le tout et le rien, avoue après de longues hésitations: «Entrai in una fase in cui soltanto gli spiragli di vuoto, le assenze, i silenzi, le lacune, i nessi mancanti, le smagliature nel tessuto del tempo mi parevano racchiudere un senso e un valore. Spiavo attraverso quelle brecce il grande regno del non essere, vi riconoscevo l'unica mia vera patria, che rimpiangevo d'aver tradito in un temporaneo obnubilamento della coscienza».[47]

Puis la mémoire de QFWFQ évoquant un passé plus proche, constate que toute dialectique de l'être et du néant se dissout dans la catastrophe du temps: da quell'agosto in cui il fungo s'è innalzato su città ridotte a uno strato di cenere, è cominciata un'epoca in cui lo scoppio è solo simbolo di negazione assoluta. Cosa che già del resto sapevamo da quando, innalzandoci dal calendario delle cronache terrestri, interrogavamo il destino dell'universo, e gli oracoli della termodinamica ci rispondevano: ogni forma esistente si disferà in una vampa di calore; non c'è presenza che si salvi dal disordine senza ritorno dei corpuscoli; il tempo è una catastrofe perpetua, irreversibile.[48]

NOTE

1 *Due interviste su scienza e letteratura*, in *Una pietra sopra*, Torino, Einaudi, 1980, pp. 184-186.

2 G. Genette, *Palimpsestes*, Paris, Seuil, 1982, p. 453.

3 «Magazine littéraire», n. 213, déc. 84. Entretien: Claude OLLIER, pp. 96-101.

4 I. Calvino, *Il midollo del leone* (1955), in *Una pietra sopra*, op. cit., pp. 11-13.

5 I. Calvino, *Dialogo di due scrittori in crisi* (1961), ibid. p. 67.

6 Ibidem p. 66. Cette incitation à une lecture polysémique de ses romans, se retrouve dans la lettre adressée à Paolo Spriano par Calvino pour expliquer les raisons de sa démission du P.C.I. (lettre du 1.8.1956 citée par P. Spriano lui-même dans son ouvrage: *1946-1956 Le passioni di un decennio*, Milano, Garzanti, 1986, p. 25): «Comunque non sono un social democratico né un olivettiano; e lo sai. È difficile fare il comunista stando da solo. Ma io sono e resto un comunista. Se riuscirò a dimostrarti questo, t'avrò anche dimostrato che il *Barone rampante* non è un libro troppo lontano dalle cose che ci stanno a cuore».

7 *La sfida al labirinto* (1962), in *Una pietra sopra*, op. cit., p. 89.

8 M. Butor, *La balance des fées*, in *Répertoire I*, Paris, Minuit, 1960, p. 65.

9 R. Barthes, *La mécanique du charme*, Entretien à France-Culture, 1978,

repris comme Préface à la réédition française de *Le chevalier inexistant*, Paris, Seuil, 1984, "Point"-romans R 131, p. 8.

10 Ibidem, p. 8.

11 *Il mare dell'oggettività* (1959), in *Una pietra sopra*, op. cit., p. 39.

12 *Natura e storia del romanzo* (1958), ibid., p. 38.

13 M. Butor, *La modification*, Paris, Minuit, 1957, p. 229, 231.

14 I. Calvino, *Il visconte dimezzato*, Torino, Einaudi, 1952. Réédition "Nuovi Coralli" 1971.

15 I. Calvino, *Il barone rampante*, Torino, Einaudi, 1957 (1965 12ème).

16 I. Calvino, *Il cavaliere inesistente*, Torino, Einaudi, 1959. Réédition Garzanti, "Gli elefanti", 1985.

17 T. Todorov, *Poétique de la prose*, Paris, Seuil, "Points" n. 210, p. 80.

18 I. Calvino, *Palomar*, Torino, Einaudi, 1983, p. 112.

19 *Cosmicomiche*, 1965-1984. On sait que réorganisant pour Garzanti la distribution de ces deux livres: *Cosmicomiche* et *Ti con zero*, Calvino a ajouté deux textes — les derniers "racconti" — qu'il ait écrits puisque *Il niente e il poco*, *L'implosione*, datent de l'année 1984.

20 «Autografo», vol. II, n. 6, ottobre 1985. *Intervista a Italo Calvino* a cura di Maria Corti, pp. 47-53.

21 I. Calvino, *Mondo scritto e mondo non scritto*, in «Lettera internazionale» a. 2, n. 4/5, Primavera-Estate 1985.

22 R. Queneau, *Segni, cifre e lettere*, Torino, Einaudi, 1981. Introduzione di Italo Calvino.

23 Ibidem, p. XVIII.

24 Ibidem, p. XVIII.

25 Ibidem, p. XIX.

26 I. Calvino, *L'utopia pulviscolare*, in *Una pietra sopra*, op. cit., p. 250.

27 I. Calvino, *Due interviste su scienza e letteratura*, ibid., p. 188.

28 Voir à ce propos: Alain Robbe-Grillet, *Nature, humanisme et tragédie*, Paris, Minuit, 1963, pp. 45-67.

29 I. Calvino, *Due interviste su scienza e letteratura*, in *Una pietra sopra*, op. cit., p. 188.

30 I. Calvino, *La sfida al labirinto*, ibid., p. 95.

31 I. Calvino, *Le città invisibili*, Torino, Einaudi, 1972, pp. 49-50.

32 I. Calvino, *Eremita a Parigi*, Lugano, 1974, cité par Francesca Bernardini Napoletano, in *I segni nuovi di Italo Calvino*, Roma, Bulzoni, 1977, pp. 182-199.

33 I. Calvino, *Le città invisibili*, op. cit., p. 66.

34 Ibidem, pp. 103-104.

35 M. Barenghi, *Italo Calvino e i sentieri che s'interrompono*, in «Quaderni piacentini», n. 15, 1984, pp. 127-150.

36 R. Barthes, *Sur la lecture*, in *Le bruissement de la langue*, Paris, Seuil, 1984, p. 46.

37 N. Ginzburg, *Il sole e la luna*, «Indice», n. 8, novembre 1985.

38 I. Calvino, *L'inseguimento* in *Ti con zero*, Torino, Einaudi, 1967, p. 131.

39 I. Calvino, *Mondo scritto e mondo non scritto*, op. cit., p. 17.

40 Ibidem, p. 17.

41 I. Calvino, *Se una notte d'inverno un viaggiatore*, Torino, Einaudi, 1979.

42 Voir à ce propos Jacques Derrida, *Force et signification*, in *L'écriture et la différence*, Paris, Seuil, 1967, coll. "Tel Quel", pp. 9-49.

43 I. Calvino, *Réponse à A. Guglielmi* in «Alfabeta», n. 8, décembre 1979.

44 I. Calvino, *La penna in prima persona* (per i disegni di Saul Steinberg), in *Una pietra sopra*, op. cit., p. 295.

45 I. Calvino, *Palomar*, op. cit., p. 113.

46 Voir Giulio Paolini, *Idem*, Torino, Einaudi, 1975. "Letteratura" 39.

47 I. Calvino, *Il niente e il poco*, in *Cosmicomiche vecchie e nuove*, Milano, Garzanti, 1984, p. 214.

48 Ibidem, *L'implosione*, pp. 218-219.

Jacqueline Risset
DIALOGUE DE LA VAGUE ET DU GALET:
ITALO CALVINO ET FRANCIS PONGE

Quel rapport entre Italo Calvino et Francis Ponge? De langue différente, de génération et de genre littéraire différent, ils n'ont aucune chance de se rencontrer dans aucune histoire, dans aucun manuel littéraire: le premier, auteur de fictions, inventeur de personnages qui, même alors qu'ils se définissent paradoxaux ou ''inexistants'', se meuvent dans l'espace *autre*, dans l'attente où tout est sans cesse possible de la fiction. Le deuxième ne décrit jamais, en quelques lignes, qu'objets ''réels'' et quotidiens: la chandelle, la cigarette, l'orange, l'huître, le morceau de viande, le galet, la pluie; ou consacre tout un livre — toujours de description, mais plutôt, selon ses propres termes, de ''relations d'échecs de description'' — au *savon*, au *pré*, à la *figue*.

Ils ne se sont jamais rencontrés dans la vie, mais, également pudiques et réservés — avec un style de pudeur différent, ne laissant par conséquent pas de place à la perception directe d'une ressemblance — s'ils s'étaient un jour rencontrés, ils ne se seraient peut-être rien dit, sensibles seulement, l'un et l'autre, au même éclat d'humour, rapide, dans l'oeil...

Ils ne se sont jamais consacré l'un à l'autre de textes critiques. Ponge, pour sa part, n'a guère écrit (sinon, dans les années vingt, quelques pages laconiques sur Mallarmé) que sur des peintres. Mais il existe, pourtant, un article de Calvino — dans le «Corriere della Sera», en 1979 — sur *Le Parti pris des choses*. Un seul article, assez curieusement solennel, et explicite: «Francis Ponge è, io credo, uno dei pochi grandi saggi del nostro tempo, uno dei pochi autori *basilari* da cui ripartire per cercare di non girare più a vuoto». Conseillant, dans le même article, la lecture de Ponge, Calvino en précise les modalités à son lecteur selon des rites et dans un langage tout à fait pongiens: «Le istruzioni per l'uso sono: poche pagine ogni sera d'una lettura che s'identifichi col suo avanzare le parole come tentacoli sulla porosa e variegata sostanza del mondo».

D'un tel article — par ailleurs mesuré et litotique dans sa transparence, comme à l'accoutumée — s'extrait sans peine l'i-

323

dée d'un processus d'identification désormais amorcé, en tout cas celle d'une affinité centrale à explorer, enfin celle d'un projet d'écriture à réaliser, à partir de la définition du "secret" (secret de fabrication): «Il segreto è fissare d'ogni oggetto o elemento l'aspetto decisivo, che è quasi sempre quello che meno si considera abitualmente, e di costruire intorno ad esso il discorso. Per definire l'acqua, Ponge ne indica il "vizio" irresistibile che è la gravità, il tendere verso il basso...».

Et de fait on pourrait retrouver dans toute l'oeuvre de Calvino une sorte de tracé rétrospectif pongien à partir de cet établissement d'affinité. Par exemple un certain rapport elliptique à l'être, qui se traduit en particulier dans une façon très semblable d'aborder les phénomènes les plus encombrants pour la subjectivité (ceux qu'on appelle "sexe", "amour", etc...) de préférence à travers l'univers des signes, et au moyen de l'observation attentive de leurs traces dans le monde "objectif".

La *Naissance de Vénus* (un des textes de *Proêmes*), c'est, comme le dit Ponge (dans les *Entretiens avec Philippe Sollers* de 1970) l'exploration de l'indicatif présent et des deux points. Et le seul rapport amoureux représenté dans l'oeuvre est celui de la plume écrivante avec le soleil objet d'écriture, dans la page du *Soleil placé en abîme* intitulée *Le Soleil se levant sur la littérature*.

Calvino, dans le recueil de 1958 *Gli amori difficili* interroge, de façon répétée, à propos d'objets différents, la zone de difficulté, de non-dit, de *silence* inévitable qui s'accroche aux rapports humains. La seule description possible — juste — se révèle donc — à partir de la saisie de ce silence — une traduction minutieuse, obstinée. Les êtres humains des "petites fictions" de Calvino sont en réalité des sortes de "galets" pongiens. Et, comme tels, plus fraternels peut-être que tout autre, dans le sens même où Ponge écrit — pensant aux "choses": «Le monde muet est notre seule patrie».

Il s'agit dès lors, pour l'écrivain qui s'est mis dans la tête de donner la parole à ces muets, d'exprimer leur substance secrète et jalousement enfermée par la description des effets dans l'espace, sorte de géométrie appliquée, de jeu combinatoire à surprendre. Ainsi les héros — anti-héros de l'*Aventure d'un soldat, d'un photographe, d'une baigneuse, d'un skieur...* — se trouvent décrits par les mailles de leur non-langage, qui perce ainsi jusqu'au langage; de sorte qu'à la fin l'échec de description, l'échec d'expression se retournent ensemble en une surprenante réussite expressive, ironique et assymptotique...

Mais approchons-nous pour l'instant du lieu le plus pongien de l'oeuvre de Calvino — on pourrait même dire hyper-pongien qu'est le livre intitulé *Palomar*. Dans l'article cité de 79 (qui avait pour titre *Felice tra le cose*) Calvino remarquait: «La misura di Ponge, la sua discrezione... può definirsi col fatto che per arrivare a parlare del mare egli deve proporsi come tema le rive, le spiagge, le coste. L'illimitato non entra nella sua pagina, ossia c'entra quando incontra i propri margini e solo allora comincia ad esistere davvero».

Palomar, au contraire de Ponge — on pourrait dire: en rivalité directe avec Ponge —, affronte au contraire, directement, dans son premier texte, l'illimité, — la mer — et selon un procédé typique de contamination entre "mots" et "choses" qui caractérise les écrits du *Parti pris* — en tant que "lecture d'une vague". Les descriptions de Ponge, en fait, tournent longuement autour de ce vaste objet (dans le *Parti pris des choses: La pluie, Le galet, Le coquillage, Bords de mer*; ailleurs: *la crevette, le verre d'eau*).

Tous les titres de *Palomar* peuvent à leur tour se comprendre comme une sorte d'entreprise d'illimitation de l'expérience de Ponge, légèrement déplacée, ouverte: ainsi *le pré* devient *il prato infinito*; les petits animaux familiers (*l'escargot, la crevette, les hirondelles*) grandissent et s'exotisent (*il gorilla albino*); et la dernière partie du livre (*I silenzi di Palomar*) reprennent explicitement l'essence du rapport à Ponge (*Come imparare a essere morto* répond à *Raisons de vivre heureux* de *Proêmes*).

Le mot *Palomar* lui-même contient le mot *mer*, qui est le premier objet de la description: comme si le projet global du livre était de fait — de façon cachée, et ludique, mais infiniment sérieuse à la fois — un dialogue avec Ponge, une réponse de la *vague* au *galet* (de l'objet illimité à l'objet clos). Le "personnage ajouté" — Monsieur Palomar (P comme Ponge avec la mer en plus), sorte de précipité chimique des deux auteurs mêlés — s'inscrit tout naturellement (mais le terme de "nature" apparaît à ce point dans son artificialité substantielle) à la suite du Cavalier inexistant, du narrateur de *La nuvola di smog* et d'autres récits (de tous ces "Monsieur Teste" à l'envers dont il signor Palomar est la dernière réincarnation ironique).

Et dans le langage de la description même, le Ponge de la *Pluie*, de *Bords de mer*, du *Galet*, et le Calvino de *Palomar* (dont les rapports restent à analyser dans les détails), révèlent l'un et l'autre — et sans doute l'un par l'autre — une étonnante proximité au Valéry des *Cahiers* (celui dont ils se sentaient proches l'un et l'autre), lorsque, de façon insistante, et loin de la noble prosodie du *Cimetière marin*, il essaie de capturer en prose le "petit fait", l'"événement" minimal imprenable, l'ordre-désordre du monde et du langage que le spectacle de la mer, inépuisablement, résume: «Une mer qui semble unie,... éclate un petit *fait* d'écume; un événement candide sur l'obscur de la mer, ici ou là; un épisode... et le mouvement massif en désordre de gouttes que l'ordre pesant résorbe aussitôt».

COMUNICAZIONI

Giorgio Bárberi Squarotti

DAL CASTELLO A PALOMAR: IL DESTINO DELLA LETTERATURA

Il castello dei destini incrociati si apre con la premessa canonica di un'avventura di libro di fiabe o, meglio, di poema ariostesco: l'arrivo sul far della notte in un castello nel mezzo di un fitto bosco, dove trovano rifugio «quanti la notte aveva sorpreso in viaggio: cavalieri e dame, cortei reali e semplici viandanti». Ma il narratore coglie nel luogo un che di ambiguo: come se si trattasse di un castello degradato a taverna oppure di una taverna con pretese di castello. Fin dall'inizio, nel *décor* perfetto in apparenza dell'avventura c'è qualcosa che non funziona: il luogo non è effettivamente quel che dovrebbe essere, come se il demiurgo della possibile vicenda o, meglio, dell'incontro di tante diverse e interessanti persone capace per naturale figliazione letteraria di dare origine a una decameroniana narrazione di novelle o di storie personalmente vissute o da altri udite avesse commesso subito un imperdonabile sbaglio, non mettendo esattamente come sarebbe stato necessario le cose a posto, anzi facendo una certa confusione fra osteria e castello, ambizione di innalzamento sociale e degradazione da una nobiltà e da un'eleganza antiche.

È un segno preliminare: in uno spazio così ambiguo non potranno le narrazioni svolgersi secondo il canone della brigata, riunita dalle circostanze esteriori (la notte, nella situazione specifica), che si intrattiene con il piacere della parola che fa esistere gli esempi dell'infinita varietà dei casi e dei caratteri umani, delle possibilità della realtà e di quelle più avventurose e gradevoli dell'invenzione. E, subito, infatti, il protagonista e narratore scopre che nessuno parla in quel luogo, e anch'egli vorrebbe incominciare la conversazione con la frase di rito più semplice e banale, ma non riesce a emettere la voce. La parola è diventata impossibile, non risuona più nello spazio che la tradizione le ha deputato da sempre.

Se non si può più parlare, ecco che, allora, neppure più può darsi il cronista che scriva ciò che si è detto, e con la scrittura, così come la Bradamante de *Il cavaliere inesistente*, riferisca a tutta l'infinita posterità dei lettori le vicende e i personaggi che la

329

brigata, riunita nel castello (o nella taverna che sia), ha fatto esistere con le sue diverse narrazioni. La letteratura, come ordinata composizione nella scrittura di ciò che i narratori hanno detto per trascorrere nel modo più elevato e intellettualmente degno il tempo di una costrizione, il vuoto della vita di una notte in un castello che dà ricetto ai viandanti sorpresi nel fitto bosco dal calare delle tenebre, si trova di colpo a essere diventata impossibile perché manca e si è perduta irrimediabilmente la parola; e tutti l'hanno perduta, uomini e donne, viandanti e partecipi dei cortei regali, con profondo terrore e orrore, perché nulla più potrà essere raccontato, mai: «Abbiamo perso la parola tutti, nel bosco, tutti quanti siamo intorno a questa tavola, uomini e donne, benvestiti o malvestiti, spaventati, anzi spaventosi a vedersi, tutti con i capelli bianchi, giovani e vecchi, anch'io mi specchio in uno di questi specchi, di queste carte, ho i capelli bianchi anch'io dallo spavento», dice il narratore all'inizio de *La taverna dei destini incrociati*, che costituisce la seconda parte del libro; e si chiede, allora: «Come faccio a raccontare adesso che ho perduto la parola, le parole, forse pure la memoria, come faccio a ricordare cosa c'era lì fuori, e una volta ricordato come faccio a trovare le parole per dirlo; e le parole come faccio a pronunciarle, stiamo tutti cercando di far capire qualcosa agli altri a gesti, a smorfie, tutti come scimmie». Ne *La taverna* c'è un che di tragico nella scoperta della perdita della parola, mentre ne *Il castello* il tono è piuttosto di fiaba, come se fosse un di più di avventura il fatto di non avere più la parola. Il fatto è che, senza parola, non esiste più neppure la memoria, e tutto si dissolve inesorabilmente, allora, e scompaiono anche le cose perché non possono più essere nominate; e allora soltanto le carte dei tarocchi possono essere assunte ancora come il surrogato della parola, come le immagini che possono, combinandosi variamente secondo l'intenzione dei presenti, raccontare una vicenda, rievocare un fatto, definire le cose, far esistere nel tempo ciò che il tempo si è già portato via.

Il castello contiene una serie di confessioni autobiografiche, ciascuno narra la propria vicenda, magari da diversi punti di vista; e c'è ancora un margine di gioco in tutto questo, come una sfida che i presenti nel castello accettano nei confronti della privazione della parola, per ripetere una volta di più, pur nella difficoltà causata dalla perdita della parola, lo schema della narrazione di novelle. Ne *La taverna*, invece, la situazione si è rivoltata nell'orrore, nella tragicità: persa la parola, tutto è perduto per sempre, e nulla più ha senso, perché non può essere fissato e definito e consegnato ad altri, che verranno dopo. Per questo coloro che sono presenti nella taverna, con le carte dei tarocchi, finiscono con il rinarrare e ricostruire l'intera serie delle storie e delle invenzioni della letteratura. Le figure dei tarocchi, come già ne *Il castello*, sono l'unico linguaggio rimasto: che è quello dell'immagine, poiché la parola è perduta. Che cosa può fare lo scrittore (tutti i narratori di storie che sono ospiti del castello e che si ritrovano nella taverna, dopo aver attraversato il bosco che ha portato loro via la parola), altro che servirsi dell'unico strumento di narrazione e di memoria che rimane, cioè dell'immagine? Ma le immagini non servono per la comunicazione della vita, bensì per la funzione di racconto di storie che è stata della letteratura, finché c'è stata la parola, oppure sono affannosamente prese, mescolate, accostate, combinate perché la memoria di ciò che è stato detto con le ormai scomparse parole possa risorgere, e, sia pure schematicamente, ma non per questo senza la possibilità di riletture critiche, di reinterpretazioni, di giudizi, di scoperte fino a quel momento non ancora compiute e pronunciate, tutto l'enorme deposito dell'invenzione letteraria possa essere ripercorso e riesaminato. Ne *La taverna* si dimostra che anche nel linguaggio delle immagini la rilettura delle vicende che la letteratura ha inventato e raccontato non può essere neutra, ma comporta sempre un'aggiunta, ogni volta, di ermeneutica, che chiarisce meglio i significati, fa vedere ciò che meno bene prima si era visto, rivela anche ciò che mai nessuno aveva osservato. Le carte dei tarocchi disegnano con il loro linguaggio figurativo le vicende e le opere, le situazioni e i personaggi della letteratura, ma disegnano anche interpretazioni critiche, così come accade per ogni rilettura dei testi e delle opere della letteratura.

Il narratore del libro ha perso la parola in quanto autore possibile di ciò che, nel castello, la brigata che vi si è trovata per la notte potrebbe raccontare, ed egli se ne farebbe, allora, cronista e trascrittore, così come lo scrittore ha sempre fatto; ma a poco a poco i vari personaggi del castello si rivelano per le figure della letteratura, che hanno perso anch'esse la parola e, di conseguenza, non possono più ripetere le loro vicende, non possono più offrirle allo scrittore moderno, che è anche lettore e critico, perché le interpreti ancora una volta. Le carte divengono il surrogato della parola: possono essere collocate in modi diversi, combinate secondo diversi rapporti, diverse collocazioni, diverse successioni, e, in questi modi, offrono non soltanto la ripresentazione per figure delle vicende e dei personaggi della letteratura, ma anche le occasioni per nuove forme di lettura e di spiegazione, per nuove considerazioni, soprattutto per quello che è il tipico spazio dello scrittore moderno, cioè lo spazio del rifacimento, della riscrittura, con il vantaggio di poter portare, nel ricomporre quello che già è stato detto, la novità delle figure, e anche l'enigmaticità e la conseguente necessità di interpretazione e di commento delle figure; e vengono a rilevare l'ambiguità della letteratura, onde i personaggi della taverna superano strenuamente il limite di tutti i Pierre Menard, legati alla parola, al modello, fino al limite estremo della ripetizione letterale. Ma il rischio delle carte è che esse si mescolino o, peggio ancora, che rilevino conclusivamente la loro contraddittorietà e confusione di figure che di per sé finiscono a non potersi bene distinguere in quello che vogliono significare, una volta presentate, come segno di uno fra tutti gli infiniti casi simili, ma pure profondamente, nel valore e nella lezione, diversi che la letteratura offre; e si accentua allora il pericolo di scambi e di equivoci, là dove nella letteratura la parola è la fonte, sempre, della chiarezza delle parti, dei tempi, delle situazioni:

«Per tutt'e tre le tragedie l'avanzare del *Carro* di guerra d'un re vincitore segna il calare del sipario. Fortebraccio di Norvegia sbarca sulla pallida isola del Baltico, la reggia è silenziosa, il condottiero entra tra i marmi: ma è un obitorio! ecco stecchita tutta quanta la famiglia reale di Danimarca. O *Morte* altera e snob! Per invitarli a quale festa di gala nelle tue spelonche senza uscita hai fatto fuori tanti altolocati personaggi in un colpo solo, sfogliando l'almanacco di Gotha con la tua falce-tagliacarte?

No, non è Fortebraccio: è il re di Francia sposo a Cordelia che ha attraversato la Manica in soccorso a Lear, e stringe da vicino l'armata del Bastardo di Gloucester, conteso tra le due regine rivali e perverse, ma non farà in tempo a liberare dalla gabbia il re folle e la figlia, chiusi lì a cantare come uccelli e a ridere alle farfalle. È la prima volta che un po' di pace regna in famiglia: basterebbe che il sicario ritardasse qualche minuto. Invece arriva puntuale, strozza Cordelia ed è strozzato da Lear che grida: — Perché mai un cavallo, un cane, un topo hanno vita e Cordelia non respira? — e a Kent, al fedele Kent, non resta altro augurio da fargli che: — Spèzzati, cuore, ti scongiuro, spèzzati.

A meno che si tratti del re non di Norvegia e non di Francia ma di Scozia, il legittimo erede del trono usurpato da Macbeth, ed il suo carro avanzi alla testa dell'esercito inglese, e finalmente Macbeth sia costretto a dire: — Sono stanco che *Il Sole* resti in cielo, non vedo l'ora che si sfasci la sintassi del *Mondo*, che si mescolino le carte del gioco, i fogli dell'in-folio, i frantumi di specchio del disastro» (pp. 119-20).

Alla fine dell'opera, Calvino propone un'ipotesi di definitivo disastro, di totale apocalissi di ogni linguaggio, anche di quello figurativo delle carte dei tarocchi, con il quale il gruppo del castello e della taverna ha surrogato la parola perduta e ha ripercorso e rifatto l'intera tradizione della letteratura. All'eroe della vanità dell'azione, dell'inutilità e dell'ingannevolezza dei vaticini, quindi anche dei progetti e delle ambizioni, della meditazione conclusiva sulla confusione fragorosa che è la storia, non altro che una brutta e informe vicenda di teatro, mal recitata, per giunta, toccherebbe il compito di dichiarare finito anche l'impegno combinatorio delle carte per resuscitare e salvare, nel silenzio della parola, le vicende e i significati della letteratura. Le carte si confonderebbero in modo inestricabile, non più si combinerebbero secondo un senso, un intento, un'interpretazione, una ricerca di significato: quelle del gioco dei tarocchi, ma anche quelle dell'edizione shakespeariana, dell'in-folio che contiene le tragedie. Macbeth, che è il liquidatore della storia nella tragedia di Shakespeare, potrebbe essere anche il liquidatore dell'ultimo tentativo di salvare dal nulla del silenzio le ormai impronunciabili parole della più alta letteratura. Ma il dissolversi del mondo e il precipitare del sole sono pur espressi con le carte; e la sintassi del mondo è quella che ha concesso di combinare le carte fino a ritrovare, con esse, i processi e i modi della costruzione letteraria prima che quella che tiene insieme le strutture dell'universo. L'apocalissi, alla fine de *La taverna*, è di carte e di carta: una volta ricomposte tutte le storie che la letteratura ha inventato, una volta ripercorse avventure, sofferenze, guerre, disfatte, vittorie, vicende, personaggi, Lear come Faust, Justine come Edipo, Parsifal come Bradamante, *La taverna* sigilla la probabile o, almeno, desiderata conclusione della sintassi del mondo scritto, per la stanchezza di Macbeth di vedere tutto ripetersi ancora una volta, quando la perdita della parola nel bosco dantesco e ariostesco sembrava aver reso impossibile la memoria e, di conseguenza, anche quella forma suprema di memoria che è la letteratura.

Alla fine de *Il castello* c'è piuttosto l'indicazione di una circolarità che ricomincia da capo, senza mai un punto di arrivo: «Sfuggita all'agguato, l'eroina s'era celata sotto i panni d'una ostessa o ancella di castello, come noi la vedevamo ora tanto in persona quanto nell'arcano della *Temperanza* mescere un purissimo vino (quale i motivi bacchici dell'*Asso di Coppe* garantivano). Eccola ora apparecchiare una tavola per due, attendere il ritorno dello sposo, e spiare ogni muovere di fronda in questo bosco, ogni tirar di carte in questo mazzo di tarocchi, ogni colpo di scena in questo incastro di racconti, finché non si arriva alla fine del gioco. Allora le sue mani sparpagliano le carte, mescolano il mazzo, ricominciano da capo» (p. 48). Ne *Il castello* il gioco riprende dopo che il gioco è finito. Le possibilità combinatorie delle carte sono infinite, e infinite storie possono, allora, essere intrecciate, ogni volta ricominciando da capo (ma le stesse storie possono ripetersi all'infinito nella ripetizione rituale delle disposizioni delle carte: è la stessa cosa). Nella perfetta strategia costruttiva di Calvino, le vicende che gli ospiti del castello-osteria raccontano con le carte sono quelle che, in qualche modo, discendono dalla rassomiglianza fra il narratore e la carta che egli sceglie per dare inizio alla storia: sono autobiografie, o pretendono di presentarsi e di farsi leggere come tali. Al contrario, le vicende de *La taverna* sono quelle supreme della letteratura, sempre più alte, sempre più tese al sublime. Il castello contiene vicende che sono fra la letteratura e la vita, in qualche parte ancora incerte e ambigue fra l'una e l'altra; la taverna, così fumosa e degradata, contiene, invece, il pieno dispiegarsi delle seduzioni e delle suggestioni e delle magie della letteratura, sia pure in tutte le loro inquietanti ambiguità. La taverna conclude a un'ipotesi di stanchezza per i giochi di carte che sono la letteratura, mentre nel castello tutto si riannoda da capo nella combinazione delle carte che è anche la combinazione della vita, ma ormai null'altro che quella delle carte può svolgersi e attuarsi, soltanto nelle carte l'eroina, salvatasi, può attendere lo sposo, che ritornerà solamente nel nuovo gioco delle carte che avrà inizio dalle mani dell'eroina dopo che le carte stesse saranno state mischiate per cancellare quello che hanno raccontato con le loro combinazioni.

Le avventure ariostesche, così frequenti nel castello come nella taverna, rappresentano l'archetipo di tutte le avventure possibili, e proprio per questo costituiscono il punto di riferimento dei giochi dei tarocchi che vengono combinati dagli ospiti del castello e dagli avventori della taverna. Ne *La taverna* le riletture della letteratura portano anche all'autocitazione di Calvino: anche la letteratura appena scritta è diventata oggetto di combinazione di immagini per poter ancora essere detta, visto che la parola ormai tace. Il libro si chiude su se stesso oltre che su tutti i libri. La letteratura può essere proseguita soltanto se è ripresa e ripetizione di ciò che, nel passato, è stato scritto, perché ormai la parola è muta, tagliata; ma tale condizione è vera per ogni letteratura, e la scrittura, allora, del libro non fa che ritorcersi continuamente su se stessa, non fa che ripetere le stesse figure delle carte, infinitamente interpretabili, a seconda della posizione che è fatta loro occupare nell'impegno combinatorio di ospiti e avventori, non può mai andare più in là, veramente aspirare a un gioco nuovo, perché tutti i giochi coincidono con quanto già è stato intrecciato come combinazione di personaggi, di situazioni e di eventi. Anche se gli ospiti del castello possono combinare le carte secondo storie che sembrano quelle tradizionali dei narratori di novelle di tipo decameroniano, tuttavia il risultato rimane sempre quello di un intreccio di carte, si tratti del ladro di sepolcri oppure dell'alchimista che vendette l'anima o della sposa dannata. Sono sempre storie esemplari, come quelle di un prontuario di esempi di comportamento e di azioni a maggiore e opportuna edificazione dell'anima. Gli ospiti del castello fanno a volta a volta assistere gli altri a vicende che sono marcate e caricate di drammaticità o di avventurosità o di lezioni morali, e vi assistono quando tocca loro guardare le combinazioni di carte che sono proposte loro davanti.

L'opera appare, allora, come una dichiarazione di poetica e un discorso sulla letteratura che coinvolge la scrittura di Calvino a partire dalla fine degli anni sessanta. È un compendio ambizioso delle vicende e delle forme della letteratura, e si pone, di conseguenza, anche come una denuncia di fine nella morte della parola e nella sostituzione di essa con l'immagine. L'ironia è sui limiti della nuova modalità di ripetizione e interpretazione della letteratura. Se l'autobiografia (la vita) non può essere detta che con le carte che sono deputate anche a raccontare la letteratura, ecco che la conclusione non può essere che l'assoluto trionfo della letteratura: ma ogni riscrittura non può che essere in falsetto, non può che presentarsi anche come parodia, e l'aspetto tragico, che pure brivida sotto la scrittura di Calvino, nasce dalla coscienza di essere giunto a un limite estremo della letteratura, che ha perduto l'uso della parola e non può compiere i suoi giochi in altro modo che, letteralmente prendendo il termine di gioco, con le carte del gioco dei tarocchi. Ma se la letteratura è arrivata a tale punto, significa che non c'è più nessun rapporto fra vita e letteratura, fra linguaggio (delle immagini, sostituite alla parola) e realtà. Non c'è più nulla di nuovo da inventare: tutto ciò che lo scrittore può fare è combinare all'infinito, fino alla stanchezza suprema, le carte che riportano sempre le stesse figure, e tutto ciò che ne nasce è soltanto la variazione delle collocazioni reciproche e successive delle carte, con cui si può agganciare ancora la vicenda tratta dal deposito della letteratura del passato. Le storie che nascono dalle immagini ripetono quelle della letteratura. Ospiti di un castello o avventori di una taverna, gli uomini si specchiano sempre soltanto nella letteratura: ma questa è figurata sulle carte, sul loro gioco, non parla più, non è più memoria, ammonizione, inno, espressione di vita, rappresentazione di storia e di idee.

Ne *Le città invisibili* (1972) soltanto due sono coloro che compiono il gioco combinatorio: Marco Polo e il Gran Kan Kublai; ma il procedimento è lo stesso. Marco Polo, per incarico dell'imperatore, viaggia per l'impero onde poi potergli descrivere le città che esso contiene, dal momento che l'imperatore non può muoversi dalla sua capitale e dal suo palazzo che sono il centro dell'impero, e ormai tutte le conquiste sono state fatte e domina la pace, né Kublai più deve partire alla testa del suo esercito. Ma le città che Marco descrive sono le città possibili, quelle che, con il procedimento della combinazione degli elementi che costituiscono per definizione la città, possono essere formate. Marco non descrive nessuna città esistente, ma cerca di esaurire nei suoi racconti il catalogo delle città che potrebbero esistere, ma anche il catalogo dei viaggiatori che giungono via via a tali città possibili, e delle esperienze che le città suggeriscono loro e del sentimento che destano. Marco Polo, che possiede la parola, non fa che servirsene per fare essere ciò che egli via via costituisce come luoghi visitati con la diversa combinazione di palazzi, vie, cupole, abitanti, occupazioni, paesaggi che circondano le città stesse: Kublai pretende la conoscenza del suo impero, che Marco allarga infinitamente presentandoglielo come il luogo senza limiti e confini del possibile, cioè come il dominio della letteratura, che non ha come proprio oggetto la storia e la vita come sono, ma come potrebbero essere, non il dato e l'oggetto e il fatto, ma i dati e i fatti e gli spazi e i luoghi che potrebbero essere e che la parola fa esistere in modo definitivo non appena li ha fissati nel racconto, così moltiplicando specularmente all'infinito il reale, ma anche, alla fine, cancellandolo, in quanto esiguo punto di partenza per un'impresa catalogatoria e classificatoria che tende all'esaurimento, impossibile ma accanitamente perseguito, del possibile. I viaggi di Marco, a un certo punto della conversazione con l'imperatore, appaiono puri viaggi nella mente:

KUBLAI: Non so quando hai avuto il tempo di visitare tutti i paesi che mi descrivi. A me sembra che tu non ti sia mai mosso da questo giardino.

POLO: Ogni cosa che vedo e faccio prende senso in uno spazio della mente dove regna la stessa calma di qui, la stessa penombra, lo stesso silenzio percorso da fruscii di foglie. Nel momento in cui mi concentro a riflettere, mi ritrovo sempre in questo giardino, a quest'ora della sera, al tuo augusto cospetto, pur seguitando senza un attimo di sosta a risalire un fiume verde di coccodrilli o a contare i barili di pesce salato che calano nella stiva.

KUBLAI: Neanch'io sono sicuro d'essere qui, a passeggiare tra le fontane di porfido, ascoltando l'eco degli zampilli, e non a cavalcare incrostato di sudore e di sangue alla testa del mio esercito, conquistando i paesi che tu dovrai descrivere, o a mozzare le dita degli assalitori che scalano le mura d'una fortezza assediata.

POLO: Forse questo giardino esiste solo all'ombra delle nostre palpebre abbassate, e mai abbiamo interrotto, tu di sollevare polvere sui campi di battaglia, io di contrattare sacchi di pepe in lontani mercati, ma ogni volta che socchiudiamo gli occhi in mezzo al frastuono e alla calca ci è concesso di ritirarci qui vestiti di chimoni di seta, a considerare quello che stiamo vedendo e vivendo, a tirare le somme, a contemplare di lontano.

KUBLAI: Forse questo nostro dialogo si sta svolgendo tra due straccioni soprannominati Kublai Kan e Marco Polo, che stanno rovistando in uno scarico di spazzatura, ammucchiando rottami arrugginiti, brandelli di stoffa, cartaccia, e ubriachi per pochi sorsi di cattivo vino vedono intorno a loro splendere tutti i tesori dell'Oriente.

POLO: Forse del mondo è rimasto un terreno vago ricoperto da immondezzai, e il giardino pensile della reggia del Gran Kan. Sono le nostre palpebre che li separano, ma non si sa quale è dentro e quale è fuori (pp. 109-110).

I colloqui fra Marco e Kublai, che interrompono di tratto in tratto la descrizione delle città possibili, sono vere e proprie dichiarazioni di poetica. Progressivamente, i due interlocutori arrivano a chiarirsi che non esiste altro che l'invenzione della letteratura da parte di Marco e l'ascolto di tale invenzione da parte dell'imperatore. La realtà non esiste o, se esiste, non è definibile, circoscrivibile, descrivibile: è un altrove, che è sempre irraggiungibile, si tratti dei campi di battaglia o delle mura assediate di Kublai oppure dei mercati dove Marco commercia le spezie o delle stive delle navi il cui carico egli sorveglia, oppure del giardino dove avviene la conversazione. Né i due conversatori possono essere certi di essere davvero il mercante veneziano e l'imperatore del Catai: tutto potrebbe essere un sogno della letteratura, che è capace di combinare gli elementi costitutivi dell'idea di città nei modi più diversi, facendo così esistere un'infinità di città dall'esistenza della scrittura, la quale, tuttavia, non è affatto meno certa e meno concreta dell'esistenza delle cose che si dicono reali, e queste, da parte loro, non sono più salde e sicure delle creazioni della mente. La certezza della storia e del mondo è perduta: ciò che si può fare ancora, a questo punto, è affidarsi all'invenzione della letteratura, si tratti dei personaggi che si chiamano Kublai Kan e Marco Polo e che potrebbero benissimo essersi inventati come tali, oppure dello splendido giardino del palazzo imperiale, che potrebbe non essere altro che il frutto di una creazione della letteratura. Tutto è nella mente: se sia anche fuori o se ci sia davvero qualcosa fuori non è possibile sapere. Allora, bisogna raccogliersi strenuamente sulla combinazione delle forme della letteratura. Essa non ha fine, ma ha anche il privilegio di poter offrire un catalogo di possibili che non è meno ontologicamente esistente di ciò che si pretende tangibile e obiettivo.

Ne *Le città invisibili* Calvino considera il problema della parola e della letteratura da un punto di vista opposto e complementare rispetto a *Il castello dei destini incrociati*: in quest'opera, la fine della parola era surrogata dall'immagine, non per dare una raffigurazione e una rappresentazione alla vita e alla storia, ma per poter ancora prolungare e far esistere la memoria della letteratura, per forza di combinazione di immagini; ne *Le città invisibili*, invece, la parola è tutto, e la realtà della vita e della storia non esiste più, se mai qualche volta è esistita, oppure non conta nulla, nulla può dare di certo e di autentico, è inconoscibile, là dove è conoscibile e fruibile ciò che la mente inventa, le cose che mette insieme per combinazione degli elementi costitutivi, i racconti di viaggi, le visite alle città, le osservazioni su di esse, le avventure che vi si svolgono, le infinite ambiguità che presentano nell'assoluta arbitrarietà di combinazione di forme da cui nascono, unita con la perfetta normalità e concretezza degli elementi che le costituiscono come possibilità ed esempi.

Lo spazio e il tempo non esistono più o sono reversibili: nell'immagine dell'atlante sono presenti tutte le forme delle città presenti, passate e future, finché ci sarà la morte delle forme: «Il catalogo delle forme è sterminato: finché ogni forma non avrà trovato la sua città, nuove città continueranno a nascere. Dove le forme esauriscono le loro variazioni e si disfano, comincia la fine delle città. Nelle ultime carte dell'atlante si diluivano reticoli senza principio né fine, città a forma di Los Angeles, a forma di Kyoto-Osaka, senza forma» (p. 146). Se la parola muore e non resta per comunicare che l'immagine, anche le forme tendono ormai a tacere: l'immagine, opportunamente combinata con altre immagini nelle carte da gioco, rinarra l'intera vicenda della letteratura; le forme ugualmente si combinano in infiniti modi, fino a costituire tutte le città possibili nell'invenzione della mente che dilata spazi, crea movimenti, fa esistere avventure, fa trascorrere tempi, fa udire voci e suoni, fa sorgere e precipitare muri, percorre vicoli e strade imperiali, vede le forme delle future Amsterdam e New York, delle passate e distrutte Troia e Micene, suscita impressioni, angosce, appagamenti, piaceri, terrori all'interno dei nomi delle più lontane e disperse e anche invisibili città che nascono dalla forza mitopoietica della letteratura, e, dopo, esistono, nella memoria di Marco e di Kublai, o sull'atlante che contiene tutte le forme possibili di città. Ma c'è un limite anche alle forme, una mutezza delle forme. Il discorso di poetica di Calvino allude a un tempo contemporaneo in cui la parola muore (e resta soltanto l'immagine) e muore la forma, e rimane, allora, soltanto una serie di non forme, un magma di linee, di reticoli senza principio né fine, una confusione di astrazioni. Le non forme sono al di là del possibile che è il dominio della letteratura. Dove non c'è più forma, non ci sono più neppure la scrittura e la letteratura, che è combinazione di immagini o di forme (che è la stessa cosa), non ha più spazio.

La descrizione delle città dell'impero di Kublai può ridursi alla descrizione dell'ultima casella della scacchiera, da cui è stato tolto via il re dopo lo scacco che lo ha vinto e cancellato: ma perché anche la nuda e deserta casella di legno è una forma che contiene in sé, nella sua estrema limitatezza, un'infinità di spazi possibili e di tempi trascorsi, ed eventi e fatti e situazioni vi sono contenuti e non attendono altro che la capacità del ''lettore'' che li faccia evidenti, li riveli, li traduca nella parola. Nell'ultimo colloquio fra Kublai e Marco si dice:

> Già il Gran Kan stava sfogliando nel suo atlante le carte delle città che minacciano negli incubi e nelle maledizioni: Enoch, Babilonia, Yahoo, Butua, Brave New World.
> Dice: — Tutto è inutile, se l'ultimo approdo non può essere che la città infernale, ed è là in fondo che, in una spirale sempre più stretta, ci risucchia la corrente.
> E Polo: — L'inferno dei viventi non è qualcosa che sarà; se ce n'è uno, è quello che è già qui, l'inferno che abitiamo tutti i giorni, che formiamo stando insieme. Due modi ci sono per non soffrirne. Il primo riesce facile a molti: accettare l'inferno e diventarne parte fino al punto di non vederlo più. Il secondo è rischioso ed esige attenzione e apprendimento continui: cercare e saper riconoscere chi e cosa, in mezzo all'inferno, non è inferno, e farlo durare, e dargli spazio (pp. 169-170).

Anche *Le città invisibili* sono un'opera scritta sull'orlo del silenzio, non meno de *Il castello dei destini incrociati*: ed entrambe, di conseguenza, sono un'ininterrotta dichiarazione di poetica, una riflessione *per exempla* sulla letteratura. La letteratura può cercare di riconoscere e rivelare poi che cosa non è inferno (quell'inferno un poco sartrianamente definito come quello che «formiamo stando insieme»), e può salvarlo. Il catalogo delle città possibili è quello che salva dallo sfacelo le cose, perché dà loro una forma, quella forma che ormai le città degli uomini stanno perdendo, nella proliferazione delle città senza forma. La città è l'opera della ragione, il luogo della comunità, per quanto, poi, possano sembrare assurde e incomprensibili tante delle incarnazioni storiche o fantastiche che se ne sono avute e che se ne hanno nelle parole delle relazioni di visite e viaggi che Marco Polo espone a Kublai Kan.

Inventare città secondo tutte le gradazioni e le capacità combinatorie del possibile significa salvare qualcosa dall'inferno, anzi uscirne fuori, per contemplare con la lucidità della mente ciò che la parola fa esistere. Polo è lo scrittore che offre lo spazio della salvezza dalla corsa del mondo verso l'assenza della forma all'imperatore che sa molto bene che è migliore ventura restare, non oltrepassare monti e fiumi, non viaggiare per il suo impero, perché, pascolianamente, il sogno e la letteratura sono l'infinita ombra del vero, e allora l'unico compagno necessario è lo scrittore che sogna le città possibili e dà loro forma e le fa esistere nella parola, salvandole dalla degradazione dell'inferno delle non forme in cui sta precipitando il mondo. La letteratura è, sì, ridotta a una sorta di operazione combinatoria, si tratti di carte dei tarocchi oppure delle forme delle città e dei loro nomi. Nel momento che precede (o già un poco segue) il silenzio della letteratura e la dissoluzione delle forme del mondo, non c'è, però, altra possibilità che di combinare le varie parti o opere o aspetti di ciò che è stato detto o di ciò che appartiene al dominio specifico della letteratura, che è il possibile. La letteratura nel tempo dell'informe che incombe non inventa più nulla, non può inventare più nulla: può, appunto, difendere le forme che esistono per la propria passata forza o quelle che sono state ancora costituite con l'impegno visionario e con l'abilità delle variazioni e delle disposizioni dello scrittore moderno. Può, insomma, nel castello e nella taverna, ripetere la letteratura del passato; ne *Le città invisibili*, conservare le forme combinandole insieme, e anche offrire una sorta di catalogo utopico di forme, staccate dalla realtà storico-fenomenica, perché in questa è irrimediabile la dissoluzione, non c'è scampo allo sfacelo. Nell'opera di Calvino, proprio per questo non ha vero spazio il fantastico, ma, piuttosto, essa è il luogo dell'allegoria, che, come è noto, è una figura della letteratura oltre che una rivelazione, un messaggio per figura.

Al di là de *Le città invisibili* non ci può essere che la meditazione sopra il pericolo che la letteratura stessa perda la forma e si dissolva. *Se una notte d'inverno un viaggiatore* è proprio il discorso, condotto con un margine di ironia e di gioco, intorno alla dissoluzione delle forme della letteratura. L'opera che è cercata nel libro è sempre diversa da quella che via via sembra presentarsi e rivelarsi; e allo stesso modo l'autore si muta in altro nome, altro volto, altro tempo, altro paese d'origine, altro programma di scrittura, altro stile, altro modo d'essere. Esiste in troppi modi diversi perché si possa dire che esista davvero, così come l'opera inizia in troppe forme diverse perché ne possa essere identificata la forma complessiva. È sempre soltanto un frammento, pronto a trasformarsi in un altro frammento, all'infinito: e tutti i diversi frammenti difficilmente ritrovati e compulsati e tradotti dalle lingue più astruse forse non sono che il frutto di un'unica, infinita falsificazione. Il fatto è che qui il gioco della letteratura si è fatto lieve, ironico, perdendo quel che di tragico aveva ne *Il castello* e ne *Le città invisibili*: forse tutta la letteratura non è che un ammasso di apocrifi, adatti, al più, alle analisi dei critici e dei gruppi di studenti, secondo metodi sociologici o formali, tanto quel che i testi sono non conta assolutamente nulla, tutto ormai predicandosi dei testi in astratto, come puro lavoro di combinazioni teoriche e generiche. La letteratura certamente esiste, perché ne restano frammenti e tracce: ma esistono molto meglio le disquisizioni su di essa come pura occasione e pretesto. Il volume completo di cui il protagonista è alla caccia per vedere, da buon lettore, come la storia vada a finire non esiste o, piuttosto, è tutti i libri possibili della letteratura del passato, e ugualmente, allora, non esiste. Neppure la biblioteca di Babele a cui, alla fine, dopo le più strane avventure con autori scomparsi o perseguitati, contesi fra due lingue e due popoli, autori di falsificazioni o di opere perdutesi nelle redazioni delle case editrici, il protagonista ricorre, può offrire una soddisfazione alla ricerca della letteratura perduta: che parla, ha sempre la parola, lascia consistenti tracce di sé, ma, poi, non è più raggiungibile, come, invece, era possibile fare con le carte dei tarocchi ovvero nelle conversazioni fra Marco Polo e Kublai Kan. I libri nella borgesiana biblioteca ci sono, ma non si trovano più. Non resta che salvare i frammenti di volta in volta trovati nei modi più avventurosi e precari, e scrivere il libro che li contenga tutti, con la loro natura di incipit a cui non segue nessuno sviluppo, non si unisce nessuna conclusione, né è possibile neppure ipotizzarne qualcuna.

La letteratura inizia le sue storie, ma non esistono più svolgimenti e finali. L'enciclopedia moderna della letteratura non può essere, allora, che la raccolta di tutti gli inizi: la conclusione è, in qualche modo, nella vita (il protagonista sposa Ludmilla, la ragazza che via via è comparsa, commentatrice, intralciatrice, collaboratrice, ironizzatrice, autrice di enigmi, durante la ricerca del romanzo che non è mai quello stesso che sembrava essere, che incomincia sempre in modo diverso, che si perde nei modi più strani e incredibili, per caso o per eventi ostili). Oppure la vera conclusione è nella letteratura: è nel nuovo libro che contiene tutto ciò che, enciclopedicamente, secondo diversi stili, diversi contenuti, diverse forme, si è proposto al protagonista come inizio del libro introvabile. È nel falsetto della ripetizione della letteratura (narrativa, questa volta) attraverso il gioco, sempre lievemente parodico, della riscrittura secondo i modi di... Alla fine c'è, appunto, la prosopopea del libro che contiene tutti gli altri libri: «Ora siete marito e moglie, Lettore e Lettrice. Un grande letto matrimoniale accoglie le vostre letture parallele. Ludmilla chiude il suo libro, spegne la sua luce, abbandona il capo sul guanciale, dice: — Spegni anche tu. Non sei stanco di leggere? E tu: — Ancora un momento. Sto per finire *Se una notte d'inverno un viaggiatore* di Italo Calvino». Il libro che si può leggere è quello che racchiude tutti i frammenti dei libri che non si trovano più, smarriti o dispersi o anche del tutto falsificati e apocrifi. Il libro, tuttavia, trionfa definitivamente. Il Lettore e la Lettrice hanno, in fondo, soltanto finto la vita: in realtà, la loro vita non è altro che lettura, perfino a letto. Il matrimonio non è che la conclusione di rito del libro: ma, oggi, esso è in funzione della letteratura. Ciò che resta, alla fine, è il nuovo libro sull'impossibilità di trovare i libri, di leggere i romanzi dopo le prime pagine, di identificare gli autori, di conoscerne nazionalità, intenzioni, poetica, lingua, età. La letteratura è ormai irrimediabilmente incompiuta e perduta, ma è anche tutto quello che rimane, non diversamente da come concludevano d'accordo Kublai e Marco. Se non che i due personaggi de *Le città invisibili* hanno di fronte l'inferno del mondo che perde le forme, così come i personaggi de *Il castello dei destini incrociati* subiscono la perdita della parola, mentre il protagonista di *Se una notte d'inverno un viaggiatore* si imbatte, sì, in poliziotti, falsari, spie, studenti in rivolta, studenti sociologizzanti o formalizzanti, funzionari sbadati di case editrici, librai confusionari e sommersi dai libri, lettori di biblioteca alquanto enigmatici, ma tutti fanno parte di un grande gioco ironico, di una sorta di balletto della letteratura, nel quale il libro intero, compiuto, esemplare, più non si ritrova.

Non c'è più l'atmosfera tesa e intellettualmente un poco febbrile de *Le città invisibili*, né il senso, insieme, di angoscia e di rivincita sulla perdita della parola che è ne *Il castello*. C'è, invece, l'avventura, che è della scrittura, capace di mimare gli stili, i modi di narrare, le forme più diverse. Il libro, se esiste davvero, è quello che si compone via via con i frammenti dei libri perduti: è la biblioteca di Babele ovvero il negozio del libraio, fatti unico libro, perché non è più possibile pensare al luogo di tutti i libri esistenti e di tutti i libri possibili, ma, nello stato di corrosione della parola, soltanto allo spazio dove sono raccolte le tracce lasciate dalla letteratura, insieme con le avventure e le vicende occorse per raccogliere i frammenti dei romanzi che forse esistono, forse sono stati scritti, forse sono stati perduti o distrutti o smarriti, forse sono stati cancellati dal potere, forse sono soltanto falsificazioni e scherzi di qualche geniale falsario, forse sono, invece, davvero non i resti di ciò che è ignoto e si desidererebbe poter conoscere, ma ciò che rimane dei libri del passato, confusi in una sorta di destino di dissoluzione. Il trionfo finale è certamente della letteratura, se il Lettore risponde alla Lettrice che, prima di spegnere la (decisamente allegorica) luce e piombare nel buio vuoto dell'assenza della parola, vuole concludere la lettura dell'ultimo romanzo di Italo Calvino: ma, forse, a ben vedere, questo stesso trionfo è ambiguo. Il Lettore potrebbe semplicemente essere nella situazione in cui è all'inizio, e trovarsi di fronte al libro che incomincia, sì, ma poi non va avanti a causa della confusione dei sedicesimi che lo compongono. E tutto, allora, ricomincerebbe da capo. L'ironia e la parodia finiscono a equilibrare l'aspetto, nel profondo, drammatico, della situazione della letteratura. Anzi, la parodia viene a confermare tale stato corroso e difficile: si può, infatti, fare la parodia soltanto quando la fiducia nella verità della letteratura è venuta meno.

Ma non resta, alla fine, altro che la letteratura: non se ne esce in nessun modo. E allora la poetica della letteratura da salvare dal silenzio e dall'inferno, il privilegio della letteratura, comunque avvalorato e difeso, si trasformano nel gioco della letteratura, nel piacere del falsetto. Sotto, ci può anche essere la sfida alla scrittura attraverso la scelta enciclopedica: ma è una sfida che moltiplica i libri, sia pure ridotti a un solo capitolo o ad ancor meno. Forse, la nuova scelta di Calvino dipende dall'immersione nella contemporaneità dei seminari universitari, dei librai sommersi dalle novità librarie, degli agenti segreti di qualche potere dittatoriale che sequestrano manoscritti, dei sempre più numerosi scrittori che vivono falsificando i testi, costruendo infinite e sempre nuove opere apocrife, che godono nel mescolare l'autentico con il non autentico, in un mondo dove, del resto, l'inautenticità è almeno altrettanto frequente, anzi è molto più diffusa del fatto o dell'oggetto o del testo autentico.

L'ironia si fa perfino un poco troppo cordiale in *Palomar*: e lo sviluppo è senza dubbio significativo. L'arte combinatoria, in cui Calvino indica consistere la letteratura dei tempi moderni, dopo che la grande letteratura del passato si è trovata di fronte alla perdita della parola, quell'opera di combinazione degli elementi narrativi e tragici, che può dare origine a un'infinità di testi attraverso l'arte della variazione e della disposizione e, soprattutto, permette di rifare e ricomporre i libri del passato, in *Se una notte d'inverno un viaggiatore* viene a essere corretta decisamente da Calvino: la combinazione vera e propria non c'è più, perché la riscrittura non va mai fino in fondo, e, se mai, c'è un principio di arte combinatoria, ma anch'esso finisce interrotto, e la somma di tutte le interruzioni non fa che meglio rilevare il falsetto con cui gli elementi e le forme sono riprese e abbandonate, assunte e perdute. In *Palomar* il protagonista unico dei racconti viene a collocare se stesso come oggetto di ironia e, di conseguenza, è oggetto di ironia la posizione dello scrittore come di colui che guarda con attenzione maggiore degli altri uomini il mondo anche quotidiano e minuto intorno a sé, e sa, soprattutto, guardare anche se stesso come se fosse altro da sé, percependo tutto l'iato che c'è fra ciò che appare e ciò che è, ciò che si sente dentro e ciò che si fa, ciò che si vorrebbe compiere e ciò che gli altri vedono compiere. È una soluzione minimale per la letteratura, una sorta di "letteratura debole", che non può andare molto al di là dello sguardo sulle cose, sulle minori vicende del reale, sullo stacco che c'è fra la coscienza del signor Palomar e le reazioni degli altri, i fatti che gli avvengono intorno.

Si tratti della ragazza nuda sulla spiaggia o delle due tartarughe o del negozio di formaggi o del geco, la letteratura rappresenta sempre il rapporto fra le cose e lo sguardo del signor Palomar, ma non può andare al di là, non interpreta, non crede affatto di contenere verità e messaggi, e neppure è angosciata dalla coscienza della precarietà. Non è più arte combinatoria: è, piuttosto, ironica cronaca del minimo vitale, del minimo sociale, del minimo di pensiero e di meditazione, del minimo di rapporti con gli altri. Al più, può diventare il minimo dell'osservazione interiore, la decisione di guardare da un certo punto in poi non più al di fuori, ma dentro se stesso, senza molta speranza di poter giungere a grandi osservazioni, così come la contemplazione del cielo stellato non può portare molto al di là del riconoscimento di «un universo pericolante, contorto, senza requie come lui», allo stesso modo che la realtà che lo circonda è sempre l'uguale spettacolo di «vie piene di gente che ha fretta e si fa largo a gomitate, senza guardarsi in faccia, tra alte mura spigolose e scrostate» (p. 122). Tutto quello che si può vedere fuori è ripetitivo e delusivo: ma dentro c'è il limite della morte: «'Se il tempo deve finire, lo si può descrivere, istante per istante, — pensa Palomar, — e ogni istante, a descriverlo, si dilata tanto che non

344

se ne vede più la fine'. Decide che si metterà a descrivere ogni istante della sua vita, e finché non li avrà descritti tutti non penserà più d'essere morto. In quel momento muore» (p. 128). La letteratura dello sguardo e della descrizione di ciò che si vede sulla terra, in cielo, su una spiaggia, in un negozio di formaggi, non ha davvero vita lunga: troppo dipende dall'autore e dal limite della morte. Decidere di descrivere ogni istante della propria vita come sfida alla morte non serve proprio a nulla, non fonda una letteratura che salvi dalla fine.

Il grado minimale della letteratura che in *Palomar* Calvino tende a fondare ha davvero in sé poca possibilità di esistenza e di durata. Ironicamente, col suo carattere ''debole'', viene a sparire nel momento stesso in cui Palomar crede di essere arrivato a trovare la formula che, dopo la verifica della fragilità e della scarsa consistenza di ciò che lo sguardo può vedere, possa dare origine a una letteratura capace di sfidare la morte, così come, appunto, alla letteratura compete da sempre in forza del proprio nome che più dura e più onora: la descrizione di sé e di ogni istante della propria vita, che è argomento e oggetto insieme ben certo e destinato a moltiplicare le proprie occasioni indefinitamente. Ma la ''debolezza'' di questa scelta fa sì che tale progetto letterario si concluda subito: la dissoluzione della letteratura programmata è in diretto rapporto con la fragilità dell'autore, che ha scelto tale minimalità di scrittura e di tematica. Basta che la morte colga l'autore perché tutta la sua letteratura abbia fine, anzi neppure possa estrinsecarsi, così come non accadeva con l'ambizione suprema della letteratura come catalogazione del possibile ne *Le città invisibili* e neppure in quell'altra scelta minimale, ma, tuttavia, piena di fiducia e di volontà di resistere alla perdita della parola, che è quella de *Il castello dei destini incrociati*. L'ironia della morte cancella il progetto di scrittura di Palomar: la letteratura non è per nulla una garanzia contro la morte.

La scelta della rappresentazione del difficile rapporto fra le cose e le parole nell'ambito limitato dello sguardo che si fissa sul particolare non porta a grandi risultati: forse, soltanto alla saggezza della sentenza conclusiva con cui Palomar commenta di volta in volta ciò che ha visto. Ma è una saggezza tutta chiusa in se stessa, che potrebbe essere manifestata forse se Palomar riuscisse nell'intento di descrivere momento dopo momento la propria vita. Il suo progetto conclusivo è, in realtà, già il risultato che costituisce il libro; e, di conseguenza, Palomar può morire. Ma la sua morte è pure un sigillo di fine per la sua idea di letteratura: oltre lo sguardo e la descrizione della vita istante dopo istante non resta nulla, nessuna possibilità di continuazione si può dare. La letteratura minimale ha anche minimali spazi in cui svolgersi, tempi limitati, sfide, ironicamente sia pure, di non grande vigore e portata. L'idea di letteratura di *Palomar* sembra uscire fuori da un disastro avvenuto, da una perdita della parola che c'è stata, ma che, in qualche limitata misura, è stata sanata. La letteratura come arte combinatoria è abbandonata: si propone la letteratura come arte della minuzia, del particolare. La proposta non può che essere avanzata ironicamente. Ma è siglata dalla morte del protagonista. È come un'idea gettata verso il silenzio, che è non soltanto quello della parola tagliata e cancellata o del libro che non si trova più o che neppure esiste al di là del primo capitolo o che non è che una falsificazione, un apocrifo, ma è quello ben più amaramente definitivo della morte. Il libro è scritto, questa volta, fino in fondo (ma anche *Se una notte d'inverno un viaggiatore* finiva a risultare dalla registrazione del non essere del libro cercato, era la storia di una letteratura a pezzi, impedita, ridotta a frammenti, e il libro veniva fuori proprio dalla verifica ripetuta dell'inesistenza o dell'apocrificità del libro). Ma è la storia di una minimalità di programmi di scrittura e di risultati. La letteratura non cede il campo, ma lo riduce per propria scelta al minimo. La sua non è più una tragedia, ma lo spazio di un'ironia piena di saggezza e di malizia, senza drammi, se non quella morte che inesorabilmente mette fine alla scrittura e segna la conclusione del libro.

Gaio Sciloni
CALVINO IN ISRAELE

Voglio portare il saluto dei lettori israeliani ai lettori italiani di Calvino. Calvino è senz'altro lo scrittore italiano più conosciuto in Israele, penso che stia offuscando Dante Alighieri. Ultimamente *Le città invisibili* in ebraico stanno esaurendo la quarta ristampa. Forse ci sono due cose che possono interessare il pubblico italiano, il perché Calvino è stato così recepito dalla popolazione di lingua ebraica, ma anche da uno dei nostri grandi scrittori ultimi, Anton Shamas, che è un arabo cristiano cattolico che scrive in ebraico. Penso che le ragioni siano due principalmente: una risiede, come diceva il prof. Sermoneta che dirige l'Istituto di studi sul pensiero ebraico, nel fatto che questa idea o questo concetto, riportandomi a quello che hanno detto oggi illustri professori, dell'opera aperta, della possibilità di lettura di un segno (tornando alle questioni semiologiche) in diverse direzioni, della possibilità di apertura della lettura si ricollega all'antica tradizione ebraica delle interpretazioni bibliche in diverse direzioni: per esempio, il midrash talmudico, che spiega certi passi biblici in senso anagogico (per dirla con Dante) raccontandoci sopra aneddoti; mentre un'altra parte del Talmud spiega le stesse frasi in senso legislativo. Come ben sapete, tutti i chiosatori biblici hanno sempre costruito intorno ad ogni parola ogni lettera: perché la parola bereshit con cui si apre la bibbia, comincia con la "bet"? Perché la lettera "bet" è aperta verso sinistra (l'ebraico si scrive da destra verso sinistra) quindi comincia chiusa ed aperta. E questa forse è la ragione per cui Calvino è stato subito recepito in Israele anche prima della sua visita con la signora.

La seconda ragione è quella che a me, come traduttore di Calvino, ha costato diverse fatiche data la differenza della costruzione linguistica: i traduttori in francese, inglese o spagnolo si trovano davanti a lingue costruite in modo simile alla sua, ma io devo tradurre in una lingua completamente diversa, e penso che i miei colleghi giapponesi e cinesi abbiano le medesime difficoltà, forse ancora peggiori.

Probabilmente ci siamo riusciti, cioè io e tutta l'équipe redazionale (abbiamo lavorato sempre insieme consultandoci e Calvino mi ha sempre aiutato fin dai primi tempi, anche se non sapeva l'ebraico), perché questa sua lingua è molto precisa, molto semplice, qualche volta preziosa, volutamente ricercata, ma sempre chiara e nitida; perciò, avendo trovato la chiave di lettura, ho potuto dare un testo che è stato recepito dal pubblico come se fosse stato scritto in ebraico (e questo è stato il grande complimento che ho ricevuto dalla critica). Ho sforzato a volte la lingua ebraica a modulazioni, a forme che non sono proprie della lingua ebraica, ma sono state accettate.

Per finire posso dire che negli ultimi sette-otto anni sono usciti nel piccolo paese di Israele, di 4 milioni e mezzo di abitanti di cui mezzo milione non sono di lingua ebraica, e l'altra metà di quest'altra metà sono nuovi emigranti che parlano il russo il cinese l'etiopico — sono usciti, dicevo, circa 23 articoli su Calvino, ed abbiamo già pubblicato cinque volumi, e stiamo preparando *Se una notte d'inverno*, più una ventina di brani scelti, novelle.

Ma devo constatare una continua influenza di Calvino sulla letteratura israeliana. L'autore dell'ultimo libro importante israeliano, David Grossman, si è dichiarato influenzato da Calvino: è un libro scritto in chiave fantastica e ripete in certo modo una esperienza di Calvino, perché il protagonista — anche se un antieroe — è Bruno Schulz, il quale però non è morto, bensì è caduto in mare ed è tornato salmone. Dato che questo libro lo sto traducendo per la Mondadori, e uscirà entro l'anno, David Grossman mi ha detto di essere stato influenzato dai libri di Calvino, e anzi, questo Grossman, che lavora alla radio, continuamente legge brani di Calvino anche in trasmissioni per la gioventù. Perciò spero che questo piccolo messaggio sia un saluto attraverso quel breve braccio di mare che ci accomuna, non ci divide.

Claudio Varese
CALVINO LIBRETTISTA E SCRITTORE IN VERSI*

Il Calvino librettista e scrittore in versi, che ad alcuni è sembrato una casuale e occasionale novità, senza passato e senza futuro, si era già preannunciato in opere molto diverse, sia pure con una diversa preminenza. Quando apparve il *Sentiero dei nidi di ragno* nel 1947, la presenza e, quasi, la necessità del fiabesco dentro il tessuto narrativo non sfuggirono a molti lettori. Per conto suo, e in un modo originale, Calvino scrittore aveva sentito come il fiabesco, che diventava "poetico", e il "poetico" che diventava fiabesco potevano compensare e trasformare quel tanto di devozione alla cronaca e alle direttive politico-sociali che il neorealismo proclamava e agitava. La canzone «Chi bussa alla mia porta / Chi bussa al mio porton», cantata dal bambino Pin, scandisce, nel succedersi e nel crescendo drammatico delle brevi strofe ripetute, i momenti di una situazione che dal giuoco sentimentale precipita in un violento incendio. In quelle brevi pagine viene quasi a costruirsi un libretto in un intreccio di rappresentazione e di canto. Un motivo che ritornerà nelle ballate e nei racconti, quello del falco o del corvo, che si leva a volo quasi un correlativo o un simbolo, è affidato al falchetto: "L'ultimo acuto è stato così alto che nel buio vicino al tetto si sente un batter d'ali e un verso rauco: è il falchetto Babeuf che s'è svegliato".[1]

In un giro di tempi e di esperienze complesso e intrecciato Calvino scrive i *Racconti*, tra i quali si collocano i primi dieci della serie di *Marcovaldo*,[2] e alcune canzoni che indicano in modo ben preciso una direzione verso un rapporto parola-canto-musica-progetto scenico, che non si può chiamare casuale, né attribuire soltanto alle richieste di alcuni musicisti. Calvino poté invece muoversi secondo un arco di volute possibilità, variamente accolte, tra le quali si affermavano e si distinguevano il fascino e l'esigenza della ballata. Nel teatro di Brecht la ballata e l'attore che la canta hanno un valore non soltanto di rapporto fra tempo del commento e tempo dell'azione, ma anche di rappresentazione scenica, secondo la perentoria didascalia: «l'attore non deve soltanto cantare, deve anche mostrare uno che canta».[3]

349

Ci si può domandare perché Calvino non abbia composto versi prima o fuori delle ballate e dei libretti: aveva forse bisogno dell'occasione di uno spazio pubblico per proiettare i suoi versi, che nascevano con l'esigenza di essere eseguiti e prospettati. Sentiva il tempo lirico-metrico diverso da quello narrativo, al quale pure si riferiva per riscattarlo e spostarlo di volta in volta. In una sua breve nota, accettando la negazione lessinghiana del tempo nelle arti figurative, distingue due tempi nella lettura, uno veloce e l'altro «tutto soste e intoppi», quasi a configurare i modi di una recita scenica che si sospende e si riprende.[4] Il verso è per lui una struttura profonda, alla quale deve obbedire, e la parola deve essere messa in scena come parola in quanto tale. Tuttavia egli poteva cercare e volere un modo diverso, eppure congiunto, di racconto attraverso lo strumento dei progetti di scenografia e quasi di regia, come in *Allez-hop* e nelle *Porte di Bagdad*. Dal 1958 al 1959 Calvino scrive una serie di canzoni, quattro per Sergio Liberovici e *Sul verde fiume Po* per Fiorenzo Carpi.[5] In *Oltre il ponte* la serie di endecasillabi in strofe di otto versi a rima ora alternata, ora baciata, ora no, si interrompe con un ritornello che si ripercuote ogni volta dentro la stanza successiva per accentuare il nesso tra l'azione partigiana di allora e il motivo della speranza di allora e di oggi. La canzone si costruisce funzionalmente in modo da dare un significato di presenza alla memoria dentro la poesia d'amore e un messaggio che muove dalla solitudine della memoria verso una rinnovata e individualizzata consonanza, quello della ragazza che ascolta: «E vorrei che quei nostri pensieri, / quelle nostre speranze d'allora, / rivivessero in quel che tu speri, / o ragazza color dell'aurora».

Quasi contemporaneamente Calvino si cimentava in un impegno di fiducia storica e morale con *Dove vola l'avvoltoio* e ripiegava su un quotidiano fantasticato tra gioia, rabbia e speranza in *Il padrone del mondo*. La prima canzone, che è impostata come *Oltre il ponte*, si svolge secondo il principio della ripetizione quale unità di ritmo semantico e di ritmo musicale. Finita la guerra l'avvoltoio, privo «del tristo suo cibo», cerca una guerra che glielo restituisca, ma viene sempre cacciato via. Secondo una eredità di poesia popolare, ma insieme librettistica, Calvino preferisce il verso tronco con le parole o tronche — *sparò, si levò* — o troncate, *amor, insanguinar, rubar, fucil*. In una calcolata ricerca di risonanza per il valore del messaggio, la canzone si chiude con un mutamento interno dello stesso ritornello: «Ma chi delle guerre quel giorno aveva il rimpianto / in un luogo deserto a complotto si radunò / e vide nel cielo arrivare girando quel branco / e scendere scendere finché qualcuno gridò: / Dove vola l'avvoltoio? / Avvoltoio vola via, / vola via dalla testa mia... / ma il rapace li sbranò».

Nella filastrocca *Sul verde fiume Po* una forma di tempi successivi, cadenzati da *eravamo* e da *senza*, sorregge tutto il procedimento. I sette personaggi escono di scena uno ad ogni stanza, sino al bisticcio finale del singolare col plurale «eravamo in uno, in uno».[6]

Questo motivo di personaggi diversi, ma accomunati, «eravamo in sette, in sette», in un inizio eguale per tutti, trova una nuova e originale attuazione nello *Spaventapasseri*, balletto in un atto di Sergio Liberovici da un'idea di Italo Calvino. Cinque personaggi, uno dopo l'altro, vengono a tessere un proprio rapporto con lo spaventapasseri e con quell'abito che ogni volta trovano sul bastone di sostegno: l'uomo in frac sogna la felicità campestre e si veste con la camicia dello Spaventapasseri, lasciando frac e cilindro, che invece vengono indossati da un eremita, attratto da una tentazione mondana. Il miliardario prende il saio e il cappuccio e lascia i suoi abiti a un pirata. Per ultimo un generale, mosso dal desiderio di vita avventurosa, abbandona la divisa e si trasforma in pirata. Il balletto si avvia alla conclusione dove ognuno, deluso, cerca di tornare alla veste originaria, ma nel groviglio della danza finale, dove tre faunetti insistono negli scambi degli indumenti, i cinque personaggi perdono ogni identità. Rimane sulla scena lo Spaventapasseri completamente nudo. In questo breve progetto già avvertiamo l'interesse di Calvino scrittore e, a suo modo, uomo di teatro, per il giuoco delle metamorfosi, dei rispecchiamenti e delle ripetizioni.

In *Il padrone del mondo* il canto è affidato a un *io* che si prospetta e si afferma come tale nelle quattro strofe e nei ritornelli, *sono io, io sono*. Calvino vuole stabilire e presentare un protagonista due volte individuato, da una parte nella simboleggiante realtà sociale di un ciclista in uno spazio di movimento, dall'altra in una sfida di apostrofe e di dialogo contro chi «tiene in mano i comandi del potere». Il ritmo mimico-verbale si viene configurando nella calcolata scansione delle cesure funzionalmente interne ad ogni verso.

Sia *Il padrone del mondo*, sia, in altro modo, la *Canzone triste* si riallacciano alla serie di *Marcovaldo*. La *Canzone triste* riprende, in un'accezione di pathos quotidiano assunto in una realtà estraniata, il tema dei due sposi che hanno un turno diverso di lavoro: «lei s'alzava all'alba», «lui aveva il turno che finisce all'alba». Calvino nella sua prefazione al *Marcovaldo* del 1966 indicava tre momenti diversi eppure necessari: «A contrasto con la semplicità quasi infantile della trama d'ogni novella, l'impostazione stilistica è basata sull'alternarsi di un tono poetico-rarefatto, quasi prezioso [...] e il contrappunto prosastico-ironico della vita urbana contemporanea, delle piccole e grandi miserie della vita».[7] Può valere come chiave d'interpretazione e come avviso di autointerpretazione la preferenza calviniana di *America* fra tutti i romanzi di Kafka e fra tutte le opere alle quali Calvino si sente debitore.[8] Il rapporto continuo tra la minacciosa e imprevedibile realtà della vita quotidiana e il candore ingenuo e, in questo senso, ironico del giovinetto protagonista Karl Rossmann a contrasto con le insidie e la precarietà della vita nella metropoli, non sono stati dimenticati nella formazione della città e del personaggio di Marcovaldo. Calvino non può rinunciare alla parola, alla forma della parola scritta: nondimeno sente, in modo convergente ancor più che non parallelo, il fascino della rappresentazione e il valore dello scenografico e del mimico. Dall'incontro e dal compensarsi e integrarsi di questa triplice inclinazione nasce e si definisce l'esigenza del libretto e del passaggio dal testo letterario a quello teatrale. Le pagine del racconto *La panchina* sono state trasformate nella sceneggiatura del libretto *La panchina* per la musica di Sergio Liberovici.[9] Maria Corti ha disegnato con intelligente e appassionata precisione i passaggi fra le due stesure in prosa del racconto nelle due versioni del 1955 e del 1963 e il libretto in versi.[10]

Nella tessitura di queste pagine teatrali lo scrittore ha ricordato l'impulso di alcune sue cantate e di alcuni suoi progetti, ma soprattutto ha visto il personaggio nei momenti di reazione, di contrasto e di confronto con le situazioni variamente urgenti della notte e dell'alba di una grande città. In tutti i venti racconti Marcovaldo raccoglie ed esprime due modi di straniamento, quello brechtiano di analisi di una situazione sociale quotidiana che deve apparire assurda e quello diderottiano dell'attore e del personaggio, che sono consapevoli della loro recita e del loro distacco.[11] Il nesso *io non so*, che era già presente nella canzone *Sul verde fiume Po — non so, non lo so* — vale come una premessa enunciativa, un modo per inserire e presentare dei momenti di inquietudine cittadina, che si concludono con l'*eppure io conosco*: l'oggetto *panchina* tende a sublimarsi come un desiderio e una speranza di riposo e insieme di personalizzazione «per conquistare quel sonno / che solamente è mio».

Se la librettistica ha avuto una sua ragione nel formarsi della poesia montaliana,[12] Calvino invece ha portato ricordi, suggestioni e dimensioni letterarie nella sua librettistica, come affermerà esplicitamente a proposito di *La vera storia*.[13] In *La panchina* le parole sono dominate e ascoltate, gli aggettivi sono studiati tra l'ironico e il "poetico": lo «schivo giardinetto», il «gentile insistere del grillo», la «calpestata natura», «l'insonnia spinosa». Il dialogo tra gli innamorati della prima scena si tesse in un intreccio di similitudini che accentuano in senso letterario quella preferenza al *come* che era nelle ariette metastasiane: «Come una foglia morta / girar perdutamente, / finché pigra m'arrendo / all'oblio che mi coglie», «come dall'aspra insonnia / spinosa come un rovo / scende soffice il sonno / così dopo il litigio / ride l'amore».

Già Maria Corti aveva isolato e indicato l'intervento di riflessione dell'autore nel personaggio dell'ubriaco della Seconda Scena, dove l'ipotesi del rovescio del mondo viene connotata nella didascalia come «sbornia filosofica».[14]

I personaggi e i gruppi di personaggi che occupano e fanno la scena, dalla Terza alla Quarta, pur nel loro referenziale di passeggiatrici e di operai della squadra notturna addetta alle operazioni tranviarie, chiudono e concludono da una parte con un saluto di ironica compassione per gli uomini, dall'altra con una simbolica attesa e preparazione del giorno: «Mentre voi dormite / lavoriamo noi, / la squadra dei riparatori della notte, / gli operai-gnomi / che preparano il giorno / e che ogni alba inghiotte».

Un progetto, più o meno consapevole, teatrale, mimico, scenografico è sotteso in *Marcovaldo* e altrove quale stimolo ed elemento del testo letterario: come non avvertirlo nella fantasia tra il poetico e il visivo di *La pioggia e le foglie* o nell'accenno cantabile con il quale si chiudono *I figli di Babbo Natale?*.[15]

Allez-hop, racconto mimico con due canzoni per la musica di Luciano Berio,[16] ripete e riprende non soltanto il celebre sketch di Charlot in *Luci della ribalta*, ma insieme e in un modo più diretto, vicino e completo, una trovata del *Barone rampante*: «Mi provvidi d'una gran quantità di pulci, e dagli alberi, appena vedevo un ussero francese, con la cerbottana gliene tiravo una addosso [...] Poi cominciai a cospargerne tutto il reparto, a manciate [...] il mio intervento fu provvidenziale: il prurito delle pulci riaccese acuto negli usseri l'umano e civile bisogno di grattarsi, di frugarsi, di spidocchiarsi; buttavano all'aria gli indumenti muschiosi [...] insomma riprendevano coscienza della loro umanità individuale, e li riguadagnava il senso della civiltà, dell'affrancamento dalla natura bruta. In più li pungeva uno stimolo d'attività, uno zelo, una combattività, da tempo dimenticati. Il momento dell'attacco li trovò pervasi da questo slancio».[17]

Calvino, scrivendo la sceneggiatura dopo la musica, ha offerto non tanto una fiaba «beffarda e crudele», come è stato detto, quanto la rievocazione consapevolmente trascritta di un cabaret espressionistico nella memoria di un suo personale momento fantastico-ideologico.[18]

Esiste senza dubbio un *Orlando Furioso* raccontato da Italo Calvino che v'imprime con mano lieve e, si potrebbe dire, ariostesca, il suo sigillo.[19] Esiste un Calvino che si ricorda dell'Ariosto, anzi esplicitamente lo cita nella *Nota* al *Castello dei destini incrociati*: «Provai subito a comporre con i tarocchi viscontei sequenze ispirate all'*Orlando Furioso*; mi fu facile così costruire l'incrocio centrale dei racconti del mio "quadrato magico"».[20]

Nella presentazione al suo *Orlando Furioso* Calvino non trascura mai il valore decisivo del metro e del verso e il rapporto necessario e continuo tra gli spazi e i mutamenti, gli improvvisi della trama e la scelta e la necessità del metro: «L'*ottava* è la misura nella quale meglio riconosciamo ciò che l'Ariosto ha d'inconfondibile: nell'ottava Ariosto ci si rigira come vuole, ci sta di casa, il suo miracolo è fatto soprattutto di disinvoltura [...] Va detto che la struttura stessa dell'ottava si fonda su una discontinuità di ritmo».[21]

Non soltanto il *policentrico* e il *sincronico* del poema, ma la stessa sapienza di un autore come l'Ariosto, che si esprime anche nel nascondersi, si riflettono nell'«ostinata maestria di costruire ottave su ottave». Nella sua *Piccola antologia di ottave* Calvino privilegia il significato e la funzione dello spazio metrico e guarda ammirato «l'argomentazione che si dipana nel chiuso delle forme metriche».[22] Il percorso del labirinto e nel labirinto non esclude il percorso ritmico e metrico: «Il poema che stiamo percorrendo è un labirinto nel quale si aprono altri labirinti».[23]

Quando Calvino dovrà affrontare le ultime due prove di librettistica avrà già raccolto alcune esperienze e alcune direzioni funzionali e propizie: il senso del verso italiano, il senso della scena e delle mutazioni della scena, il taglio del tempo e del recitare come calcolata interruzione di continuità.[24]

La vera storia fu rappresentata per la prima volta alla Scala di Milano il 9 marzo 1982 e ripetuta al quarantanovesimo Maggio musicale fiorentino, il 19 aprile 1986 e a Parigi il 30 settembre 1985. L'azione musicale, che s'intitola volutamente *La vera storia*, con l'articolo determinativo *la*, e non *una* vera storia, ha l'ambizione di rappresentare la verità confusa, dolorosa, aggrovigliata, contraddittoria della situazione umana. Secondo la tendenza di Calvino allo scrivere come un possibile riscrivere, viene qui avvicinata e insieme allontanata la trama di situazioni e di sentimenti del *Trovatore* dal libretto di Cammarano per la musica di Verdi.[25] *La vera storia* si svolge nell'inquietudine e nel disordine di una *festa*, intenzionalmente così nominata, che si forma e si trasforma in un caos di rivolta e di repressione. Ada, la figlia di un ribelle fucilato, «rapisce [Luca] il figlioletto di Ugo, il comandante della città»; a distanza di tempo Luca, che è diventato capo dei ribelli, e Ivo si affrontano e si combattono senza sapere di essere fratelli.[26]

Soltanto un'interpretazione superficiale può ravvisare in *La vera storia* di Italo Calvino l'ideologia di una festa rousseauiana e di una folla portatrice di verità. Le didascalie del primo atto tendono invece a rappresentare quello che c'è di meccanico, di ripetitivo e di astratto con una risoluzione nell'immobilità, proprio dentro i soprassalti della folla. «Un ultimo soprassalto della folla. Non è più la rappresentazione di un'azione reale ma la citazione, piuttosto meccanica e distaccata, di azioni precedenti. A poco a poco le figure si ricompongono in una loro immobilità mentre le luci lentamente si spengono e la scena si vuota».[27]

L'immagine del destino individuale di Luca, di Ada e dell'innamorata Leonora, che commenta, conserva ed esprime il ricordo, si trasforma nell'approfondimento e nella solitudine di una meditazione universale attraverso le parole di Ada alla fine del primo atto: «Forse di là dei secoli, / il male si cancella / ma per ora ricordalo / in ogni particella, / di sudore e di lacrime / di sangue e di pietà. / Forse di là dei secoli, / un bene si prepara, / che basterà a rifonderci / della pena più amara / ma non farà rivivere / quel che tu non hai più».[28]

Il *più* finale cerca l'apertura di un'eco e di una ridondanza fonico-semantica.

La ricerca lirica dell'autore si esprime nella ripetizione di alcune parole chiave come *tutto*, *festa*, *pietà*, *belva*, *uno*, che richiedono una definizione e insieme un dispiegarsi nei fatti e nel concorde e discorde risuonare di altre parole: spesso vengono proposte e quasi messe direttamente, ostentatamente in scena per essere interrogate più che non definite. Come nel teatro di Brecht, il Cantastorie commenta, segue e tuttavia attua la vicenda, e, mentre ne cerca il senso, la costruisce. L'a solo di Leonora in 6. *Il Tempo* chiede una lettura autonoma, che riconosca un'assolutezza poetica, un distacco, una lontananza che tuttavia possono ritornare e agire nel contesto: «Il tempo in pezzi, frantumato, logoro, / catena d'ansie che stride e s'impiglia, / ecco svanisce. S'apre una vertigine».[29]

Secondo una scelta di poetica il linguaggio lirico meditativo di Leonora si prolunga e insieme si riduce, quasi si mitiga, al limite del prosastico, nella *Ballata II* della Cantastorie. Mentre nelle canzoni scritte per la musica di Liberovici Calvino accentuava volentieri il verso e le parole tronche, in tutto questo libretto predominano i versi piani, pur con qualche eccezione.

L'atto secondo ripete il primo e lo trasforma, per dichiarazione esplicita di Luciano Berio, in una nuova attuazione del testo musicale precedente.[30] Nel libretto offerto agli spettatori dell'Opéra di Parigi le parole e i gruppi di parole, che nel primo atto erano pronunciate dai personaggi, vengono sempre affidate nelle prime cinque scene a Passanti, che non apparivano prima, o al Gruppo vocale. Soltanto dopo questa premessa appare il Comandante e, nella *Scena 8*, Luca, Leonora, Ugo, sino alla conclusione, che ripete alla lettera il finale del primo atto.[31] Tutto il secondo atto con la sua scrittura trasporta in una proiezione spersonalizzata le riflessioni, gli stessi sentimenti della precedente e quei motivi di azione che appaiono ora prevalentemente dentro e attraverso un commento privilegiato. Assume valore esemplare la trasformazione dei due versi «chi ha un nemico / l'aveva già da sempre / con sé, dentro di sé / come un fratello», che nel primo atto erano pronunciati da Luca e nel secondo diventano quattro, affidati al Gruppo vocale.[32]

Se è vero che la musica del secondo atto trasforma e rovescia l'impostazione e le tesi della prima, è anche vero che lo spostamento delle parole, dei ritmi letterari, dei tempi e degli spazi, conserva e trasforma nella ripetizione e nella stessa insistenza quello che già era stato detto. In questo secondo atto la recita nel suo aspetto tragico, la prigione, la polizia che infierisce e la guerriglia entrano in un quadro scenografico, che agisce come commento e ricezione interna dello spettacolo. I Passanti, che si succedono ad uno ad uno nella *Scena 1*, reagiscono nel loro muoversi e nel loro parlare a qualcosa che sta avvenendo fuori scena. L'elemento mimico, il moltiplicarsi dei gesti e delle azioni, chiedono una scenografia costruita di «scale, strutture metalliche e sagome di persone immobili», in quella che sempre più va diventando una saga del tempo frantumato, del tempo al di là dell'uomo e, insieme, della difficoltà dei personaggi ad essere se stessi.[33]

La vera storia è una continua fuga dal prosastico, dal colloquiale, che nelle *Cosmicomiche* accoglieva e spesso esprimeva gli imprevisti mostrati come ovvi. Il ritorno del sintagma *c'è, c'era* suona non prosastico, ma come una memoria d'intonazione fiabesca, "c'era una volta".[34] Il libretto, anche se orientato talvolta dalle esigenze musicali, obbedisce a un impulso ritmico in un'interna connessione. Calvino sente l'impostazione del verso al di là della rima, che può esserci e non esserci e al di là del richiamo a una misura rigida del verso. Quella che è stata definita la figura «fonico-reiterativa» è uno strumento espressivo al quale Calvino si mantiene volentieri fedele.[35] Le parole *festa, tutto*, sono annunciate e quasi proclamate nel Coro di *1. Prima Festa* dell'atto primo. Il senario «nella festa tutto» è ripetuto cinque volte. In *3. Seconda Festa, fuoco* ritorna sei volte, *festa* cinque, *tutto* tre. In *4. Il ratto* non soltanto *figlia* ritorna sei volte, *belva* sette, *padre* tre, ma la parola *belva* viene ripetuta in tre quinari successivi come una eco funzionale. In modo diverso, anche se forse non immemore di Brecht, la Cantastorie della *Ballata I* ripete successivamente quattordici dei diciotto versi cantati da Ada.[36] La ripetizione, la reiterazione non sono, come potrebbe sembrare, una ricerca di effetti, sono invece la forma di una intensificazione lirica, una risposta al titolo che si pone come domanda: «Qual è la vera storia?».

In *6. Il Tempo* endecasillabi che terminano con parole sdrucciole — *logoro, vertigine, palpebre, brivido, origini, meteore* — si alternano a endecasillabi piani rimati — *impiglia, ciglia, artiglia, conchiglia, poltiglia* — con un sovrappiù di assonanze e di allitterazioni e di insistenza fono-simbolica, quasi rima delle consonanti.[37] Nella *Ballata II* la Cantastorie sceglie nella stessa impostazione di un metro al limite della prosa una condizione di sintassi ragionativa, che vuole avviare una spiegazione di quella che è la *nostra storia* con questa formula due volte ripetuta. Leonora in *7. La notte* pronuncia una frase che è quasi il motto di tutta l'opera: «La corsa arriva a un punto in cui niente la ferma». Il non fermarsi e il non esistere del tempo sono il segno di questa contraddizione attiva fra le scene che si succedono e il loro isolarsi.[38]

Calvino in una delle sue formulazioni di integrazione tra poetica personalizzata e richiami culturali accentuati in un punto, secondo le occasioni, aveva dichiarato una sua partecipe riconoscenza a Guido Cavalcanti, il primo che avesse considerato «gli strumenti e i gesti della propria attività come il vero soggetto dell'opera».[39] Tutta la tessitura di questi libretti ci conferma e ci dimostra un'assidua consapevolezza metrico-semantica, che non esclude, anzi si volge verso i motivi tematici.

Dopo la preghiera nel latino di Boezio la didascalia ci avvere che «le persone si bloccano in atteggiamenti statuari» in corrispondenza con l'isolamento e con la fissazione a volta a volta sospensiva della recita. La *Ballata III* offre una soluzione da arietta con i settenari tronchi, «nessuno vuol saper», e con un'intonazione non tanto facile, quanto programmaticamente facilitante. In *12. Terza Festa* i versi si succedono senza rima: tuttavia la stessa brevità del metro e la ripresa delle parole qui decisive, come *dentro*, *fuori* e *festa* in chiusura di verso costruiscono una scansione e una prospettiva che non ha niente della prosa. L'impegno della riflessione si muove secondo un'esecuzione ritmica. Il *fuori* e il *dentro* si proiettano sul tempo della scena, che viene indicato dall'*adesso* del terzo verso insieme con l'altra parola ricorrente, il *tutto*.[40]

Il tempo della memoria presente e il tempo del futuro che cancella, forse, il male nella doppia conclusione del Coro e di Ada, si avvicendano in una tensione lirica che giunge alla clausola nel distico scandito nelle due forme tronche *farà* e *più*.

In «Il Caffè» del giugno 1981 Calvino pubblica un *Coro di congiurati da un libretto d'opera*, affidato a un giuoco di parole, che oscilla tra bisticci, assonanze e allitterazioni. Questa eco, lontana e destinata a restare relativamente ignorata, non è una parodia o un rifiuto di *La vera storia*, ma quasi una prova indipendente dei suoni che possono sprigionarsi dalle parole in quanto si muovono attraverso e oltre la loro valenza semantica. Nondimeno in questo tessuto di ironia fonica e di falsi rispecchiamenti e prolungamenti lo scrittore insinua il suo motivo del disgregarsi, del frantumarsi, che era un cardine del libretto: «[...] La fiducia / è effimera, si sfilaccia difilato, / s'invischia nelle membra d'una piovra / che ci agguanta. È un agguato? No, un disguido».

Nello stesso anno usciva presso le Edizioni Emme una fiaba di Calvino illustrata da Gianni Ronco, dal titolo *La foresta - radice - labirinto*. Il tema antico del re ingannato dal ministro infedele, della matrigna malvagia e della principessa innamorata di un giovane non potente e non nobile, è proiettato nello spazio morale e paesaggistico di una foresta rovesciata, che ha le radici in alto e i rami in basso. Il motivo ricorrente del groviglio come una situazione di premessa e di minaccia, che può tendere a risolversi, appare fin dall'inizio della fiaba: «La foresta era in quel mattino tutto un aggrovigliarsi di sentieri e di pensieri e di persone smarrite». Tuttavia nel lieto fine ritorna il ritmo e il motivo di un rovesciamento, questa volta benevolo: «Ma questa è una radice. / È un ramo. / È una radice. / È un ramo».[41]

Forse la suggestione della *turquerie*, della librettistica di riferimenti orientali dal *Ratto del Serraglio* alla stessa *Zaide* può essere all'origine delle *Porte di Bagdad*, che si propone non come libretto, ma come «azione scenica per i bozzetti di Toti Scialoia».[42] Il *per* del sottotitolo in questo caso vale anche come segno di una direzione e di una scelta dello scrittore. Calvino dal progetto per *Lo spaventapasseri* a *Allez-hop* ha guardato ai personaggi che possono o debbono non parlare, ai mimi e insieme — questa volta in modo accentuato e sottolineato — a una scenografia mimica e mossa, al limite di una funzione protagonista. Il califfo Harum el Rascid, il ladro Alì, il sergente Abdul, il mercante Grafer, con Fatima, favorita del califfo, e Zobeida, ostessa, creano una danza di *qui pro quo* in un testo volto allo spettacolo e tuttavia valido anche di per sé. Nel palazzo del Califfo si entra e si esce attraverso tre tipi di porte, distinte secondo una diversa caratteristica, che qualifica, a volta a volta, l'azione, la vicenda e i personaggi. Nelle «porte ritmiche» Fatima entra ed esce con grande leggerezza, ma gli stessi movimenti ripetuti nelle «porte trappola» provocano *gags* grottesche. Le «porte cerimoniali» hanno una funzione quasi decorativa ed esterna, ma l'azione che ciascun tipo di porta rappresenta può cambiare e rovesciarsi: gli stessi movimenti, diventati parossistici e rigidi nelle porte ritmiche, si adattano con scattante funzionalità alle «porte trappola». Il motto «chi insegue chi» di questa azione scenica è stato, pur in modo diverso, ripetuto altrove, ma quasi definito nel racconto "borgesiano" *L'inseguimento*, oggi nelle *Cosmicomiche vecchie e nuove*.[43] Nell'azione scenica diventa il segno di un intreccio di equivoci, di personaggi che oscillano continuamente tra la maschera e l'identità, Abdul diventa Vizir, il ladro Alì diventa califfo, il califfo si traveste da mercante e la confusione delle persone e dei ruoli viene a prospettarsi e a definirsi nella divergente interpretazione degli unici personaggi che parlano e commentano, l'Ottimista e il Pessimista: «Pessimista — "Bagdad è diventata una città di automi che sembrano mossi da un congegno a molla [...] Bagdad non è più l'ambiente di una volta". Ottimista — "Però è una città piena di movimento. Non si può proprio negarlo"». Nel ritmo dei tre diversi tipi di porte e nell'intreccio di equivoci e dei due diversi e contrapposti commenti Calvino ripropone quel tema della molteplicità e labilità della persona umana che dal *Visconte dimezzato* si prolunga e variamente si rispecchia sino al *Castello dei destini incrociati* e a *Se una notte d'inverno un viaggiatore*. «Nessuno è più sicuro di essere nessuno».[44]

Una costanza, quasi un destino voluto e interpretato di scrittore, ha portato spesso Calvino a cogliere i frammenti e il molteplice per costruire e ricostruire una forma di unità. La voce *ascolto* scritta da Roland Barthes per l'Enciclopedia Einaudi, gli offre un'occasione di pluralità in una serie e, quasi, in una danza di *ascolti* diversi e diversamente interpretati e interpretabili.[45] Partendo dall'invito di una semiologia a lui cara, gradita e, fino a un certo punto, necessaria, Calvino ha tessuto come in una vicenda gli *ascolti* di un re costretto e immobile su un trono continuamente minacciato dai suoni e dalle stesse risonanze che lo circondano. Tutte le pagine del racconto *Un re in ascolto* sono dominate e quasi guidate dal rapporto tra i rumori e la musica, tra la confusione del rombo lontano della città, i fruscii e «un ordito di suoni regolari»; il re ascolta «i rimbombi e i fruscii», «come se formassero una musica». L'identità stessa dei rumori viene messa in dubbio da un *forse* continuo: il vero tema del racconto è, in modo appena sottinteso, il dubbio sull'essere, la difficoltà della persona, la maschera e la labilità dell'apparire, «un mondo che non t'appartiene, che forse non esiste».[46]

Già in una pagina delle *Cosmicomiche* i suoni, il canto e il silenzio si stringevano insieme nella ricerca e nella definizione di un personaggio: «Ora, voi che vivete fuori, ditemi, se per caso vi accade di cogliere nella fitta pasta di suoni che vi circonda il canto di Rdix, il canto che la tiene prigioniera ed è a sua volta prigioniero del non-canto inglobante tutti i canti, se riuscite a riconoscere la voce di Rdix in cui risuona ancora l'eco lontana del silenzio, ditemelo, datemi notizia di lei».[47] Il silenzio come «un grande lago», la «vita delle voci» come «un sogno», il «regnare» come «una lunga attesa», una canzone del re cantata dal prigioniero come se non «fosse stata cantata che da lui» sembrano già indicare la disponibilità ad una sceneggiatura e permettere e promettere un nuovo riscrivere.[48]

Il motivo dell'ascolto nello spazio di un teatro ha una sua origine in un'azione musicale di Berio e di Calvino, *Duo*, del settembre 1982, XXIV Premio Italia. Secondo il «teatro virtuale» proposto dal musicista, un «vecchio impresario morente [...] *sogna* un *suo teatro*» mentre «due violinisti dialogano fra loro, suonando figure musicali che ritornano su loro stesse [...] L'impresario ascolta. È chiuso nello spazio irreale dei suoi ricordi: dialoga con le voci del suo passato e con la coscienza della sua fine imminente. Canta sempre le stesse note».

Il testo letterario calviniano in cinque arie, che esprime con profonda invenzione poetica il tema di un interno ascolto e di un rispecchiante ritorno è stato riportato alla lettera interamente nel

360

libretto di *Un re in ascolto*. La «Révue musicale» pubblica, in un carteggio tra il musicista e lo scrittore, una lunga lettera di Calvino con l'abbozzo di un libretto che si fonda sul tema del re che ascolta.[49] Nelle pagine che noi conosciamo dei libretti, presentati a Salisburgo nell'agosto del 1984 e alla Scala nel gennaio del 1986, s'impongono da una parte il motivo calviniano dello sdoppiamento, del rispecchiamento, dell'ascolto, dall'altra quella di Berio, che immagina e costruisce la rappresentazione di un teatro nel teatro, di uno spettacolo che viene guardato da chi lo attua, secondo il principio di un metateatro, al limite di una *mise en abîme*, che, come tale, poteva trovare una personale congenialità in Calvino. Berio, in questo senso, diventa in parte l'autore, se non del libretto come felice e «straordinaria» realizzazione linguistico-letteraria, del libretto come trama e necessità di situazioni: «il testo non ha un intreccio da narrare ma, piuttosto, presenta un insieme di situazioni che rimanda di continuo a una storia virtuale, a livelli diversi di rappresentazione. Prospero, la figura centrale di questa azione musicale, potrebbe verosimilmente dire egli stesso: "Sto seduto nel mio ufficio, nel quartier generale del chiasso di tutto il teatro: odo tutte le voci...". Sul palcoscenico si provano frammenti di un'opera: *La tempesta*. La scena è abitata da alcuni personaggi di Shakespeare, di Gotter, di Auden, da un regista, da pianisti, cantanti, acrobati ecc. Si cerca una Protagonista e si fanno audizioni. Prospero è solo nell'isola del suo palcoscenico e dei suoi ricordi: sogna un altro teatro. Prospero è colto da malore. Come in un delirio la prova de *La tempesta* e la solitudine di Prospero diventano una cosa sola. Prospero sente la morte vicina; il tempo, i ricordi e la folla dei personaggi sembrano rovesciarglisi addosso. La Protagonista appare come un incubo e, come in sogno, tutti lasciano la scena. Prospero rimane solo nell'isola ormai deserta del palcoscenico, insegue la moltitudine dei suoi ricordi in un tempo che sembra capovolgersi: ascolta i segni di un altro teatro, di "un ricordo al futuro" che lo divora. Nella luce livida delle luci di servizio del palcoscenico Prospero, il re che ascoltava tutto, muore».[50]

L'ascolto barthesiano-calviniano di un re chiuso nel suo trono si trasporta in uno spazio e in un tempo teatrale come domanda, ricerca e attesa di risposta da parte dei personaggi. *La vera storia* è fermata a volta a volta nel presente del succedersi o addirittura dello scatto delle singole scene, quasi in una serie di momenti diversamente immobili, anche se intrecciati ed echeggiati fra di loro; *Un re in ascolto* è invece il ricordo, il fascino inquietante del ricordo nel presente tra l'attesa e la morte: è «la prova di uno spettacolo», *La tempesta* che incorpora l'azione drammatica.[51]

Nel libretto la rima è quasi assente — soltanto *tempesta* e *foresta* o rima interna, come *spezza* e *accarezza* — e il verso si esprime in una dominata sintassi; il tessuto verbale si dispone secondo una precisa volontà di una ricerca e di una configurazione del poetico. Lo spazio, come nella *Tempesta* di Shakespeare, assume un valore di originaria, difficile nostalgia per il *locus amoenus*, anche se negato. Alcune parole ritornano attraverso o al di là dei personaggi, quasi in un ritmo che raccoglie, propone ed esprime un significato profondo, anteriore e posteriore insieme alla lettera della trama. Il personaggio di Venerdì evoca quattro volte la *notte magica*; il *silenzio* deve valere come un riflesso necessario e talvolta propizio alla difesa e all'interpretazione della scena nelle voci di Prospero e del regista: «Io pensavo a un silenzio come attesa», «il silenzio dentro la musica», «la memoria custodisce il silenzio».[52] Il tema dell'ascolto e dei suoni, ripetendosi con una insistenza di scambi e di passaggi, che era già nel racconto in prosa di Calvino, moltiplica il dubbio su chi canta o su chi ascolta, sulle voci che si nascondono nel silenzio sino alla evocazione raddoppiata e speculare dei «suoni con in più l'ascolto dei suoni».[53] Prospero propone fin dall'*Aria I* il rapporto fra i suoni e il teatro, fra il canto e l'ascolto e il vuoto che condiziona l'essere e il non essere della persona: «Ho sognato un teatro, un altro teatro, / esiste un altro teatro, / oltre il mio teatro, / un teatro non mio che pur io conosco, / io ricordo, / ossia ricordo d'aver dimenticato / solo questo / un teatro dove un io che non conosco canta. / Canta la musica che non ricordo / e che io adesso vorrei cantare». La reiterazione semantica è presente anche qui, come in *La vera storia*, spesso eco fono-simbolica, quasi affettuosa e poetica immagine della parola: *teatro* ritorna cinque volte, *ricordo* tre, *sogno* e *sognato* tre volte. La *mise en abîme* del teatro nel quale si parla del teatro, si proietta e si rovescia nell'azione, che viene condotta soprattutto nel ricordo, soltanto intorno a Prospero e al suo destino, che lo porta lentamente alla malattia, alla debolezza e alla morte. Il mondo shakespeariano di Prospero, di Ariele, dei settecenteschi spiriti del Gotter e del moderno meditare lirico-filosofico di Auden si trasfigura e si configura nell'approfondimento espressivo, stilistico, ma insieme ritmico della scrittura di Italo Calvino: quell'indagine sui sensi, della quale è testimone il volume postumo *Sotto il sole giaguaro*, diventa la poesia del sensibile, che si rintraccia e si riflette nella consapevolezza: «i suoni arrivano al porto, al teatro, all'orecchio, / al grande porto del teatro orecchio. / Io sto nel punto da dove i suoni irradiano / per raggiungere il porto. / Io sto qui a orecchio teso e ascolto l'orecchio teatro».[54] Prospero dice «i fatti son sottili come soffi» ripetendo alla lettera quella frase che pronunciava il Coro nel primo progetto dell'opera.[55]

Venerdì, che accanto a una lontana eco di De Foe è trasformato e ricreato sull'Ariele shakespeariano e sul Calibano di Auden, ama capisce e seconda Prospero e può aprire una lieve suggestione di parodia, ora di ironia romantica, ora di un riflesso attenuativo.

I Tre Cantanti ripetono due volte a breve distanza gli stessi versi come una tesi di sicurezza, di riparo dalla tempesta.[56] Il Soprano, il Mezzosoprano e la Protagonista hanno una funzione di a solo operistico e rivendicano ad una ad una la loro personalità, riprendendo da Auden il motivo e la fraseologia dell'insistenza sul *mio*: «io sono io», «la mia bussola è mia», «il mio teatro è mio», «il mio canto è pianto per te Prospero»[57] e accompagnano Prospero nel ricordo del passato, nel distacco e nella rivendicazione del loro presente.

Tutta la costruzione teatrale, la stessa scenografia che avvicina e allontana la stanza e il palcoscenico, si proiettano verso una situazione esistenziale, dove i due a solo di Prospero si valgono dell'intervallo della Protagonista. L'evocazione magica di tutti gli elementi del dramma dell'ascolto e il ritmo, internamente orchestrato dei suoni, dei ricordi e della musica, dei momenti della natura partecipe, *onda, nuvola, fiume, bosco, ombra*, compongono e tessono l'addio di Prospero. I temi di tutto il libretto, il negativo che diventa sentimento, il non ricordo, il silenzio, il buio, il rovescio dei suoni, ripropongono un personaggio e nello stesso tempo ci offrono l'esigenza di un ascolto come interpretazione e risposta del silenzio e della voce.[58]

La traduzione di *Le chant du Styrène* di Queneau, forse l'ultima prova pubblicata da Calvino, e le due lettere a Vanni Scheiwiller e a Primo Levi accluse, valgono come una poetica del tradurre e quindi del comporre. «Questo che ti mando è un primo tentativo per farmi la mano a trovare delle rime (senza le quali poco rimarrebbe dello spirito di Q.) seguendo il significato con qualche libertà. Ho tentato di mantenere la metrica dell'alessandrino italiano di quattordici sillabe (settenario doppio) che lascia abbastanza libertà di movimento». Il giuoco di assonanze, così importante anche nella metrica dei due libretti di Calvino, quasi una forma di libera attenzione al potenziale del suono della parola, viene qui calcolato e adoperato come un aiuto al tradurre. Quell'apostrofe iniziale «Tempo, ferma la forma!», liberissima traduzione del «O temps, suspend ton bol», sembra essere il motto di Calvino scrittore in versi al di là della sfida, questa volta sorridente, contro la difficoltà del tempo del verso.[59]

Le pagine in versi di Calvino sono opera occasionale, di un paroliere, del tutto marginali e, al limite, dispersive o tutt'al più rientrano nel quadro delle categorie di manierismo e di sperimentalismo che, più o meno propriamente, vengono rivolte verso o contro questo scrittore? A una lettura attenta e spregiudicata deve invece risultare evidente che Calvino molte volte sa trasportare il mimico, il narrativo, il «poetico» e lo stesso sperimentale al livello della poesia. Le sue *parole* possono essere, anche in questa accezione, quel fondamento e quel modello del quale parlava a conclusione della sua *Collezione di sabbia*: «[...] sono arrivato a interrogarmi su cosa c'è scritto in quella sabbia di parole scritte che ho messo in fila nella mia vita, quella sabbia che adesso mi appare tanto lontana dalle spiagge e dai deserti del vivere. Forse fissando la sabbia come sabbia, le parole come parole, potremo avvicinarci a capire come e in che misura il mondo triturato ed eroso possa ancora trovarvi fondamento e modello».[60]

* Come testimonianza di una lunga consuetudine di lettore e di un colloquio sempre vivo nella memoria affettuosa e grata, mi sia concesso ricordare la mia nota sul *Sentiero dei nidi di ragno*, in "La Nuova Antologia", maggio-agosto 1948 e i saggi di *Occasioni e valori della letteratura contemporanea*, Bologna, Cappelli, 1967; *Dialogo sulle Città invisibili*, in «Studi Novecenteschi», marzo 1973; *Italo Calvino: una complessa continuità*, in «Rass. d. lett. it.», gennaio-agosto 1980; *Lettera a Calvino su "Palomar"*, in «Otto/Novecento», 1984, 5/6; e *Le sfide di Italo Calvino*, in «La Battana», marzo 1987.

Ringrazio vivamente Marcello De Angelis e Bruno Cagli, che mi hanno fornito un materiale prezioso e insieme Flavia Faccioli, Concetta Fozzer, Giovanni Mameli, Silvio Perrella e Giuseppe Bevilacqua.

Vogliamo suggerire a chi cura la pubblicazione delle opere di Calvino la necessità e l'importanza di una edizione che faccia conoscere queste pagine sparse e non facilmente raggiungibili di questo ricco e molteplice scrittore.

1 I. Calvino, *Il sentiero dei nidi di ragno*, Torino, Einaudi, 1964, pp. 118-121.

2 I. Calvino, *I racconti*, Torino, Einaudi, 1958.

3 B. Brecht, *Teatro*, Torino, Einaudi, 1971, I, p. 510.

4 I. Calvino, *Il tempo della lettura*, in «Il Contesto», dedicato a *Tempo e racconto*, (Urbino, Argalia) n. 4-5-6, p. 3.

5 *Canzone triste*, disco "Cantacronache Sperimentale", ed. Italia Canta EP/45/CS, 1958, canta Franca Di Rienzo, presentazione di Massimo Mila. *Dove vola l'avvoltoio?*, disco "Cantacronache N. 1", Ed. Italia Canta EP 45/C/0001, 1958, canta Pietro Buttarelli, presentazione Franco Antonicelli.

Oltre il ponte, disco "Cantacronache 3, Partigiano", ed. Italia Canta EP/45/C/0006, 1959, canta Pietro Buttarelli, presentazione Ferruccio Parri. *Il padrone del mondo*, disco "13 canzoni di Sergio Liberovici 13", ed. I Dischi del Sole, 33 giri DS 134/36/CL 1967, canta Glauco Mauri, presentazioni di Franco Enriquez e Michele L. Straniero (la data di composizione del *Padrone del mondo* risale al 15 febbraio 1959). Si ringrazia il maestro Liberovici per la pronta sollecitudine con la quale ci ha fornito i testi e tutte le notizie che qui riportiamo.

6 Cantafavole 18.

7 I. Calvino, *Marcovaldo*, Torino, Einaudi, 1966, p. 7.

8 Cfr. L'intervista di Maria Corti a Italo Calvino, apparsa postuma, in «Autografo», ottobre 1985.

9 I. Calvino, *La panchina*, opera in un atto, musica di Sergio Liberovici rappresentata per la prima volta al teatro Donizetti di Bergamo il 2 ottobre 1956, ora in «Strumenti critici», 36-37, ottobre 1978, pp. 193-209.

10 M. Corti, *Un modello per tre testi: le tre Panchine di Italo Calvino*, in *Il viaggio testuale*, Torino, Einaudi, 1978, pp. 201-220.

11 I. Calvino, *Diderot fratello nostro*, in «la Repubblica», 24-25 giugno 1984.

12 Cfr. M. Aversano, *Montale e il libretto d'opera*, Napoli, Ferraro, 1984. Sui libretti d'opera v. L. Baldacci, *Libretti d'opera e altri saggi*, Firenze, Vallecchi, 1974.

13 I. Calvino, *Vi racconto la mia vera storia*, in «la Repubblica», 1 marzo 1982. E *Il fantasma del Trovatore*, in «La Stampa», 9 marzo 1982.

14 M. Corti, op. cit., pp. 218-19.

15 A prova dell'interesse di Calvino per la lettura come sceneggiatura e per il rapporto tra la narrativa e il teatro v. I. Calvino, *O Certosa "meravigliosa"*, in «la Repubblica», 8 settembre 1982.

16 Per quello che riguarda la collaborazione e il confronto tra Calvino e Berio da *Allez-hop* a *Un re in ascolto* si tenga sempre presente Luciano Berio, *Chemins en musique*, par Ivanka Stoianova, «La Révue Musicale», n. 375-376-377.

17 I. Calvino, *I nostri antenati*, Torino, Einaudi 1971[2], pp. 247-48. Prima edizione del *Barone rampante*, 1957.

18 *Allez-hop* fu rappresentato per la prima volta il 21 settembre 1959 alla Fenice di Venezia e in seguito al Comunale di Bologna e nel 1969 al teatro dell'Opera di Roma. Nessuno prima d'ora aveva trovato una corrispondenza col brano del *Barone rampante*. Lo stesso Calvino nel 1978 così spiega il tema del suo racconto mimico: in una società un po' addormentata dove tutti si annoiano la pulce, sfuggita al domatore, crea molta tensione, tutta la società diventa conflittuale e a un certo punto scoppia una guerra. Quando il domatore riprende la pulce la vita ricomincia noiosa e tranquilla come prima. (v. «La Révue Musicale», cit., p. 220). Viene a cadere la finalità "illuministica", e in un certo senso ottimistica, dell'episodio narrato nel *Barone rampante*. La guerra tuttavia non deve apparire come una esaltazione bellicistica, come è stato detto, ma un momento di una situazione negativa della società.

19 *Orlando Furioso* di Ludovico Ariosto raccontato da Italo Calvino, Torino, Einaudi, 1970.

20 I. Calvino, *Il castello dei destini incrociati*, ivi, 1973, p. 125.

21 *Orlando Furioso*, cit., *Presentazione*, p. xxv; la successiva citazione è da p. xxiv.

22 I. Calvino, *Piccola antologia di ottave*, in «La Rass. d. lett. it.», gennaio-agosto 1975, p. 8.

23 *Orlando Furioso*, cit., p. 110. Sul tema del labirinto in Calvino cfr. A. DOLFI, *L'ultimo Calvino o il labirinto d'identità*, in «Italianistica», maggio-dicembre 1983, pp. 353-379.

24 Come risulta da una sua precisa dichiarazione, Calvino non giunge alla librettistica da un particolare interesse per l'opera: I. Calvino, *La parola alla difesa*, a proposito di *E la nave va* di Federico Fellini, in «la Repubblica», 24 novembre 1983: «non essendo mai stato un appassionato dell'opera sono meno interessato a prendermela con l'opera».

25 Nella seconda scena del libretto della *Panchina* l'ubriaco canta un brano del *Trovatore*: «chi del gitano i giorni abbella, chi? / chi i giorni abbella!? La zin...».

26 Nel programma di sala di *La vera storia* stampato in occasione del 49º Maggio Musicale Fiorentino del 1986, non appare la parte seconda, indicata soltanto a p. 98 con uno schema per il «rapporto testo-musica fra la Parte I e la Parte II». Calvino a p. 49 spiega: «*La vera storia* comporta una seconda parte in cui ricompaiono le stesse parole della prima, ma elaborate in maniera completamente diversa e intessute in un'altra combinazione». Nel libretto tradotto in francese con testo italiano a fronte, edito per la rappresentazione all'Opéra di Parigi del 30 settembre 1985 viene invece riportato il testo dell'Atto II insieme allo schema. Esula dal nostro compito indagare sulle varianti dei testi delle tre rappresentazioni a Firenze, alla Scala e a Parigi. Le nostre citazioni rimandano al testo di Parigi: *La vera storia*, Musique de Luciano Berio (1925), Livret d'Italo Calvino et Luciano Berio, Paris, Gérard Billaudot, 1985. Per il rapporto Berio e Calvino, vedi ora L. Berio, *La musicalità di Calvino* in «Il Verri», marzo-giugno 1988, pp. 9-12.

27 *14. Quarta Festa*, p. 44.

28 *15. Il ricordo*, p. 46.

29 *6. Il tempo*, pp. 22-24. Calvino il 15 giugno 1968 diceva di aver ascoltato la musica di parecchie ballate di Berio molto belle, alle quali il musicista attribuisce una funzione un po' brechtiana (si veda «La Révue Musicale», cit., p. 310).

30 Cfr. in particolare le pagine 314-319, 324-329 di «La Révue Musicale», cit.

31 Atto I, 15. *Il ricordo*, p. 46; Atto II, *Scena 9*, p. 74.

32 Atto I, 7. *La notte*, p. 28; Atto II, *Scena 5 (Rondò)*, p. 62.

33 Atto II, *Scena I*, pp. 48, 54.

34 Atto I, *1. Prima Festa*, p. 10; *2. La Condanna*, p. 14; Atto II, Scena I, p. 48; *Scena 2*, p. 54.

35 R. Jakobson, *Linguistica e poetica*, in *La metrica*, a cura di R. Cremante e M. Pazzaglia, Bologna, Il Mulino, 1972, p. 44.

36 Atto I, pp. 10, 16, 18.

37 Atto I, pp. 22-24. P. Valesio, *Strutture dell'allitterazione*, Bologna, Zanichelli, 1967, p. 27.

38 Atto I, *Ballata II*, p. 24; *7. La Notte*, p. 28.

39 I. Calvino, *Una pietra sopra*, Torino, Einaudi, 1980, p. 294.

40 Atto I, *Ballata III*, p. 32; *12. Terza Festa*, p. 38.

41 Calvino dialogò la fiaba per uno spettacolo televisivo mai realizzato, che invece è stato allestito, con un intreccio di pupi siciliani, attori, musica e canti, per il «Festival di Morgana» di Palermo nel 1987, ma recitato in anteprima a Roma, nel marzo dello stesso anno, al teatro della Cometa. Il regista Roberto Andò ha inserito nel testo di Calvino versi del canto XIII della *Gerusalemme Liberata*, alcuni passi del *Castello dei destini incrociati*, del racconto *Un re in ascolto*,

dello stesso Calvino, e del *Galateo in Bosco* di Andrea Zanzotto. I costumi e le scene sono stati disegnati da Renato Guttuso, coadiuvato da Amedeo Brogli.

42 I. Calvino, *Le porte di Bagdad, azione scenica per i bozzetti di Toti Scialoia*, in «Il Cavallo di Troia», I, 1981.

43 I. Calvino, *L'inseguimento*, in *Cosmicomiche vecchie e nuove*, Milano, Garzanti, 1984, pp. 287-298.

44 Nell'agosto del 1981 a Batignano (Grosseto) fu rappresentata la *Zaide* (K. 344) "Singspiel" incompiuto di Mozart sulle parole di un frammento di J. Schachtner poi rielaborato. Adam Pollock, animatore e ispiratore del festival, aveva affidato a Calvino l'incarico di scrivere un testo nuovo. Dal confronto non risulta nessuna aggiunta nel testo italiano. Nel programma di sala si afferma che «la versione di Italo Calvino rispetta fedelmente quanto scritto da Mozart per *Zaide*». Questa rappresentazione è stata ripetuta il 3 febbraio 1982 all'Old Vic Theater di Londra, dove il testo calviniano è messo in bocca ad uno Sprecher del XX secolo (cfr. O. Trilling, *Berichte aus London. Mozarts "Zaïde" im Old Vic Theater*, in «Opernwelt», 1982, 2, pp. 54 e ss).

45 I. Calvino, *Un re in ascolto*, in «la Repubblica», 13 agosto 1984, ora, nella versione completa più ampia, in *Sotto il sole giaguaro*, Milano, Garzanti, 1986, pp. 59-93.

46 Ivi, pp. 79, 71, 91, 87.

47 *Il cielo di pietra*, in *Cosmicomiche vecchie e nuove*, cit., p. 64.

48 *Un re in ascolto*, cit., pp. 66, 85, 64, 92.

49 «La Révue Musicale», cit., pp. 28-33. Come prova di una vocazione e di una scelta di poeta ricordiamo i versi di un'aria di Calvino: «C'è una voce nascosta fra le voci / nascosta nel silenzio nel rovescio nel fondo / nel profondo nel fondale di tela / nel giardino di notte, nel bosco, nel lago, / nel riflesso dell'acqua fra le foglie / il rovescio dei suoni nell'ombra, il buio illuminato / dalla voce l'ombra dove il ricordo non arriva / il non ricordo è un lago freddo e nero / la memoria custodisce il silenzio ricordo del futuro / la promessa / Quale promessa? / Questa, che ora arrivi a sfiorare / col lembo della voce e spezza come il vento accarezza / il buio nella voce il ricordo in penombra / un ricordo al futuro», in L. Berio, *Duo*, testo di I. Calvino, Radio Uno, Radiotelevisione Italiana, 1982. Le cinque arie sono passate nel libretto della Scala (cfr. nota 52) rispettivamente in parte I, aria III, p. 14; parte II, aria VI, p. 12; parte I, aria II, p. 14; parte II, aria IV, p. 18; parte I, aria I, p. 9.

50 L. Berio, *La nascita di un re*, in «La Révue Musicale», cit., p. 25. Nel programma di sala della *Tempesta* data al Piccolo Teatro di Milano nell'ottobre 1978 per la regia di Strehler, Agostino Lombardo insiste non soltanto sulla *Tempesta* come metateatro, ma anche sul valore dell'udito e del teatro come «una grande conchiglia sonora».

51 L. Berio, *Dialogo fra te e me*, in «La Révue Musicale», cit., p. 36. *La Tempesta* viene rivista e riascoltata attraverso la doppia e distinta interpretazione del settecentesco poeta tedesco Friederich W. Gotter, autore del Singspiel in tre atti *Die Geisterinsel*, pubblicato per la prima volta in «Die Horen», 1797, VIII-IX, e del moderno Wystan H. Auden, *The Sea and the Mirror. A Commentar on Shakespeare's The Tempest. Il mare e lo specchio. Commentario a La Tempesta di Shakespeare*, in W.H. Auden, *Opere poetiche*, traduzione di A. Ciliberti, Milano, Lerici, 1966, pp. 427-559. Nel libretto di *Un re in ascolto* molte volte si leggono dei versi, quasi sempre tradotti alla lettera, da Auden, come «... la coppia noncurante va / ballando il valzer sulla corda del funambolo / come se non vi fosse la morte / né la speranza di cadere; / il grido ferito mentre il clown / doppia il suo significato» (p. 429), che ritornano nel Duetto I della Parte I, nel

Concertato I e nel Concertato II con figure di *Un re in ascolto*, azione musicale in due parti di Luciano Berio e Italo Calvino, Musica di L. Berio, Milano, Teatro della Scala, gennaio 1986, pp. 10, 13. La «silenziosa dissoluzione del mare» di Auden (p. 435) diventa «il silenzioso dissolversi del mare» in Concertato I, p. 10.

52 Duetto I, p. 9; Concertato I, p. 10; Concertato II con figure, pp. 12-13; Duetto II, p. 12; Concertato IV, p. 19.

53 Nel 1978 Calvino pronunciava sui livelli di realtà in letteratura una relazione, ora stampata in *Una pietra sopra*, cit., pp. 310-323, che va sempre considerata come aiuto e guida per intendere soprattutto, ma non soltanto, le sue ultime prove e sfide. Accanto a un preciso richiamo al procedimento della *mise en abîme*, vuole scandire il rapporto tra i vari livelli dell'universo scritto: «Io scrivo che Omero racconta che Ulisse ascolta le Sirene». Nel Duetto III di *Un re in ascolto* Venerdì, in una serie di versi volutamente brevi e volutamente interrotti da prolungati versi-non versi, insiste sull'oscillazione fra il *tu* e l'*io*, fra l'*io dicevo* e il *tu pensavi* e sul perdersi e trovarsi come riflesso di questo scambio e intreccio di posizioni e di affermazioni: «Tu dicevi. / Io pensavo. / Tu dicevi che c'è tanta agitazione. / Io pensavo a un silenzio. / Tu dicevi che c'è anche un re che ascolta le voci di sottoterra. / Tu pensavi ch'è solo. / Tu dicevi. / Io dicevo [...]», in Duetto III, p. 14.

54 Atto II, p. 14.

55 Duetto II, p. 12 e «La Révue Musicale», cit., p. 30.

56 Concertato I, pp. 10, 11.

57 Audizione I, p. 11; Audizione II, p. 14; Aria V, p. 18. *I personaggi principali*, capitolo II di *The Sea and the Mirror*, *Il mare e lo specchio*, cit., insistono sul motivo del *mio* e del *tuo*, cfr. pp. 455, 457, 465, 473, 477.

58 La rappresentazione *Ein König horcht*, *Un re in ascolto*, fu preparata e condotta in modo particolare e personale, anche nel libretto, da Berio, il quale scrive a questo proposito: «per l'esecuzione di Salisburgo — cioè per un pubblico cosmopolita per eccellenza — ho tentato un esperimento che mi sembrava significativo. Faccio cioè cantare il testo parte in italiano e parte in tedesco, seguendo dei precisi criteri musicali e drammaturgici (Prospero, per esempio è italiano: pensa in italiano e parla con altri in tedesco)». «La Révue Musicale», cit., p. 37. Per questa rappresentazione v. H.J. Herbort, *Töne mit Kehrseite* in «Die Zeit», 17 agosto 1984. Ringrazio Erika Kandhut per avermi gentilmente procurato il libretto, fuori commercio, della rappresentazione di Salisburgo della Universal Edition di Vienna.

59 Il giuoco di parole, *vol — bol*, di Queneau dal verso di *Le lac* di Lamartine, scompare nella versione italiana. R. Queneau, *La canzone del polistirene*, tradotta da Italo Calvino, Milano, Scheiwiller, 1986. Cfr. P. Mauri, *L'inno di plastica*, in «la Repubblica», 21 gennaio 1986 e «*La canzone del polistirene*», in «Alfabeta», febbraio 1986, VII, 8, p. 37.

60 I. Calvino, *Collezione di sabbia*, Milano, Garzanti, 1984, p. 13. Nell'intervista su «Autografo», cit., p. 53, Calvino, facendo «il punto sulla letteratura italiana oggi» notava la «predominanza della poesia in versi come portatrice di valori che anche i prosatori e narratori perseguono con mezzi diversi ma fini comuni».

Lene Waage Petersen
CALVINO NEL PANORAMA CULTURALE SCANDINAVO

Sono acutamente cosciente dell'abisso che esiste fra i rapporti della cultura francese con Italo Calvino, e quelli della cultura scandinava con Italo Calvino. Naturalmente i nostri rapporti sono solo unilaterali; siamo noi l'occhio che guarda la spada del sole.

Sarà naturalmente un discorso molto generale, ristretto, forse anche povero, in confronto non solo all'inesauribilità dei testi di Calvino, ma anche per forza di cose al ricco panorama che è venuto fuori da questo convegno.

A questo punto non mi conforta nemmeno il fatto che Calvino non abbia disdegnato di lasciare il privilegio della lettura più feconda e aperta sul futuro *alla figura della Lettrice* (in *Se una notte d'inverno un viaggiatore*), e io sono stata l'unica lettrice qui a parlare di Calvino!

La ricezione delle opere di Calvino in Scandinavia è avvenuta sotto l'insegna del concetto di fantasia e del fantastico: cito alcune espressioni tipiche tratte dalle recensioni: «... grande maestro italiano del racconto fantastico...», «un vento fresco dal regno della fantasia», «il progetto di Calvino di costruire un alfabeto della fantasia umana...».

Salta subito agli occhi che la presenza dei testi di Calvino nella cultura scandinava si divide nettamente in due periodi di tempo, con connotazione ed incidenza assai diverse. Il primo periodo comprende un decennio, dal '59 al '69, l'epoca che va da *Il barone rampante* che è il primo romanzo ad apparire, e quasi contemporaneamente, in Danimarca, Svezia e Norvegia, fino a *Le cosmicomiche*, ed il recupero de *Il sentiero dei nidi di ragno*; con inclusi, oltre ai già citati titoli, *Il visconte dimezzato*, *Il cavaliere inesistente*, e *La giornata d'uno scrutatore*. Sei romanzi di Calvino in dieci anni costituiscono, io credo, un record per uno scrittore italiano nel contesto scandinavo. Una stagione, si potrebbe dire, in cui Calvino sembra diventato una stella fissa nell'universo letterario, mentre tanti altri scrittori anche famosi rimarranno comete di passaggio.

Nel decennio successivo però, dal '69 al '79, i testi di Calvino scompaiono completamente dall'attenzione degli editori e perciò dei lettori. È questo in Scandinavia, come anche in Italia, il decennio dominato in superficie dalle inchieste, dalla letteratura politica e di confessione (come si dice da noi); gli anni in cui, per dirla con un critico italiano, lo scrittore si aggira camuffato da operaio, studente, emigrato.

I romanzi di Calvino non vengono ristampati, con l'unica eccezione de *Il barone rampante*, che esce di nuovo in svedese nel 1971. Scomparsi dal mercato, dormono sugli scaffali delle biblioteche popolari, dove una nuova generazione di lettori ha potuto rivisitarli.

Nel 1978 *Le città invisibili* vengono tradotte in svedese e nel '79 in danese; il secondo periodo di presenza di Calvino nel contesto nordico si avvia lentamente e con notevole ritardo. A questa opera è riservata una accoglienza entusiasta da parte della critica, ma il cerchio dei lettori rimarrà assai piccolo ed esclusivo. D'ora in poi Calvino godrà della fama ambigua di scrittore difficile, fatto che rispecchia una certa diffidenza verso l'intellettualismo, assai diffusa in Danimarca, molto meno in Svezia. «Uno dei difetti meno appariscenti della letteratura danese, — ha scritto recentemente un nostro critico letterario, — è l'intellettualismo!». Arriva nel 1983 *Se una notte d'inverno un viaggiatore* con quattro anni di ritardo, e nel 1986 *Palomar* (1985 in Svezia). Agli inizi degli anni '80 si può di nuovo parlare di una vera presenza delle opere di Calvino in Scandinavia, ma adesso in modo assai diverso: da scrittore per i lettori è diventato scrittore per gli intellettuali e scrittore per gli scrittori: da bestseller anche se di stima, è ora una presenza fra le più importanti nella riflessione letteraria.

Per dare un'idea della prima ricezione di Calvino in Scandinavia al momento dell'uscita della trilogia [nel '59 *Il barone rampante*, nel '60 *Il visconte dimezzato*, nel '61 *Il cavaliere inesistente*], citerò un passo: «... questo italiano irresistibile! leggere Calvino è come un volare fulminante in mezzo a luci d'oro e colori vibranti, galoppando su un giovane cavallo nell'alba che si leva sul vecchio mondo stanco». È l'inizio di una lunga, entusiasta recensione de *Il cavaliere inesistente*, e illustra a perfezione l'atmosfera di quel momento, la felicissima sorpresa, il godimento, la seduzione di questi testi calati nel freddo grigiore dello stanco realismo nostrano. Certo, è una lettura parziale la nostra, perché ci mancano quasi del tutto gli elementi del contesto culturale italiano. In questa situazione si privilegia lo specifico letterario, cogliendo alcuni tratti a mio avviso anche fondamentali: il colore speciale del fantastico di Calvino, fra logica e fantasia, fra invenzione e precisione, un fantastico che esula dalla grande tradizione romantica. Non si parlerà mai di fantasia "disimpegnata" come si fece da taluni in Italia per una certa diffidenza verso il fantastico.

Apro una parentesi per accennare molto brevemente all'importanza che assume a mio avviso il *fantastico* in Calvino; un fantastico diverso dalla grande tradizione romantica dell'Ottocento che implica uno *scontro* tra razionalità e irrazionalità, tra mondo reale e mondo surreale, i cui effetti sul lettore costituiscono una parte importante del concetto stesso.

Per Calvino conta invece «l'ordine che questo fatto straordinario svilupperà intorno a sé, il disegno, la simmetria, la rete di immagini che si depositano intorno ad esso come nella formazione d'un cristallo» (*Una pietra sopra*, p. 216). Questa logica instaurata dall'immagine fantastica costituisce il nucleo di un mondo possibile; può portare al momento utopico, nella trasgressione del modello conosciuto, da parte di questa logica altra. Io vedrei il momento *fantastico-utopico* a partire dal *Cavaliere* (e dalla seconda sequenza dei racconti di Marcovaldo, come dimostrato da Maria Corti)[1] — arrivando fino a *Le città invisibili*. L'immagine del Visconte dimezzato, pur nella sua nitidezza perfetta, non trascende il senso allegorico, mentre Agilulfo è un bell'esempio di una immagine che possiede un significato non riconducibile a nessuna interpretazione allegorica univoca, e che racchiude, nonostante la parte negativa, una grande carica utopica, etica. Forse si potrebbe leggere la scena della seduzione di Priscilla, come seduzione operata non dall'allegoria, come proposto da Calligaris, ma dall'immagine fantastica stessa![2]

Oltre al fantastico c'è nella ricezione scandinava un'attenzione alla rivisitazione ironica dei generi, alla riscrittura, e alle parentele letterarie degli antenati, fra le quali si nominano Don Chisciotte, più Swift che non Voltaire, e poi un altro "barone", il barone Münchhausen, il cui nome, insolito nel contesto della critica italiana, sta a illustrare l'ottica comico-ironica privilegiata nella ricezione della trilogia e de *Le cosmicomiche*. E sono stata felice dell'osservazione del prof. Asor Rosa sull'elemento comico presente nella narrativa di Calvino. Mi ero quasi vergognata in questi giorni di convegno del *divertimento*, del *piacere* — certo abbinato all'inquietudine, al pessimismo intellettuale — che ha sempre accompagnato le mie letture delle opere di Calvino.

L'interpretazione dell'allegoria, nel contesto scandinavo, difficilmente diventerà analisi ideologica, storica: sfocerà in una dire-

371

zione più esistenziale, cogliendo la dolorosa frattura fra l'io e la società, fuga dal consorzio degli uomini e desiderio di vedere nascere una nuova società.

Il contesto intellettuale è poi il modernismo nascente, che si afferma sulla fine degli anni Cinquanta, soprattutto nella lirica, e poi in un vivacissimo dibattito in varie riviste durante gli anni Sessanta. I modernisti non scoprono Calvino, non possono, credo, come non lo fecero in Italia; non ho trovato il suo nome sulle pagine delle riviste coinvolte nel dibattito culturale, e nessuno scrittore che dichiari allora una parentela spirituale con lui, a quel che io abbia potuto vedere. Solo uno, e non per nulla uno fra gli scrittori più conosciuti oggi, Henrik Stangerup, coglie di sfuggita il grande cambiamento avvenuto all'interno de *Le cosmicomiche* in direzione della nuova semiotica e filosofia del linguaggio, risultato dal contesto culturale francese.

È sintomatico che nessuno dei saggi di Calvino di questo momento, nemmeno l'importante *Il mare dell'oggettività*, arrivi alla conoscenza di un pubblico scandinavo.

Il solo scrittore italiano a essere frequentato dal modernismo danese è Svevo, con *La coscienza di Zeno* tradotta nel 1952. I romanzi di un Leif Panduro s'avvicinano molto alla tonalità de *La coscienza*, raccontati come sono dal punto di vista d'un protagonista nevrotico, in modo da dare un'immagine alienata del mondo; come in Italia un Malerba, un Volponi di questi stessi anni.

Quando, intorno al '69, sarebbe stato possibile un incontro con tendenze ancora in via di formazione della cosiddetta terza generazione dei modernisti danesi, si rompe purtroppo il contatto con i testi di Calvino. Citerò ad illustrazione un articolo di un giovane fra i più conosciuti poeti di oggi, Per Højholt, che mi sembra molto vicino al discorso calviniano degli stessi anni. L'articolo si intitola *Almeno diciotto punti su arte e politica*: «L'arte produce dei cambiamenti in strutture che non conosce ma che noi nonostante tutto possiamo cambiare con la nostra azione, se essa è sufficientemente chiara, vuota, aperta. Quando l'impossibile si installa, diventa possibile e politico; e da dove verrà allora il sale?!». Qui ci troviamo di fronte al momento utopico così importante in Calvino in questi stessi anni; fondamentale per il suo concetto di letteratura e per la nostra lettura della sua opera, sospesa fra il pessimismo dell'intelletto e la carica utopica dell'immagine e del calore stesso del raccontare.

Il contesto al quale ci riferiamo prese le mosse alla fine degli anni '60 con due correnti letterarie: la cosiddetta ''poesia di sistema" e la narrativa "a tematica scriptoria" in cui la prosa si interroga sulla natura della scrittura e sul suo rapporto col mondo. Concetti chiave di questa linea di tendenza sono l'abbandono di una visione che renda conto della frattura tragica per privilegiare invece una più neutrale registrazione degli accadimenti, la riflessione sul linguaggio come modello per il mondo, l'organizzazione ludica di materiali linguistici entro norme coercitive da cui emergano combinazioni nuove ed impreviste. I generi letterari iniziano ad essere sperimentati come sistemi modellizzanti provvisti di una loro realtà. Quello sarebbe stato il momento più fecondo per una traduzione in danese del saggio di Calvino *Cibernetica e fantasmi*. Tale corrente di ricerca continua ad agire come forza sotterranea nel corso della grande ondata di apertura politica e documentaristica degli anni '70, per riemergere verso la fine di quel decennio, stabilizzandosi come la tendenza più viva e più densa di sviluppi della letteratura danese di questi ultimi anni. Lo scrittore più interessante accanto a Højholt è senz'altro il romanziere Svend Aage Madsen. Del '71 è il suo romanzo dal titolo significativo "Mettiamo che il mondo esista" (*Sæt verden er til*), del '76 il romanzo in due volumi "Decenza e indecenza nell'evo medio" (*Tugt og utugt i mellemtiden*); in esso l'evo medio (che va dal 1500 al 2000) è raccontato, dopo «il grande crollo», da un protagonista scrittore, con una tecnica narrativa che alterna il romanzo realistico con il genere romanzesco-utopico. Ultimamente (1987) Svend Aage Madsen, che è anche scrittore per il teatro, ha portato con successo sulla scena un dramma intitolato "Maschere nude" (*Nøgne masker*), di cui Pirandello è il protagonista. In una recente intervista Svend Aage Madsen ha indicato esplicitamente fra gli scrittori che più lo hanno influenzato, Borges e Calvino.

Negli anni '80 si è dunque andato formando un contesto letterario atto ad accogliere il Calvino degli ultimi tre romanzi, che acquista ora una posizione centrale come punto di riferimento per la riflessione letteraria. Questo è il momento delle riviste che consacrano numeri tematici a Calvino; si traducono alcuni dei saggi, tra i quali il bellissimo *Mondo scritto e mondo non scritto*, e finalmente una parte di *Cibernetica e fantasmi*.

In questi anni la conoscenza del contesto italiano si va allargando: escono alcune presentazioni ed analisi del contesto storico-politico; appare la prima grande storia letteraria della narrativa italiana dopo il '45, uscita in una lingua scandinava, con inclusi articoli monografici sugli scrittori maggiori, tra cui Calvino.

Agli inizi degli anni '80 si vede anche, su riviste letterarie e di storia delle idee, un interesse preciso per i rapporti fra scienza e studi umanistici, fra scienza e letteratura, in seguito forse anche a un rinnovato interesse per il fisico danese Niels Bohr, autore del principio di complementarietà, che in molti saggi e conferenze volle spiegare le consequenze conoscitive implicite nelle teorie quantistiche per le scienze umanistiche e soprattutto per il cambiato rapporto fra soggetto osservante e conoscente e oggetto osservato. Certo, era molto più ottimista Niels Bohr che non Calvino sulle consequenze di questo rapporto cambiato fra l'occhio e il mondo.

Bohr amava partire da un esempio letterario per illustrare i problemi psicologici inerenti a questa impossibilità di scindere in modo netto tra un contenuto oggettivo e un soggetto osservante; citava da un classico dell'Ottocento "Le avventure di uno studente danese" (*En dansk Students eventyr*); si lamenta lo studente: «Le mie infinite riflessioni fanno sì che non concludo niente. Sempre mi trovo a pensare ai miei pensieri, sì, io penso a me che penso, e mi vedo diviso in una schiera di "io" che infinitamente si spostano indietro e che si osservano a vicenda. Io non so quale "io" debba essere fermato come Essenziale, e nel momento in cui mi fermo su uno, è infine solo un "io" che si ferma. Sento un senso di vuoto e sono preso da vertigini come se guardassi in una voragine, e il mio pensare finisce per procurarmi un'orribile emicrania». A seconda dove tracciamo la linea divisoria — dice Bohr, — possiamo vivere uno stato d'animo come parte dei nostri sentimenti soggettivi o possiamo analizzarlo come parte del processo osservato. Capire che queste due situazioni sono complementari risolve l'enigma dei vari "io" dell'eterno studente, che si osservano a vicenda, e costituisce la sola salvezza possibile delle sue ansie.

A varie riprese Bohr accenna al problema del linguaggio, non in grado di rendere conto di alcuni elementi della nuova fisica, per esempio del dualismo onda-particella. Il problema fu risolto dai fisici ricorrendo al linguaggio matematico; ma i letterati rimasero colpiti da quest'esempio, adottato poi come simbolo di un divario insormontabile tra mondo scritto e mondo non scritto (testimone eloquente per esempio un testo drammatico danese del 1985, "L'Osservatore" (*Betragteren*), che vede Bohr in veste di protagonista).

Ho citato Bohr per illustrare il rinnovato interesse per i rapporti fra scienza e letteratura in cui è stata inserita in Scandinavia la lettura di *Palomar*; e poi perché sono stata colpita dalla somiglianza di una riflessione precisa: una sera Niels Bohr, che aveva la sua residenza estiva al mare, trovandosi in spiaggia, ha detto ad alcune persone che erano vicine a lui, guardando il sole che tramontava sul mare: "adesso se volgiamo le spalle al sole, cosa succede?". Mi ha colpita quest'immagine tanto simile a quella da cui nasce il bellissimo racconto in *Palomar*, *La spada del sole*.[3] Un'influenza molto chiara e diretta di Calvino è reperibile ad esempio nel critico e saggista più intelligente della nuova generazione, Carsten Jensen, il quale a molte riprese si è occupato di Calvino, soprattutto di *Palomar*. Avendo una conoscenza dell'italiano può seguire direttamente le vicende letterarie in Italia; ha presentato per esempio recentemente sulla rivista *Fredag* (Venerdì), di cui è redattore, la nuova leva di narratori italiani. Fino nei titoli dei suoi due libri di riflessioni letterarie e culturali si legge, io credo, la sua affinità con Calvino: "L'anima risiede nell'occhio" (*Sjælen sidder i øjet*, 1985) e "Su un pianeta che teme il buio" (*Påen mørkerad Klode*, 1986). Le espressioni di pessimismo culturale, le riflessioni sul problema linguaggio-mondo; sul caos-ordine; sulla finzione di certi modelli culturali somigliano al Calvino di *Palomar* e della *Collezione di sabbia*.

Tra molte cose si potrebbe citare un capitoletto sull'*Ordine degli Insetti*, dove egli prendendo spunto dalle cinquemila nuove specie di insetti scoperte ogni anno giunge a riflessioni sul compito del poeta simile a quello dello scienziato che crea nominando. Il testo finisce però con un elenco cupo e divertente, tipicamente calviniano, di nomi di insetti, che semanticamente — perché tutti composti di parole come polvere, morte, buio, carogna, spada ecc. — smentiscono l'apparente ottimismo dell'inizio. Anche il tono, profondamente ironico, se non così trasparente, somiglia a Calvino.

Terminerò con alcune considerazioni sui problemi e i piaceri della traduzione. Lettori di Calvino mi chiedono qualche volta se è molto difficile tradurre Calvino, data la complessità dei testi e la preziosità del vocabolario. Ricollegandomi alla ricca analisi della lingua di Calvino, fatta dal prof. Mengaldo, mi sembra giusto porre la questione in questi termini: dato l'ideale stilistico di Calvino, che è un ideale di chiarezza, di precisione e di trasparenza, come lo esprime chiaramente lo stesso Calvino nel saggio *Mondo scritto e mondo non scritto*, opponendo il suo ideale all'espressionismo linguistico di un Gadda o di un Pasolini, è *possibile* tradurre i suoi testi, nel senso che non è impossibile trasferire o ritrovare i singoli vocaboli, i mezzi stilistici, le qualità specifiche della lingua.

Ciò è dovuto ai tratti essenziali del vocabolario e della sintassi; e cioè al vocabolario non dialettale, non inventato, non misto, non astratto. Il vocabolario prezioso o tecnico non pone problemi insormontabili; si tratta di una lingua a livello europeo, se così si può dire: i termini equivalenti esistono in altre lingue. Difficoltà precise si annidano, invece, negli elenchi, forma retorica così cara a Calvino, in cui si incrociano effetti semantici con effetti ritmici e con una fantasia linguistica che spesso trascende ogni significato semantico, come per esempio gli elenchi di spoglio elettronico in *Se una notte d'inverno un viaggiatore* o i molti elenchi descrittivi delle *Città invisibili*. Cito da una delle città sottili, Ottavia, la città-ragnatela che è sospesa sul vuoto, legata a due creste di montagna. «Questa è la base della città: una rete che serve da passaggio e da sostegno. Tutto il resto, invece di elevarsi sopra, sta appeso sotto: scale di corda, amache, case fatte a sacco, attaccapanni, terrazzi come navicelle, otri d'acqua, becchi del gas, girarrosti, cesti appesi a spaghi, montacarichi, docce, lampadari, vasi con piante dal fogliame pendulo».

Bisogna rispettare il ritmo che si avvia lentamente, per accelerare nella seconda parte, prima di adagiarsi sull'ultimo sintagma; bisogna scegliere, fra varie possibilità, la parola per *sacco*, che renda l'immagine visiva, il divertimento del concetto e il ritmo giusto; bisogna infine rendere l'elemento semantico in *appeso*, *pendulo* con un unico elemento semantico, il che era difficile, rispettando il ritmo della chiusura.

La tendenza all'astrazione della lingua italiana pone spesso il traduttore di fronte a seri problemi; Calvino, invece, è preciso e concreto anche quando diventa più teorico; la sua capacità di *raccontare* le idee, come è stato giustamente detto, è straordinaria, come anche la sua capacità di tradurre in immagini le riflessioni più filosofiche, valga fra tutti l'esempio della spada del sole in *Palomar*.

Per quanto riguarda la sintassi con chiara tendenza alle costruzioni paratattiche, essa non pone, normalmente, seri problemi di ristrutturazione dei periodi, ciò che può invece costituire un problema assai arduo con altri tipi di prosa italiana. Si può procedere quasi come si traduce una poesia moderna, restando molto fedeli allo svolgersi lineare del testo; le difficoltà, piuttosto, stanno nel fattore ritmico, così importante.

Vorrei isolare tre qualità secondo me fondamentali del linguaggio di Calvino, a cui bisogna dedicare la massima attenzione nel tradurre i testi, per riuscire a renderne lo smalto e la tonalità:

1. La capacità straordinaria delle parole di Calvino di creare immagini visive. Per ridisegnare queste immagini con nitidezza nella propria lingua è importante trovare parole o combinazioni di parole che abbiano la stessa potenza visiva. Cito un esempio dalla città di Argia (*Le città invisibili*, p. 133), la terribile città che invece d'aria ha terra: «sopra i tetti delle case gravano strati di terreno roccioso come cieli con le nuvole», in cui ho dovuto spostare elementi semantici perché l'immagine possa risaltare in modo nitido.

2. L'ironia, soprattutto l'ironia stilistica implicita nel pastiche; e l'ironia che nasce dallo scontro tra mondo sublime o comunque diverso, e mondo quotidiano, scontro che avviene anche sul livello della tonalità stilistica. Cito ad esempio, sempre dalla città di Argia, il momento in cui nell'immagine fantastica viene introdotto l'elemento *uomo*: «Se gli abitanti possano girare per la città allargando i cunicoli dei vermi e le fessure in cui s'insinuano le radici, non sappiamo: l'umidità sfascia i corpi e lascia loro poche forze; *conviene* che restino fermi e distesi, *tanto* è buio». Il corsivo è mio, per indicare le parole in cui lo slittamento al discorso banale-quotidiano diventa manifesto. Un altro esempio, sempre fra quelli che mi sono rimasti in mente perché comportavano un momento di ascolto e di ricerca fra le banalità della propria lingua, è costituito dalla conclusione della città di Procopia (p. 153), la città dal paesaggio che il visitatore poteva contemplare dalla finestra della locanda, paesaggio che scompare gradualmente dietro un numero sempre crescente di persone che lo occupano; fino ad ingombrare, con una sorpresa finale, anche la stanza del visitatore, che commenta però: «tutte persone gentili, per fortuna». Qui diventa importante segnare subito nella parola scelta per rendere *gentili* lo slittamento tonale che sta a indicare la capacità, normale e pericolosa, di adattamento a una quotidianità mostruosa, quella capacità chiamata alla fine del libro: «accettare l'inferno e diventarne parte fino al punto di non vederlo più» (p. 170).

A questo proposito vorrei accennare a una lettura molto interessante di *Palomar*, da parte di un critico svedese, Horace Engdahl, che sottolineando l'ironia insita nel contrasto tra filosofia e quotidianità, vede il signor Palomar come un fratello anziano di Marcovaldo, che sperimentava a colpi ripetuti le aporie dell'azione, mentre Palomar con lo stesso coraggio testardo sperimenta tutte le aporie del pensiero filosofico moderno. Citava Engdahl a proposito di questo scontro ironico tra filosofia e quotidianità una bella immagine di Kierkegaard, grande ironico anche lui, per descrivere Hegel; dice Kierkegaard che Hegel vive in una povera capanna accanto allo splendido castello filosofico che ha eretto!

3. Rendere il ritmo della prosa di Calvino è forse il problema più difficile per il traduttore. Vorrei ricordare la parte iniziale di *Palomar*, sulla descrizione delle onde, perché è stata, in assoluto fra i tre romanzi che ho tradotto, il passo più difficile, dove nello stesso tempo si dovevano scegliere parole che evocassero in modo immediato immagini nitide del movimento delle onde, senza disturbare la nomenclatura filosofica, ritrovando infine nel ritmo stesso delle frasi il ritmo evocatorio dei movimenti delle onde.

Nel ritmo, nel pulsare stesso del racconto, nel movimento verso un senso, nella fede in fondo mai venuta del tutto meno nel potere conoscitivo del raccontare, così come nell'immagine fantastica, portatrice di un ordine diverso sta, io credo, la carica utopica e la tensione etica dello scrivere di Calvino.

NOTE

1 Maria Corti: *I racconti di Marcovaldo*, in *Il viaggio testuale*, Torino, Einaudi, 1978.

2 C. Calligaris: *Italo Calvino*, Milano, Mursia, 1973. Non ho purtroppo, in questa sede, potuto approfondire un discorso sul fantastico in Calvino.

3 Di Niels Bohr si rinvia a *Atomfysik og menneskelig erkendelse*, Copenaghen, 1957 ("Fisica nucleare e problema conoscitivo"). Sul rapporto scienza e letteratura, p. es. la rivista «Slagmark», 1985, n. 5. Il testo *Betragteren* ("L'Osservatore") è di Hans Ditlev Nissen. Contiene riflessioni sui rapporti tra mondo e linguaggio vicinissime al Calvino di *Se una notte* e *Mondo scritto e mondo non scritto*.

LE OPERE DI ITALO CALVINO, TRADOTTE IN DANESE, SVEDESE, NORVEGESE (tralascio in questa sede l'elenco delle recensioni vere e proprie)

I. Danimarca
Klatrebaronen. 1959. (Il barone rampante)
Den halverede vicomte. 1960. (Il visconte dimezzato)
Ridderen der ikke eksisterede. 1961. (Il cavaliere inesistente)
En tilforordnets dag. 1964. (La giornata d'uno scrutatore)
De kosmikomiske. 1967. (Le cosmicomiche)
Stien med ederkoppederne. 1969. (Il sentiero dei nidi di ragno)
De usynlige byer. 1979. (Le città invisibili)
Hvis en rejsende en vinternat. 1983. (Se una notte d'inverno un viaggiatore)
Hr. Palomar. 1986. (Palomar)
Sex og latter (Il sesso e il riso) in *Hug*, 1985. Numero tematico sull'erotismo.

Cybernetik og fantasmer (Cibernetica e fantasmi) in *Information*. 1985 (non è una traduzione completa).
Den skrevne og den ikke skrevne verden (Mondo scritto e mondo non scritto) in *Fredag*, n. 7, 1986 (con una presentazione delle opere di Calvino).
Hvor ny var ikke den nye verden (Come era nuovo il mondo nuovo, da *Collezione di sabbia*), in *Hug*, 1987. Numero tematico sul viaggiare.

Articoli su Calvino:
Lene Waage Petersen: Italo Calvino. Articolo monografico in *Moderne italiensk litteratur*. København. 1982 (La narrativa italiana dopo il '45)
Leonardo Cecchini: Palomar in *Passage*, n. 1, 1985.
Lene Waage Petersen: Italo Calvino og det fantastiske (Il fantastico di Italo Calvino), in *Litteratur og Samfund*, n. 41, 1986 (Numero tematico sul fantastico).
Bo Green Jensen: Universet som et spejl (L'universo come specchio. Ritratto di Calvino). *Weekendavisen*. 3.4.1987.

II. Svezia.
Klatrebaronen. 1959. Nuova ed. 1971. (Il barone rampante)
Den obefintlige riddaren. 1961. (Il cavaliere inesistente)
Den tudelade visconten. 1962. (Il visconte dimezzato)
En valförrättares dag. 1965. (La giornata d'uno scrutatore)
Kosmokomik. 1968. (Le cosmicomiche)
De osynliga städerna. 1978. (Le città invisibili)
Om en vinternatt en resande. 1983. (Se una notte d'inverno un viaggiatore)
Palomar. 1985. (Palomar)
I skogens labyrint. Stockholm. 1981. (La foresta-radice-labirinto)
Mondo scritto e mondo non scritto in *Allt om böcker*, 1983, n. 5. Idem, in una versione leggermente differente in *Dagens Nyheter*, 29.9.1985.

Articoli su Calvino:
Göran Börge: *Italo Calvino* in *111 italienska författare*. Stockholm. 1969 (p. 118-126) (111 scrittori italiani).
La rivista *Allt om böcker*, 1983, n. 5 contiene tre articoli su Calvino: Carl-Henrik Svenstedt: Kulturkritikeren I.C. (L'intellettuale I.C.); Horace Engdahl: Ironin röjer väg för det väsentlige (sul significato dei generi e dell'ironia in C.); + articolo tradotto, di Gore Vidal.
La rivista *BLM*, 1986, n. 1 contiene tre articoli su *Palomar*, di cui l'interessante lettura di *Palomar* da parte di Horace Engdahl: Intellektualitetens komedi (La commedia dell'intellettualità) e una discussione sul genere di *Palomar* di Staffan Söderblom e Ingrid Elam.
In linea generale si può affermare che la ricezione in Svezia, vista attraverso le recensioni e presentazioni, appare più attenta ai problemi filosofici e di teoria letteraria, più capace di inserire il secondo Calvino nel contesto intellettuale. Calvino è stato seguito, non solo al momento delle traduzioni, ma anche al momento dell'apparizione dei libri in Italia.

III. Norvegia
Klatrebaronen. 1961. (Il barone rampante)
Usynlige Byer. 1982. (Le città invisibili)
Hvis en reisende en vinternatt. 1985. (Se una notte d'inverno un viaggiatore)
Palomar. 1986. (Palomar)

Articoli su Calvino:
Presentazione dei due ultimi libri in *Kritikjournalen*, 1985 e 1986.
Jan Kjærstad: Intervista con Calvino. *Vinduet*, 1985, n. 2. Nella stessa rivista *Vinduet*, 1987, n. 1 c'è una analisi interessante dei vari *lettori* in *Se una notte d'inverno un viaggiatore* di Birgitte Grundtvig.

TAVOLA ROTONDA
(*Intervengono:* Alberto Asor Rosa, *moderatore,* Cesare Cases,
Gianni Celati,[1] Daniele Del Giudice, Franco Fortini,
Luigi Malerba)

ASOR ROSA

Gli organizzatori hanno ritenuto opportuno chiudere questo
Convegno di studi su Calvino con una Tavola Rotonda, per
concluderlo, del resto nello spirito del convegno stesso, con un
momento di discussione vera, autentica, che riproponga alcuni
dei problemi che nei giorni precedenti abbiamo cercato insieme
di affrontare e di approfondire.

Questa Tavola Rotonda ha una seconda caratteristica, rappresentata dal fatto che la maggior parte dei suoi partecipanti
sono, come lo era Calvino, degli scrittori (non importa se puri o
impuri, a seconda dei casi), e dal livello molto alto di partecipazione al dibattito politico-culturale-ideologico, al quale essi hanno contribuito negli anni passati e anche recentemente.

Abbiamo cercato di rappresentare non certo tutte, ma un
numero abbastanza rilevante di posizioni, a cui corrispondono
generazioni e dunque esperienze diverse nella scelta dei partecipanti a questo dibattito, il cui tema, viceversa, è libero, nel senso
che non abbiamo chiesto ai nostri ospiti d'intervenire su di un
argomento in particolare. Il soggetto della Tavola Rotonda è
insomma Italo Calvino tutt'intiero, così come i protagonisti di
questo dibattito lo hanno conosciuto, studiato, seguito, e nella
misura in cui essi hanno avuto rapporti con il personaggio, la sua
opera, le sue forme di scrittura.

La Tavola Rotonda si qualifica, dunque, più che per la perentorietà del tema, per la natura e la storia dei personaggi che vi
partecipano, che sono tutti quanti, giovani o meno giovani che
siano, tanto noti da rendere del tutto superflua una presentazione biografica. Posso dire che c'è stata una logica in questa scelta,
anche se consideriamo le assenze. Abbiamo pensato che Cases,
critico e saggista finissimo, ma anche scrittore nel senso più ampio del termine, avrebbe potuto dare di Calvino una immagine
dal punto di vista della scrittura ma anche attraverso il filtro
dell'esperienza saggistica sua propria; che Franco Fortini fosse

qui a rappresentare una esperienza culturale parallela, ma certo significativamente molto molto diversa da quella di Calvino; che Gianni Celati e Daniele Del Giudice potessero rappresentare delle esperienze più giovani, che, su di un doppio ed opposto versante, hanno tuttavia qualcosa a che fare con l'insegnamento calviniano; e che Luigi Malerba, scrittore quant'altri mai autonomo e originale, ma legato umanamente a Calvino (soprattutto nell'ultima fase della vita di questi) potesse in qualche modo darci una testimonianza autentica ed originale del modo di lavorare e di pensare del nostro Calvino.

Non ci sono altre avvertenze, se non che procederemo in ordine strettamente alfabetico. Ci sarà una prima tornata in cui gli oratori parleranno intorno ai dieci minuti ciascuno, e su questa tornata ritorneremo in maniera più incrociata e dispersa.

Tenendo conto di questa avvertenza, darei la parola a Cesare Cases, per il primo intervento.

CASES

Non so se è l'ordine alfabetico o l'ordine di età che mi designa come primo oratore, in qualsiasi caso mi sento imbarazzato perché in questa Tavola Rotonda chi parla per primo potrebbe dire cose che portano conseguenze su tutto l'andamento della Tavola Rotonda medesima.

È difficile abbordare l'argomento Calvino dopo che è stato esaurientemente sviscerato in queste due giornate e mezzo di discussione. Gentilmente Asor Rosa ha detto che avevo degli elementi in comune con Calvino perché ero per un quarto scrittore e tre quarti critico, quindi avevo con Calvino un rapporto che era effettivamente fondato sia sull'una che sull'altra affinità, e avevo molta stima del Calvino critico, che secondo me non è ancora sufficientemente rappresentato sul mercato, perché la sua scelta *Una pietra sopra* metteva davvero una pietra sopra una attività che era in pieno svolgimento e che era molto più vasta di quello che questa scelta fa sembrare: una scelta che ha anche tagliato certi saggi più lunghi e ne ha esclusi molti dei più importanti. Può essere che Calvino si considerasse lontano da molte cose che aveva scritto per esempio da giovane sull'«Unità», però in realtà sono cose che oggi a rileggerle hanno una freschezza, una immediatezza, una forza di convinzione straordinarie, e che sarebbe bene prima o dopo raccogliere perché darebbero un'idea più esatta delle capacità critiche di Calvino; ma anche cose posteriori eccellenti (mi ricordo per esempio una ottima recensione del libro *Letteratura e rivoluzione* di Trotsky che apparì in «Passato e presente») non sono state accolte in quella scelta.

Naturalmente è da fare un discorso diverso (''naturalmente'' dal mio punto di vista, dal punto di vista del vecchio compagno di strada) per il critico Calvino degli ultimi anni, quello del «Corriere della Sera» prima e poi de «la Repubblica». Anche lì ci sarebbero molte cose interessanti da recuperare, però non credo che nell'insieme questa attività sia stata caratterizzante per l'ultimo Calvino. Era il Calvino che viveva in un mondo di cui sapeva benissimo cos'era, perché basta aprire *Palomar* o *Le città invisibili* per capire come lo giudicasse; ma capiva anche che in questo mondo bisognava in qualche modo trovare degli addentellati, un modus vivendi, che non si poteva assumere un atteggiamento del tutto negativo, e quindi si comprometteva per necessità di cose e si gestiva alla bell'e meglio come è possibile in questi frangenti. A mio parere le concessioni che faceva sul piano giornalistico erano molto più rilevanti di quelle che faceva sul piano della scrittura. Certo, anche sul piano della scrittura aveva dovuto cambiare velocità, cambiare posizione; nel convegno si è parlato molto di questo, ne ha parlato Asor Rosa contestando un cambiamento di fondo e parlando di una specie di componente biologica, di un gene di Calvino, anzi di due, secondo la distinzione di Aldo Rossi: un gene strutturalista e un gene semiotico, che avrebbero avuto magari una certa incubazione prima, ma che poi sarebbero emersi nella seconda fase dell'attività dello scrittore.

Mengaldo, nella sua eccellente relazione, ha parlato dell'emergere della maniera in Calvino; ad un certo momento Calvino è diventato uno scrittore in cui la maniera aveva un suo ruolo, ruolo che Mengaldo stesso ha definito sia positivo che negativo: positivo perché gli ha permesso di continuare la sua attività in un momento in cui i moduli secondo i quali aveva scritto finora e che non comportavano ancora la maniera non erano più possibili, e negativo in quanto la maniera è sempre maniera, cioè è qualcosa che aiuta a navigare in un mare che non regge più da sé. Questo è il mare in cui Calvino ha navigato nei primi anni fino al principio degli anni '60, un mare in cui lui, prima di tutto, non era quello scrittore così isolato, così intento ad allontanare il profanum vulgus, come qualche volta lo si è rappresentato anche qui. Certo, non era una persona particolarmente comunicativa, ma di queste ce ne sono tante, forse la mia simpatia per lui e il nostro buon rapporto derivavano anche da questo. Però nel primo periodo — che del resto non ho seguito —, nel periodo in cui viveva a Torino, egli viveva certamente in mezzo ad una società letteraria che avrà avuto diverse connotazioni, e con cui lui sarà stato in rapporti più o meno buoni, ma che pur esisteva. Quando usciva da Einaudi e abbandonava quell'ambiente stimolante ma forse un po' ermetico che doveva essere Einaudi allora, Calvino andava per esempio alla redazione dell'«Unità», dove vedeva gente come Spriano e altri con cui avrà avuto rapporti diversi, forse più franchi, ma anche più tesi dal punto di vista politico, perché se uno rilegge i vecchi articoli si accorge che in realtà Calvino ha sempre seguito la sua strada e che le sue concessioni alla politica del partito in quel torno di tempo sono minime.

Poi le cose sono cambiate, la storia ha virato di bordo e Calvino è riuscito a mantenere fede alla propria vocazione di scrittore, scegliendosi un'altra strada, perché può darsi che i germi ci fossero fin dal principio, ma è certo che quando noi leggemmo *Le Cosmicomiche*, noi vecchi, come giustamente Asor Rosa ci ha caratterizzato a seconda delle generazioni, rimanemmo molto sorpresi perché non ci sembrava che dal Calvino che finora conoscevamo potesse uscire un libro di questo genere. E guardando a posteriori, credo che questa virata di bordo sia stata importantissima perché ha permesso a Calvino di inserirsi in un movimento di idee, di pensiero, anche di riflessione sul linguaggio che gli ha consentito di mantener fede alla sua vocazione di scrittore, anche se i primi risultati non è che fossero entusiasmanti; francamente le *Cosmicomiche* mi sembrano ancora oggi il libro più debole di Calvino. Ma attraverso le *Cosmicomiche* è arrivato agli esiti de *Le città invisibili*, di *Se una notte d'inverno un viaggiatore* e almeno in parte di *Palomar*.

Cosa dobbiamo dire di questo Calvino? È un Calvino in cui l'elemento del gioco diventa molto importante. Devo dire che non ho molta tenerezza per il gioco; sono d'accordo, come è stato detto stamattina, che il gioco ha una grande importanza come alternativa alla terribile serietà della vita soprattutto nella nostra età tecnologica e atomica, ma è appunto un'alternativa di cui bisogna aver ben presente che è un'alternativa, che non è una soluzione. Non sono d'accordo con il buon vecchio Schiller quando diceva che l'uomo è uomo intero solo quando gioca; credo che siano giuste le osservazioni di Adorno in proposito, e cioè che il bambino che gioca è sottomesso alla coazione a ripetere, che nel gioco non si attua una vera libertà; la libertà è sempre davanti, non sta mai didietro, non sta mai nella infanzia, ma sta nella realizzazione delle promesse che sono implicitamente contenute ma non realizzate nell'infanzia. Quindi la libertà sta al di là della dicotomia fra gioco e lavoro, Marx dice che sta al di là del mondo della necessità, cioè del mondo del lavoro, e di conseguenza anche del mondo del gioco, cioè anche del mondo in cui il gioco deve servire come alternativa ed evasione dal lavoro. Tuttavia devo dire che il tuffo di Calvino in questo mondo, strettamente legato alla cultura francese, è stato positivo, e che in esso egli non ha affatto dimenticato le sue origini, il mondo da cui proveniva, il suo addentellato con la realtà storica, con i pericoli e con le prospettive dei nostri tempi. Questo mi sembra visibile soprattutto nelle ultime opere. Egli non si è mai crogiolato nel gioco come gioco e la sua simpatia per Fourier non è casuale; in fondo il francese che lui più ha amato e sentito è Fourier, cioè il gioco, sì, ma il gioco come utopia, come costituente di un mondo utopico da cui siamo lontani, e che Calvino diceva che non si era purtroppo realizzato, perché quello che si era veramente realizzato era il mondo tecnocratico e utilitaristico che auspicava l'antagonista diretto di Fourier, Saint-Simon.

Mi sembra quindi che anche attraverso questo periodo infranciosato, se così vogliamo chiamarlo, Calvino abbia tenuto fede a quello che aveva intuito e sentito da giovane, e che anzi questo gli abbia permesso di fare qualcosa di nuovo e di vitale in un momento in cui molti scrittori avevano chiuso con se stessi perché avevano chiuso con il periodo che era inevitabilmente finito, e non erano in grado di affrontare il periodo che si apriva riuscendo a trascinarsi dietro il bagaglio della loro esperienza anteriore.

DEL GIUDICE

Vorrei provare anch'io a dare certamente non una definizione, ma almeno un'indicazione di Calvino scrittore, aggiungendo a questo dibattito una parola, un termine, col quale trattenere la sua immagine presso di noi. Credo che Calvino non avesse un buon rapporto con le definizioni del suo lavoro, e ho avuto l'impressione che soprattutto nei primi anni si fosse applicato con grandissimo impegno a depistarle. Col tempo poi era diventato probabilmente più tollerante, certo insoddisfatto di quelle in cui non si riconosceva, ma anche curioso, disposto a provarle e a saggiarle, per poi magari allontanarle da sé. È probabile che se fosse tra noi rifiuterebbe anche quella che sto per dare, dato che vorrei parlare qui di Calvino come di uno *scrittore di formazione*. Con questo non voglio dire necessariamente che i libri di Calvino siano libri di formazione, anzi; voglio dire però che il rapporto che Calvino aveva con il suo mestiere, con i suoi libri, coll'incedere attraverso la sua opera, era quello di uno scrittore di formazione.

Adesso dovrei subito chiarire che cos'è uno scrittore di formazione. Quello che fu il romanzo di formazione più o meno lo sappiamo, l'Ottocento ce lo ha mostrato. Wilhelm Meister, David Copperfield, Julien Sorel, Evgenij Onegin erano personaggi la cui individualità si costituiva o si modificava in rapporto a grandi questioni, come l'amore, le passioni, la storia, questioni con le quali riuscivano a trovare una conciliazione, o che riuscivano a conciliare dentro di sé e con sé; oppure non ci riuscivano, e accettavano lo stato delle cose, la loro contraddittorietà, la loro incompiutezza. (Al lettore ottocentesco, e a quella parte di noi che nel fondo continua a leggere come un lettore di formazione, nonostante le consapevolezze più smaliziate, era dunque possibile chiedersi: ma questo Sorel che tipo è? C'è qualcosa che posso prendere di lui? C'è qualcosa che non devo assolutamente prendere di lui? Ci sarà un'occasione in cui anch'io potrei comportarmi in questo modo? Ma già con Kafka siamo in un'era nuova e non potremmo mai identificarci con Gregor Samsa, sperare che ci sia una occasione della nostra vita in cui comportarci come un bacarozzo. Insomma, nell'epoca moderna la nostra relazione è, o non è, sempre più direttamente con lo scrittore stesso, con il suo modo delicato o complicato o ironico di dire «io», e sempre meno con i suoi personaggi. O meglio: quella parte del lettore di formazione che sopravvive dentro di noi può entrare in contatto con quello scrittore di formazione, quando lo trova, che spesso si nasconde dietro certi libri).

Credo che lo scrittore di formazione sia quello che spera ogni volta, attraverso il racconto di ogni storia, di trovare, di produrre un piccolo mutamento dentro di sé. A questo tipo di scrittore le storie si presentano molto spesso per immagini, e non c'è dubbio che a Calvino si presentassero così: un uomo tagliato a metà da un colpo di spada, un bambino di temperamento che sale su un albero, un'armatura vuota che cammina sola, persone che arrivano in un castello avendo perso la parola e debbono raccontarsi attraverso un mazzo di tarocchi. Ma che gli arrivassero in forma di immagine, o in forma di pensiero, o in forma di concetto, Calvino sceglieva fra le molte storie che gli si presentavano contemporaneamente per essere raccontate quella che poteva accogliere in sé o rappresentare per lui un problema, quella che rappresentava per lui la necessità di trovare un *atteggiamento esi-*

stenziale (prima esistenziale e poi intellettuale, o comunque con le due cose molto connesse) nei confronti di una determinata questione.

Ora, non vorrei che voi attribuiste allo scrittore di formazione un carattere particolarmente serioso e grave, né tantomeno un intento pedagogico (se dovessi indicare un altro scrittore di formazione direi subito Queneau); è indubbio che l'assoluta gratuità delle storie, il carattere essenzialmente artificioso e menzognero della elaborazione fantastica, la perfetta casualità nel dispiegarsi dei racconti, il loro infinito gioco molteplice fossero elementi fondamentali in Calvino, tanto che lui li trasformò spessissimo in un procedimento; è indubbio però che dietro tutto questo c'era uno scrittore che diceva (nella conferenza *Mondo scritto e mondo non scritto*, letta a New York nell'83): «Il mio scopo non è tanto di fare un libro, quanto quello di cambiare me stesso: scopo che penso dovrebbe essere quello di ogni impresa umana».

Naturalmente Calvino sapeva anche che questi cambiamenti difficilmente avvengono, che al termine del racconto resta tutt'al più una cicatrice laddove c'era una ferita, che l'illusione di poter produrre un cambiamento dentro di sé, di trovare un atteggiamento esistenziale «giusto» nei confronti di una determinata questione, resta pura illusione, e che tutto si risolve, se si risolve, nella peripezia del racconto stesso. E molto spesso i finali dei libri di Calvino ci dicono proprio questo. Il finale del *Visconte dimezzato*, da questo punto di vista, è forse il più significativo: Medardo si era ricomposto, era diventato un uomo né cattivo né buono, un miscuglio di cattiveria e di bontà con l'esperienza di entrambe, ma non basta un visconte completato perché il mondo diventi completo. In questo senso il finale di *Palomar*, trent'anni dopo, non è molto diverso: l'ultima decisione di Palomar è quella di descrivere il mondo istante per istante, e in quell'istante stesso muore. Io non sono tra quelli che pensano che Palomar muoia veramente, e che quindi leggerebbero le pagine finali di quel libro come una precognizione di ciò che sarebbe accaduto. A Palomar, lì, capita qualcos'altro: cambia, rinasce, muta pelle, proprio perché radicale è stato il tentativo che ha fatto, forse mai così radicale nell'esperienza di Calvino, e cioè rinunciare definitivamente al modello, ricominciare da capo, tentare una percezione fenomenologica della realtà (e un suo racconto, un racconto di questa realtà, attraverso la descrizione) senza diaframmi e dunque senza intenzioni. In fondo, l'infinita molteplicità e combinatoria dei possibili, che Calvino usò negli anni sessanta e settanta, non era che l'ampliamento del «modello unico» — la *vera* società, il *vero* atteggiamento, il *vero* progetto letterario — che Calvino aveva usato negli anni cinquanta, e in cui aveva smesso di credere. E quando dico «usato» vorrei indicare la distanza (non la strumentalità) che, pur attraversando tutto questo, Calvino aveva mantenuto, come se comunque, sia di fronte al modello unico e fondato, sia di fronte all'infinita molteplicità dei possibili in puro gioco tra loro, avesse conservato un punto estremo di riserva, una riserva sostanzialmente narrativa.

La grande attenzione per la scienza, l'amore per l'enciclopedismo, la curiosità per la natura, l'idea di un progetto sociale che diventava progetto letterario, la combinatoria dei possibili — tutto, fino all'Oulipo compreso: si direbbe che tutto questo servisse di volta in volta a Calvino per agganciare una questione per lui centrale in quel momento, per esprimere un'urgenza di fondo che era sempre un'urgenza esistenziale, e che aveva come domanda implicita e finale: «C'è un atteggiamento giusto nei confronti della realtà? C'è un modo possibile, plausibile, di stare al mondo, in questo mondo, in tutto questo?». E il «tutto questo» era fatto, per lui come per noi tutti, tanto dalle idee quanto dagli avvenimenti quanto dai sentimenti; esiste infatti un sentire che è sintetico e non più scindibile, un romanzo di sentimenti puri oggi sarebbe quanto meno irrealistico, poiché nessuno di noi, oggi, ha dei sentimenti che siano sconnessi dalla rappresentazione del sentimento medesimo, dalla cultura del sentimento medesimo, da un'idea complessiva del sentire e dei suoi significati. Insomma, quello che sto sostenendo è la necessità di considerare Calvino uno scrittore molto più esistenziale e molto più autobiografico di quanto appaia.

Prendiamo le due cosmicomiche *Il niente e il poco* e *L'implosione*, scritte nell'estate dell'84. Sono con molta probabilità gli ultimi scritti narrativi di Italo Calvino. Vengono dopo *Sotto il sole giaguaro*, i cui racconti, compreso *Un re in ascolto* erano precedenti; vengono prima delle *Lectures* per l'università di Harvard, alle quali dedicò gli ultimi mesi della sua vita.

Nella prima, *Il niente e il poco*, Calvino cerca una via nuova tra la pienezza del tutto, della totalità («"... totalità! totalità" proclamavo in lungo e in largo, "futuro!" sbandieravo, "avvenire!", "a me l'immensità!" affermavo, facendomi largo in quel turbinio indistinto di forze, "che le potenzialità possano", — incitavo — "che l'atto agisca!" "che le probabilità provino"») e l'abisso del nulla; cioè, per riferirla in modo franco alle idee e ai modi di sentire degli ultimi decenni, tra la fondatezza di un pensiero positivo e "pieno" e la perdita di fondamento del *nihili-*

smus, E questa via era appunto il "poco", generato dal "niente", e così trapela anche in questa cosmicomica un'idea di azzeramento e ricominciamento, com'era già in Palomar. Anche la seconda, di queste cosmicomiche, *L'implosione*, nasce da una coppia oppositiva, che prende spunto dall'idea contrapposta di un universo in espansione e un universo in contrazione. C'è l'enunciato scientifico, come nelle vecchie cosmicomiche, c'è la cosmogonia, c'è la conversione di un concetto scientifico in un elemento mitopoietico, ma il cuore di questo racconto, il fine cui tende tutta la descrizione, è in fondo una questione di atteggiamento personale, un modo di stare al mondo: «Sia lode alle stelle che implodono... Solo a queste condizioni ci si salva dall'espansività traboccante, nelle girandole delle effusioni, dell'estroversione esclamativa, delle effervescenze e delle escandescenze. Solo così si penetra in uno spazio-tempo in cui l'implicito, l'inespresso non perdono la propria forza, in cui la pregnanza di significati non si diluisce, in cui il riserbo, la presa di distanza moltiplicano l'efficacia in ogni atto». Chi conosceva Calvino vi troverà la traccia di un suo antico problema di atteggiamento, l'indecisione tra una presenza, anche nel mondo delle lettere, delle opinioni e un distacco discreto.

Del resto lo scrittore di formazione per poter andare avanti (dato che la sua formazione non significa saggezza; Calvino avrebbe riso dell'idea di saggezza, né certo si sarebbe pensato come un accumulatore di sapienza) sa perfettamente che alla fine del suo racconto avrà semplicemente fatto il giro, il perimetro, dei possibili atteggiamenti di fronte ad una determinata questione.

È proprio dello scrittore di formazione, proprio perché fa narrazione, racconto, non risolvere il problema, ma semplicemente raccontare il possibile e infinito e molteplice dispiegarsi di un determinato problema e degli atteggiamenti esistenziali probabili di fronte ad esso. Ma in questo «fare» avrà attraversato e creato una zona d'eco, di risonanza dentro di sé; e avrà anche in parte bonificato quella zona della propria interiorità. L'ha dissodata, quanto meno. Non risolverà mai il problema che si è posto, anzi si guarderà bene dal farlo alla fine del proprio racconto, altrimenti non potrebbe intraprenderne un altro, altrimenti cesserebbe di essere uno scrittore di formazione, diventerebbe uno scrittore «formato», e cambierebbe definitivamente. Ma in questo cambiamento perderebbe la speranza, continuamente rimandata, di trovare una posizione in questo mondo, una posizione naturale e consapevole, presente e abbandonata: come quella di un corpo che prende sonno.

La domanda sui rapporti fra Calvino e la giovane letteratura equivale a quella su la sua eredità. Ogni eredità letteraria implica una selezione. Ma allo stato del discorso critico — almeno da quanto mi è occorso di sentire — non ci si pone ancora la questione di che cosa sia vivo e di che cosa meno vivo nell'opera di Calvino, ma semmai quella delle ragioni e del fondamento delle differenze che all'interno di quell'opera si leggono. Evitiamo di lasciarci prendere, per adesione o distrazione, dalla meccanica dei rovesciamenti, dove la molteplicità delle forme rimanderebbe ad una unità psicologica e stilistica e dove la ragione sarebbe superata nel fantastico o quest'ultimo si muterebbe in analisi razionale e così via. Farlo vorrebbe una analisi di tutta l'opera, un itinerario verso la mente profonda che a quella ha presieduto. Vorrebbe dire, al di là di — ossia dopo — una ricostruzione filosofica o ideologica, indicare quali siano le linee maggiori della sua scrittura; e pronunciare dei giudizi di valore. Alludo, come si intende, a quel che non poteva essere contenuto nei due splendidi interventi di Mengaldo e di Asor Rosa. Ma farlo sarebbe come volere rifare il nostro convegno; che, fedele alla tradizione, finisce quando dovrebbe cominciare.

Posso solo limitarmi a segnalare un racconto-saggio (*La poubelle agréée*) scritto fra il '74 e il '77, che mi pare concentrare in forma apparentemente corsiva le maggiori e vitali contraddizioni dell'opera di Calvino. Mi ha dato una comprensibile commozione ritrovarne l'estratto (dalla rivista «Paragone») con la dedica autografa: «a Fortini, questo testamento spirituale di Calvino».

Se quanto si legge in quelle pagine è l'eredità di Calvino, oggi essa ha il consenso della maggioranza dei suoi lettori. Il conflitto fra la enumerazione caotica e l'intelligenza analitica, di cui ci ha parlato Mengaldo, è conflitto all'interno di una antropologia unitaria che — ha detto Asor Rosa — mutua dal linguaggio scientifico solo quanto basta ad escludere, pur dopo averle evocate, società e storia; così che il dubbio di Calvino è quasi sempre *la rappresentazione* di un dubbio, non buca mai la pagina, non crea mai nessun vero antagonista. Certo, la morte del personaggio, già decretata quarant'anni fa da Giacomo Debenedetti, non dovrebbe lasciare rimpianti. Ma, attenzione: non esistono soltanto corpulenti personaggi da anagrafe, sono ''personaggi'' anche le visioni del mondo, le classi, i livelli del sapere e delle età, quelli dell'amore e dell'odio e così via.

Asor Rosa ha proposto un tema rilevantissimo (che però ha lasciato cadere troppo presto) quando ha ricordato che alla radice del comico sta la percezione del doppio o plurimo aspetto d'ogni oggetto o giudizio. Ma in questo Calvino il conflitto delle interpretazioni non conduce — come dovrebbe secondo N. Frye — alla allegra vittoria della giovinezza sulla vecchiaia e della fecondità sessuale sulla gelosa impotenza senile, ma solo ad una dilazione della morte degli eroi. Quest'ultima è infatti frequentemente evocata e simboleggiata, in *La poubelle agréée* come in *Le città invisibili* e in *Palomar,* come infinita molteplicità, nei modi divergenti (e meccanicamente contraddittori), da una parte, della scoria informe, della spazzatura e della defecazione e, dall'altra parte, della limpidezza inesausta, nel miraggio di un assoluto controllo verbale.

È vero che la figura dell'uomo come spazzatura già si legge in Beckett e che i cumuli di rifiuti di cui parla Kublai vengono senza dubbio dagli enormi cumuli di deiezioni urbane che nel *Messaggio dell'Imperatore* di Kafka si interporranno fra il messaggero e te, non appena colui avrà potuto varcare gli ultimi cortili del palazzo imperiale. È vero che leggendo il più "comico" Calvino vien fatto di ripetere, con Puškin che ascoltava Gogol': «Quanto è triste la nostra Italia». Ma tuttavia — ed ecco il risultato di una logica meccanica che si è sostituita alla dialettica — Calvino vuol sempre essere vittorioso e *avoir les rieurs de son côté* anche quando non c'è proprio nulla da ridere.

(Questo incredibilmente casto scrittore: gli elementi erotici sono in lui glaciali anche perché comicità, erotismo e humour son inconciliabili e, quanto all'amore, nei suoi libri esso esiste come elemento ornamentale, come l'aggettivo che tanto spesso in lui, direbbe Mengaldo, precede il sostantivo; mai come passione... E la blanda ossessione della sporcizia, della secrezione, della corporeità indica una volontà di disincarnata pulizia, di igiene mentale e fisica, di morte magari, ma di morte aerea. Questo, anche, il suo "platonismo").

Per ricorrere ad una rozza partizione, dalle sue pagine si arriva ad una situazione mai schizoide ma paranoide (come in due autori tanto lontani da lui, e fra loro, Sereni e Pasolini). «Il mondo è duplice o molteplice ma io sono unitario», questo ripete l'autore che parla da *La poubelle agréée.* Molto giustamente Mengaldo ha quindi parlato della prevalenza del prosatore sul narratore. Una affermazione (corredata dall'esplicita contrapposizione a quattro grandissimi narratori, Puškin, Turgenev, Tolstoj e Kafka) che accentua l'antagonismo fra i due Calvino: il primo,

che ha tentato di far affrontare, se non due figure umane, due o
più culture in *La speculazione edilizia* e in *La giornata d'uno scrutatore*;
e il secondo che, contro lo habitat culturale dei suoi racconti, dei
suoi baroni e Marcovaldi e fiabe (mondo accettabile al gram-
sciano e torinese ceto dei "produttori", Agnelli o gli operai di
linea e soprattutto i tecnici e gli ingegneri che in quella prosa si
riconoscono) quando, morto Togliatti, cominciano ad avanzare
contraddizioni affatto diverse, sceglie Parigi, lo strutturalismo e
l'antropologia culturale, la distanza dalla cronaca italiana sentita come provinciale, la scelta del rinnovamento mediante la
riduzione di ogni antagonismo a oggetto verbale, a parola, a
segno. Le splendide città invisibili ruotano allora su se stesse
come gli snodi oculari di certi insetti o hanno la perfezione,
sinistra come in Valéry, dell'osso o del tronco lavorati dal mare.

È un patto che Calvino rispetterà scrupolosamente fino alla
fine. Col risultato che quanto più i suoi strumenti linguistici si
fanno raffinati, sottili, imprendibili di logica paradossale, tanto
meno incontrano la resistenza e l'opacità che li sosterrebbe. Leggo un passo da *Sotto il sole giaguaro* (p. 71):

Il palazzo è il corpo del re. Il tuo corpo ti manda messaggi misteriosi, che tu
accogli con timore, con ansia. In una parte sconosciuta di questo corpo s'annida una minaccia, la tua morte è già lì appostata, i segnali che ti arrivano forse
t'avvertono d'un pericolo sepolto all'interno di te stesso. Quello che siede di
sghimbescio sul trono non è più il tuo corpo, sei stato privato del suo uso da
quando la corona ti ha cinto il capo, ora la tua persona s'estende in questa casa oscura, estranea, che ti parla per enigmi. Ma è cambiato davvero qualcosa? Anche prima sapevi poco o nulla di ciò che eri. E ne avevi paura, come
ora.

Nessuno, credo, si può sentir tremare leggendo queste note che
vorrebbero farci paura. Quando l'inconscio è stato così sistematicamente rimosso, si vendica; ma come enorme extratesto, bru-
tale realtà storica, non letteraria; e quella, sì, dovrebbe farci
tremare.

Non fosse troppo lungo, dovrei ora citare un passo di *La poubelle agréée*, dove si parla dei nordafricani e dei negri che sono
addetti alla nettezza urbana parigina e si afferma che la loro
prospettiva è quella della progressiva integrazione nella società
affluente oppure di essere partecipi di un capovolgimento rivolu-
zionario; e, in un inciso, si chiama questa alternativa "l'una e
l'altra illusione". Vi è qui un giuoco sottile, più che disperato, di
malafede. L'integrazione sarebbe illusoria come il capovolgimento, «almeno nella coscienza»? No, illusorio, per Calvino, è
soltanto il capovolgimento, anche solo nella coscienza; e da sem-

pre l'uomo senza conversioni equiparando integrazione e capovolgimento vota per l'integrazione; e l'illusione suprema è quella di sottrarsi al voto.

«Io e lo spazzino», conclude il periodo. Uno spazzino, per così dire, senza residui, uno spazzino interiorizzato. In quell'alba parigina, il demone che permette a Calvino la trasformazione della realtà in sogno lavora alacremente a produrre il suo nulla quotidiano.

Dunque i giovani scrittori sanno chi hanno davanti. Una sorta di bivio. L'avrebbero avuto anche senza Calvino ma, con questo maestro esemplare — che ci ha dato due successive forme di integrazione sociale (quella antecedente e quella successiva a "Parigi"), corrispondenti a due fasi della nostra vita e forse del mondo — essi possono solo interrogare un domani imminente che trascina e fissa lui con noi, precocemente scomparsi, in due diversi scaffali.

MALERBA

Per un momento ho immaginato, prima di partecipare a questo incontro, che avrei voluto parlare, per i quindici minuti che mi sono concessi, non tanto come un amico di Calvino, ma come il signor Palomar. Ho una simpatia particolare per questo personaggio fino dal giorno in cui ha cominciato a fare le sue apparizioni sulla terza pagina del «Corriere della Sera», e quindi è ormai una conoscenza di lunga data: mi piace la sua follia descrittiva, la sua ostinazione a voler penetrare il senso e la forma dell'intero universo attraverso la descrizione, vale a dire attraverso le parole, e può darsi addirittura che Calvino con le ispezioni cosmiche di Palomar abbia voluto fornirci un antidoto al "pensare corto", che è uno dei vizi più imbarazzanti della letteratura degli ultimi decenni. Ma in questa occasione io non vorrei azzardare delle ipotesi critiche su Calvino, che non è compito mio, ma esprimere soltanto, in forma di appunti in prima persona, e in forma di dubbio, alcune considerazioni sul suo modo di lavorare e soprattutto sul suo rapporto con le cose e le persone.

I miei rapporti con Calvino percorrono, con maggiore o minore frequentazione, una ventina d'anni, dal 1965 quando l'ho incontrato per la prima volta (e me lo presentò Angelo Guglielmi) durante il terzo convegno del Gruppo 63 a La Spezia, fino a una quindicina di giorni prima del suo ricovero in ospedale, quando mi aveva detto al telefono da Roccamare che stava rivedendo insieme al suo traduttore le conferenze che avrebbe dovuto "recitare", questa è la parola da lui usata al telefono, nella Università di Harvard.

Devo però confessare che mi sono trovato in difficoltà quando ho cercato di ricordare, in mezzo alle nostre numerose conversazioni, gli argomenti che potevano interessare i temi proposti da questo convegno, e che ho invidiato per questo la precisione del signor Palomar. Il pianeta Calvino è tanto lucido e limpido nei suoi scritti quanto era complesso e sfuggente nella vita, e reticente su tutto ciò che riguardava il suo lavoro. Al punto da scoraggiare sia la mia memoria, forse un po' troppo svagata e frammentaria, che la mia ostinazione e il mio desiderio di essere preciso.

Calvino si serviva spesso dell'ironia per sfuggire alle domande sui suoi progetti e lavori. Al suo traduttore William Weaver che un giorno gli aveva domandato che cosa stesse facendo, aveva risposto: «sto facendo delle città». Erano gli anni 1970 o 71 e stava evidentemente scrivendo *Le città invisibili*. Devo dire però che la stessa risposta che aveva dato al suo traduttore, con il quale non aveva nessunissima confidenza a quel tempo, l'aveva data anche a me, con l'aggiunta di qualche considerazione ironica sulle difficoltà dell'urbanistica immaginaria e sulla fatica di fabbricare dal nulla delle città. La fatica dello scrivere era uno dei temi ricorrenti di Calvino, ma credo che fosse, almeno in parte, una sua civetteria: sono convinto che nella fatica era compreso anche il divertimento e il piacere dello scrivere.

E adesso vorrei ricordare, a proposito dei suoi rapporti con il prossimo, una battuta di Chichita Calvino così come mi è stata riferita e che l'interessata potrà smentire se non è vera. Poco tempo dopo la sua scomparsa, a uno scrittore che si vantava di essere stato amico intimo di Calvino, pare che Chichita abbia detto: «Italo non aveva amici intimi». Vero o non vero, va anche detto che, nonostante la sua fondamentale difficoltà nei rapporti con le persone e le cose, e la sua vocazione alla solitudine, Calvino sapeva essere anche molto socievole, allegro, e nelle occasioni importanti anche un amico affettuoso.

So bene quanto sia azzardato attribuire una ispirazione autobiografica ai testi narrativi di uno scrittore, che siano o no scritti in prima persona, ma credo proprio che qualcosa di personale ci fosse in un breve tratto del racconto *Sotto il sole giaguaro* quando il protagonista dice della moglie: «Olivia vedeva e sapeva cogliere e isolare e definire rapidamente molte più cose di me e perciò il mio rapporto col mondo passava essenzialmente attraverso di lei». E Olivia commenta, parlando del marito: «Sei sempre sprofondato in te stesso, incapace di partecipare a ciò che ti circonda, a spenderti per il prossimo, senza mai un guizzo d'entusiasmo di tuo e pronto sempre a raffreddare quello degli altri, scoraggiante, indifferente [...] insipido».

Ho riferito due aneddoti e ho citato un brano di un racconto che naturalmente non vanno presi alla lettera, ma che possono servire non solo a dare una immagine del carattere poco confidenziale di Calvino, ma per mettere sul tavolo qualche elemento sul suo rapporto con il mondo esterno. Un rapporto che nei lunghi anni di consuetudine con lui, sia pure saltuaria, è sempre rimasto per me un enigma.

Voglio citare a questo proposito un altro incontro avvenuto quando si era appena insediato nella sua casa nella pineta di Roccamare. Avevo fatto notare a Calvino che per il sottotetto erano stati usati dei mattoni, o meglio delle "mezzane" che sono mattoni più sottili e quindi più leggeri, di una lunghezza del tutto inusitata, superiore a quella standard che si usa per i tetti costruiti nella maniera tradizionale. Calvino non aveva notato la differenza e mi aveva confidato, con un sorriso ironico che mi aveva fatto dubitare della sua sincerità, che da tempo ormai si era disabituato a leggere la realtà direttamente e che la sua conoscenza delle cose gli veniva solo attraverso mediazioni, soprattutto la lettura: libri, giornali, testi scientifici eccetera. Poi avevamo indagato per gioco sulle ragioni di quella lunghezza insolita delle "mezzane", proponendo come prima istanza delle ragioni di estetica, che però nessuno dei due trovava soddisfacenti, per arrivare infine alla conclusione che quelle "mezzane" più lunghe del solito dovevano provenire da una regione dove abbondava l'argilla per fabbricarle ma scarseggiava il legname che quella lunghezza insolita permetteva di risparmiare nell'allestimento di un tetto. Durante questa breve indagine alla Sherlock Holmes era scattato l'interesse e il divertimento di Calvino, mentre su quei materiali da costruzione del tutto insoliti e per me assai strani, continuava a mostrare la sua totale indifferenza. Nella opposizione fra il mondo della ragione logica e il mondo dei corpi e della materialità fisica, gli interessi di Calvino pendevano tutti verso il primo.

Ma un'altra conferma della sua sorprendente affermazione sulle "mediazioni" l'ho ritrovata alcuni anni dopo nel testo di una conferenza tenuta alla New York University nel 1983 e pubblicata nel numero di aprile-settembre 1985 della rivista

«Lettera internazionale». Dice Calvino in quel testo: «Quando mi stacco dal mondo scritto per ritrovare il mio posto nell'altro, in quello che usiamo chiamare *il* mondo, fatto di tre dimensioni, cinque sensi, popolato da miliardi di nostri simili, questo equivale per me ogni volta a ripetere il trauma della nascita, a dar forma di realtà intelligibile a un sistema di sensazioni confuse, a scegliere una strategia per affrontare l'inaspettato senza essere distrutto». La sua diffidenza, il suo sgomento di fronte al mondo esterno, uomini e cose, e forse alla fine anche un sospetto di disinteresse, avevano a loro volta sgomentato e messo in difficoltà la mia radicata convinzione che uno scrittore debba immergersi nella realtà delle cose e delle persone, anche soffrire in questo rapporto mentre, soprattutto negli ultimi anni, avevo la sensazione che Calvino si stesse allontanando dalla realtà per rinchiudersi nel mondo per lui molto più rassicurante della carta stampata.

Questo atteggiamento, mi dicevo, può corrispondere al Calvino del romanzo *Se una notte d'inverno un viaggiatore*, che è un libro cresciuto su altri libri presunti e sui vari modi di raccontare una storia, o l'incipit di una storia. Ma come conciliare una simile ideologia con *Palomar* o *Collezione di sabbia*, due testi dove l'osservazione microscopica del reale è il fondamento su cui sono nati e sono stati scritti? Ricorderò ancora, sempre su questo tema, le sue ripetute confessioni sulle difficoltà che aveva incontrato per portare a compimento il progetto del libro sui cinque sensi. Difficoltà che già erano cominciate con il primo racconto sull'olfatto di cui ho un preciso ricordo perché Calvino me ne parlò quando venne pubblicato su «Playboy», diretto allora da Oreste del Buono, più o meno nello stesso periodo in cui pubblicai anch'io un racconto su quella rivista.

Ho detto che forse Calvino negli ultimi tempi si stava allontanando dalla realtà, e può darsi che sia personalmente influenzato dal fatto che negli ultimi due anni si erano molto diradati i nostri rapporti, non saprei dire per quale ragione, ma non credo proprio che nei rapporti con gli amici temesse di dover scegliere delle particolari strategie, come aveva affermato in quella conferenza. Credo piuttosto che prevalesse negli ultimi anni la convinzione che l'esperienza diretta ponga dei freni alla immaginazione invece di sollecitarla: una convinzione che tra l'altro lo aveva allontanato totalmente, e con fastidio, dalla politica. Confesso che questi atteggiamenti mi avevano fortemente turbato, ma anche incuriosito.

Un giorno, passando sulla piazza del Duomo a Orvieto, ho

visto un uomo che aveva distolto gli occhi dalla facciata e, voltandole le spalle, ne osservava attentamente una riproduzione fotografica. Dopo il primo momento di stupore e anche di irritazione mi sono interrogato a lungo sullo strano comportamento di quello sprovveduto turista che all'oggetto preferiva la sua riproduzione fotografica. Ma la mia arroganza deve arrendersi quando mi accorgo che uno scrittore come Calvino affermava di avere voltato le spalle alla realtà e di preferirne la mediazione scritta.

Può darsi che si trattasse di una menzogna, ma forse la spiegazione sta in un'altra affermazione di Calvino durante una nostra amichevole discussione sul vivere in campagna e vivere al mare. Io gli dicevo che posso leggere con profitto e divertimento la campagna come un libro scritto, e anche illustrato, mentre per me il mare equivale a una pagina bianca. E Calvino mi aveva risposto che a lui bastava un metro quadrato di superficie marina per avere tanto da leggere per una vita intera: le luci e i giochi delle rifrazioni, le onde, le schiume, i riflessi del sole nelle diverse ore del giorno, la pioggia sull'acqua, eccetera. Più tardi ho trovato stampato su «la Repubblica» e poi in *Palomar* un bellissimo capitolo intitolato *La spada del sole* che corrispondeva proprio a quella sua idea della superficie del mare.

Qualcuno ha detto che pensare confonde le idee e allora, alla fine di questo mio intervento un po' confuso, vorrei citare il pensiero di uno scrittore come Oscar Wilde apparentemente così lontano da Calvino. In un suo lungo saggio in forma di dialogo in cui propone una sua teoria della letteratura come menzogna, Oscar Wilde afferma: «Più si studia l'Arte e meno ci interessa la Natura. Quello che l'Arte veramente ci rivela è la mancanza di disegno della Natura, le sue strane asperità, la sua straordinaria monotonia, la sua assoluta incompiutezza. La Natura è piena di buone intenzioni, è vero, ma come disse una volta Aristotele, non le realizza mai».

È un atteggiamento evidentemente espresso in forma paradossale ma sembra corrispondere in pieno alla ideologia letteraria, forse altrettanto paradossale, di Italo Calvino, o almeno dell'Italo Calvino che ho conosciuto io. L'enigma insomma rimane aperto, ma evidentemente le strade della scrittura sono infinite e forse a Calvino sarebbe bastato vivere nel mondo un solo giorno per avere poi materia di riflessione e di scrittura per tutto il resto della sua vita.

Alla fine del mio intervento vorrei ricordare una citazione fatta da Cesare Cases in un bel saggio su Calvino pubblicato nel libro *Patrie lettere*, perché mi sembra che confermi il problema della distanza dalle cose di cui ho parlato. Alla fine del *Sentiero dei nidi di ragno* dice Pin che le lucciole «a vederle da vicino sono bestie schifose». Io credo però che il nietzschiano «pathos della distanza» di cui si parla in quel saggio abbia tratto in inganno sia Cases che Calvino, e ho l'impressione che nessuno dei due abbia mai visto da vicino una lucciola, che non è affatto una "bestia schifosa" ma è invece un animaletto assai grazioso.

ASOR ROSA

Credo che quello che abbiamo ascoltato sia stato estremamente interessante e sollecitante. Abbiamo ascoltato cinque determinazioni diverse, molto diverse, dello scrittore Calvino. Cinque, dicevo, perché anche quella di Gianni Celati è stata una *determinazione*, checché abbia sostenuto lo stesso Celati, e non avrebbe potuto non esserlo, proprio perché è un limite ineliminabile, come è al tempo stesso una facoltà altrettanto ineliminabile del discorso, quello di rinchiudere e circoscrivere il "soggetto" mentre lo si precisa e definisce.

Cinque determinazioni, — e qui forse c'è una conferma della validità dell'idea di fare una Tavola Rotonda fra scrittori o fra critici in quanto scrittori, piuttosto che fra critici puri — che in realtà corrispondono a cinque modi diversi di essere e di sentirsi scrittori da parte degli intervenuti. Credo, infatti, che le cinque determinazioni siano anche cinque dichiarazioni di poetica personale, oltre che di contributo definitorio e critico su Calvino, il che non mi pare sia stato negativo, anzi il contrario. Questo significa, infatti, che Calvino si presenta senza dubbio come un reagente poderoso, a cui è difficile rispondere con un atteggiamento banalmente passivo, con un apprezzamento puramente convenzionale. Ci sono state delle diversità abbastanza profonde, si potrebbero isolare i punti delle differenze e del dissenso, ma credo che alcune linee di discorso comincino ad emergere, ponendo al centro dell'attenzione un tema, su cui la Tavola Rotonda, e forse il Convegno stesso, potrebbero continuare. Scusate se faccio un piccolo passo indietro, ma quando abbiamo organizzato questo Convegno, ci siamo accorti che Calvino era veramente (forse al contrario di quello che diceva Celati) uno scrittore molto famoso, ma non tanto studiato: insomma, la bibliografia critica del personaggio si compone di alcuni testi anche buoni, anche belli, ma c'è stato come un atteggiamento di prudenza, anzi di cautela, nei confronti di uno scrittore che probabilmente si presentava, soprattutto da un certo momento in poi, come complesso, ed ispirava, certo, rispetto, ma di quel rispetto che finisce per essere il più delle volte una specie di timore reverenziale. Invece, ora qualche linea di approfondimento comincia ad emergere, in merito perlomeno ai principali presupposti della narrativa, del pensiero, dell'atteggiamento calviniani; le cose che ha detto Fortini riprendendo le riflessioni di Mengaldo e alcune mie, le cose, in particolare, che ha detto Daniele Del Giudice, credo corrispondano a delle linee di discorso che ci sono state dentro il Convegno, e che cominciano a comporre un quadro problematico, ad aprire su delle direzioni di ricerca abbastanza identificabili. Ha fatto un passo avanti, in particolare, quella questione, che in precedenza era molto approssimativamente e rozzamente posta, del rapporto fra fantasia e ragione, fra natura e storia; su questo, sia dal punto di vista linguistico, sia da quello ideologico e della storia del pensiero di Calvino, passi avanti il Convegno ne ha fatti fare, e la Tavola Rotonda li ha confermati e approfonditi. Ho l'impressione, invece, come accennavo, che resti ancora da definire un problema che il Convegno non ha nemmeno posto o ha posto in maniera imprecisa, un problema che, al contrario, negli interventi della Tavola Rotonda comincia anch'esso ad emergere, forse proprio perché ne sono stati protagonisti gli scrittori. Questa questione potrebbe essere posta in questo modo: data una certa immagine, una certa ricostruzione della narrativa e del pensiero di Calvino, che cosa e come ha effettivamente contato Calvino nella storia della cultura letteraria italiana contemporanea?

Le cose che diceva Fortini, criticamente, costituiscono già una risposta implicita a questa domanda, ma probabilmente su questo potremmo fare un momento di riflessione, ammesso che la domanda possa essere raccolta volentieri dai componenti della Tavola Rotonda.

CASES

Vorrei parlare un po' fuori dai denti, perché ho paura di essere accusato di canonizzazione da Celati, che mi pare un po' contraddittorio, perché da una parte pretende che non canonizziamo, dall'altra dice che non possiamo dire niente di Calvino perché ci sono tutti i biografi che sono lì pronti per trascrivere quello che diciamo e fare una biografia.

Dobbiamo fare una scelta: se vogliamo evitare l'accusa di canonizzazione (con il rischio che non ci rimborsino le spese di viaggio, ciò che sarebbe prova sicura che non abbiamo canonizzato) dobbiamo anche dire quello che pensiamo di Calvino.

Cercherò di dire il male che penso di Calvino, perché è solo questo che ci risparmia l'accusa di canonizzazione, ma non ho solo da dire male di Calvino.

Vorrei riprendere il discorso cominciando da quello che diceva Malerba sulla faccenda delle lucciole, cioè il fatto che Calvino vede la sua professione in quella di vedere, ma di vedere ad una certa distanza, e vorrei ritornare sulla vignetta che appare sulla copertina di *Palomar*, che ieri ci hanno detto che è stata scelta personalmente da Calvino.

Probabilmente ho sentito male perché parla troppo rapidamente (e lui se ne intende, io no), ma mi pare che Pierantoni avesse parlato di una camera oscura. Ho guardato questo disegno e mi pare che la camera oscura non ci sia; Calvino, come dice giustamente Daniele Del Giudice, è uno scrittore diurno e non uno scrittore notturno. Quella incisione di Dürer che c'è in copertina rappresenta un pittore che ha davanti a sé un vetro diviso in scomparti, dietro il vetro c'è una modella molto opulenta — il disegno è stato scelto da Calvino, ma la donna è stata scelta dai gusti teutonici di Dürer, perché Calvino sappiamo che era castissimo e che riusciva ad ottenere l'assoluto con il poco, non con il nulla o con il molto — e questo signore che sta dietro, da una parte sta ad una distanza fissata da una specie di obelisco che segna il punto di vista, cioè lui guarda dal punto superiore di questo obelisco, è di lì che guarda, non andrà oltre, non infrangerà la barriera del vetro, non toccherà quella donna procace perché è un platonico, come ha detto giustamente Asor Rosa, quindi il senso della vista è per lui primario. D'altra parte costui ha davanti a sé una carta con un reticolato analogo e da quella posizione riproduce le fattezze della donna per ogni quadratino, in questo modo ricostruisce la realtà che ha davanti a sé da quel punto di vista determinato. E quindi da platonico diventa anche, se vogliamo, aristotelico. Asor Rosa ci ha spiegato egregiamente questa dialettica fra platonismo e aristotelismo che riproduce il concreto, non resta nella astrazione.

Questa immagine che Calvino dava del suo procedimento mi sembra questa volta che valga per tutto Calvino. È una immagine che poteva ornare anche un libro di un realista socialista: cosa c'è di più realistico e classicheggiante di un procedimento di questo genere? D'altra parte è giusto che orni anche *Palomar*, dove questo stesso procedimento ritorna a proposito della difficoltà di Palomar di separare la singola onda dalle altre, di separare l'elemento singolo dalla totalità indistinta del mare.

E quindi mi sembra che vada bene indipendentemente dalla storia delle lucciole che è superata, perché le lucciole si sono estinte, come ha detto Pasolini, in un articolo famoso.

Finito questo discorso, vorrei ritornare sulla questione di Fortini, che scorge in Calvino l'uomo che voleva essere sempre vincitore e che quindi non ha adempiuto al dovere elementare dello scrittore oggi, che sarebbe quello di fallire. Non so se però oggi lo scrittore può veramente fallire, perché la situazione è tale che il fallimento è divenuto pressoché impossibile. Tu fallisci, ma nessuno ne prende nota perché non esistono i mezzi, cioè è la struttura stessa della società che obbliga entro certi limiti a vincere, altrimenti non sopravvivi neppure a te stesso. Secondo me Calvino è arrivato ad un buon grado di compromesso fra questa necessità di vincere e l'esigenza di vincere senza "sputtanarsi" troppo. Questo presupponeva una forte dose di rifiuti e di compromessi, magari a danno di quelli che non erano emersi, che non facevano parte dei VIP. Qui viene il male che ho da dire di Calvino: ricordavo con Fortini ieri sera che una volta sono andato a Parigi a trovare Calvino, il quale mi ha accolto con una freddezza glaciale proprio perché venivo da quella cronaca provinciale di cui parla Fortini, che lui aveva lasciato dietro le spalle. Fortini lo accoglieva bene perché Fortini andava da lui, ma il giorno prima era stato da Sartre. Invece a Parigi io non conoscevo che lui e il ristorante Procope, quindi dovevo andare a trovare lui, e lui mi ha accolto come uno che venisse da un altro mondo. Questi erano gli aspetti antipatici, se volete, di Calvino, ma io mi domando se questa non era una antipatia necessaria se si vuole sopravvivere, perché Calvino non era affatto antipatico, era simpaticissimo e ho passato ore deliziose con lui. Però era certo che soprattutto negli ultimi anni un buon margine di antipatia necessaria ce l'aveva; cosa volete fare? Certo uno non può vedere tutti i giorni Malerba anche se sta a duecento metri. Bisogna che gli telefoni, perché oggi a Roma fare duecento metri vuol dire che uno non può scrivere l'articolo per «la Repubblica» del giorno dopo: bisogna scegliere.

Da questo punto di vista è vero che voleva sempre vincere e che nella sua opera c'è una traccia di questo, però è molto miglior vincitore di tanti altri, soprattutto è un vincitore il quale aveva sempre la coscienza che vincere si doveva, ma che vincere era male e che il vincere portava in se stesso la morte. Non so se sia vero che l'ultimo scritto di *Palomar* contenga un presagio di morte o meno, sono d'accordo con Del Giudice che non ce lo vede, ma Calvino come Musil, che è morto esattamente alla sua età e per lo stesso male e che era davvero antipatico, ha pagato in qualche modo il suo sforzo di venire a capo di questa società orribile, in cui c'è tanta immondizia che non si riesce a dominare, che neanche Calvino con il suo amico spazzino avrebbe mai potuto dominare, e che i discorsi sulla parola e sul mondo fatto di parole non riescono assolutamente a smuovere.

Penso che tra tutti questi vincitori che non ci dovrebbero essere ma che ci sono, Calvino sia stato uno dei migliori. Aveva anche molta comprensione e ricordi per i falliti, per coloro che non l'avevano seguito verso la sfera dei VIP. Certo allora mi accolse come in quel racconto di Pirandello *Lumie di Sicilia*, se avessi avuto delle lumie gliele avrei buttate per terra, nella sua casa di Place du Châtelet (e forse gli avrei fatto torto, perché sarà stato semplicemente sovraffaticato). Però è anche vero che ogni volta che mi vedeva mi chiedeva sempre informazioni di Renato Solmi, il quale è nel nostro gruppo quello che se ne sta ad insegnare in un liceo, che non vede più quasi nessuno, e che rimugina sempre sulla rivoluzione che s'ha da fare, perché una parte di Calvino era rimasta lì, in quell'ambiente in cui una volta non c'erano distinzioni. Calvino era già stato tradotto in quindici lingue quando Solmi aveva scritto un solo saggio e ne stava scrivendo un altro, però si era tutti compagni, uniti in una impresa che non si sapeva come e sotto che costellazione sarebbe andata a finire ma che ci rendeva tutti fratelli.

FORTINI

Dovendo rispondere a Daniele Del Giudice e a Gianni Celati, evitiamo, se possibile, di trasformare questo pomeriggio in un convegno anticipato su Fortini. Aspettate almeno che sia morto. Siamo qui per parlare di Calvino.

Per quanto riguarda Del Giudice dirò che non ho pensato ad una opposizione fra lo scrittore «diurno» e «notturno». Credo vi sia stato equivoco. Quando ho parlato del «sudiciume», non alludevo a quello, reale o immaginario, che ci circonda ma a quello di cui Calvino parla nella *Poubelle* né solo in quel suo scritto, esso è uno dei motivi che tornano periodicamente nel suo pensiero, è il problema della scoria, di quel che si elimina, di quel che di noi trapassa, quasi fisicamente, anche nell'opera. Tale corporeità, in uno scrittore come Calvino, è qualcosa che sconcerta i critici tradizionalmente inclini a vedere in lui soprattutto uno scrittore cartesiano. Non ho mai avuto nessuna inclinazione, d'altronde, per gli scrittori delle viscere, delle budella, dello sterco e del sangue, detesto Céline e altri come lui; e, in genere, le mie simpatie vanno piuttosto a scrittori asciutti, come Calvino. Però credo che sia compito del critico mettere in evidenza quale sia il prezzo che uno scrittore paga quando sviluppa unilateralmente una sua parte.

A quanto ha detto il dottor Celati non ho invece nulla da rispondere.

Quanto a Cases, gli debbo una precisazione. Mi sono certo espresso male. Quando ho detto che Calvino era autore che amava vincere non mi riferivo soltanto ad una sua caratteristica biografica. Non siamo qui per fare una biografia di Calvino, non mi occupo dei suoi comportamenti pratici e del suo successo. È ben altro: è che egli vuol vincere nella scrittura, procedendo per alleggerimenti successivi e controllandone ogni attimo. Non si lascia mai mettere in scacco da quello che, più che ''l'aspetto notturno'', è la resistenza che le cose, la realtà, oppongono allo scrittore. Il punto è questo: quando Calvino scrive tutta la prima parte della sua opera, quel reale gli fa resistenza in mille forme ma soprattutto attraverso l'articolazione dei conflitti fra i suoi personaggi; e — torno a ripeterlo — personaggi sono qui, ad esempio, l'universo culturale dello speculatore edilizio o, nel medesimo racconto, quello della madre del narratore e quello del narratore stesso. Quando Ormea si incontra col Cottolengo, questo si presenta come un universo culturale in deciso conflitto con quello da cui Ormea proviene.

In tali conflitti c'è una oggettiva realtà contro la quale batte il naso, splendidamente, Italo Calvino. Parlavo del suo desiderio di un controllo generalizzato. Avessi il cattivo gusto necessario, potrei lasciarmi andare a qualche banalità di tipo psicanalitico per suggerire di che cosa siano maschera quei due suoi simultanei bisogni di pulizia e di dominio. Ma vorrei invece richiamarmi a quanto ha detto Asor Rosa all'inizio: come pensiamo sia stata ricevuta, l'opera di Calvino, ed abbia svolta la sua influenza.

Posso solo riferirmi a qualche memoria personale. A parte il rapporto fra persone che si sono sentite a lungo dalla medesima parte della barricata, non posso non ricordare che, a firmare la prima recensione rivolta ai miei versi, è stato proprio Italo Calvino.

C'è stata poi la certezza dell'alto e anche altissimo livello che il narratore raggiungeva negli anni in cui viveva in Italia. Tuttavia — e qui, pur riferendomi ad una opinione personale, credo di poterla supporre estesa anche al gruppo di amici che avevo allora più vicini e che non è quello torinese qui rappresentato dall'amico Cases — le riserve che potevamo avere sulle scritture di Calvino non interessavano tanto le sue prose narrative quanto gli atteggiamenti e le posizioni politiche del periodo che va dal 1957 alla sua partenza per Parigi; e queste riserve o ostilità tuttavia si accompagnavano, in me come nei miei amici, ad una crescente e incondizionata ammirazione per il prosatore Calvino. Per vent'anni ho ripetuto che non conoscevo nessuno che avesse scritto ai nostri anni una qualità di italiano come quello della prosa di Calvino saggista.

Ma mentre mi pare che presso gli scrittori italiani — o, per maggiore precisione, presso una loro minoranza o presso quelli che più mi sono simpatici — abbia fruttificato il modello del narratore Calvino, molto meno, per non dire punto, mi pare sia accaduto per la sua scrittura saggistica. Il suo straordinario esempio di equilibrio fra precisione e correttezza senza mai pedanteria né gusto dello specialismo, è passato pressoché inavvertito sui dorsi oleosi di quelli che il dottor Celati chiama i professori; dei quali non so se faccia parte anche lui, e di cui invece sono io senza dubbio l'uno.

Ad esempio, Calvino predicava malissimo e razzolava bene quando sosteneva certe posizioni ideologiche e politiche, mentre poi dava una prova lucente di quello che avrebbe gradito fosse un diffuso civile linguaggio della prosa. Quante volte, in epoca successiva, la rabbia che provavo per quel che Calvino scriveva sul «Corriere della sera» era accresciuta proprio dalla irrefutabile qualità della sua scrittura.

DEL GIUDICE

Nell'intervento che ho fatto prima, sicuramente c'era una traccia autobiografica, anche se preparandomi per venire qua avevo mantenuto la mia decisione fin da quando Calvino è morto, e cioè che dei miei rapporti con lui non parlerò, perché appartengono alla sfera degli interessi e dei sentimenti personali, che va rispettata. Inoltre ci sono state persone che hanno avuto rapporti con Calvino molto più lunghi e datati e più profondi dei miei.

Mai avrei creduto di dovere incrociare le spade con Franco

Fortini. Quando lui dice che l'eredità che è giunta a noi è quella di Calvino, non è completamente vero. L'eredità che è giunta a me è anche quella di *Verifica dei poteri*, di *Questioni di frontiera*, è quella di *Scrittori e popolo*, è quella di *Thomas Mann o dell'ambiguità borghese*. Non è vero che l'eredità che è giunta a chi fa oggi questo mestiere sia solo quella di Calvino, è un'eredità molto più complessa e ricca.

Certamente sono d'accordo con Franco Fortini: lo sporco ha le sue profonde ragioni e ha la sua linfa vitale; il problema è che io scrivo in una epoca in cui lo sporco è organizzato da associazioni con bandiera e fanfare, che non posso più raccontare lo scandalo e quindi la potenza di questo sporco, perché è rappresentato in pubblico continuamente. Non vorrei che quando parlo di associazioni con bandiera si pensasse ai partiti o ai sindacati; penso soltanto al fatto che tutto ciò che è contraddizione, emarginazione, elemento di dirompenza, di devianza rispetto alla società così com'è, ha le sue sezioni aperte con gli iscritti, con le tessere. Come faccio io a raccontarlo? È vero però che esiste per me un problema, quello della differenza e dell'incertezza tra lo scrittore diurno e lo scrittore notturno; non c'è dubbio che Calvino rappresenta la parte diurna della scrittura, e che il suo essere scrittore diurno in qualche modo lo ha costretto a rimuovere alcuni elementi fino al punto che si sente talvolta la mancanza della opacità, di tutto ciò che è opaco. Prendiamo Conrad, su cui Calvino scrisse la sua tesi di laurea, e che è quindi un punto di partenza per lui; in Conrad c'è questa compresenza di luminosità e di opacità: fa narrazione con l'opaco e con il luminoso. Calvino ha filtrato tutto per esprimere al massimo livello la parte diurna della scrittura. Il fatto è che nella tradizione italiana almeno io non ho trovato un elemento notturno di scrittura che fosse espresso allo stesso livello.

Fortini diceva giustamente che Calvino si allontana dalla cronaca, io però, che amo molto Pasolini come poeta, quando rileggo i suoi due romanzi così pieni di cronaca, non so dove mettere le mani. Cosa c'era di più forte e dirompente di *Ragazzi di vita* e di *Una vita violenta*? Provare a rileggerli oggi, c'è da mettersi le mani nei capelli. Allora il problema qual è? Non si tratta certamente di venir meno a ciò che Fortini rivendica, al ruolo di «opposizione»; il problema, rispetto alla tradizione che Fortini rappresenta è che io, oggi, non posso più avere un punto fisso da cui fare opposizione. La mia opposizione muove continuamente da un punto mobile; devo trovare di volta in volta sia il bersaglio sia il punto da cui sparare. Non ho postazioni fisse da cui esprimere la mia opposizione. Certamente l'opposizione è un elemento fondamentale di questo lavoro; ma tra quello che veniva fatto vent'anni fa e quello che posso fare oggi c'è la stessa differenza che c'è tra un falco e un aquilone.

MALERBA

In risposta a un interrogativo sulle possibili influenze dell'opera di Calvino sulla narrativa italiana accennato da Asor Rosa e Franco Fortini alla fine di questa Tavola Rotonda, vorrei esprimere un parere che a questo punto non può essere che sommario e improvvisato. La mia impressione, per dirla in breve, è che Calvino non sia un punto di partenza e nemmeno un ponte di passaggio, ma un punto di arrivo. Mi conforta in questo la sua ideologia letteraria totalizzante e onnivora. Non mi pare che Calvino lavorasse sul poco o sul nulla, ma che volesse rispondere con i suoi libri a una tensione verso la totalità: l'esperienza contingente, per quanto filtrata, è passata in alcuni suoi libri come *Il sentiero dei nidi di ragno*, *La giornata d'uno scrutatore*, in molti racconti e nella sua pubblicistica politica, l'interpretazione è alla base di molti saggi su eventi, luoghi e personaggi reali raccolti in *Collezione di sabbia*, lo sgomento cosmico nelle *Cosmicomiche* e in *Ti con zero*, la microscopia scientifica del reale e i problemi della conoscenza in *Palomar*, l'origine e le meccaniche della finzione narrativa in *Se una notte d'inverno un viaggiatore*, le funzioni combinatorie del reale ne *Il castello dei destini incrociati*, ecc. L'ansia conoscitiva che percorre tutta la sua opera (che produceva le difficoltà di rapporti con le cose e le persone di cui ho parlato nel mio intervento) sono un indice della sua intenzione di costruire una "letteratura a forma di sfera". Che questa sfera mostri qualche lacuna non smentisce la sostanza di una presenza chiusa in se stessa, avvalorata anche dalla attività di Calvino come saggista letterario che tende a colmare i vuoti e a completare una definitoria stabilità della propria opera. Diversamente dunque da altre presenze novecentesche (citerò solo C.E. Gadda) dove la continua sperimentazione della lingua e delle strutture propone feconde aperture e proliferazioni, l'opera di Calvino, come ho detto, mi pare più che un punto di partenza un punto di arrivo che potrà produrre, piuttosto che nuove direzioni o nuovi autori, solo anemiche imitazioni e pallidi epigoni.

NOTE

1 Gianni Celati non ha consegnato l'intervento per la pubblicazione.

INDICI

INDICE DEI NOMI

INDICE GENERALE

Finito di stampare il 12 ottobre 1988 dalla Garzanti Editore S.p.a., Milano

59801